Wassende maan

D0900759

Clive Cussler

met Dirk Cussler

Wassende maan

the house of books

Eerste druk, oktober 2011
Tweede druk, december 2011

Oorspronkelijke titel
Crescent Dawn
Uitgave
G.P. Putnam's Sons, New York
Copyright © 2010 by Sandecker RLLLP
By arrangement with Peter Lampack Agency, Inc. 551 Fifth Avenue, Suite 1613, New York,
NY 10176-0187 USA and Lennart Sane Agency AB
Copyright voor het Nederlandse taalgebied © 2011 by The House of Books, Vianen/Antwerpen

Vertaling
Pieter Cramer
Omslagontwerp
Jan Weijman
Omslagillustratie
Artist Partners Limited
Foto auteur
© Jack DeBry
Opmaak binnenwerk
ZetSpiegel, Best

ISBN 978 90 443 3255 1
D/2011/8899/155
NUR 332

www.thehouseofbooks.com

Voor Teri en Dayna,
die het allemaal leuk maken

TURKIJE

Dardanellen

Celiks inham ●

Egeïsche Zee

● Çanakkale

N

Chios

Ottomaans
scheepswrak ⚓

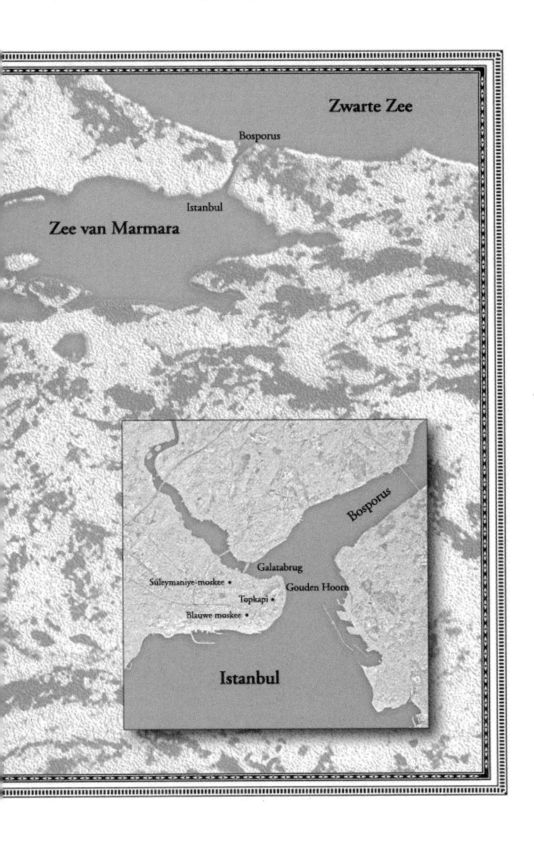

Zwarte Zee

Bosporus

Istanbul

Zee van Marmara

Bosporus

Galatabrug

Süleymaniye-moskee •

Gouden Hoorn

Topkapi •

Blauwe moskee •

Istanbul

PROLOOG

Vijandige horizonten

De Middellandse Zee, 327 v. Chr.

Het geluid van de trommelslagen weerkaatste met een ritmisch vlekke-loze precisie tegen de houten schotten. De *celeusta* beukte met een soepele en tegelijkertijd mechanische beweging op zijn met geitenvel be-spannen trommel. Hij kon zo urenlang doorgaan zonder ook maar één slag te missen: zijn muzikale opleiding was meer op duurtraining dan op harmonieleer gebaseerd geweest. Hoewel zijn strakke maathouden beslist werd gewaardeerd, hoopten zijn toehoorders, de galeiroeiers, niets liever dan dat er spoedig een eind kwam aan zijn monotone optreden.

Lucius Arcelian wreef met een zweterige hand over zijn broek, waarna hij zijn greep op de zware eikenhouten riem weer verstevigde. Terwijl hij het blad met een soepele beweging door het water trok, voegde hij zijn slagen onmiddellijk in het ritme van de mannen om hem heen. De jonge Kretenzer had zich zes jaar eerder bij de Romeinse marine aangemeld, aangetrokken door het lucratieve salaris en de mogelijkheid om na zijn pensionering het Romeins burgerschap te verwerven. Sindsdien was hij lichamelijk zwaar op de proef gesteld en waren zijn ambities, voordat zijn armen het volledig zouden begeven, alleen nog gericht op promotie naar een minder zware positie aan boord van de keizerlijke galei.

In tegenstelling tot wat Hollywood ons wil doen geloven, werden er aan boord van de Romeinse galeien geen slaven ingezet. De schepen werden door betaalde krachten bemand, die zorgvuldig in de zeevarende landen van het keizerrijk werden gerekruteerd. Net als de legionairs in het Romein-se landleger kregen de matrozen voordat ze naar zee gingen een weken-lange, keiharde training te verduren. De roeiers waren lenig en sterk, in staat om zo nodig twaalf uur per dag aan één stuk door te roeien. Maar aan boord van deze bireem van het Liburnische type, een smal en licht oorlogsschip dat slechts over twee rijen roeiriemen aan beide kanten be-schikte, fungeerden de roeiers als een aanvulling op de stuwkracht van een klein zeil dat aan dek was opgetuigd.

Arcelian keek naar de op de trom slaande celeusta, een kleine kale man met naast hem een vastgebonden aapje. Onwillekeurig zag hij een opvallende gelijkenis tussen de man en de aap. Ze hadden allebei grote oren en een rond, olijk gezicht. Er lag een eeuwige grijns op de tronie van de trommelaar, waarmee hij de bemanning met grote ogen en een onregelmatig geel gebit toelachte. Dat beeld maakte het roeien op de een of andere manier minder zwaar en Arcelian besefte dat de kapitein van de galei met het aanstellen van deze man een verstandige keus had gemaakt.

'Celeusta,' riep een van de roeiers, een donkere man uit Syrië. 'Er staat een stevige wind en de zee kolkt. Waarom krijgen we dan nu het bevel om te roeien?'

De ogen van de trommelaar lichtten op. 'Het is niet aan mij de wijsheid van mijn officieren in twijfel te trekken en doe ik dat wel dan zit ik binnen de kortste keren ook aan zo'n riem,' antwoordde hij brullend van de lach.

'Ik durf te wedden dat die aap sneller roeit,' reageerde de Syriër.

De celeusta bekeek de aap die ineengerold naast hem lag. 'Het is beslist een sterk knaapje,' antwoordde hij meespelend. 'Maar wat je vraag betreft, weet je wat 't is? De kapitein wil zijn praatzieke mannen waarschijnlijk aan het werk houden of misschien wil hij gewoon sneller zijn dan het alleen met de wind gaat.'

De kapitein, die een paar meter boven hen op het bovendek stond, staarde rusteloos naar de horizon achter hen. Op het woelige water in de verte dansten een stel grijsblauwe stipjes, die met de minuut groter werden. Hij draaide zich om en keek naar de wind in het zeil en wenste inderdaad dat hij stukken sneller kon varen dan de wind.

Hij schrok van een zware stem die hem uit zijn concentratie haalde.

'Zijn het de woedende baren die je de bibbers bezorgt, Vitellus?'

De kapitein draaide opzij naar een forse man in een borstharnas die hem met een spottende grijns aankeek. De Romeinse centurio Plautius was commandant van het uit dertig legionairs bestaande garnizoen dat op het schip was gestationeerd.

'Er naderen twee schepen uit het zuiden,' antwoordde Vitellus. 'Allebei zo goed als zeker piraten.'

De centurio keek ongeïnteresseerd naar de schepen in de verte en haalde zijn schouders op.

'Een paar vliegjes, meer niet,' zei hij zorgeloos.

Vitellus wist wel beter. Piraten waren al eeuwenlang een plaag voor Romeinse schepen. Hoewel de georganiseerde piraterij in de Middellandse Zee een paar honderd jaar geleden door Pompeius de Grote was uitgeroeid, maakten kleine groepen van onafhankelijke rovers nog altijd de open wateren onveilig. Over het algemeen hadden ze het op alleen varende koopvaardijschepen voorzien, maar de piraten wisten dat ook de biremen vaak een kostbare vracht vervoerden. Gezien de lading van zijn eigen schip vroeg Vitellus zich af of deze zeebarbaren soms getipt waren nadat zijn schip de haven had verlaten.

'Plautius, vergeet het belang van onze lading niet,' zei hij met nadruk.

'Nee, natuurlijk niet,' reageerde de centurio. 'Waarom dacht je dat ik op dit vervloekte schip zit? Tenslotte ben ík met de taak opgezadeld om ervoor te zorgen dat de boel veilig en wel in Byzantium bij de keizer wordt afgeleverd.'

'En als dat niet lukt heeft dat fatale consequenties voor ons en onze gezinnen,' zei Vitellus, waarbij hij aan zijn vrouw en zoon in Napels dacht. Hij tuurde de zee voor de boeg van de galei af en zag alleen de woeste golfslag van het leikleurige water.

'Er is nog steeds geen enkel teken van onze escorte.'

De galei was drie dagen geleden vertrokken onder escorte van een grote oorlogstrireem uit Judea. Maar de schepen waren elkaar de vorige nacht in een heftige storm kwijtgeraakt en het andere schip was sindsdien niet meer in zicht geweest.

'Wees nou niet zo bang voor die barbaren,' reageerde Plautius smalend. 'De zee zal rood zien van hun bloed.'

De vrijpostige zorgeloosheid van de centurio was een van de redenen waarom Vitellus de man vanaf het eerste moment niet had gemogen. Maar er was geen twijfel over zijn krijgskunst en daarom was de kapitein blij dat hij hem bij zich had.

Plautius en zijn contingent legionairs maakten deel uit van de *scholae palatinae*, een militair elitekorps dat normaal voor de beveiliging van de keizer werd ingezet. De meesten waren in de strijd gestaalde veteranen die met Constantijn de Grote niet alleen aan het front hadden gevochten, maar ook in zijn veldtocht tegen Maxentius, een rivaliserende caesar wiens onderwerping tot eenwording van het versplinterde rijk leidde. Plautius had een lelijk litteken op zijn linker bovenarm, een souvenir aan een heftige confrontatie met een West-Gotische zwaardvechter die hem bijna zijn arm had gekost. Hij was trots op het litteken dat hij als een bewijs van zijn hardheid zag, waaraan ook niemand die hem kende durfde te twijfelen.

Terwijl de beide piratenschepen dichterbij kwamen, bracht Plautius zijn mannen op het open dek in stelling, aangevuld met bemanningsleden. Ze waren allemaal bewapend met de beste Romeinse oorlogsrusting van dat moment: een kort vechtzwaard ofwel een *gladius*, en een rond gelaagd schild en een werpspeer, een zogenaamde *pilum*. De centurio verdeelde zijn soldaten in kleinere vechtgroepen zodat ze het schip aan beide kanten konden verdedigen.

Vitellus hield zijn ogen strak op hun achtervolgers gericht, die inmiddels goed zichtbaar waren. Het waren kleinere met zeilen en roeiers uitgeruste schepen van zo'n achttien meter lang, ongeveer half zo groot als de Romeinse galei. Het ene schip had vaalblauwe vierkante zeilen en die van het andere waren grijs, terwijl de romp van beide schepen in een bleke tinachtige tint was geverfd die zich aan de kleur van de zee aanpaste, een oude camouflagetruc die vaak door Cilicische piraten werd toegepast. Elk schip had twee zeilen waardoor ze bij harde wind een veel hogere snelheid haalden. En er stond een harde wind die de Romeinen weinig kans op ontsnappen gaf.

Er daagde een glimpje hoop toen de uitkijk op de voorplecht riep dat er land in zicht was. Over de boeg heen turend ontwaarde Vitellus in het noorden de vage omtrekken van een rotsachtige kust. De kapitein kon slechts gissen welk land het kon zijn. Voornamelijk navigerend op gegist bestek was de galei tijdens de storm ver van de oorspronkelijke koers afgedreven. Stilletjes hoopte Vitellus dat ze in de buurt van de Anatolische kust zouden zijn, waar de kans groter was dat ze andere schepen van de Romeinse vloot tegenkwamen.

De kapitein wendde zich naar de buldogachtige man die de zware helmstok van de galei hanteerde.

'Stuurman, vaar op het land af en stuur ons naar de eerste de beste beschutte wateren die je ziet. Als we de wind uit hun zeilen weg krijgen, zijn we die duivels met onze roeiers te snel af.'

Benedendeks kreeg de celeusta bevel het ritme tot een snelvuurroffel op te voeren. Er was nu geen sprake meer van gesprekken tussen Arcelian en de overige roeiers, er klonk alleen nog het zware hijgen van hardwerkende longen. Het was tot onder in het schip doorgedrongen dat ze door piraten werden achtervolgd en in de wetenschap dat nu ook hun eigen leven op het spel stond, concentreerden de mannen zich volledig op het maken van zo snel en efficiënt mogelijke slagen.

Bijna een halfuur lang wist de galei de achtervolgende schepen op gelijke afstand te houden. Voortgestuwd door zowel het zeil als de roeiriemen schoot het Romeinse vaartuig met een snelheid van bijna zeven knopen door de golven. Maar de kleinere en efficiënter getuigde piratenschepen begonnen op den duur toch terrein te winnen. Nadat ze tot aan de rand van de uitputting waren opgejaagd, kregen de roeiers van de galei ten slotte toestemming het tempo van hun slagen te laten zakken om weer enigszins op krachten te komen. Toen het bruine, stoffige vasteland haast uitnodigend voor hen oprees, haalden de piraten hen in en gingen tot de aanval over.

Terwijl het tweede schip achter de galei bleef, kwam het andere met de blauwe zeilen langszij en manoeuvreerde zich merkwaardig genoeg tot voor de Romeinse galei. In het voorbijgaan stond op het dek een bonte horde barbaren de Romeinen luidkeels uit te joelen. Vitellus negeerde het gegil en bestudeerde de kunstlijn voor hem. De drie schepen bevonden zich op een paar kilometer van de kust en hij zag aan het vierkant getuigde zeil dat de wind iets was afgenomen. Maar hij vreesde dat het te weinig was, en te laat voor zijn afgematte roeiers om de kust te bereiken.

Vitellus tuurde het nabijgelegen landschap af in de hoop een plek te vinden waar ze aan konden leggen, zodat zijn legionairs het gevecht op vaste bodem konden voeren, waar ze veel sterker waren. Maar de kust was een hoge steile muur van rotsformaties zonder inhammen waarin de galei veilig kon afmeren.

Nadat het piratenschip tot bijna een halve kilometer voor de galei was doorgevaren, draaide het plotseling om. In een vakkundig uitgevoerde manoeuvre zwaaide het honderdtachtig graden om zijn as en stevende onmiddellijk recht op de galei af. Op het eerste gezicht leek dit een volslagen idiote zelfmoordactie. In de Romeinse strategie voor zeegevechten was rammen altijd een primaire aanvalstactiek geweest en zelfs de kleine bireem was met een versterkte bronzen boeg uitgerust. De barbaren hadden meer spierkracht dan hersenen, vermoedde Vitellus. Hij wilde niets liever dan het eerste schip rammen en tot zinken brengen, want het tweede schip zou zich dan hoogstwaarschijnlijk terugtrekken.

'Voor het geval het nog wegdraait, ga er dan op af en rijg hem hoe dan ook aan onze ram,' instrueerde hij de roerganger. Een van de lagere officieren wachtte in het trapgat om de bevelen aan de roeiers door te geven. Op het dek stonden de legionairs met hun schild in de ene hand en hun werpspeer in de andere klaar voor het eerste bloedvergieten. In afwachting van de strijd werd het doodstil op het schip.

De barbaren hielden hun boeg recht op de galei gericht tot ze tot op zo'n dertig meter waren genaderd. Toen zwenkte de aanvaller, zoals Vitellus had voorzien, scherp naar bakboord.

'Ram 'm erin!' schreeuwde de Romein, waarop de roerganger de helm-

stok met een ruk van zich af duwde. Benedendeks maakten de stuurboord-
roeiers een paar tegengestelde slagen, waardoor de galei met een ruk naar
stuurboord zwenkte. Bliksemsnel en met inzet van al hun krachten namen
ze de voorwaartse slagen in het ritme van de bakboordroeiers weer op.

Het kleinere piratenschip probeerde zijdelings weg te draaien, maar het
Romeinse schip draaide met hem mee. De barbaren verloren vaart toen de
wind door het overstag gaan uit hun zeilen wegviel, terwijl de galei recht
op hen afstoof. In een oogwenk was de jager prooi geworden. De wind
kreeg weer vat op hun zeilen en het kleine schip schoot vooruit, maar net
niet snel genoeg. De bronzen ram schampte de zijkant van de achtersteven
van het piratenschip, waar het een gapend gat in de spiegel scheurde. Het
schip sloeg door de kracht van de inslag bijna om, maar kwam weer overeind, waarbij de achtersteven diep in het water wegzakte.

Uit de kelen van de Romeinse legionairs klonk gejuich op, terwijl Vitellus voorzichtig grijnsde in de veronderstelling dat de kans op een overwinning in hun voordeel was gekeerd. Maar toen hij zich naar het tweede
schip omdraaide, besefte hij onmiddellijk dat het met hen gedaan was.

Tijdens die eerste aanval was het tweede schip ongemerkt dichterbij gekomen. Op hetzelfde moment dat de galei de rammanoeuvre uitvoerde,
was het schip met de grijze zeilen aan bakboordzijde van de galei langszij
gedraaid. Snerpend klonk het gekraak van de versplinterende roeispanen
op, terwijl er een spervuur van pijlen en enterhaken op het dek neerklet-
terde. Binnen enkele seconden waren de beide schepen tegen elkaar aan
getrokken en sprong er een horde woest met zwaarden zwaaiende barbaren over de reling.

Nog voordat de eerste golf van aanvallers goed en wel voet aan dek had
gezet, kregen ze een spervuur van messcherpe speren te verwerken. De
Romeinse werpers waren akelig precies en een twaalftal indringers sloeg
dodelijk gewond tegen het dek. Maar de invasie werd er nauwelijks door
tegengehouden: hun plaats werd onmiddellijk door twaalf nieuwe barbaren ingenomen. Plautius hield zijn mannen in dekking tot de horde over
het dek was uitgezwermd. Pas toen kwamen ze overeind en gingen tot de
aanval over. In de hierop volgende slachtpartij galmde het gekletter van de
op elkaar ketsende zwaarden boven de angstaanjagende doodskreten uit.
De beter getrainde en gedisciplineerde Romeinse legionairs sloegen de eerste aanvallen gemakkelijk af. De barbaren stuitten bij hun overvallen gewoonlijk op weerstand van lichtbewapende kooplieden en niet van zwaarbewapende soldaten en ze schrokken terug van het krachtige verweer.
Nadat ze de aanval van de enteraars hadden afgeslagen, formeerde Plau-

tius de helft van zijn mannen tot een aanvalsploeg en leidde persoonlijk de achtervolging van de barbaren tot op hun eigen schip.

De barbaren verspreidden zich eerst, maar hergroepeerden zich toen ze zagen dat ze de legionairs in aantal ver overtroffen. Ze vielen aan in groepjes van drie of vier man en richtten zich daarbij steeds op een afzonderlijke Romein, die ze zo volkomen onder de voet liepen. Plautius verloor zes man voordat hij zijn mannen in alle haast tot een aanvalsvierkant kon formeren.

Op het achterdek van de galei zag Vitellus hoe de Romeinse centurio met zijn zwaard een tegenstander finaal doormidden hakte en zich als een zeis een weg door de barbaren maaide. De kapitein had de galei met hun langszij vastgeklonken belager gedurende het gevecht manmoedig dichter naar de kust gestuurd. Maar het piratenschip liet een stenen anker zakken dat even later de bodem bereikte en beide schepen tot stilstand bracht.

Ondertussen was het schip met de blauwe zeilen omgezwenkt en probeerde zich opnieuw in de strijd te mengen. Met een door de beschadigde romp steeds dieper wegzakkende achtersteven voer het met een logge draai op de blootliggende stuurboordzijde van de galei af. In een herhaling van de manoeuvre van het zusterschip schoof het langszij, waarop de bemanning de galei onmiddellijk met enterhaken bestookte.

'Roeiers te wapen! Melden aan dek!' schreeuwde Vitellus.

Benedendeks reageerden de uitgeputte roeiers op het bevel. Van de in eerste instantie als soldaat opgeleide roeiers werd, net als van alle andere zeelieden aan boord, verwacht dat ze het schip verdedigden. Arcelian gooide net als zijn broeders in de rij een plons koud water uit een aardewerken pot over zijn hoofd, waarna hij met een zwaard in zijn hand het dek op stormde.

'Hou je hoofd laag,' zei hij tegen de celeusta, die de wapens had uitgedeeld en nu achteraan de rij aansloot.

'Ik kijk die barbaren liever aan als ik ze doodsteek,' antwoordde de trommelaar met zijn gebruikelijke grijns.

De roeiers mengden zich net op tijd in de strijd om de tweede golf piraten die de stuurboordreling bestormde, op te vangen. De bemanning van de galei ging de aanvallers als een compacte massa vlees en staal te lijf.

Toen Arcelian het hoofddek betrad, overzag hij verbluft de ravage. In uitvloeiende plassen bloed lagen overal dode lichamen en afgerukte ledematen. Onwillekeurig bleef hij, onervaren in de strijd, stokstijf staan, tot een officier langs rende en tegen hem gilde: 'Kap de enterlijnen!'

Meteen sprong hij naar een touw dat hij strak over de boeg zag staan en sneed het met een zwaai van zijn zwaard door. Hij zag het doorgehakte touw terugvallen op het schip met de blauwe zeilen, waarvan het dek een paar meter onder dat van de galei lag. Vervolgens keek hij over de reling omlaag en ontdekte nog een stuk of zes van het piratenschip geworpen enterlijnen.

'Kap die touwen!' riep hij. 'Duw de barbaren af!'

Hij sprak voor dovemansoren en besefte dat vrijwel alle bemanningsleden verwikkeld waren in gevechten op leven en dood met de barbaren. Bemoedigend was alleen dat op het achterschip de celeusta op zijn roep reageerde en met een kleine bijl op een enterlijn inhakte. Maar er was niet veel tijd meer. Aan boord van het langzaam zinkende piratenschip maakten de barbaren zich op voor een massale vastberaden uitval naar de galei, in het besef dat hun schip nu elk moment onder hen kon wegzinken.

Arcelian stapte over een stervende scheepsmaat heen op een volgende enterlijn af en hief snel zijn zwaard. Nog voordat het lemmet omlaag zwiepte, hoorde hij een snerpende fluittoon gevolgd door een vlijmscherpe pijl die zich op een paar centimeter van zijn voet in het dek boorde. Zonder er verder acht op te slaan, kliefde hij het zwaard door het touw, waarna hij achter de reling wegdook voor een volgende pijl die rakelings over hem heen scheerde. Over de rand glurend ontwaarde hij zijn aanvaller, een Cilicische boogschutter boven in de mast van het piratenschip. De boogschutter had geen aandacht meer voor de roeier en richtte zijn volgende pijl op het achterschip. Arcelian keek geschrokken op omdat hij zich realiseerde dat de schutter op de celeusta mikte, die op het punt stond een derde enterlijn door te hakken.

'Celeusta!' gilde de roeier.

De waarschuwing kwam te laat. De pijl trof de kleine man in zijn borst, waar hij bijna tot aan het uiteinde in doordrong. De trommelaar hapte naar adem en viel op zijn knieën, terwijl een golf bloed zijn borst rood kleurde. In een allerlaatste opwelling van plichtsgevoel joeg hij de bijl door de enterlijn, voordat hij dodelijk gewond voorover klapte.

Het piratenschip zakte opeens dieper weg, wat de bemanning tot een laatste aanval op de galei aanzette. De twee schepen lagen nog maar met twee lijnen aan elkaar vast, iets wat alle piraten, op de boogschutter na, ontging. Nog altijd boven in de mast geklemd richtte hij zijn boog opnieuw op Arcelian en zijn pijl scheerde rakelings langs zijn hoofd.

Arcelian zag dat de overgebleven enterlijnen midscheeps hingen, terwijl de schepen met de achterstevens tegen elkaar lagen en de gevechten zich naar achteren hadden verplaatst. De roeier liet zich op handen en voeten zakken en sloop onderlangs de reling naar de eerste lijn. Ernaast lag een stervende barbaar met een bloederig opengereten middenrif. De sterke roeier kroop ernaartoe, tilde de man behendig over zijn schouder, draaide zich om en stapte op de enterlijn af. Op hetzelfde moment klonk er een tik en boorde een pijl zich diep in de rug van de barbaar. Met het zwaard in zijn vrije hand haalde Arcelian uit en sneed de lijn door, terwijl een tweede pijl zijn menselijke schild doorboorde. De roeier sloeg tegen het dek en kieperde uithijgend de nu dode barbaar van zijn schouder.

Nauwelijks van de inspanning bekomen ontdekte hij de laatste enterhaak, die op zo'n drieënhalve meter boven zijn hoofd in een ranok stak. Over de verschansing glurend zag hij dat de vijandelijke boogschutter nu toch zijn post in de mast had verlaten en naar het dek afdaalde. Om deze kans te benutten sprong Arcelian overeind, rende over zijn eigen dek en klom op de reling waar de enterlijn langs de romp liep. Op de rand balancerend haalde hij uit met zijn zwaard, maar een andere kracht was hem voor.

De spanning die door de twee uiteendrijvende schepen op die ene lijn kwam te staan, was te sterk geworden en de ijzeren enterhaak verloor zijn greep op het hout van de mast. Door de enorme kracht schoot de haak als een projectiel weg en vloog in een flauwe boog naar het water. De scherpe punten schampten Arcelian, die maar net aan een bloederige dood ontsnapte. Maar het touw slingerde om zijn dij en rukte hem van de reling, waardoor hij vlak voor de boeg van het piratenschip in het water smakte.

Arcelian, die niet kon zwemmen, sloeg wild met zijn armen in een poging zijn hoofd boven water te houden. Terwijl zijn krachten het begaven, voelde hij iets hards in het water, waar hij zich met beide handen aan vastklampte. Het stuk houten reling dat bij de eerdere aanvaring van het piratenschip was afgebroken, was net groot genoeg om hem drijvende te houden. Plotseling doemde het piratenschip met de blauwe zeilen boven hem op en hij trapte als een gek van zich af om weg te komen. Zo verwijderde hij zich steeds verder van de galei en kwam in een stroming terecht, waar hij in zijn verzwakte toestand niet meer tegenop kon. Zwakjes watertrappelend om niet weg te zakken, keek hij met grote ogen toe hoe het piratenschip door een windvlaag werd gegrepen en met het dek nog maar vlak boven de waterlijn steeds sneller op de kust afstevende.

Terwijl Arcelian het Romeinse schip van de enterhaken aan stuurboordzijde had bevrijd, hadden Vitellus en een lagere officier de lijnen aan bakboordzijde verwijderd, op een laatste enterhaak bij het achterschip na. De kapitein, die met een pijl uit zijn schouder stekend tegen het roer leunde, vroeg met een gil om aandacht van de centurio op het andere schip.

'Plautius, kom terug aan boord!' riep hij zwakjes. 'We zijn los.'

De centurio en zijn legionairs waren nog in felle gevechten verwikkeld, hoewel hun aantal inmiddels sterk was afgenomen. Plautius trok zijn met bloed besmeurde zwaard uit de nek van een barbaar en wierp een snelle blik op de galei.

'Vaar door met de lading. Dan hou ik de barbaren bezig,' gilde hij terug, terwijl hij zijn zwaard in een volgende aanvaller joeg. Er waren nog maar drie legionairs aan zijn zijde over en Vitellus zag dat ook voor hen de laatste adem nabij was.

'Uw moed zal niet onvermeld blijven,' riep de kapitein terug, terwijl hij de laatste lijn doorhakte. 'Vaarwel, centurio.'

Zodra de galei zich van het voor anker liggende piratenschip losmaakte, schoot ze met een in de wind opbollend zeil vooruit. Omdat ook zijn stuurman het loodje had gelegd, drukte Vitellus de helmstok eigenhandig landwaarts en voelde hoe de greep glad werd van zijn eigen bloed. Het was opeens onrustbarend stil op het dek. Argwanend strompelde hij naar de voorste reling en keek omlaag. Wat hij daar zag, greep hem hevig naar de keel.

Over het hele hoofddek verspreid lagen dode en verminkte lichamen, Romeinen en barbaren door elkaar, in een donkerrode poel van bloed. Een vrijwel gelijk aantal aanvallers en bemanningsleden hadden man-tot-mangevechten gevoerd en gestreden tot de dood hen had geveld. Een dergelijke slachting had hij nog niet eerder aanschouwd.

Diep geschokt en draaierig van het bloedverlies keek hij omhoog.

'Alles voor uw keizer,' zei hij naar adem happend.

Nadat hij op zijn benen zwaaiend op het achterdek was teruggekeerd, sloeg hij zijn vermoeide armen om het roer en verlegde de koers. Er klonken luide hulpkreten van de mannen die in het water dreven, maar de kapitein hield zich doof. Hij staarde met een holle blik in zijn ogen naar het land voor hem, omklemde de helmstok met het laatste restje kracht dat hij nog in zich had en vocht een ongelijke doodsstrijd.

Drijvend in het woelige water zag Arcelian tot zijn verbazing dat het Romeinse schip vaart maakte, plotseling wendde en recht op hem afkwam. Luid om hulp schreeuwend moest hij machteloos toezien hoe de galei langs hem gleed en hem volslagen negeerde. Even later toonde het schip zich na een nieuwe draai van opzij en tot zijn afschuw was er op het hoofddek geen levende ziel te bekennen. Slechts de eenzame gestalte van kapitein Vitellus hing zichtbaar over de helmstok op het verhoogde achter-dek. De klapperende zeilen bolden in de wind, waarop de houten galei richting de kust wegstoof en al spoedig uit het zicht was verdwenen.

Portsmouth, Engeland, juni 1916

In de marinehaven was het, ondanks de vochtige kou van een kille mie-zerregen, een drukte van belang. Onder een stoomkraan waren stuwadoors van de Royal Navy energiek in de weer met het laden van enorme hoeveelheden levensmiddelen, uitrustingsstukken en munitie aan boord van het grijze zeekasteel dat aan de kade lag afgemeerd. Op het schip werden de kratten keurig opgeslagen in het voorste ruim, terwijl een menigte matrozen in dikke wollen joppers de boot zeeklaar maakten.

De HMS Hampshire zag er nog altijd als nieuw uit, hoewel ze al ruim tien jaar de zeeën bevoer en onlangs in de Slag bij Jutland in actie was geweest. De tienduizend ton zware slagkruiser van de Devonshire klasse was een van de grootste schepen van de Britse Marine. Bewapend met een twaalftal zware dekkanonnen was ze tevens een van de meest dodelijke.

In een leeg pakhuis op een halve kilometer van de aanlegplaats, volgde een blonde man het laden op de voet door een koperen verrekijker. Hij stond verdekt opgesteld in de opening van een brede schuifdeur. Toen hij er ongeveer twintig minuten stond, naderde er een groene Rolls-Royce die de kade overstak en voor de loopplank tot stilstand kwam. Hij keek aandachtig toe hoe er een groep legerofficieren in kaki uniformen kwam aangesneld, zich haastig rond de auto opstelde en de inzittenden vervolgens over de loopplank escorteerde. Uit hun kleding maakte hij op dat de twee nieuwkomers een politicus en een hoge legerofficier waren. Hij ving een glimp op van het gezicht van de officier en glimlachte toen hij daarop een ferme snor ontwaarde.

'Tijd om te gaan leveren, Dolly,' zei hij hardop.

Hij stapte de duisternis achter zich in, waar een verweerde boerenkar achter een gezadeld paard klaarstond. Nadat hij de verrekijker onder de bank had weggeborgen, stapte hij op de bok en sloeg met de teugels. Dolly, een oude appelgrijze merrie, hief gekweld haar hoofd op, kwam sjokkend op gang en trok de kar de regen in.

De dokwerkers besteedden nauwelijks aandacht aan de man toen hij een paar minuten later zijn wagen langs de kade bij het schip parkeerde. In zijn vale wollen jas, vuile broek en een tot aan zijn ogen over zijn hoofd getrokken platte pet verschilde hij niet van de talloze andere plaatselijke paupers die zich moeizaam met gelegenheidsklusjes in leven hielden. Maar in dit geval was het zuiver acteerwerk, aangescherpt met een ongeschoren kin en de geur van een welgemikte scheut goedkope whisky over zijn kleren. Toen het tijd was om in actie te komen, bracht hij zijn aanwezigheid onder de aandacht door Dolly tot aan de loopplank te laten doorlopen en haar zodanig op te stellen dat de wagen de doorgang versperde.

'Uit de weg met die knol,' vloekte een luitenant met een vuurrood gezicht die toezicht op het laden hield.

'K'eb een b'stelling voor de 'Ampshire,' gromde de man met een zwaar Cockneyaccent.

'Je papieren graag,' sommeerde de luitenant.

De bode stak zijn hand onder zijn jas en overhandigde de officier een verkreukeld vel papier met watermerk. De luitenant las de tekst met een gefronst voorhoofd door en schudde traag zijn hoofd.

'Dit is geen correcte laadbrief,' zei hij, terwijl hij de besteller kalmpjes opnam.

'Da's wat de generaal me gaf. En een flappie van fijf,' reageerde de man met een knipoog.

De luitenant liep om de wagen heen en bestudeerde het krat, dat ongeveer de maten van een doodskist had. Bovenop was met zwarte verf een adres in het hout gestempeld:

Eigendom van de Koninklijke Marine
ter attentie van sir Leigh Hunt
Speciaal Gezant van het Russische Rijk
p/a Consulaat van Groot-Brittannië
Petrograd, Rusland

'Mwah,' mompelde de officier, opnieuw het formulier bestuderend. 'Nou ja, het is ondertekend door de generaal. Goed dan,' zei hij, terwijl hij het papier teruggaf. 'Jij, daar,' snauwde hij naar een dichtbij staande stuwadoor. 'Zorg dat dat krat aan boord komt. En haal dan die kar hier weg.'

Nadat er een touw om het krat was gebonden tilde een dekkraan het van de wagen, hees het met een zwaai over de reling en liet het in het voorste ruim zakken. De bode salueerde spottend naar de luitenant, waarna hij het paard langzaam over de kade naar de uitgang van de marinewerf dirigeerde. Niet ver daarvandaan sloeg hij een zandweg in, waar hij met een rustige tred een klein terrein met havenmagazijnen passeerde dat uitkwam op onbebouwd boerenland. Na een kleine twee kilometer reed hij een hobbelige oprijlaan op en stopte de wagen bij een vervallen boerderij. Uit een schuur kwam hinkend een oude man met een kunstbeen op hem af.

'Heb je het afgeleverd?' vroeg hij aan de man op de bok.

'Ja. Bedankt voor je wagen en het paard,' antwoordde de man, waarbij hij een briefje van tien pond uit zijn portefeuille pakte en het aan de boer gaf.

'Neem me niet kwalijk, sir, maar zoveel is zelfs dat hele paard niet waard,' stamelde de boer, die het bankbiljet vasthield alsof het een baby was.

'Een fijn paard, dat is het zeker,' antwoordde de man, terwijl hij Dolly een afscheidsklopje op haar hals gaf. 'Een goeiedag nog,' zei hij tegen de boer, waarna hij tegen zijn pet tikte en zonder verder iets te zeggen de oprijlaan afliep.

Terug op de weg stapte hij een paar minuten stevig door tot hij het geluid van een naderende auto hoorde. Om de hoek verscheen een blauwe Opel personenwagen, die afremde en naast hem stopte. De bode liep naar het openzwaaiende achterportier en stapte in. Een streng kijkende man met de uitstraling van een anglicaanse predikant schoof op de achterbank opzij om plaats voor hem te maken. Hij keek de besteller aan met een lichte glinstering van ongerustheid in zijn normaal doffe grijze ogen, en pakte een aan de rugleuning van de stoel bevestigde decanteerfles met brandy. Vervolgens schonk hij een stevige slok in een kristallen glas dat hij aan de bode gaf, waarna hij de chauffeur opdracht gaf door te rijden.

'Het krat is aan boord?' vroeg hij kortaf.

'Ja, eerwaarde,' antwoordde de bode op een sarcastisch eerbiedige toon. 'Ze zijn in die valse laadbrief getuind en hebben het krat in het voorste ruim geladen.' Van een Cockneyaccent was geen spoor meer te bekennen. 'Over tweeënzeventig uur kunt u uw illustere generaal vaarwel zeggen.'

Van deze woorden leek de dominee te schrikken, hoewel het precies was wat hij verwachtte. Zwijgend tastte hij in zijn overjas en trok een dikke envelop met bankbiljetten tevoorschijn.

'Zoals afgesproken. De helft nu en de rest na de... actie,' zei hij en hij overhandigde bij dat laatste, aarzelend uitgesproken woord de envelop.

Glimlachend bekeek de bode de forse bundel geld. 'Ik vraag me af of de Duitsers ook zoveel zouden betalen voor het tot zinken brengen van een schip en het vermoorden van een generaal,' zei hij. 'U werkt toevallig toch niet voor de keizer, is het wel?'

De geestelijke schudde resoluut zijn hoofd. 'Nee, dit is een theologische kwestie. Als u het document had weten te vinden, was dit niet nodig geweest.'

'Ik heb het landhuis drie keer doorzocht. Als het er was geweest, had ik het gevonden.'

'Dat hebt u me verteld, ja.'

'U weet zeker dat het aan boord is gebracht?'

'Ons is verteld dat er in de agenda van de generaal een ontmoeting gepland staat met de hoogste geestelijke van de Russisch-orthodoxe Kerk in Petrograd. Over het waarom daarvan kan geen twijfel bestaan. Het document moet aan boord zijn. Nu wordt het vernietigd en daarmee gaat ook het geheim verloren dat eraan verbonden is.'

De banden van de Opel schoten roffelend over de natte kasseien terwijl ze de buitenwijken van Portsmouth inreden. De chauffeur stuurde langs eindeloze rijen hoge stenen huurkazernes op het centrum van de stad aan. In een van de hoofdstraten reed hij, terwijl het harder begon te regenen, een oprijlaan op aan de achterzijde van een negentiende-eeuwse stenen kerk met het opschrift ST.-MARY.

'Ik heb liever dat u me bij het station afzet,' zei de bode, toen hij merkte dat de grote personenauto langs het kerkhof doorreed en achter de pastorie stopte.

'Ze hebben me hier voor een preek gevraagd,' antwoordde de dominee. 'Het duurt niet lang. Waarom komt u niet even mee?'

De bode onderdrukte een geeuw en staarde door de met regendruppels bevlekte ruit. 'Nee, ik wacht hier wel, lekker droog.'

'Heel goed. Ik ben zo terug.'

De predikant en de chauffeur liepen weg en lieten de bode met zijn bloedgeld alleen. Toen hij de biljetten van de Bank of England wilde tellen, merkte hij dat hij de nummers niet goed kon lezen en dat er een waas voor zijn ogen trok. Hij voelde zich plotseling doodmoe en stopte snel het geld weg alvorens hij zich languit op de bank uitstrekte. Hoewel hij het gevoel had dat hij zo uren had gelegen, waren er maar een paar minuten verstreken toen er een plens koud water in zijn gezicht spatte en hij zijn vermoeide ogen opende. In de stromende regen keek het strenge gezicht van de predikant op hem neer. Zijn hersenen zeiden dat zijn lichaam bewoog, maar er was totaal geen gevoel in zijn benen. In zijn wazige blikveld zag hij nog net dat de chauffeur zijn benen droeg, terwijl de dominee hem onder zijn oksels vasthield. Er bonkte een stil gevoel van paniek in zijn schedel en hij wilde een Webley Bulldog pistool uit zijn zak halen. Maar zijn ledematen weigerden dienst. De brandy, dacht hij in een heldere opwelling. Het was de brandy.

Een hoge koepel van groene bladeren vulde zijn gezichtsveld terwijl hij naar een plek aan de voet van een paar hoge eiken werd gebracht. Het gezicht van de predikant schommelde nog steeds boven hem, een onbewogen masker van onverschilligheid verlicht door twee kille ogen. Tot het gezicht wegviel, of beter gezegd hij wegviel. Hij hoorde hoe zijn lichaam in een kuil stortte en met een harde klap in waterige modder plonsde. Plat op zijn rug keek hij omhoog naar de predikant, die met een licht schuldige trek op zijn gezicht hoog boven hem uittorende.

'Vergeef ons onze schulden in de naam van de Vader, de Zoon en de Heilige Geest,' hoorde hij de predikant plechtig zeggen. 'Die nemen we mee in het graf.'

Hij zag de onderkant van een spade, gevolgd door een klomp vochtige aarde die op zijn borst uiteenspatte. Meteen kletterde er een nieuwe schep aarde op hem neer, en nog een, en nog een…

Zijn lichaam was verlamd en zijn stem stokte, maar zijn geest was nog bij kennis. Tot zijn ontzetting moest hij vaststellen dat hij levend werd begraven. Uit alle macht probeerde hij zijn ledematen te bewegen, maar ze weigerden elke dienst. Terwijl de aarde zich steeds hoger in zijn graf opstapelde, schalden zijn kreten van doodsangst uitsluitend in zijn hoofd totdat hij ten slotte in opperste pijn zijn laatste adem uitblies.

De periscoop sneed loom door het kolkende zwarte water en was in de nachtelijke duisternis nauwelijks zichtbaar. Tien meter onder de waterspiegel draaide de Duitse *Oberleutnant* Voss, een man met een blozende babyface, het oculair langzaam driehonderdzestig graden rond. Hij aarzelde even bij een aantal lichtpuntjes die in de verte schitterden. Het waren de lantaarns van boerderijen die in groepjes rond Kaap Marwick lagen, een door ijzige winden geteisterde uithoek van de Orkney Eilanden. Voss was bijna helemaal rond toen zijn oog op een vage schittering aan de oostelijke horizon viel. Aan het oculair draaiend stelde hij de lens scherper op de verte in en nam geduldig een gelijkmatige beweging van het licht waar.

'Mogelijk doelwit op nul-vier-acht graden,' meldde hij, waarbij hij tevergeefs de opwinding in zijn stem probeerde te onderdrukken.

De overige zeelieden, die in de krappe controlekamer van de onderzeeër bijeen zaten, spitsten hun oren.

Voss volgde het object nog een paar minuten tot de halvemaan opeens door een smalle opening in het verder dikke stormachtige wolkendek brak. Heel even lag het object in het schijnsel van de maan en onthulde zijn omvang, die afstak tegen de heuvels van de eilanden erachter. Voss voelde een brok in zijn keel en merkte dat het zweet in zijn handen stond, die om de grepen van de periscoop waren geklemd. Met zijn ogen knipperend keek hij nog eens goed of het wel waar was wat hij zag, waarna hij van het oculair weg stapte. Zonder een woord te zeggen rende hij de controlekamer uit en klauterde door de nauwe doorgang in het achterschip naar de gang die over de hele lengte van de onderzeeër doorliep. Bij de kapiteinshut gekomen, klopte hij luid aan en schoof een dun gordijn opzij.

Kapitein Kurt Beitzen lag in zijn kooi te slapen, maar schrok onmiddellijk wakker en knipte een lamp aan.

'*Kapitän*, ik heb een groot schip ontdekt dat ons op zo'n tien kilometer afstand vanuit het zuidoosten nadert. Ik heb het in een glimp van opzij gezien. Een Brits oorlogsschip, mogelijk een slagschip,' meldde Voss opgewonden.

Beitzen knikte, terwijl hij overeind kwam en een deken van zich afwierp. Hij had in zijn kleren geslapen en trok snel zijn schoenen aan, waarna hij zijn adjudant naar de controlekamer volgde. Beitzen, een ervaren duikbootman, tuurde enige tijd aandachtig door de aanvalsperiscoop en gaf vervolgens luidkeels de schootsafstand en doelwitcoördinaten door.

'Het is een oorlogsschip,' bevestigde hij achteloos. 'Is dit kwadrant vrij van mijnen?'

'Ja,' antwoordde Voss. 'De dichtstbijzijnde locatie waar we gelegd hebben, ligt dertig kilometer noordelijker.'

'Gereedmaken voor aanval,' beval Beitzen.

Beitzen en Voss begaven zich naar een houten kaartentafel, waar ze een exacte onderscheppingskoers uitzetten en bevelen aan de roerganger doorgaven. Hoewel ze onder water voeren, schokte en slingerde de duikboot heftig door de woeste zeegang aan het oppervlak, wat hun taak van dat moment niet eenvoudiger maakte.

De U-75 was een op een Hamburgse scheepswerf gebouwde onderzeeër van de UE-1 klasse, in eerste instantie ontworpen voor het leggen van mijnen op de zeebodem. Naast een enorme voorraad mijnen beschikte ze over vier torpedo's en een zwaar 105 mm dekkanon. Hun missie als mijnenlegger was vrijwel afgerond en geen van de bemanningsleden had nog op een confrontatie met een vijandelijk oorlogsschip gerekend.

Sinds de tewaterlating een halfjaar eerder was dit pas de tweede reis van de U-75 onder Beitzens commando. Deze reis was al een bescheiden succes want een klein koopvaardijschip en twee trawlers waren op mijnen van de duikboot gelopen. Maar dit was hun eerste gooi naar een echt belangrijke trofee. Het nieuws dat ze een Brits oorlogsschip gingen aanvallen deed al snel de ronde onder de bemanningsleden, wat de concentratie en spanning extreem opdreef. Beitzen zelf besefte dat een dergelijke treffer hem het IJzeren Kruis zou opleveren.

De Duitse gezagvoerder dirigeerde de duikboot kalmpjes naar een positie recht tegenover Kaap Marwick. Als het oorlogsschip zijn koers aanhield zou het de op de loer liggende onderzeeër op nog geen halve kilometer passeren. De torpedo's van de U-boot hadden een exacte actieradius van iets minder dan een kilometer, wat een weinig geruststellende nadering van het doelwit noodzakelijk maakte. In de Eerste Wereldoorlog waren de meeste koopvaardijschepen in feite door de dekkanonnen van de U-boten tot zinken gebracht. Voor de U-75 was dat geen optie tegenover deze zwaarbewapende pantserkruiser en al helemaal niet in de woeste zeegang van dat moment.

In de juiste positie voor de aanval tuurde de kapitein door de periscoop en wachtte op zijn prooi. In weer zo'n kort moment dat de maan doorbrak zag de Oberleutnant dat het doel dicht genaderd was. Het schip bleek een pantserkruiser, net iets kleiner dan de gevreesde *dreadnoughts*.

'Buizen één en twee, klaar om te vuren,' gebood Beitzen.

De kruiser was nu tot anderhalve kilometer genaderd en met haar imposante contouren net zichtbaar aan de horizon. Vluchtig controleerde Beitzen nogmaals de instellingen van de torpedo's alvorens hij zijn blik weer op het doelwit richtte. Het vaartuig kwam nu snel binnen schootsafstand.

'Boegkleppen open,' beval hij.

Een paar seconden later klonk een reactie door de controlekamer: 'Boegkleppen open.'

'Buizen één en twee klaar?'

'Klaar,' luidde het antwoord.

Geduldig afwachtend volgde Beitzen de kruiser door de periscoop, terwijl de bemanningsleden om hem heen hun adem inhielden. Hij bleef kijken tot het grote schip aan de oppervlakte recht voor hen opdoemde. Op het moment dat Beitzen zijn mond opende om het bevel tot vuren te geven, vulde plotseling een felle flits zijn blikveld. Het volgende ogenblik sidderde er een doffe dreun door de stalen wanden van de duikboot.

Met stomheid geslagen zag Beitzen door de periscoop hoe er vlammen en rook uit de kruiser oplaaiden en de donkere nachthemel met geweld rozerood kleurden. Het grote oorlogsschip schokte en trilde, waarna de boeg in de golven wegzakte. Het achterschip schoot omhoog, hing een ogenblik rechtop in de lucht en volgde de boeg de diepte in. In nog geen tien minuten was de mammoetkruiser volledig uit het zicht verdwenen.

'Voss… weet je zeker dat er in dit kwadrant geen mijnen liggen?' vroeg hij schor.

'Jazeker,' antwoordde de officier, terwijl hij dat nog eens extra op een kaart met mijnenveldlocaties checkte.

'Ze is weg,' mompelde hij ten slotte tegen de bemanningsleden die ongeduldig op zijn bevelen wachtte. 'Sluit de boegkleppen en terugtrekken.'

Terwijl de teleurgestelde bemanning de normale taken weer opnam, bleef de kapitein aan de periscoop gekluisterd en tuurde niet-begrijpend door het oculair. In reddingsboten dobberde een handjevol overlevenden, maar in de woeste zee kon hij niets voor hen doen. De lege zwarte zee voor hem afturend zocht hij vertwijfeld naar een verklaring. Maar hij kon niets verzinnen. Oorlogsschepen ontploften nu eenmaal niet zomaar uit zichzelf.

Het duurde enige tijd voordat Beitzen zich van de periscoop losmaakte en rustig naar zijn hut terug wandelde. Gedoemd om later in de oorlog te sterven zou hij de ware toedracht van de ondergang van de Hampshire nooit kennen. Maar in de tijd die hem nog restte, bleef de jonge *Kapitän* de beelden van die laatste minuten van de kruiser voor zich zien: hoe dat immense oorlogsschip ogenschijnlijk zonder reden zijn einde vond.

DEEL I

DE OTTOMAANSE DROOM

Caïro, Egypte, juli 2012

De felle middagzon brandde door de dichte smog van stof, rook en uitlaatgassen die als een met vuil doordrenkte deken over de oude stad lag. Bij een temperatuur die ver boven het plaatselijk gemiddelde lag, waagden maar weinig mensen zich op de hete stenen waarmee de centrale binnenhof van de Al-Azhar moskee was geplaveid.

De in het oostelijk deel van Caïro gelegen moskee, op ongeveer drie kilometer van de Nijl, was een van de belangrijkste historische bouwwerken van de stad. De moskee, die oorspronkelijk in 970 na Chr. door Fatimidische veroveraars was gebouwd, werd in de loop der eeuwen herhaaldelijk herbouwd en uitgebreid tot hij uiteindelijk de status van op vijf na belangrijkste moskee ter wereld verwierf. De verfijnde beeldhouwkunst, hoog oprijzende minaretten en uivormige koepels wedijveren om de aandacht van de toeschouwer en vertegenwoordigen een duizendjarige geschiedenis van hoogstaand kunstenaarschap. In het midden van de vestingachtige stenen ommuring bevindt zich het hoofdgedeelte van het complex, een weids, rechthoekig binnenplein, aan alle zijden omringd door hoge arcaden.

In de schaduw van een van de zuilengangen poetste een slanke man in een wijde broek en een ruimvallend hemd de glazen van zijn zonnebril, waarna hij de binnenplaats overzag. In dit hete middaguur waren er alleen wat jongeren, die de architectuur bewonderden of in stilte mediterend rondslenterden. Het waren studenten van de aangrenzende Al-Azhar universiteit, een vooraanstaand instituut voor islamitische scholing. De man plukte aan een dikke baard die zijn jeugdige gezicht bedekte, en tilde een versleten rugzak op zijn schouder. Met de witte katoenen *keffiyeh* om zijn hoofd gewikkeld ging hij makkelijk voor een van de theologiestudenten door.

Hij stapte de zon in en stak het plein over naar de arcade aan de zuidoostelijke kant. In de gevel boven de kielvormige bogen was een reeks rijkversierde medaillons en nissen in het stucwerk uitgehakt, die, zo viel hem op, door een stel duiven tot favoriete slaapplek was gekozen. Hij liep naar een vooruitstekende centrale boog met erboven een groot rechthoekig paneel, dat aangaf dat zich hier de ingang naar de gebedshal bevond.

De roep tot het middaggebed had ongeveer een uur geleden geklonken, met als gevolg dat de imposante gebedshal nu zo goed als leeg was. Voor de foyer zat een groepje studenten met gekruiste benen op de grond naar een lezing over de Koran te luisteren. Nadat hij zich langs het groepje had gewerkt, liep de man door naar de ingang van de hal. Daar stuitte hij op een bebaarde man in een wit gewaad die hem streng aankeek. De bezoeker trok zijn schoenen uit, sprak zachtjes een zegen over Mohammed uit en liep na een knikje van de portier door.

De gebedshal was een grote open, met rode kleden belegde ruimte onderbroken door tientallen albasten zuilen die een hoog koepelvormig plafond ondersteunden. Net als in de meeste moskeeën waren er geen banken of versierde altaars met behulp waarvan je je kon oriënteren. De koepelvormige patronen in het vloerkleed, die de onderlinge bidposities markeerden, waren alle naar de kop van de hal gericht. Toen hij zag dat de bebaarde portier geen aandacht meer aan hem schonk, liep de man haastig langs de zuilen.

Terwijl hij een stel in gebed geknielde mannen naderde, ontdekte hij de *mihrab* aan de andere kant van de hal. Deze vaak onopvallende, in een muur van de moskee uitgehakte nis geeft de richting naar Mekka aan. De mihrab van Al-Azhar was in glad steen gehakt en voorzien van een golvende, met zwarte en ivoorkleurige steentjes ingelegde boog, een ontwerp dat een haast moderne indruk maakte.

Aangekomen bij de pilaar die zich het dichtst bij de mihrab bevond, deed de man zijn rugzak af en strekte zich, in gebed verzonken, voorover uit op het vloerkleed. Na een paar minuten schoof hij zijn rugzak zachtjes opzij tot deze tegen de voet van een zuil rustte. Toen hij een stel studenten naar de ingang zag lopen, stond hij op en volgde hen naar de foyer, waar hij zijn schoenen aantrok. Bij het passeren van de bebaarde portier mompelde hij '*Allahu Akbar*' en liep haastig het binnenplein op.

Hij deed alsof hij nog even snel een rozet in de gevel bewonderde, waarna hij ijlings doorliep naar de Poort van de Barbiers, die de uitgang van het moskeeterrein vormde. Een paar huizenblokken verderop stapte hij in een kleine huurauto die daar geparkeerd stond en reed in de richting van de Nijl. Nadat hij door een armoedige industriewijk was gereden, stuurde hij de auto het terrein van een bouwvallige oude steenbakkerij op en stopte achter een verlaten laadperron. Daar trok hij zijn wijde broek en hemd uit, waaronder hij een spijkerbroek en een zijden blouse bleek te dragen. Hij zette de zonnebril af, trok vervolgens een pruik van zijn hoofd en rukte ten slotte de valse baard van zijn kin. De mannelijke moslimstudent was een aantrekkelijke vrouw met een olijfkleurige huid, harde donkere ogen en modieus, kortgeknipt zwart haar. Nadat ze haar vermomming in een roestige vuilnisbak had geworpen, liep ze terug naar de auto en voegde zich weer in het trage verkeer van Caïro. De stroom auto's kroop tergend langzaam weg van de Nijl naar het internationale vliegveld aan de noordoostkant van de stad.

Ze stond in de rij voor de incheckbalie op het moment dat de rugzak ontplofte. Er steeg een wit rookwolkje boven de Al-Azhar moskee op toen het dak van de gebedshal vloog en de mihrab in duizend stukken uiteen knalde. Hoewel de explosie tussen twee dagelijkse gebedsmomenten in gepland was, werden er toch diverse studenten en personeelsleden van de moskee gedood en raakten er nog veel meer gewond.

Nadat men enigszins van de eerste schok was bekomen, reageerde de moslimgemeenschap van Caïro furieus. Aanvankelijk kreeg Israël de schuld en vervolgens werden de pijlen op andere westerse landen gericht toen niemand de verantwoordelijkheid voor de aanslag opeiste. De gebedshal kon binnen enkele weken hersteld zijn en ook een nieuwe mihrab kon snel worden aangebracht. Maar de woede over de aanslag op een dergelijke heilige plaats zouden de moslims in Egypte en de rest van de wereld niet zo snel vergeten. Toch konden maar weinigen voorzien dat deze aanslag pas de eerste klap was in een strategisch plan, opgezet in een poging de heersende machtsstructuren in de hele regio overhoop te halen.

2

'Neem dit mes en snij ze los.'
Met een kwaad, chagrijnig gezicht overhandigde de Griekse visser zijn zoon een roestig getand mes. De tiener kleedde zich tot op zijn onderbroek uit en sprong met het mes stevig in zijn hand over de zijkant van de boot.

Er waren bijna twee uur verstreken sinds de visnetten van de trawler op de bodem vast waren komen te zitten. Iets wat de oude Griek volstrekt niet begreep, omdat hij zijn netten al zo vaak zonder problemen in deze wateren had uitgeworpen. Luid vloekend was hij met zijn boot alle richtingen op gevaren, in de hoop zo de netten los te krijgen. Maar hij kon doen wat hij wilde, ze gaven geen krimp. Het verlies van een deel van zijn netten zou hem een hoop geld kosten, maar de visser accepteerde deze tegenslag tandenknarsend als een beroepsrisico en zette zijn zoon aan het werk.

Hoewel er een stevige bries over het oppervlak blies, was het water van dit oostelijke deel van de Egeïsche Zee warm en helder, en de jongen zag de vage contouren van de bodem op zo'n negen meter onder hem doorschemeren. Maar een duik naar die diepte lag ver buiten zijn mogelijkheden, dus daalde hij niet al te ver af om daar de bungelende netten los te snijden. Hij had er diverse duiken voor nodig voordat het laatste touw was doorgesneden, waarna de jongen uitgeput en buiten adem de beschadigde netten aan de oppervlakte bracht. Nog altijd vloekend van ergernis wendde de visser zijn boot naar het westen en koerste terug naar Chios, een Grieks eiland niet al te ver van het Turkse vasteland, dat op een steenworp afstand uit het azuurblauwe water opprees.

Een halve kilometer verder de zee op werden de wanhopige inspanningen van de visser nieuwsgierig gadegeslagen door een lange man met een slank, tegelijkertijd krachtig postuur en een door een jarenlange inwerking van de zon bruingekleurde huid. Hij liet een ouderwetse geelkoperen telescoopkijker zakken, waardoor er een stel zeegroene ogen zichtbaar werd waarin intelligentie flonkerde. Er lag een bedachtzame blik in de ogen, gehard door tegenslagen en talloze confrontaties op leven en dood. Een hardheid die zich echter makkelijk door humor liet verzachten. Hij streek met zijn hand door zijn dikke zwarte, met grijstinten doorregen haardos en betrad de brug van het onderzoeksschip Aegean Explorer.

'Rudi, we hebben nu toch een groot deel van de bodem tussen hier en Chios afgezocht?' vroeg hij.

Vanachter een computerscherm keek een opvallend kleine man met een flinke hoornen bril op. Hij knikte.

'Ja, ons laatste raster lag binnen anderhalve kilometer van de oostkust. Omdat de Griekse eilanden op nog geen drie kilometer van de Turkse kust liggen, kan ik niet eens precies zeggen in wiens wateren we ons bevinden. We hadden zo'n negentig procent van het raster afgewerkt toen de achterste sensor van de AOV een dichting verloor en met zout water volliep. De technici die beneden de schade repareren zijn nog minstens twee uur bezig.'

De AOV, ofwel Autonoom Onderwater Voertuig, was een torpedovormige, met detectieapparatuur volgestouwde robot die langs de zijkant van het onderzoeksschip te water werd gelaten. Met een eigen voortstuwingssysteem en een voorgeprogrammeerd zoekpatroon tastte de AOV de zeebodem af, waarna het de verzamelde gegevens met gelijkmatige tussenpozen naar het schip aan de oppervlakte doorzond.

Rudi Gunns vingers hamerden flitsend over het toetsenbord. In zijn flodderige T-shirt en schots geruite korte broek zou geen mens vermoeden dat hij onderdirecteur was van het National Underwater and Marine Agency, de belangrijkste overheidsinstelling voor wetenschappelijk onderzoek van de wereldzeeën. Gunn werkte normaal gesproken op het hoofdkwartier van het NUMA in Washington en niet op een van de turkooiskleurige onderzoeksschepen die de organisatie inzette voor het vergaren van alle mogelijke informatie aangaande het zeeleven, stromingen en milieuverontreiniging. Als deskundig administrateur genoot hij van de mogelijkheid eindelijk eens aan de zakelijke rompslomp in de hoofdstad te kunnen ontsnappen en zijn handen in het veld vuil te mogen maken, al helemaal nu zijn baas hetzelfde deed.

'Hoe is de bodemgesteldheid in de ondiepe wateren hier?'

'Typerend voor dit eilandengebied. Vanaf de kust strekt zich niet al te ver een schuin aflopend plateau uit dat tamelijk abrupt naar een diepte van zo'n driehonderd meter wegzakt. Hier is het ruim vijfendertig meter diep. Voor zover ik me herinner heeft dit gebied een nogal zanderige bodem met nauwelijks oneffenheden.'

'Dat dacht ik ook,' reageerde de man met een glinstering in zijn ogen.

Dat laatste ontging Gunn niet en hij zei: 'In het hoofd van de baas ontwikkelt zich een snood plan, geloof ik.'

Dirk Pitt schoot in de lach. Als directeur van het NUMA had hij tientallen onderwateronderzoeken geleid en daarbij opmerkelijke resultaten geboekt. Variërend van de berging van de Titanic tot de ontdekking van de schepen van de verdwenen Franklin Expeditie in de Noordelijke IJszee, had Pitt een griezelig talent voor het oplossen van diep onder de waterlijn gelegen mysteries. Hij was een rustige, zelfverzekerde man behept met een onverzadigbare nieuwsgierigheid die al op jeugdige leeftijd een intense liefde voor de zee had opgevat. Dat onstilbare verlangen was nooit afgezwakt en lokte hem regelmatig het hoofdkwartier van het NUMA in Washington uit.

'Het is een bekend feit,' zei hij vrolijk, 'dat de meeste scheepswrakken voor de kust door de netten van plaatselijke vissers worden ontdekt.'

'Scheepswrakken?' vroeg Gunn. 'Voor zover ik weet, hebben we van de Turkse regering het verzoek gekregen om onderzoek te doen naar de exacte locatie en de milieueffecten van de algengroei die in hun kustwateren is waargenomen. Van het zoeken naar wrakken was geen sprake.'

'Die neem ik gewoon op de koop toe,' reageerde Pitt glimlachend.

'Nou ja, op het moment hebben we toch even niets te doen. Wil je dat we de ROV laten zakken?'

'Nee, de netten van onze naburige visser zijn binnen duikafstand verstrikt geraakt.'

Gunn keek op zijn horloge. 'Ik dacht dat je over twee uur weg wilde en dit weekend met je vrouw in Istanbul wilde gaan stappen?'

'Tijd zat,' antwoordde Pitt grijnzend, 'voor een snelle duik onderweg naar het vliegveld.'

'Dat betekent dus,' reageerde Gunn gelaten zijn hoofd schuddend, 'dat ik Al kan gaan wekken.'

Twintig minuten later gooide Pitt een weekendtas in een Zodiac die langs de Aegean Explorer in zee dobberde, en daalde langs een touwladder naar de boot af. Nadat hij was gaan zitten, draaide een gedrongen, maar fors gebouwde man achter in de boot de gashendel van een kleine buitenboordmotor open, waarop de rubberboot van het schip wegspoot.

'Waar ligt die bodem van jou?' riep Al Giordino, terwijl de dufheid van een al te abrupt onderbroken siësta geleidelijk uit zijn ogen wegtrok.

Aan de hand van diverse oriëntatiepunten op het naburige eiland had

Pitt de locatie van de bewuste plek vastgesteld. Terwijl hij Giordino in een strakke lijn in de richting van de kust dirigeerde, vroeg Pitt hem al na een vrij korte afstand de motor af te zetten. Vervolgens wierp hij over de boeg een klein anker uit en bond het vast zodra de lijn slap hing.

'Ruim dertig meter,' merkte hij op, terwijl hij naar een rode streep op de lijn tuurde die onder water zichtbaar was.

'En wat verwacht je nu eigenlijk daarbeneden te vinden?'

'Van een paar rotsen tot de Britannic is alles mogelijk,' antwoordde Pitt, waarmee hij aan het zusterschip van de Titanic refereerde dat in de Eerste Wereldoorlog in de Middellandse Zee door een mijn tot zinken was gebracht.

'Dan zet ik m'n geld op rotsen,' reageerde Giordino, terwijl hij een blauwe wetsuit aantrok, waarvan de naden door zijn gespierde schouders en biceps zwaar op de proef werden gesteld.

Diep vanbinnen wist Giordino heel goed dat wat ze op de bodem zouden aantreffen interessanter zou zijn dan een paar rotsformaties. Hij had te veel met Pitt meegemaakt om aan het zesde zintuig te twijfelen waarover zijn vriend onmiskenbaar beschikte wanneer het onderwatermysteries betrof. De twee waren al sinds hun jeugd in het zuiden van Californië bevriend, waar ze samen voor de kust van Laguna Beach hadden leren duiken. Tijdens hun diensttijd bij de luchtmacht waren ze allebei tijdelijk gedetacheerd geweest bij een nieuw, van overheidswege opgericht instituut voor zeeonderzoek. Nu, talloze projecten en avonturen later, stond Pitt aan het hoofd van het snelgroeiende NUMA en stond Giordino hem daarbij terzijde als directeur van de afdeling Onderwater Technologie.

'Laten we vanaf de ankerlijn in steeds bredere cirkels zoeken,' stelde Pitt voor, terwijl ze de persluchtflessen omgespten. 'Volgens mijn peiling bevindt de nettenvanger zich vanaf onze huidige positie net iets meer in de richting van de kust.'

Giordino knikte, stopte de regulator in zijn mond en liet zich achterover van de Zodiac in het water vallen. Een seconde later volgde de plons van Pitt, waarna de beide mannen zich langs de ankerlijn naar de bodem lieten zakken.

Het blauwe water van de Egeïsche Zee was opmerkelijk helder en Pitt had een zicht van minstens vijftien meter. Toen ze de donkere bodem naderden, stelde hij tevreden vast dat die uit een vlakke laag van kiezelsteentjes en zand bestond. Gunns inschatting was correct. Dit hele gebied leek van nature vrij van obstakels.

De twee mannen verspreidden zich op ongeveer drie meter boven de zeebodem en zwommen in een wijde boog om de ankerlijn heen. Er kwam een kleine school zeebaarzen dichterbij, die na een argwanende blik op de duikers naar dieper water wegschoot. Nadat ze al een heel stuk in de richting van Chios waren opgeschoven, zag Pitt dat Giordino naar hem zwaaide. Met een paar sterke schaarslagen van zijn benen zwom Pitt naar hem toe tot hij zag dat zijn partner naar een groot silhouet voor hen wees.

Het was een hoge bruine schaduw die in het vale licht leek te bewegen. Het deed Pitt aan een boom denken met in de wind wapperende takken. Dichterbij gekomen zag hij dat het geen boom was, maar het restant van de visnetten die in de stroming loom heen en weer zweefden.

Uit angst om verstrikt te raken zorgden de twee duikers er angstvallig voor dat ze bij het naderen met de stroming mee zwommen. De netten zaten op maar één enkel punt vast, aan een obstakel dat net boven de zeebodem uitstak. Pitt zag dat er in de bodem van zand en grind een flauwe geul was uitgesleten eindigend bij een rechtopstaande staak te midden van de kluwen netten. Voorzichtig dichter naar het obstakel zwemmend zag hij dat het een geroest T-vormig ijzeren anker van ongeveer anderhalve meter lang was. Het anker lag schuin in het zand en een van de punten priemde omhoog met de verstrikte netten van de visser eromheen, terwijl het andere ankerblad in de zeebodem stak. Pitt tastte omlaag, veegde wat zand weg en ontdekte dat het begraven ankerblad klem zat tussen een dikke houten balk en een kleine kruisvormige constructie. Pitt had in zijn leven talloze scheepswrakken onderzocht en zag dan ook onmiddellijk dat het bij de dikke balk om een scheepskiel ging.

Hij draaide weg van de netten en bekeek de brede, ondiepe geul die vrij kortgeleden in de zeebodem was uitgeschraapt. Giordino zwom er al boven op zoek naar het begin. Net als Pitt vermoedde hij wat er was gebeurd. De visnetten waren aan de ene kant van het wrak aan het anker verstrikt geraakt en hadden het langs de kiel getrokken tot het door de kruisconstructie tegen werd gehouden. Hierdoor had het bij toeval een groot deel van een oud scheepswrak blootgelegd.

Pitt zwom naar Giordino, die zand van een langwerpig uitsteeksel wegveegde. Door de beschermende zandlaag eromheen te verwijderen, werden er diverse stukken zichtbaar van een kruisvormige constructie onder de kiel. Giordino keek met stralende ogen in Pitts duikmasker en schudde zijn hoofd. Pitts fijnzinnige onderwatergevoel had hen weer eens naar een scheepswrak geleid, en het was ook nog erg oud.

Nadat ze in de directe omgeving nog een aantal onderdelen en losse stukken hadden schoongeveegd, zagen ze dat het een schip van zo'n vijftien meter lang was, waarvan het bovendek al heel lang geleden door erosie was vergaan. In feite was het merendeel van het schip verdwenen en waren er nog slechts een paar delen van de romp overgebleven. Toch leek het er sterk op dat bij het achterschip nog wat delen van een paar kleinere ruimtes onder het zand verborgen lagen. Er lagen aardewerken borden, tegels en stukken ongeglazuurd keramiek, maar wat de lading van het schip was geweest, was niet duidelijk.

Omdat de tijd die ze onder water konden blijven op begon te raken, keerden de beide duikers terug naar het achterschip en schepten er zand en grind weg op zoek naar iets waaraan ze het wrak konden identificeren. Wroetend tussen een aantal losliggende planken stuitten Giordino's vingers onder het zand op een plat voorwerp, waarna hij een klein metalen kistje opgroef. Toen hij het voor zijn masker ophield, zag hij aan de voorkant een verroest sluitmechanisme met een pin, waarvan de beugel vrijwel volledig was weggeroest. Nadat hij het voorzichtig in een duiktas had weggeborgen, keek hij op zijn horloge, zwom naar Pitt en gebaarde dat hij omhoogging.

Pitt had een rijtje aardewerken potten blootgelegd, die hij liet liggen zoals ze lagen toen Giordino naar hem toekwam. Terwijl hij zich omdraaide om Giordino te volgen, viel zijn oog op een glinstering in het zand. Het was tegenover de potten, waar zijn zwemvinnen wat van het neergeslagen zand hadden opgedwarreld. Pitt zwom ernaartoe en veegde nog wat zand weg, waardoor er een plat stuk aardewerk vrijkwam. Ondanks de aangekoekte korst herkende hij een bloemenmotief. Met zijn vingers in het zand wroetend wrikte hij de randen van een rechthoekige doos los en trok hem uit het zand.

De aardewerken doos was ongeveer twee keer zo groot als een sigarenkistje en de platte zijkanten waren voorzien van dezelfde soort blauw met witte versieringen als op het deksel. De doos was tamelijk zwaar voor het formaat en Pitt hield hem behoedzaam onder zijn arm, terwijl hij met krachtige slagen van zijn benen naar de oppervlakte steeg.

Vanuit het noordwesten stak een stevige namiddagbries op en er verschenen witte kopjes op de golven. Giordino was al aan boord van de Zodiac en trok juist het anker op toen Pitt opdook. Hij zwom naar de rubberboot en gaf Giordino de doos aan, waarna hij zelf aan boord klauterde en zich van zijn duikuitrusting ontdeed.

'Ik geloof dat je die visser een fles ouzo schuldig bent,' zei Giordino, terwijl hij de buitenboordmotor startte.

'Hij heeft ons inderdaad op een interessant wrak gewezen,' antwoordde Pitt, terwijl hij met een handdoek zijn gezicht afdroogde.

'Het is geen wrak uit de bronstijd vol met amfora's, maar zo te zien wel behoorlijk oud.'

'Waarschijnlijk middeleeuws,' giste Pitt. 'Een kleintje volgens Middellandse Zeenormen. Laten we aan wal gaan bekijken wat we hebben.'

Giordino gaf vol gas, waardoor de Zodiac tot aan de kiel omhoogkwam, en wendde de steven naar het naburige eiland. Chios zelf lag op een kilometer of drie afstand, maar ze moesten nog een kleine tien kilometer doorvaren voordat ze de kleine inham bij het slaperige vissersdorpje Vokaria bereikten. Ze meerden af aan een haveloze steiger die eruitzag alsof hij nog uit de tijd stamde dat de wereldzeeën uitsluitend door zeilschepen werden bevaren. Op de steiger spreidde Giordino een handdoek uit, waarop Pitt de beide artefacten zette.

Beide voorwerpen zaten onder een laag aangekoekt zand die zich er in de loop der eeuwen op had afgezet. Pitt vond vlakbij een slang met een drinkwateraansluiting en begon voorzichtig het aangekoekte slik van de aardewerken doos weg te wrijven. Toen hij de doos helemaal schoongemaakt in het zonlicht ophield, was het effect oogverblindend. Tegen een helderwitte achtergrond flonkerde een ingewikkeld bloemenpatroon van donkerblauw, paars en turkoois.

'Lijkt wel Marokkaans,' merkte Giordino op. 'Kan de bovenkant eraf?'

Voorzichtig drukte Pitt met zijn vingers onder het uitstekende deksel. Hij voelde dat het meegaf en duwde het zachtjes open. De doos zat vol met smerig water rond een langwerpig voorwerp dat wazig glom in het troebele vocht. Pitt hield de doos iets schuin, zodat het water kon weglopen.

Vervolgens haalde hij er een halfrond voorwerp uit dat met een dikke laag vuil was bedekt. Tot zijn verbijstering zag hij dat het een kroon was. Pitt hield hem heel voorzichtig op en voelde het volle gewicht van het massief gouden ding, waarvan het metaal glom op plekken waar geen vuiligheid zat vastgekoekt.

'Dit geloof je toch niet?' zei Giordino stomverbaasd. 'Dit hoort thuis in de verhalen over koning Arthur.'

'Of Ali Baba,' reageerde Pitt, terwijl hij de aardewerken doos bekeek.

'Dat wrak is niet van een normaal koopvaardijschip. Denk je dat het van een koninklijke vloot is geweest?'

'Alles is mogelijk,' antwoordde Pitt. 'Je zou in elk geval zeggen dat er een belangrijk persoon aan boord was.'

Giordino pakte de kroon van hem over en zette hem vlotjes schuin op zijn hoofd.

'Koning Al, tot uw dienst,' zei hij met een zwaai van zijn arm. 'Wedden dat ik met dit ding op m'n kop zo een plaatselijke schone versier.'

'Samen met een stel kerels in witte jassen,' reageerde Pitt lachend. 'Laten we dat kluisje van jou eens bekijken.'

Giordino legde de kroon terug in de aardewerken doos en pakte het ijzeren kistje op. Door de beweging liet het verroeste hangslot los en viel het terug op de handdoek.

'Die beveiliging is ook niet meer wat hij was,' mompelde hij, terwijl hij het kistje weer neerzette. Met dezelfde soepelheid als Pitt drukte hij met zijn vingers langs de randen van het deksel tot hij het met een plop los-wrikte. Er klotste maar weinig zeewater in, omdat het kluisje bijna tot aan de rand toe vol zat met munten.

'Over de jackpot gesproken, zeg,' zei hij grinnikend. 'Zo te zien kunnen we met vervroegd pensioen.'

'Nou, dankjewel. Ik breng m'n oude dag liever niet in een Turkse ge-vangenis door,' reageerde Pitt.

De munten waren van zilver, sterk verweerd en grotendeels aan elkaar gekoekt. Pitt tastte onder in de stapel en haalde er een uit die nog glom. Het was een gouden munt die niet door corrosie was aangetast. Hij hield hem voor zijn oog en zag een ongelijkmatige stempelafdruk, wat op een gedreven muntslag wees. Aan beide kanten waren zwierige Arabische let-tertekens zichtbaar, omgeven door een getande rand. Pitt kon slechts een gok doen naar de ouderdom en oorsprong van de munt. Nieuwsgierig be-studeerden de beide mannen ook de overige munten, waaraan door de conditie waarin ze verkeerden, weinig te ontdekken viel.

'Afgaande op het karige bewijs dat we hebben, denk ik dat we hier met een Ottomaans wrak te maken hebben,' verklaarde Pitt. 'De munten lijken me niet Byzantijns, wat betekent dat ze vijftiende-eeuws zijn of later.'

'Daarvan moet de ouderdom redelijk exact vast te stellen zijn.'

'We hebben geluk dat we munten hebben gevonden,' vond ook Pitt.

'Ik zou zeggen: de financiering van het project met een maand verlen-gen en vooral niet naar Washington teruggaan.'

Over de kade naderde een aftandse Toyota pick-uptruck, die met pie-pende banden vlak voor de mannen tot stilstand kwam. Er stapte een glimlachende jongeman met grote oren uit de kleine vrachtwagen.

'Een rit naar een vliegveld?' vroeg hij weifelend.

'Ja, dat is voor mij,' antwoordde Pitt, terwijl hij zijn weekendtas uit de Zodiac tilde.

'Wat doen we met de cadeaus?' vroeg Giordino, die de gevonden voorwerpen zorgvuldig in de handdoek wikkelde, voordat de chauffeur ze goed had kunnen zien.

'Met mij mee naar Istanbul, vrees ik. Ik ken de directeur van de afdeling Zeewetenschappen van het Archeologisch Museum in Istanbul. Hij zal er wel een goede plek voor weten en hopelijk kan hij ons vertellen wat we hebben gevonden.'

'En een wilde nacht op Chios zit er niet in voor koning Al, geloof ik,' zei Giordino, terwijl hij de handdoek aan Pitt gaf.

Pitt keek naar het slaperige dorp dat zich rond de haven uitstrekte en stapte in de met draaiende motor wachtende pick-uptruck.

'Om eerlijk te zijn,' zei hij toen de chauffeur optrok, 'vrees ik dat Chios niet echt op koning Al zit te wachten.'

3

Het vliegtuig van de binnenlandse lijndienst landde vlak voor het invallen van de duisternis op Atatürk International Airport in Istanbul. Met een pittige vaart zoefde het kleine toestel als een mug in een bijenkorf langs een lange reeks jumbojets naar een lege aanlegslurf en kwam met een schok tot stilstand.

Pitt was een van de laatste passagiers die het vliegtuig uitkwam en was nog maar nauwelijks de betegelde aankomsthal ingelopen of hij werd door een grote aantrekkelijke vrouw met geelbruine haren aangesproken.

'Eigenlijk had jij hier eerder moeten zijn dan ik,' zei Loren Smith, toen ze zich uit hun omhelzing losmaakte. 'Ik was al bang dat je helemaal niet meer zou komen.' Ze keek haar echtgenoot met haar paarsachtig blauwe ogen stralend aan.

Pitt legde een arm om haar middel en zoende haar lang. 'Door een probleem met een band hadden we een flinke vertraging. Heb je lang moeten wachten?'

'Een klein uurtje.' Ze trok haar neus op en likte haar lippen. 'Je smaakt zout.'

'Al en ik hebben onderweg naar het vliegveld een wrak gevonden.'

'Ik had 't kunnen weten,' zei ze, waarna ze hem bozig aankeek. 'Ik dacht dat jij me had verteld dat vliegen en duiken niet samengingen?'

'Dat doen ze ook niet. Maar die eilandenhopper waarin ik zat, vloog op nauwelijks driehonderd meter, dus het was behoorlijk veilig.'

'Als jij, nu we hier samen in Istanbul zijn, weer gekke dingen gaat doen, vermoord ik je,' zei ze terwijl ze hem stevig omarmde. 'Is dat wrak interessant?'

'Het lijkt er wel op.'

Hij hield zijn weekendtas met de ingepakte artefacten omhoog. 'We hebben een paar dingen gevonden die daar duidelijkheid over moeten geven. Ik heb dr. Rey Ruppé van het Archeologisch Museum van Istanbul vanavond voor het eten uitgenodigd in de hoop dat hij er iets meer over kan zeggen.'

Loren ging op haar tenen staan en keek Pitt met een fronsend gezicht recht in zijn groene ogen aan.

'Het is maar goed dat ik, voordat ik met je trouwde, al wist dat de zee altijd je maîtresse zou blijven,' zei ze.

'Gelukkig,' reageerde hij grijnzend, terwijl hij haar stevig tegen zich aan drukte, 'is mijn hart groot genoeg voor jullie allebei.'

Terwijl hij haar bij haar hand pakte zochten ze zich een weg door de drukte in de aankomsthal en haalden ze zijn koffer op, waarna ze een taxi namen naar een hotel in de wijk Sultanahmet, het oude historische centrum van Istanbul. Nadat ze zich snel hadden gedoucht en omgekleed, namen ze opnieuw een taxi voor een korte rit naar een rustige woonbuurt een tiental blokken verderop.

'Balıkçı Sabahattin,' liet de chauffeur weten.

Pitt hielp Loren bij het uitstappen op een curieus geplaveide kasseienweg. Aan de overkant van de straat bevond zich het restaurant, een pittoresk uit hout opgetrokken huis uit de jaren twintig van de vorige eeuw. Het stel liep tussen de tafeltjes op het terras door naar de voordeur en betraden een smaakvol ingerichte foyer. Een gezette man met een kalend hoofd en een joviale glimlach stapte op hen af en stak zijn hand uit.

'Dirk, fijn dat je het hebt kunnen vinden,' zei hij, terwijl hij Pitts hand in een stevige greep nam. 'Welkom in Istanbul.'

'Bedankt, Rey, goed om je weer eens te zien. Dit is mijn vrouw, Loren.'

'Wat leuk,' reageerde Ruppé galant, waarbij hij Lorens hand aanmerkelijk minder krachtig schudde. 'Ik hoop dat u deze oude schervendelver kunt vergeven dat hij uw etentje verstoort. Ik vertrek morgenochtend vroeg naar Rome voor een archeologiecongres, dus dit was de enige mogelijkheid om met uw man zijn onderwatervondst te bekijken.'

'U stoort helemaal niet. Ik ben altijd geïnteresseerd in wat Dirk zoal van de zeebodem plukt,' zei ze lachend. 'Bovendien hebt u ons naar een prachtige plek gevoerd om te eten.'

'Een van mijn favoriete visrestaurants van Istanbul,' reageerde Ruppé.

Er verscheen een gastvrouw die hen door een gang van het voormalige woonhuis naar een van de ingerichte eetkamers begeleidde. Ze namen plaats aan een met linnen bedekte tafel voor een groot raam dat uitkeek op de achtertuin.

'Misschien kunt u een regionaal gerecht aanbevelen, dr. Ruppé,' zei Loren. 'Het is voor mij voor het eerst dat ik in Turkije ben.'

'Zeg maar Rey, alsjeblieft. In Turkije zit je met vis nooit fout. Zowel tarbot als zeebaars is hier verrukkelijk. En op de een of andere manier laat ik me hier altijd door een lekkere portie kebab verleiden,' zei hij, waarbij hij grinnikend over zijn buik wreef.

Nadat ze hun bestelling hadden opgegeven, vroeg Loren aan Ruppé hoelang hij al in Turkije woonde.

'Ojee, dat is ondertussen alweer zo'n vijfentwintig jaar. In een zomer ben ik hier vanuit Arizona naartoe gekomen om les te gaan geven aan een praktijkopleiding voor maritieme archeologie en ben nooit meer teruggegaan. We vonden een oud Byzantijns koopvaardijschip voor de kust van Kos dat we vervolgens hebben opgegraven en sindsdien heb ik hier steeds werk gehad.'

'Dr. Ruppé is de deskundige bij uitstek wat betreft de Byzantijnse en Ottomaanse maritieme geschiedenis in het oostelijke deel van het Middellandse Zeegebied,' zei Pitt. 'Zijn kennis is bij veel van onze projecten in deze regio van onschatbare waarde geweest.'

'Net als bij uw man zijn scheepswrakken ook voor mij mijn grote liefde,' zei hij. 'Maar sinds ik deze baan bij het Archeologisch Museum heb, doe ik tot mijn verdriet veel minder veldwerk dan ik zou willen.'

'De nadelen van een bestuursfunctie,' bevestigde Pitt.

De kelner zette als voorgerecht een grote schaal mosselen met rijst op tafel, waar ze zich alle drie aan te goed deden.

'Dit is beslist een fascinerende stad om in te werken,' merkte Loren op.

'Ja, Istanbul wordt wel de Koningin der Steden genoemd en dat is ze ook echt. Ze is geboren bij de Grieken, opgevoed door de Romeinen en volwassen geworden onder de Ottomanen. Haar erfgoed van oude kathedralen, moskeeën en paleizen is zelfs voor de meest blasé historicus indrukwekkend. Maar als woonplaats voor twaalf miljoen mensen zijn er wel de nodige problemen.'

'Ik heb gehoord dat het politieke klimaat daar een van is.'

'Wilde u daar iets aan veranderen, is dat de werkelijke reden van uw bezoek, mevrouw het Congreslid?' vroeg Ruppé breed grijnzend.

Loren Smith moest glimlachen om dat idee. Hoewel ze al heel lang voor de staat Colorado lid was van het Huis van Afgevaardigden, was ze niet echt een politiek dier.

'Eerlijk gezegd ben ik naar Istanbul gekomen om mijn eigenzinnige echtgenoot weer eens te zien. Met een delegatie van het Congres heb ik een reis door de Kaukasus gemaakt en op de terugweg naar Washington heb ik dit als tussenstop kunnen inplannen. In het vliegtuig vertelde een vertegenwoordiger van Buitenlandse Zaken dat de Amerikaanse veiligheidsdienst zich zorgen maakt over de groeiende fundamentalistische beweging in Turkije.'

'Hij heeft gelijk. Zoals je weet is Turkije een seculiere staat met een bevolking die voor negentig procent moslim is, en dat zijn dan voornamelijk soennieten. Maar er is hier in Istanbul een zich snel verspreidende beweging onder leiding van moefti Battal, die fundamentalistische hervormingen nastreeft. Ik ben geen deskundige op dit terrein, dus ik kan niet veel zeggen over de actuele stand van zaken. Maar Turkije heeft net als elders op de wereld zwaar te lijden onder de economische malaise en dat leidt tot onvrede over de status-quo. De moeilijke tijden werken in zijn voordeel. De afgelopen tijd is hij voortdurend in beeld met steeds weer felle aanvallen op de zittende president.'

'Afgezien van het feit dat dat de westerse bondgenootschappen verontrust, ontkom ik niet aan de gedachte dat een sterkere invloed van het fundamentalisme gevaarlijk kan zijn voor de machtsverhoudingen in het hele Midden-Oosten,' reageerde Loren.

'Met de spierballentaal van het sjiitische bewind in Iran vrees ik dat je zorgen niet onterecht zijn.'

De hoofdgerechten werden geserveerd. Loren kreeg een gebakken zeebaars voorgezet en Pitt een zaagbaars van de grill, terwijl Ruppé zich op een tarbot uit de Zwarte Zee mocht verheugen.

'Sorry dat ik het eten met politiek verpest, maar dat is helaas een beetje een beroepskwaal van me,' verontschuldigde Loren zich. 'De zeebaars is heerlijk, kan ik jullie tot mijn vreugde vertellen.'

'Mij maakt 't niet uit en ik ben ervan overtuigd dat Dirk er wel aan gewend is,' zei Ruppé met een knipoog. Hij wendde zich tot zijn oude vriend. 'Maar goed, Dirk, vertel eens over dat project van je in de Egeïsche Zee.'

'We doen onderzoek naar het extreem lage zuurstofgehalte van het water in bepaalde zones in het oostelijk deel van de Middellandse Zee,' antwoordde Pitt tussen twee happen door. 'Het Turkse ministerie van Milieuzaken heeft ons een aantal plekken in de regio aangewezen waar een buitensporige algengroei al het overige leven in de zee heeft gedood. Het is een groeiend probleem dat we op meer plaatsen terugzien, verspreid over de hele aarde.'

'Ik weet dat de situatie ook zeer zorgwekkend is in Chesapeake Bay, in onze eigen achtertuin,' merkte Loren op.

'De dode zones in de Chesapeake Bay hebben zich de laatste jaren in de zomermaanden opzienbarend uitgebreid,' bevestigde Pitt.

'Volledig het gevolg van verontreiniging?' vroeg Ruppé.

Pitt knikte. 'In de meeste gevallen worden de zones aangetroffen in de delta's van grote rivieren. Lage zuurstofgehaltes zijn over het algemeen een direct gevolg van vervuiling door voedingsstoffen, voornamelijk in de vorm van stikstof afkomstig uit landbouw- of industrieel afval. De voedingsstoffen in het water zorgen in eerste instantie voor een massale groei van fytoplankton, ofwel algengroei. Wanneer de algen afsterven en naar de bodem zinken, onttrekt dit rottingsproces zuurstof aan het water. Zodra dat proces een bepaalde kritische waarde overstijgt, wordt het water anoxisch, wat voor al het zeeleven dodelijk is.'

'Wat hebben jullie tot dusver in de Turkse wateren aangetroffen?'

'Een niet al te grote zone des doods tussen het Griekse eiland Chios en het Turkse vasteland. We doen nog verder onderzoek in de directe omgeving en uiteindelijk zullen we de exacte omvang en intensiteit van de zone in kaart brengen.'

'Hebben jullie de oorzaak kunnen vinden?' vroeg Loren.

Pitt schudde zijn hoofd. 'Het Turkse ministerie van Milieuzaken helpt ons bij het identificeren van potentiële industriële of agrarische vervuilers in de buurt, maar we hebben tot nu toe geen enkel zicht op de mogelijke bron of bronnen.'

De kelner verscheen om de tafel af te ruimen, waarna hij met een schaal verse abrikozen en drie koppen koffie terugkwam. Loren stelde tot haar verbazing vast dat haar koffie al was gezoet.

'Dirk, ligt dat wrak van jou in die zone des doods?' vroeg Ruppé.

'Nee, maar er vlakbij. We werden opgehouden door een reparatie aan onze detectieapparatuur toen we de plek ontdekten. Een vissersboot die nu een paar meter van zijn netten kwijt is, bracht ons op het spoor.'

'Toen je belde, had je 't erover dat je artefacten had gevonden, toch?'

'Ja, en ik heb ze zelfs bij me,' antwoordde Pitt, waarbij hij naar een zwarte tas knikte die aan zijn voeten stond.

Ruppés ogen lichtten op. Hij keek op zijn horloge. 'Het is al na elven en ik houd jullie al veel te lang wakker. Maar het museum is hier maar een paar minuten vandaan. Ik zou die dingen dolgraag even willen zien en daarna kun je ze veilig in mijn laboratorium achterlaten, als je wilt.'

'Doe niet zo belachelijk,' reageerde Loren, die een mogelijke teleurstelling voor haar man wilde voorkomen. 'We zijn allebei heel benieuwd naar jouw mening.'

'Perfect,' zei Ruppé glimlachend. 'Laten we nog even rustig van onze koffie genieten en dan gaan we naar mijn kantoor om eens goed te bekijken wat je hebt gevonden.'

Na de koffie en het betalen van de rekening wandelden ze gedrieën het restaurant uit. Ruppé bleef staan bij een groene Volkswagen Karmann Ghia cabriolet die langs de stoep stond geparkeerd.

'Mijn excuses voor de beperkte beenruimte, ik ben me bewust dat de achterbank wat krap bemeten is,' zei hij.

'Ik ben gek op die oude VW's,' zei Loren. 'Ik heb in geen jaren zo'n mooie gezien als deze.'

'Ze mag dan wat op leeftijd zijn, maar ze rijdt nog als een zonnetje,' zei Ruppé. 'Ik heb gemerkt dat het een perfecte auto is om door het drukke verkeer van Istanbul te crossen, hoewel ik een airco wel mis.'

'Dat heb je toch niet nodig als je de kap omlaag doet?' mijmerde Pitt hardop, terwijl hij op de passagiersstoel ging zitten, nadat Loren zich op de achterbank had geperst.

Ruppé reed terug naar het centrum van de stad, waar hij door een grote gewelfde poort reed.

'We zijn nu op het terrein van het Topkapi, het oude Ottomaanse paleis,' legde hij uit. 'Ons museum bevindt zich bij de ingang naar het centrale binnenplein. Jullie moeten beslist een rondleiding door het paleis nemen als je een keer tijd hebt. Maar ga wel vroeg, want het is een toeristische trekpleister.'

Ruppé reed door een parkachtige omgeving rond een verzameling historische gebouwen. Nadat ze een lichte helling waren opgereden, draaide hij aan de achterkant van het Archeologisch Museum een parkeerterrein voor het personeel op. Vlakbij rees de hoge muur op die het binnenste paleis van het Topkapi omgaf.

Nadat ze zich uit de krappe auto hadden gewurmd, volgden Loren en Pitt Ruppé naar een groot neoclassicistisch gebouw.

'Het museum bestaat in feite uit drie gebouwen,' verklaarde Ruppé. 'Je hebt het Museum voor de Oude Oriënt verderop aan de voorkant, naast de Betegelde Kiosk, waarin zich het Museum voor Islamitische Kunst bevindt. Ik houd me onledig in het hoofdgebouw, waarin het Archeologisch Museum is gevestigd.'

Ruppé leidde hen naar de treden aan de achterkant van het met zuilen omgeven gebouw, dat uit de negentiende eeuw stamde. Nadat hij de achterdeur van het slot had gedraaid, werden ze begroet door een nachtportier, die binnen de wacht hield.

'Goedenavond, dr. Ruppé,' zei de bewaker. 'Nog zo laat aan het werk vandaag?'

'Hoi, Avni. Ik laat even een paar vrienden iets zien, we zijn zo weer weg.'

'Haast je niet. Er is verder geen mens, behalve de krekels en ik.'

Ruppé leidde zijn gasten door de hoofdgang, die vol stond met oude standbeelden en reliëfs. In tentoonstellingszalen aan beide kanten stonden rijkelijk versierde graftombes uit het hele Midden-Oosten. De archeoloog bleef staan en wees op een enorme stenen sarcofaag versierd met een indrukwekkend bas-reliëf.

'De sarcofaag van Alexander, ons beroemdste artefact. Op de zijkanten zijn scènes met Alexander de Grote in volle actie afgebeeld. Niemand weet wie er werkelijk in ligt, maar veel mensen denken dat het een Perzische gouverneur is, een zekere Mazaeus.'

'Schitterend,' mompelde Loren. 'Hoe oud is dit?'

'Vierde eeuw voor Christus.'

Ruppé ging hen voor en liep door een zijgang naar een flinke kantoorruimte volgestouwd met boeken. Een van de muren werd volledig ingenomen door een lange laboratoriumtafel, waarvan het roestvrijstalen blad vol stond met artefacten in diverse stadia van conservering. Ruppé knipte een aan het plafond bevestigde lichtbalk aan die de ruimte fel verlichtte.

'Laat nu die natte spullen maar eens zien,' zei hij, terwijl hij een stel krukjes naar de tafel schoof.

Pitt trok de ritssluiting van de tas open en haalde Giordino's ijzeren kistje eruit, dat hij voorzichtig uit de handdoek wikkelde.

'Dit is iemands spaarvarken, geloof ik,' zei hij. 'Het slot is er vanzelf afgevallen,' verklaarde hij met een schuldbewuste grijns.

Ruppé zette een leesbril op en bestudeerde het kistje.

'Ja, een soort kluisje, behoorlijk oud zo te zien.'

'De inhoud zal de datering waarschijnlijk aanzienlijk vereenvoudigen,' merkte Pitt op.

Ruppés ogen verwijdden zich toen hij het deksel opende. Hij spreidde een doek op de tafel uit en legde er voorzichtig de zilveren en gouden munten op, zeven in totaal.

'Ik had jou het eten moeten laten betalen,' zei hij.

'Mijn hemel, is dat echt goud?' vroeg Loren, terwijl ze de gouden munt oppakte en in haar hand woog.

'Ja, zo te zien uit een Ottomaanse mijn,' antwoordde Ruppé, de geslagen inscriptie bestuderend. 'Ze hadden er diverse in hun rijk.'

'Kun je iets uit het schrift opmaken?' vroeg ze, terwijl ze het zwierige Arabische schrift bewonderde.

'Er staat zoiets als "*Allah Akbar*" ofwel "God is Groot".'

Ruppé liep naar de andere kant van de kamer en zocht zijn boekenplanken af tot hij er ten slotte een dik ingebonden standaardwerk tussenuit trok. Hij bladerde het door en hield het open bij een pagina met een foto van diverse oude munten. Nadat hij de afbeeldingen met een van de munten had vergeleken, knikte hij tevreden.

'Gevonden?' vroeg Pitt.

'Vol in de roos. Identiek aan munten die in Syrië zijn geslagen, in de zestiende eeuw. Gefeliciteerd, Dirk, je hebt waarschijnlijk een Ottomaans wrak gevonden uit de tijd van Süleyman de Grote.'

'Wie was die Süleyman?' vroeg Loren.

'Een van de succesvolste en meest bewonderde sultans van het Ottomaanse Rijk, deed als heerser waarschijnlijk alleen onder voor Osman I, de stichter van het rijk. Gedurende zijn regeringsperiode halverwege de zestiende eeuw vergrootte hij het Ottomaanse Rijk tot ver in Zuidoost-Europa, het Midden-Oosten en Noord-Afrika.'

'Misschien was dit een geschenk of offer voor de sultan,' zei Pitt, waarna hij de aardewerken doos uit zijn tas tilde en behoedzaam uitpakte. Lorens ogen begonnen te glinsteren bij het zien van het complexe ontwerp in blauw, paars en wit waarmee het deksel was versierd.

'Wat schitterend gemaakt,' zei ze.

'De oude islamitische handwerkers verrichtten wonderen met tegels en keramiek,' reageerde Ruppé. 'Maar zoiets als dit hier, heb ik nog nooit gezien.'

Hij hield het doosje op in het licht en bestudeerde het aandachtig. Er zat een kleine ongelijke barst in een van de zijkanten, waar hij met zijn vinger overheen wreef.

'Het ontwerp komt overeen met voorwerpen die ik heb gezien en die Damascus-keramiek worden genoemd,' zei hij. 'Het is een patroon van de beroemde oude pottenbakkersovens van Iznik in Turkije.'

Behoedzaam wrikte hij het deksel open en tilde de zwaar aangetaste kroon tevoorschijn.

'Kijk nou eens,' zei Loren terwijl ze ernaartoe boog.

Ook Ruppé was onder de indruk. 'Dit krijg ik niet elke dag te zien,' zei hij, waarna hij de kroon met een zaklamp bescheen om hem nog beter te kunnen bestuderen. Hij pakte een tandenstoker en schraapte een aangekoekt stukje sediment weg.

'Dit ding verkeert in een prima staat als je hem goed schoonmaakt,' zei hij. Nadat hij hem nog eens aandachtig had bekeken, keek hij met een gefronst voorhoofd op en knipperde met zijn ogen. 'Wat raar, zeg,' zei hij.

'Wat dan?' vroeg Loren.

'Het lijkt alsof er in de binnenrand nog een inscriptie staat. Ik kan er maar een paar letters van ontcijferen, maar die lijken wel Latijns.'

'Dat klinkt niet erg logisch,' reageerde Loren.

'Nee,' gaf Ruppé toe. 'Maar als we hem op de juiste manier schoonmaken, komen we daar wel achter, denk ik. Ik geef ons een goede kans dat we kunnen achterhalen waar hij vandaan komt.'

'Ik wist dat we hier aan het goede adres waren,' zei Pitt.

'Het lijkt erop dat er in dat wrak van jou meer dan één mysterie verborgen ligt,' zei Ruppé.

Loren bekeek de kroon met vermoeide ogen en onderdrukte een geeuw.

'Ik vrees dat ik het voor jullie veel te laat heb laten worden,' merkte Ruppé op, waarna hij de kroon in een muurkluis opborg en vervolgens het kluisje, de munten en het aardewerken doosje in een met water gevuld plastic krat legde. 'Ik kan haast niet wachten om deze dingen, zodra ik terug ben uit Rome, samen met mijn medewerkers aan een diepgaander onderzoek te onderwerpen.'

'Ik wil heel graag weten wat een gouden kroon met een Latijnse inscriptie in een Ottomaans scheepswrak te zoeken heeft,' zei Pitt.

'We zullen het misschien nooit weten, maar ik ben benieuwd wat er nog meer in dat wrak te vinden is,' reageerde Ruppé. 'Hoe vreemd het ook klinkt, er zijn niet zoveel Ottomaanse wrakken in de Middellandse Zee gevonden.'

'Als jij de Turkse autoriteiten van onze vondst op hoogte stelt, ga ik kijken wat wij kunnen doen,' zei Pitt. Hij gaf Ruppé een zeekaart waarop de locatie van het wrak met een rood kruisje was aangegeven. 'Het is vrij dicht bij Chios, dus hebben de Grieken er waarschijnlijk meer over te zeggen.'

'Ik ga morgenochtend meteen bellen,' zei Ruppé. 'Is er een mogelijkheid dat jij en jullie schip aan een verder onderzoek van het wrak zouden kunnen meedoen?'

Pitt glimlachte. 'Ik doe niets liever dan uitzoeken wat we nu eigenlijk hebben gevonden. Ik regel wel dat we het schip een dag of twee ter beschikking krijgen. We hebben een archeoloog aan boord die het werk dan kan leiden.'

'Prima, prima. Ik heb goede contacten met het Turkse ministerie van Cultuur. Die zijn vast heel blij dat het project in goede handen is.'

Hij keek naar Loren, die nauwelijks haar ogen kon openhouden.

'Ojee, vergeef me dat ik zo doordram. Het is al erg laat en ik moet jullie naar het hotel terugbrengen.'

'Heel graag, want anders ga ik nog in een van die sarcofagen van je liggen.'

Nadat Ruppé zijn kantoor had afgesloten, begeleidde hij hen langs de bewaker het gebouw uit. Toen ze de stoeptreden voor het museum afliepen, klonken er in de verte een paar doffe knallen en begonnen er plotseling vrij dichtbij sirenes te loeien, het snerpende geluid schalde over de hoge muren van het Topkapi-paleis. Het trio bleef verwonderd staan en luisterde naar het nauwelijks hoorbare geschreeuw van mannen, even later overstemd door geratel van geweervuur. Er klonken nog meer schoten en het geluid kwam dichterbij. Het volgende ogenblik vloog achter hen de deur van het museum open en kwam de bewaker met een dodelijk verschrikt gezicht op hen afgerend.

'Het paleis wordt aangevallen!' gilde hij. 'De Kamer met de Heilige Relikwieën in het Topkapi is overvallen en de bewakers van Babüsselam reageren niet. Ik moet gaan kijken of de poort is gebarricadeerd.'

Babüsselam, ofwel de Poort van de Groet, vormde de hoofddoorgang naar het omheinde heiligdom van het Topkapi-paleis. Het was een hoge palissade, die wel iets weg had van de muren van een Disneyland kasteel, waar de toeristen 's morgens in de rij stonden voor een rondleiding door het paleis en de tuinen van de grote Ottomaanse sultans. In de poort bevond zich een beveiligingspost, waarin zich gedurende de nachtdienst meerdere lijfwachten van het Turkse leger ophielden. De poort aan het einde van de weg stond duidelijk zichtbaar wijdopen, maar van de lijfwachten was geen spoor te bekennen.

Avni, de bewaker van het museum, spurtte langs Ruppé en stak het parkeerterrein over. Op ongeveer honderd meter voor de poort rende hij langs een witte bestelwagen die langs de kant van de weg geparkeerd stond. Op datzelfde ogenblik werd de motor van de auto gestart, die stotterend tot leven kwam.

De koplampen doofden en daar had Pitt al meteen geen goed gevoel bij. Er zat iets heel erg fout en instinctief wilde hij achter Avni aan.

'Ben zo terug,' gromde hij, waarna hij wegsprintte.

'Dirk!' schreeuwde Loren in verwarring over deze spontane reactie van haar man. Maar hij had geen tijd om te antwoorden toen hij zag dat de witte bestelwagen optrok.

Pitt wist wat er ging gebeuren, maar kon het niet voorkomen. Toen de auto met een gierende motor naar voren schoot, kon hij alleen maar toekijken, alsof het een vertraagde scène in een actiefilm was. De auto versnelde en stuurde recht op de bewaker van het museum af. Op topsnelheid rennend schreeuwde Pitt een waarschuwing.

'Avni! Achter je!' gilde hij.

Maar het was tevergeefs. Met nog steeds gedoofde koplampen stoof de bestelwagen vooruit en schepte de museumwacht van achteren. Zijn lichaam vloog hoog over de motorkap en sloeg na een radslag met een plof tegen de grond. De bestelauto bleef versnellen tot hij met piepende banden voor de openstaande poort tot stilstand kwam.

Pitt rende door tot hij bij de voorover liggende bewaker kwam. Aan de ongewone vorm van zijn hoofd zag Pitt meteen dat zijn schedel verbrijzeld was met een onmiddellijke dood tot gevolg. Omdat hij voor hem nu niets meer kon doen, liep Pitt door naar de bestelwagen.

De chauffeur staarde van achter het stuur met een vorsende blik naar de doorgang van de Babüsselam. Door het motorgeluid hoorde hij Pitts voetstappen pas toen hij al naast de bestelwagen was. Omkijkend boog hij zich door het openstaande zijraam en zag een stel handen op zich afkomen die hem stevig bij zijn kraag grepen. Voordat hij zich kon verzetten was hij al met hoofd en torso tot zijn middel door het raam getrokken.

Pitt hoorde voetstappen naderen, maar ving slechts vanuit zijn ooghoek een schaduw op terwijl hij met de chauffeur worstelde. Hij had zijn elleboog onder zijn kin geslagen en rukte haast zijn hoofd van zijn romp. De man was van de eerste schrik bekomen en probeerde zich aan Pitts greep te ontworstelen, waarbij hij zijn knieën onder het stuur klemde en wild met zijn armen zwaaide. Maar Pitt slaagde erin de druk op de keel van de chauffeur zodanig op te voeren dat hij naar lucht hapte en in zijn armen verslapte.

'Laat hem los,' snauwde een vrouwenstem.

Pitt draaide zich om naar het liggende lichaam van de dode museumbewaker zonder zijn greep op de stikkende bestelwagenbestuurder te verslappen. Loren en Ruppé waren hem over de weg gevolgd om Avni bij te staan en stonden nu bij de dode man. Ruppé zat op een knie gehurkt en hield zijn hand tegen een bloederige wond op zijn voorhoofd, terwijl Loren ernaast met een angstige blik in haar ogen naar Pitt staarde.

Naast hen stond een kleine, in een zwarte trui en broek geklede vrouw met een donkere skibril voor haar gezicht. In haar uitgestrekte arm hield ze een pistool op Lorens hoofd gericht.

'Laat hem los,' herhaalde ze tegen Pitt, 'of deze vrouw gaat eraan.'

55

4

Het Topkapi-paleis was gedurende bijna vierhonderd jaar de belangrijkste residentie van de Ottomaanse sultans. Het op een helling met uitzicht over de Gouden Hoorn gebouwde paleis is met een uitgestrekt complex van luisterrijk betegelde gebouwen en binnenhoven een van de pronkstukken uit de rijke Turkse geschiedenis. De drukbezochte rondleidingen bieden een kijkje in de persoonlijke levenssfeer van de heersende sultans, opgesierd met een imposante collectie kunstwerken, wapens en sieraden. Te midden van deze koninklijke pracht en praal bevat het paleis ook een serieuze, over de hele wereld geroemde collectie islamitische relikwieën. En op die voorwerpen hadden de dieven het voorzien.

Met de bestelwagen van een cateringbedrijf waren een paar dagen eerder zonder problemen een verstopte voorraad wapens en kneedbommen het terrein van het paleis binnengesmokkeld. De dieven waren het complex aan het einde van de dag als toeristen binnengekomen en hadden zich heimelijk in een opslaghok van de terreinknechten verstopt. Lang nadat de laatste toeristen waren vertrokken en de ingang was afgesloten, hadden de dieven gedekt door de duisternis ongezien hun wapens opgezocht en waren naar de Kamer met de Heilige Relikwieën gegaan, waar veel van de heilige voorwerpen staan uitgestald.

De feitelijke overval duurde nauwelijks een minuut. Nadat ze met explosieven een deel van een zijmuur hadden opgeblazen, hadden ze een in de buurt aanwezige bewaker doodgeschoten en snel de gewenste relikwieën bijeengezocht, waarna ze door het gat in de muur weer waren verdwenen.

De dieven hadden ter afleiding op diverse plekken verdeeld over het terrein een reeks kleinere springladingen laten afgaan, terwijl zij zich in zuidelijke richting uit de voeten maakten. Eenmaal buiten de hoofdpoort zouden ze worden opgepikt door de wachtende bestelwagen die hen binnen enkele minuten naar het web van smalle kronkelige straatjes van Sultanahmet zou brengen, waar ze onmiddellijk in de duisternis konden verdwijnen.

Er loeiden politiesirenes in de verte toen er twee in het zwart geklede mannen met ieder een canvas tas onder een arm door de Babüsselam stormden. Toen ze de auto naderden, snauwde de vrouw die het wapen op Loren gericht hield, hen op afgemeten toon aanwijzingen toe. De beide dieven wierpen hun tassen in de laadruimte, sjouwden de half bewusteloze chauffeur ernaartoe en legde hem ernaast. Een van de mannen rende terug naar voren en stapte achter het stuur, terwijl de tweede man zijn pistool trok en op Loren richtte. De vrouw wendde zich weer tot Pitt.

'Jij daar. Weg bij die auto!' brulde ze met haar wapen nu op Pitt gericht. 'Deze vrouw komt met ons mee. Als je haar levend terug wilt zien, zeg dan dat we door de poort bij het Gulhane park zijn ontsnapt.' Ze gebaarde met haar wapen naar de noordoostkant van het terrein.

Pitt had zijn handen tot vuisten gebald en zijn ogen schoten vuur van woede, maar hij kon niets doen. De vrouw voelde zijn opgekropte woede en richtte haar wapen op zijn hoofd.

'Waag het niet,' zei ze.

De man met het pistool greep Loren bij haar arm en duwde haar ruw de laadruimte van de bestelwagen in, waarna ook hij instapte en de deur achter hen dichttrok. De vrouw begaf zich voorzichtig achteruitlopend naar het portier aan de passagierskant en hield haar wapen op Pitt gericht tot ze snel de auto insprong. De nieuwe chauffeur drukte onmiddellijk het gaspedaal in, waarop de bestelwagen met rokende banden wegspoot.

Pitt rende naar Ruppé, die overeind was gekomen, maar nog wankel op zijn benen stond van de klap die de vrouw hem tegen zijn hoofd had gegeven.

'Je auto,' zei Pitt gehaast.

Ruppé diepte meteen de sleutel op.

'Ga jij maar alleen, ik houd je alleen maar op.'

'Alles goed met jou?'

'Een schrammetje,' antwoordde hij, terwijl hij flauwtjes glimlachend zijn met bloed besmeurde hand bekeek. 'Ik ben oké. Ga jij maar, dan zal ik de politie inlichten als ze komen.'

Pitt knikte, waarna hij de sleutel aanpakte en naar de Karmann Ghia snelde. De oude Volkswagen startte meteen bij het omdraaien van de sleutel. Pitt schakelde en zette met snerpende banden de achtervolging van de bestelwagen in.

De buitenste tuinen van het Topkapi liggen grofweg in de vorm van een schuine A met aan de voet van beide poten een toegangspoort. Omdat ze ervan uitgingen dat de politie waarschijnlijk door de noordelijke Gulhane

Poort zou komen, kozen de dieven voor de Keizerlijke Poort in het zuiden. Ondanks de dagelijkse toevloed van toeristenbussen naar het paleis waren de door bomen geflankeerde wegen door het park smalle, kronkelige ondingen waarop je nauwelijks snelheid kon maken.

Pitt nam de hoofdweg waarover de bestelwagen was weggereden, maar die was inmiddels uit het zicht verdwenen. Nadat hij verschillende smalle zijweggetjes was gepasseerd, kreeg Pitt het Spaans benauwd bij de gedachte dat hij de bestelauto niet zou terugvinden. Professionele dieven waren over het algemeen geen moordenaars, hield hij zichzelf voor. Ze zouden Loren waarschijnlijk bij de eerste de beste gelegenheid vrijlaten. Tot hij opeens weer voor zich zag hoe doelgericht de museumbewaker was geschept. Er hadden ook diverse schoten vanachter de paleismuur geklonken. Zo drong het onaangename besef tot hem door dat deze dieven allerminst voor moord terugschrokken.

Hij duwde het gaspedaal nog verder in, wat een hartverscheurend gejank aan de luchtgekoelde motor van de Volkswagen ontlokte. De Karmann Ghia was allesbehalve een snelle auto, maar door zijn beperkte omvang en gewicht was hij wel behendig in het bochtenwerk. Voortdurend tussen de tweede en derde versnelling heen en weer schakelend, joeg Pitt de kleine auto tot aan de grenzen van zijn kunnen op. Zo raasde hij over de bochtige weg en dreef dat net iets te ver door toen een wieldop een iep schampte nadat het achterwiel over een stoeprand was geschoten.

De straat strekte zich even recht voor hem uit tot hij op een kruispunt uitkwam. Pitt trapte op de rem en schoof tot op de lege kruising door, terwijl hij koortsachtig nadacht welke kant hij op moest. Met een snelle blik in beide richtingen zag hij nergens verkeer of ook maar een glimp van de bestelwagen. Pitt herinnerde zich de opmerking van de vrouw over de Gulhane Poort. Hij had geen flauw benul waar die zich bevond, maar hij zag nog voor zich hoe ze met haar pistool gebaarde. Ondanks alle bochten en kronkels in de weg was hij er vrij zeker van dat ze naar wat nu rechts van hem was had gewezen. Hij ramde de versnellingspook in z'n een, gaf gas terwijl hij de koppeling liet opkomen en schoot de geplaveide weg naar links in.

Het brede, overhangende bladerdek van oude eiken suisde over hem heen, terwijl hij doorschakelend de weg volgde die licht naar rechts afboog. Nadat hij een tamelijk vlakke helling was afgereden, kwam hij bij een volgend kruispunt. Hier zag hij een bord staan met in het Engels EXIT erop en een naar rechts wijzende pijl. Slechts licht afremmend scheurde hij met gesnerp van verschroeiend rubber door de bocht, waarbij de

Volkswagen ver doorschoot op een laan waarop zich gelukkig geen verkeer bevond.

Dit bleek een lange rechte weg die naar de Keizerlijke Poort liep. In de verte zag Pitt steeds meer lichtjes opdoemen naarmate de bomen en struiken van de paleistuinen meer zicht gaven op de dichtbevolkte bebouwing van het oude stadscentrum van Istanbul. De weg afturend ving Pitt nog juist een glimp op van een stel achterlichten die de poort uitdraaiden.

Het was de bestelwagen.

Bij Pitt flakkerde weer hoop op, terwijl hij plankgas op de poort aanstuurde. De dieven moeten naar rechts zijn gegaan, nam hij aan. Het zou nog even duren voordat de politie die op het alarm was uitgerukt, bij de Keizerlijke Poort kon zijn. Toen hij de poort naderde, zag hij langs de weg iets liggen wat in een flits de lichamen van twee Turkse soldaten leken.

Hij stopte niet, maar schoot de poort door, waarna hij terwijl hij naar rechts afsloeg scherp afremde om het al te opvallende piepen van de banden te voorkomen. Met een snelle blik vooruit zag hij dat de bestelwagen een kaarsrechte boulevard naar het zuiden was ingeslagen. Pitt zette onmiddellijk de achtervolging in en deed in een scherpe bocht de lichten uit, waarna hij snel op de bestelwagen inliep.

In het historische centrum Sultanahmet, waar overdag een chaotische drukte van voetgangers en auto's heerste, was het 's avonds laat opmerkelijk stil. Pitt omzeilde een gedeukte taxi, waarna hij afremde toen hij zag dat de bestelwagen voor een stoplicht stopte.

Ze reden langs de Aya Sophia, een van de beroemdste monumenten uit de Byzantijnse tijd. De oorspronkelijk door de Romeinse keizer Justinianus als een basiliek gebouwde moskee is al bijna duizend jaar het grootste koepelgebouw ter wereld. Met de oude fresco's en mozaïeken en het indrukwekkende architectonische raffinement is het een van de belangrijkste culturele bezienswaardigheden van Istanbul.

De bestelwagen sloeg opnieuw rechts af, stak het Sultanahmet Plein en het voorhof van de Aya Sophia over, waar wat groepjes toeristen rondliepen en foto's van het verlichte bouwwerk maakten. Pitt probeerde dichter bij de bestelwagen te komen, maar werd opgehouden door een stel taxi's die juist van de stoeprand wegreden.

De bestelwagen remde af om niet de aandacht te trekken van een politieauto die met een loeiende sirene en zwaailichten door een omhoog lopende zijstraat in de richting van het Topkapi raasde. Het bijeengeklonterde groepje auto's reed het plein af en kwam na het eerste huizenblok voor een rood stoplicht tot stilstand. Over het kruispunt reed een roestige vuilniswagen die op de hoek bij een berg vuilnis bleef staan. Zo versperde de vrachtwagen de doorgang voor de bestelauto, die van achteren door een van de taxi's werd ingesloten.

Twee auto's daar weer achter zat Pitt, die zag hoe een slome vuilnisman ongehaast de berg troep begon in te laden en besloot dat de situatie nu gunstig was om in actie te komen. Zonder nog te aarzelen sprong hij uit de Karmann Ghia en rende diep voorovergebogen om niet te worden gezien langs de taxi's naar de achterkant van de bestelwagen. In de achterdeuren van de bestelwagen zat donkergetint glas, maar Pitt zag aan de rechterkant een figuur zitten met heel korte haren of anders een skimuts op zijn hoofd.

Het stoplicht sprong op groen en de bestelwagen schoot naar voren, maar moest meteen weer afremmen omdat hij moest wachten op de vuilnisman die op zijn dooie akkertje de enorme stapel uitpuilende vuilniszakken wegwerkte. Pitt besloop de bestelwagen, zette een voet op de bumper en greep met zijn rechterhand de deurknop. Hij rukte de deur open en sprong naar binnen met zijn linkervuist gebald om onmiddellijk toe te slaan.

Het was een riskante actie die zowel Loren als hemzelf het leven kon kosten. Maar hij had het verrassingselement aan zijn zijde en ging er terecht van uit dat de schutter die achterin zat zijn waakzaamheid had laten varen en met zijn gedachten bij het succes van de diefstal was. Diep vanbinnen was er nog een reden om alle voorzichtigheid overboord te gooien. Pitt besefte dat hij nooit zou kunnen leven in de wetenschap dat Loren iets was overkomen zonder dat hij had ingegrepen.

Toen de deur openvloog, overzag Pitt de situatie in de laadruimte terwijl hij nog in beweging was. Hij had goed gegokt dat de niet-gewonde schutter inderdaad aan de rechterkant zat. Tegenover hem zat de oorspronkelijke chauffeur van de auto, die alweer wat kleur op zijn gezicht terug had. Tussen hem en de scheidingswand met het bestuurderscompartiment zat Loren ingeklemd. In de fractie van een seconde dat ze oogcontact hadden, zag Pitt dat ze doodsbang was.

Het verbaasde hem zeer dat de schutter zijn pistool niet eens op Loren gericht hield, maar achteloos naast zich had liggen. Geschrokken staarde de man hem door zijn skibril aan, voordat Pitts vuist hem recht op zijn kin trof. Met alle adrenaline en beheerste woede die in Pitt opwelden had hij zijn vuist, als hij anders had gemikt, waarschijnlijk dwars door de zijwand van de bestelwagen geramd. De man was meteen knock-out en zakte zonder nog zijn wapen te heffen op de bodem van de laadruimte ineen.

De andere man reageerde ogenblikkelijk, waarschijnlijk extra gemotiveerd door de kans nu wraak te kunnen nemen voor de eerdere aanval van Pitt. Hij dook van achteren op Pitts uitgestrekte lijf en drukte hem tegen de grond. De man had een wapen in zijn zak dat hij probeerde te pakken, terwijl hij zijn andere arm stevig om Pitts middel geklemd hield. Plat op de grond liggend drukte Pitt zich met zijn armen op, maar kon de man die hem in een halve houdgreep hield niet afschudden. Op zoek naar iets om zich tegen af te zetten duwde Pitt een voet tegen de achterbumper en probeerde vervolgens zijn gewicht naar achteren te verplaatsen. Met zijn aanvaller op zijn rug gekleefd wierp hij zich achterover de bestelwagen uit.

De taxi stond met draaiende motor op nauwelijks een meter achter de bestelwagen. Door de lucht buitelend kwakten de beide in elkaar verstrengelde lichamen achterover op de motorkap van de taxi, waarbij de bestelwagenchauffeur ingeklemd tussen Pitt en de taxi de volle klap van de val opving. Alle lucht werd uit zijn longen geperst en de man hapte naar adem, terwijl Pitt de greep om zijn middel voelde verslappen. In een draai overeind komend duwde Pitt de arm van de man van zich af en haalde een paar keer met zijn elleboog naar het hoofd van de man uit. Dit was genoeg om hem bewusteloos te slaan en de man gleed naar de grond voordat hij zijn wapen had kunnen pakken.

Uithijgend keek Pitt op en zag Loren uit de bestelwagen klauteren. In haar hand hield ze een van de zwarte tassen geklemd.

'Snel, weg hier,' drong hij aan, terwijl hij haar arm greep en haar met zich mee trok. Ze wankelden naar de stoep zonder dat Loren daar enige vaart achter zette.

'Op deze schoenen kan ik niet lopen,' verdedigde ze zich.

Pitt hoorde een gil uit de richting van de bestelwagen, maar verspilde geen tijd met omkijken. In plaats daarvan greep hij zijn vrouw stevig beet en sleurde haar naar een nis in een hoekig gebouwtje op een paar passen afstand. Hij dook achter haar aan, terwijl er snel achter elkaar twee pistoolschoten klonken. Met opspattende betonscherven sloegen de kogels voor hun voeten in de stoep.

Het portiek bood dekking, maar hoelang nog? De vrouw met het pistool zou binnen enkele seconden zo ver de straat zijn opgelopen dat ze vrij zicht op hen allebei had.

'Wat nu?' vroeg Loren met een van angst bonzend hart.

Pitt ontdekte een oude verweerde deur boven een aantal stoeptreden.

'Dat is simpel, zou ik zeggen,' antwoordde hij met een knikje van zijn hoofd naar de deur. 'We gaan naar binnen.'

5

Na twee stevige trappen tegen de houten deur schoot de vrijwel door-
gesleten grendel uit het slot, waardoor de deur openschoof. Loren en
Pitt glipten een grote lege ruimte binnen met alleen een toonbank en een
kassa. Helemaal achter in het vertrek was een schemerig verlichte trap die
naar een lager gelegen verdieping leidde.

Buiten hoorden ze het geluid van rennende voetstappen naderen. Pitt
draaide zich om en sloeg de deur dicht, waarbij hij nog een glimp opving
van de vrouw in het zwart die achterlangs de taxi rende. De flits uit de
loop van haar pistool zag hij niet meer, maar wel hoe de kogel zich op een
paar centimeter van zijn gezicht in het zachte hout van de deur boorde.

'Laten we daar naar beneden gaan,' zei hij, terwijl hij Lorens hand greep
en naar de trap rende. Nadat ze een paar treden van de in steen uitgehakte
trap waren afgedaald, rukte Loren aan zijn arm.

'Ik red het gewoon niet op deze hakken,' zei ze toen ze zag dat de trap
nog een heel eind naar beneden doorliep. Met een paar venijnige bewegingen rukte ze haar pumps uit en vervolgde de afdaling van de trap.

'Waarom wordt bij het ontwerpen van vrouwenschoenen het praktisch as-
pect altijd buiten beschouwing gelaten?' vroeg Pitt terwijl hij haar inhaalde.

'Zoiets kan alleen een man vragen,' gromde ze, hijgend van de inspanning.

Ze liepen de trap verder af die minstens vijftig treden telde. Hun gesprek
over schoeisel maakte plaats voor een gevoel van ontzag voor de omgeving
die zich in het schaarse licht aan hen openbaarde.

Ze waren afgedaald in een reusachtig onderaards, door de mens gemaakt gewelf. Het was een nogal bizarre constructie die je hier midden in
het drukke Istanbul volstrekt niet zou verwachten. De trap eindigde op
een houten platform, vanwaar je het diepe gewelf inkeek. Pitt overzag bewonderend het woud van ongeveer negen meter hoge zuilen die zich in
lange rijen voor hen uitstrekten en met hun kapitelen een hoog, uit tientallen koepels bestaand plafond ondersteunden. De ruimte werd door een
batterij rode hanglampen verlicht, wat het geheel een mysterieuze, haast
helse aanblik gaf.

'Wat is dit?' vroeg Loren, waarbij haar stemgeluid hol tegen de wanden weerkaatste. 'Het is adembenemend, in meerdere opzichten.'

'Dit is een ondergrondse cisterne. Een wel héél erg grote, zo te zien. De Romeinen hebben er onder de straten van Istanbul honderden gebouwd voor de opslag van water, dat via aquaducten van het platteland werd aangevoerd.'

Ze stonden in wat in feite de grootste cisterne van Istanbul was, de Yerebatan Sarnici. Het bouwwerk was oorspronkelijk door keizer Constantijn gebouwd en later door Justinianus uitgebreid en was bijna honderdvijftig meter lang. In die tijd waren de met cement gestuukte vloer en zijwanden van de cisterne berekend op een inhoud van ongeveer tachtigduizend kubieke meter water. Nadat hij gedurende de Ottomaanse heerschappij in onbruik was geraakt, veranderde de afgedankte cisterne in een met drek gevulde beerput tot de Turkse regering het monumentale bouwwerk in de twintigste eeuw liet restaureren. Als een soort eerbetoon aan de baanbrekende Romeinse bouwkunst heeft men op de bodem van het gewelf een halve meter water laten staan.

Afgezien van wat druppelend water dat af en toe door het plafond sijpelde was het doodstil in de enorme ruimte. Maar die stilte werd plotseling verstoord door het van boven doordringende geluid van voetstappen. Het was de vrouw in het zwart die door de ingang naar de trap was gerend en nu aan de afdaling over de stenen treden begon. Ook Pitt en Loren zetten het weer op een rennen en vervolgden hun weg over een houten steiger die naar het andere uiteinde van de ruimte leidde.

Daar splitste de steiger zich in een cirkelvormig looppad, vanwaar de toeristen een beter zicht hadden op de honderden, kunstig versierde zuilen die het plafond ondersteunden. Eronder was het vlakke, ondiepe water een rustige habitat voor felgekleurde karpers die nooit het daglicht zagen. Pitt en Loren hadden geen oog voor de vissen en renden zonder in te houden door naar de andere kant van het gewelf.

De houten steigers waren nat van het druppelende water en Loren gleed herhaaldelijk uit op haar kousenvoeten. Ze viel toen ze een scherpe bocht omgingen en bleef even liggen om op adem te komen tot Pitt haar weer overeind hielp. Achter hen galmde het geluid van over de stenen treden ratelende voeten door de holle ruimte.

'Waarom zit ze nog steeds achter ons aan?' vroeg Pitt zich hardop af, terwijl hij Loren de hoek om trok.

'Misschien heeft dit er iets mee te maken,' antwoordde ze en ze hield de zwarte tas omhoog die ze nog steeds in een hand geklemd had. 'Die heb ik uit de auto meegenomen. Hij is misschien wel belangrijk, dacht ik.'

Pitt glimlachte om haar intuïtie. 'Ja, waarschijnlijk wel,' zei hij. 'Maar toch niet belangrijk genoeg om je leven voor te riskeren.'

De achtervolgende voetstappen hadden het einde van de trap bereikt en het geluid klonk nu doffer op het hout van de loopbrug. Pitt en Loren renden nog een paar meter door en sloegen een zijarm van de loopbrug in die dood bleek te lopen.

'Geef mij die tas, dan laat ik jullie gaan.'

De stem van de vrouw galmde met een akelige echo door het gewelf. Na een korte stilte klonken haar stappen weer op: het was duidelijk dat ze rende. Hoewel ze in het schaarse licht voor hen nog niet zichtbaar was, kwam ze hoorbaar dichterbij.

'Het water in,' fluisterde Pitt. Hij nam de zwarte tas van Loren over en leidde haar naar de leuning. In haar lange jurk klauterde ze onhandig over de leuning, waarna ze zich met Pitts hulp voorzichtig in het water liet glijden dat tot aan haar middel reikte. Ze rilde onwillekeurig, zowel door het koude water als het gevaar waarin ze verkeerden.

'Verstop je achter de laatste zuil en blijf daar tot ik je roep,' zei hij zachtjes.

'En jij dan?'

'Ik geef haar de tas terug.'

Hij leunde over de balustrade en gaf haar vlug een kus, waarna hij toekeek hoe ze langs een paar zuilenrijen waadde voordat ze uit het zicht verdween. Blij dat zij nu in elk geval veilig was, draaide hij zich om en liep terug over de steiger. Een donderende knal maakte dat hij bleef staan, terwijl er een paar meter voor hem een stuk van de houten leuning brak en in het water stortte. Op een meter of dertig van hem vandaan zag hij de gestalte van de schutter bewegen en hij sprintte naar voren tot een zuilenrij haar aan het oog onttrok.

Tijdens de paar seconden dekking die hij nu had, dacht hij koortsachtig na. Hij overwoog wat te doen met de zwarte tas, waar zo te voelen twee niet al te zware voorwerpen inzaten. Op de lege loopbruggen was nergens plek om ze te verstoppen, waarop zijn blik omhoogging langs de dichtstbij staande zuilen. Hij zag dat er bovenaan ongeveer elke derde zuil een fitting zat voor de rode lampen van de indirecte verlichting van de cisterne. Terwijl het geluid van de voetstappen naderde, tilde Pitt de tas op en scheidde door het doek heen de beide voorwerpen van elkaar. Vervolgens sloeg hij het lege midden een paar keer om zodat de tas de vorm van een halter had met de twee voorwerpen elk aan een uiteinde.

'Laat hem vallen!' hoorde hij de vrouwenstem gillen.

In het vage licht gokte Pitt dat ze nog te ver weg was om hem goed onder schot te kunnen nemen en snelde naar de leuning. Na twee passen ging opnieuw het pistool af en vanuit zijn ooghoeken zag Pitt duidelijk twee flitsen uit een loop oplichten terwijl de schoten door de ruimte schalden. Een van de kogels raakte de leuning, terwijl de andere langs zijn oor floot. Eenmaal in beweging gekomen kon hij alleen maar doorgaan.

Bij de derde pas zwaaide hij de tas omhoog en slingerde hem met alle kracht die hij had de lucht in. Zonder vaart te verminderen greep hij de rand van de leuning en sprong eroverheen. De tas vloog wentelwiekend door de lucht terwijl hij het water raakte. In één draaibeweging verdween hij onder water in de richting van de loopbrug en zwom tussen de pijlers door de vrouw tegemoet. Met beheerste slagen bewoog hij zich soepel door het ondiepe water en deed zijn best zo lang mogelijk onder water te blijven. Als ervaren snorkelduiker overbrugde hij met gemak meer dan twintig meter zonder adem te hoeven halen.

Hij hield zich muisstil, terwijl hij onder de loopbrug op adem kwam en probeerde uit te vinden waar de vrouw zich precies bevond. De inschatting dat hij haar onder de steiger was gepasseerd terwijl zij naar de plek rende waar ze zijn plons had gehoord, bleek juist. Net boven de waterspiegel turend zag hij haar met de loop van het pistool op het water gericht de andere kant op lopen.

Hij liet zich tot onder de loopbrug terugzakken en volgde die behoedzaam in tegengestelde richting tot aan een scherpe bocht. Het was in dit gedeelte net iets lichter dan hij had gewild, maar de bocht vormde een prima gedekte uitgangsbasis voor een aanval. Hij wilde zich net aan een pijler optrekken toen hij een nieuw stel voetstappen over de stenen treden hoorde afdalen. Op de achtergrond hoorde hij op straat een auto toeteren.

'Maria, we moeten echt weg hier,' schreeuwde een mannenstem in het Turks. 'De politie is nu ook buiten het Topkapi aan het zoeken.'

Pitt liet zich in het water terugzakken toen de vrouw zich omdraaide en zijn richting op rende. Zich angstvallig stilhoudend hoorde hij hoe ze boven zijn hoofd passeerde en even later de stenen treden van de trap op snelde. Bijna bovenaan gekomen aarzelde ze heel even en er schalde een schelle stem door de cisterne.

'Dit zet ik jullie betaald!' gilde ze.

Het geluid van haar voetstappen stierf weg en de auto hield op met toeteren. Pitt verroerde zich nog niet in het koude water en luisterde naar de spookachtige echo van de vallende waterdruppels. Erop vertrouwend dat de achtervolgers nu echt weg waren, klom hij de steiger op en liep, terwijl hij Lorens naam riep, naar het uiteinde.

Zijn vrouw kwam bibberend van de kou vanachter een zuil tevoorschijn en waadde naar de steiger, waar Pitt haar omhoog tilde. Ondanks haar verwarde haren, drijfnatte jurk en het rillen van de kou zag ze er voor Pitt nog altijd fantastisch uit.

'Alles oké?'

'Ja,' antwoordde ze. 'Zijn ze weg?'

Pitt knikte en pakte haar hand, waarop ze samen over de loopbrug naar de trap terugliepen.

'Akelige lieden,' zei ze. 'Hoeveel mensen hebben ze bij deze beroving wel niet gedood.'

Pitt kon er hoogstens een slag naar slaan. 'Hebben ze je iets gedaan?' vroeg hij.

'Nee, maar voor moord schrokken ze duidelijk niet terug. Ze waren totaal niet onder de indruk toen ik ze vertelde dat ik een Amerikaans Congreslid was.'

'Ze hebben hier waarschijnlijk minder ontzag voor politici dan in Amerika.'

'Heb je haar de tas gegeven?'

'Nee, ik ben bang dat ze met lege handen moest vertrekken. Zoals je hebt gehoord, zal ze ons niet zo snel vergeten.'

'Waar heb je hem verstopt?'

Pitt bleef staan en wees naar het kapiteel van een marmeren zuil die op een paar meter afstand van hen uit het water oprees. Aan een hoog boven hen aan de zuil gemonteerde lamp bungelde de zwarte tas.

'Hij is niet verstopt,' zei hij licht grijnzend. 'Hij bevindt zich alleen net iets buiten bereik.'

6

'Nog een kop thee, sjeik?'
De gast knikte zuinigjes, terwijl de gastheer aanstalten maakte een nieuw kopje zwarte thee in te schenken. Hij was begin dertig en de jongste van vijf zonen uit een van de koninklijke families die over de Verenigde Arabische Emiraten heersten. De slanke man droeg een keurig geperste spierwitte hoofddoek die met een van gouddraad gevormde *agal* bijeen werd gehouden, een sieraad dat slechts een bescheiden indicatie was voor de talloze miljarden aan oliedollars die zijn familie onder beheer had.

'De organisatie van de moefti schijnt in Turkije al aardig vaste voet te krijgen,' zei hij, terwijl hij het theekopje neerzette. 'Ik ben heel tevreden over de voortgang die ze me hebben gemeld.'

'Moefti Battal heeft een trouwe aanhang,' antwoordde de gastheer terwijl hij naar een portret van een intelligent ogende man in een zwart gewaad en tulband keek, dat aan de muur tegenover hem hing. 'De tijdgeest is toch al stimulerend voor de groei van de beweging en de persoonlijke populariteit van de moefti heeft de aantrekkingskracht nog vergroot. De mogelijkheid om tot een radicale omslag van Turkije en haar rol in de wereld te komen ligt nu daadwerkelijk voor het grijpen. Maar zo'n verandering vereist een aanzienlijke financiële ondersteuning.'

'Ik voel in deze zaak eenzelfde betrokkenheid als bij de Moslim Broederschap in Egypte,' antwoordde de sjeik.

'Net als onze Egyptische broeders willen we ons verenigen, geheel volgens de wens van Allah,' reageerde de gastheer met een buiging.

De sjeik stond op en liep door het hoge kantoorvertrek, dat qua interieur en uitstraling sterk aan een moskee deed denken. Op een lege plek lag een rij gebedskleedjes voor een betegelde, naar Mekka gerichte mihrab. Aan de tegenoverliggende muur hing een hoge boekenplank vol met antieke uitgaven van de Koran. Alleen een reusachtig met ornamenten versierd panoramavenster verleende enige warmte aan het verder eenvoudige en vrome interieur.

De sjeik liep naar het raam en bewonderde het uitzicht. Het kantoorgebouw stond aan de Aziatische oever van de Bosporus en bood een schitterend uitzicht op de oude Europese oever aan de overkant van de smalle waterweg. De sjeik tuurde naar de hoge minaretten van de Süleymaniye moskee in de verte.

'Istanbul gaat respectvol met haar verleden om, zoals het hoort,' zei hij. 'Grootse daden bereik je niet zonder op het verleden te bouwen.'

Hij draaide zich om naar zijn gastheer. 'Mijn broers zijn allemaal in het Westen opgeleid. Ze dragen Britse maatpakken en zijn gek van sjieke auto's,' zei hij laatdunkend.

'Maar u bent niet zo?'

'Nee,' antwoordde de sjeik peinzend. 'Ik heb aan de Islamitische Universiteit van Madinah gestudeerd. Al heel jong heb ik mijn leven aan Allah gewijd. Er is geen groter doel in het leven dan het verspreiden van het woord van de Profeet.' Hij wendde zich met een afwezige blik in zijn ogen van het raam af.

'Er komt geen einde aan de gevaren die ons bedreigen,' zei hij. 'In Caïro hebben de zionisten een aanslag op de Al-Azhar gepleegd, maar dat heeft niet tot een wereldwijde storm van woedende reacties geleid.'

'Moefti Battal en ik zijn woedend.'

'Net als ik. Dit soort beledigingen mogen we niet negeren,' zei de sjeik. 'We moeten de pijlers van onze beweging versterken om alle krachten van buiten te weerstaan.'

De sjeik knikte bevestigend. 'Zoals u weet ben ik gezegend met een aanzienlijk fortuin. Ik zal de weg van de soenna blijven steunen. Ik geloof in de wijsheid van Istanbul en de eerbiediging van ons verleden.'

'Hierop bouwen we onze grote werken voor Allah.'

De sjeik begaf zich naar de deur. 'Ik zal ervoor zorgen dat de bijdragen binnenkort worden overgemaakt. Breng moefti Battal mijn zegen over, alstublieft.'

'Hij zal dankbaar en verheugd zijn. Allah zij geloofd.'

De sjeik reageerde in gelijke bewoordingen, waarna hij zich bij zijn gevolg voegde dat hem op de gang opwachtte. Toen de Arabische delegatie de foyer had verlaten, sloot de gastheer de deur en liep terug naar zijn bureau, waar hij een sleutel uit de bovenste la pakte. Hij stapte op een onopvallende zijdeur af, draaide die van het slot en ging een aangrenzend kantoor binnen dat bijna drie keer zo groot was als het vorige vertrek. De ruimte was niet alleen groot, maar ook groots qua interieur en vrijwel het tegendeel van de foyer. Het felverlichte kantoor was stijlvol ingericht met een mengeling van hedendaagse kunst en klassieke olieverfschilderijen, unieke vloerkleden met stampatronen en negentiende-eeuws Europees meubilair. Het meest opvallend waren de door plafondspotjes beschenen, in de muren uitgespaarde schappen vol met kostbaar antiek en relikwieën uit de Ottomaanse tijd, inclusief porseleinen vazen, minutieus bewerkte wandtapijten en met juwelen ingelegde wapens. In het midden van een van de planken stond in een glazen vitrine op een paspop het pronkstuk van de collectie: een tuniek van gouddraad. Op een plaatje aan de binnenkant stond te lezen dat de tuniek ooit was gedragen door Mehmet I, een Ottomaanse sultan uit de vijftiende eeuw.

Op een divan zat een tengere vrouw met korte zwarte haren een krant te lezen. De man reageerde met een licht geïrriteerde blik op haar aanwezigheid en liep zonder iets te zeggen langs haar. Bij een met houtsnijwerk versierd bureau naast het raam ontdeed hij zich van de keffiyeh en het zwarte gewaad, waaronder hij een sporthemd en een trainingsbroek droeg.

'Heeft het gesprek met de sjeik nog iets opgeleverd?' vroeg ze, terwijl ze de krant liet zakken.

Ozden Aktan Celik knikte.

'Ja, het onderdeurtje van die koninklijke paljassenkliek heeft met een nieuwe financiële injectie ingestemd. Twintig miljoen om precies te zijn.'

'Twintig?' reageerde de vrouw met opengesperde ogen. 'Je overtuigingstalent is echt indrukwekkend.'

'Heel simpel een kwestie van het uitspelen van de ene verwende rijke Arabier tegen de andere. Als onze weldoener uit Koeweit ter ore komt wat de sjeik heeft bijgedragen, zal hij zich alleen al door zijn ego gedwongen zien dat te overtreffen. Uiteraard heeft jouw recente bezoek aan Caïro de inzet nog eens extra verhoogd.'

'Verbazingwekkend hoe makkelijk de zionistische dreiging zich zo laat uitmelken. Moet je je voorstellen hoeveel geld er kan worden bespaard als de Arabieren en Israëliërs zich zouden verzoenen.'

'Ze zouden meteen weer een nieuwe zondebok vinden om ruzie mee te maken,' zei Celik, terwijl hij achter zijn bureau ging zitten. Hij was een fors geproportioneerde man met dun, aan beide zijden naar achteren gekamd zwart haar. Ondanks een nogal brede neus had hij een streng gezicht dat op het omslag van de *Gentlemen's Quarterly* beslist niet had misstaan. Alleen zijn donkere, van emotionele spanning voortdurend heen en weer dansende ogen duidden op een grillige persoonlijkheid. Gericht op de vrouw fonkelden ze van woede.

'Maria, ik had liever gehad dat je je hier niet zo snel weer had laten zien.

Vooral na dat chaotische optreden van je gisteravond.' De intense blik waarmee hij haar aankeek, verstrakte nog.

Maar hoe hij haar ook probeerde te intimideren, het had geen enkel effect op de vrouw.

'De operatie verliep exact zoals gepland. Alleen de tussenkomst van een stel bemoeizuchtige buitenstaanders heeft ons vertrek enigszins vertraagd.'

'En het kapen van de Mohammed artefacten verijdeld,' siste hij. 'Je had ze allemaal ter plekke moeten doden.'

'Misschien. Maar twee van hen bleken in dienst van de Amerikaanse regering, inclusief een Congreslid. Hun dood zou ons doel hebben overschaduwd. En ons doel hebben we toch bereikt, blijkt.' Ze vouwde de krant op die ze zat te lezen en wierp hem naar Celik.

Het was een exemplaar van het Turkse dagblad *Milliyet* met op de voorpagina de levensgrote kop: 'Doden bij Overval op het Topkapi, Heilige Relikwieën Gestolen.'

Celik knikte. 'Ja, ik heb de verslagen gelezen. De media beschuldigen lokale ongelovigen van het stelen en schenden van onze heilige islamitische relikwieën. Precies de koppen die we wilden. Maar je vergeet dat we een aantal plaatselijke verslaggevers hebben betaald voor die inbreng. Maar wat gelooft de politie?'

Maria nam een slok van een glas water voordat ze antwoordde. 'Daar zijn we niet zeker van. Mijn informant op het ministerie heeft alleen een digitale kopie van het officiële verslag van vanochtend kunnen bemachtigen. Hieruit blijkt dat ze geen echte verdachten op het oog hebben, hoewel de Amerikaanse vrouw beschrijvingen van de overvallers heeft gegeven en heeft verklaard dat onze ploeg onderling Arabisch sprak.'

'Ik heb je meteen gezegd dat het inzetten van Irakezen mij niet beviel.'

'Ze zijn goed getraind, broertje, en als ze gepakt worden, zijn ze nog altijd een uitstekende zondebok. Een sjiitische dief is voor ons doel, ook al komt hij uit Irak, vrijwel net zo effectief als een westerse gelovige. Ze zijn goed betaald om hun mond te houden. Bovendien verkeren ze in de foutieve veronderstelling dat ze voor sjiitische broeders werken. En zonder hen had ik dit nooit gekregen,' vervolgde ze, terwijl ze een koffertje opende dat aan haar voeten stond.

Ze haalde er een plat, losjes in bruin pakpapier gewikkeld voorwerp uit tevoorschijn. Ze liep naar voren en zette het pakket voor Celik op het bureau. Zijn heen en weer schietende ogen zoomden in op het pakket, waarna hij het met trillende vingers begon uit te pakken. Uit het papier kwam een groene taffen tas. Hij opende de tas en haalde er voorzichtig een verbleekte zwarte, aan de randen zwaar gehavende banier uit. Hij staarde er een kleine minuut naar, waarna hij de banier behoedzaam oppakte en hem eerbiedig in de lucht hield.

'Sancak-1 Serif. Het heilige vaandel van Mohammed,' fluisterde hij vol ontzag.

Dit was een van de belangrijkste relikwieën uit het Topkapi en uit historisch oogpunt waarschijnlijk de allerbelangrijkste. De zwarte wollen banier, gevormd uit de tulband van een verslagen vijand was eens het strijdvaandel van de profeet Mohammed geweest. Hij had hem bij zich gehad tijdens de cruciale Slag bij Badr, waar zijn overwinning de basis was geweest voor het ontstaan van de islam.

'Hiermee heeft Mohammed de wereld veranderd,' zei Celik met een schittering van zowel eerbied als waanzin in zijn ogen. 'En dat gaan wij nu ook doen.'

Hij liep ermee naar de glazen vitrine en legde hem bij de tuniek van sultan Mehmet.

'En hoe zijn we de andere relikwieën kwijtgeraakt?' vroeg hij, nadat hij zich had omgedraaid en zijn ogen strak op de vrouw richtte.

Naar de grond starend overwoog ze wat ze moest zeggen. 'De Amerikaanse heeft de tweede tas meegenomen toen ze uit de bestelbus ontsnapte. Ze hebben hem verstopt in de Yerebatan Sarnici. Ik moest weg voordat ik hem kon terughalen,' voegde ze er hooghartig aan toe.

Celik zei niets, maar zijn ogen doorboorden de vrouw als een stel laserstralen. Opnieuw trilden zijn handen, maar nu was het van woede. Maria probeerde kalmerend een uitbarsting te voorkomen.

'De missie was toch een succes. Ook al hebben we dan niet alle relikwieën waar we op uit waren, het effect is hetzelfde. De overval en de roof van het strijdvaandel zullen zeker voor de gewenste reactie van het publiek zorgen. Denk aan onze strategie. Dit is pas de eerste stap van onze campagne.'

Celik kwam enigszins tot bedaren, maar was nog steeds op zoek naar een verklaring.

'Wat deden die Amerikaanse toeristen midden in de nacht in het Topkapi?'

'Volgens het politieverslag waren ze in het Archeologisch Museum bij de Babüsselam op bezoek bij een conservator. De man – hij heet Pitt – is een deskundige op onderwatergebied voor de Amerikaanse regering. Het schijnt dat hij in de buurt van Chios een oud scheepswrak heeft ontdekt en sprak met een nautisch expert van het museum over de gevonden artefacten.'

Bij het verhaal over het wrak keek Celik verrast op. 'Gaat 't om een Ottomaans schip?' vroeg hij, terwijl hij naar de achter glas uitgestalde tuniek staarde.

'Daar weet ik verder niets van.'

Celik bekeek de kleurrijke draden van de oude tuniek. 'Onze erfenis moet behouden blijven,' zei hij zachtjes alsof hij met zijn gedachten in een ver verleden was afgedwaald. 'De rijkdommen van het rijk zijn van ons. Kijk of je meer te weten kunt komen over dat scheepswrak.'

Maria knikte. 'Dat lukt wel. Wat doen we met die Pitt en zijn vrouw? We weten waar ze logeren.'

Celik hield zijn ogen op de tuniek gericht. 'Maakt me niet uit. Dood ze als je dat wilt, maar wel onopvallend alsjeblieft. En tref de voorbereidingen voor het volgende project.'

Maria knikte en er speelde een glimlachje om haar lippen.

7

Sophie Elkin haalde een borstel door haar steile zwarte haren en wierp nog een haastige blik in de spiegel. In haar kaki broek met bijpassend katoenen hemd en bovendien zonder make-up had ze er nauwelijks eenvoudiger uit kunnen zien. Toch viel haar natuurlijke schoonheid niet te verhullen. Ze had een smal gezicht met hoge jukbeenderen, een kleine neus en zachte, zeegroene ogen. Haar huid was ondanks de vele uren die ze in de buitenlucht doorbracht, glad en gaaf. Haar gelaatstrekken had ze vooral van haar moeder, een Française die op een in Parijs studerende Israëliër verliefd was geworden en met hem naar Tel Aviv was geëmigreerd.

Sophie had haar uiterlijk en vrouwelijkheid altijd zo min mogelijk benadrukt. Zelfs al op heel jonge leeftijd had ze een hekel aan de jurken die haar moeder voor haar kocht, en droeg ze liever broeken zodat ze met de wilde spelletjes van de jongens uit de buurt mee kon doen. Als enig kind had ze een hechte relatie met haar vader, die tot hoofd van de geologische faculteit van de universiteit van Tel Aviv was opgeklommen. Het onafhankelijke meisje ging dolgraag met hem mee op expedities naar de omringende woestijnen, waar hij onderzoek deed naar geologische formaties en zij genoot van de kampvuurverhalen over de Bijbelse gebeurtenissen die plaats hadden gevonden in de omgeving waar ze kampeerden.

Gestimuleerd door het werk van haar vader besloot ze archeologie te gaan studeren. Nadat ze al diverse diploma's had behaald, raakte ze ernstig van slag door de arrestatie van een collega-student wegens het ontvreemden van artefacten uit het universiteitsarchief. Door dit incident maakte ze kennis met de obscure wereld van de illegale handel in antiquiteiten, waar ze in toenemende mate van walgde door de destructieve gevolgen ervan voor de historische culturele opgravingen. Na het behalen van de doctorstitel verliet ze de universiteit en trad ze in dienst van de Israëlische Oudheidkundige Dienst. Met haar gepassioneerde toewijding had ze zich in een paar jaar opgewerkt tot hoofd van afdeling Oudheden Roofpreventie. Door haar inzet bleef er maar weinig tijd over voor een privéleven en ging ze maar heel weinig uit, omdat ze liever tot 's avonds laat overwerkte.

Nadat ze haar handtas had gepakt, verliet ze haar kleine appartement met uitzicht op de Olijfberg en reed naar de oude stad van Jeruzalem. De Oudheidkundige Dienst was gevestigd in het Rockefeller Museum, een groot gebouwencomplex van wit kalksteen in de noordoosthoek van de oude stad. Met slechts twaalf personeelsleden zag haar afdeling zich voor een bijkans onmogelijke taak geplaatst: de beveiliging van de grofweg dertigduizend oude opgravingen in de Israëlische regio.

'Goeiemorgen, Soph,' klonk de groet van Sam Levine, de oudste rechercheur van de afdeling, een broodmagere man met bolle ogen. 'Zal ik koffie voor je inschenken?'

'Ja, bedankt, Sam, lekker,' antwoordde ze en ze verborg een geeuw achter haar hand, terwijl ze zich door het krappe kantoortje wrong. 'Ergens in de buurt van mijn flat moest zo nodig worden doorgewerkt vannacht. Ik heb heel slecht geslapen.'

Sam kwam terug met de koffie en plofte op een stoel tegenover haar bureau.

'Als je toch niet kon slapen, had je gisteravond met ons mee op patrouille kunnen gaan,' zei hij met een brede grijns.

'Nog iets bijzonders?'

'Nee, onze grafrovers in Hebron hadden waarschijnlijk een nachtje vrij genomen. We zijn rond middernacht gestopt, maar we hebben een aardige voorraad houwelen en scheppen verzameld.'

Grafroven, misschien wel het op één na oudste beroep ter wereld, stond boven aan de lijst met te bestrijden criminele activiteiten van de afdeling Roofpreventie. Een aantal keren per week leidde Sophie of Sam een nachtelijke patrouille langs oude graflocaties in het hele land waar recentelijk sporen van illegaal graafwerk waren gevonden. Potten, sieraden en soms de botten zelf vonden gretig aftrek op de illegale markt voor oudheden die zich over heel Israël had verspreid.

'Nu ze weten dat we ze in de smiezen hebben, zullen ze zich wel een paar weken koest houden,' zei Sophie.

'Of ergens anders heen gaan. Geld voor een paar nieuwe scheppen hebben ze wel, neem ik aan,' reageerde hij opnieuw glimlachend.

Sophie bladerde door een stapeltje verslagen en krantenknipsels, en pikte er een artikel tussenuit dat ze aan Sam gaf.

'Ik maak me zorgen over deze opgraving in Caesarea,' zei ze.

Sam las het artikel snel door.

'Ja, hier heb ik over gehoord. Het is een door de universiteit gesubsidieerde opgraving van de oude haven. Hier staat dat ze havenspullen uit de vierde eeuw hebben gevonden en mogelijk ook een graf. Denk je echt dat dit dieven aan zal trekken?'

Sophie dronk haar koffie op en zette de mok met een geïrriteerde blik in haar ogen neer.

'Die verslaggever had er net zo goed meteen een stel vlaggen en zwaailichten bij kunnen zetten. Elke keer als het woord "graf" in druk verschijnt, werkt dat als een magneet. Ik heb de journalisten keer op keer werkelijk gesmeekt om alsjeblieft niet over de locaties van gevonden oude graven te schrijven, maar ze zijn meer in de verkoop van kranten geïnteresseerd dan in het beschermen van ons culturele erfgoed.'

'Zullen we er zelf eens een kijkje gaan nemen? Wij staan ingepland voor een patrouille vanavond, maar dat kan ik wel regelen. De jongens daar hebben waarschijnlijk wel zin in een tochtje naar de kust.'

Sophie keek in haar bureauagenda en knikte. 'Na één uur ben ik vrij. Ik denk dat we daar wel heen kunnen gaan en er overnachten als het de moeite waard is.'

'Nou steel je m'n hart. Als dank ga ik nog een kop koffie voor je halen,' zei hij, terwijl hij van zijn stoel opsprong.

'Oké, Sam, dat is afgesproken.' Vervolgens keek ze hem streng aan. 'Maar heb 't in mijn bijzijn nooit meer over "stelen" alsjeblieft.'

Caesarea, dat zo'n vijftig kilometer ten noorden van Tel Aviv aan de kust lag, was een dunbevolkte enclave waarvan het belang volledig werd overschaduwd door haar historische verleden als een belangrijke plaats in het Romeinse Rijk. Het in de eerste eeuw voor Christus door koning Herodes de Grote als vestingstad gebouwde Caesarea bevatte alle kenmerken van de beroemde Romeinse architectuur. Een tempel met hoge zuilen, een hippodroom en een prachtig paleis aan de zee sierden de stad, die via enorme stenen aquaducten van vers drinkwater werd voorzien. Maar het imposantste staaltje bouwkunst van Herodes stond niet aan land. Van betonblokken liet hij gigantische golfbrekers ontwerpen en aanleggen, waardoor de grootste beschermde haven van het oostelijke Middellandse Zeegebied ontstond. Door het succes van de haven overvleugelde Caesarea onder de Romeinse heersers zelfs de hoofdstad van Judea en was het gedurende ruim driehonderd jaar een van de belangrijkste handelscentra.

Sophie kende de overblijfselen van de oude Romeinse stad heel goed, sinds ze daar in haar studietijd een zomer lang stage had gelopen. Nadat ze van de drukke doorgaande kustweg was afgeslagen, reed ze door een wijk met dure woonhuizen naar het terrein van de Romeinse opgraving, dat nu een beschermd natuurpark van de staat was. De tand des tijds was niet erg vriendelijk geweest voor de originele Romeinse bebouwing die al heel lang geleden was ingestort en tot puinhopen was verbrokkeld. Toch waren er nog overblijfselen van de oude Romeinse bouwkunst in redelijke staat, onder meer een groot stuk van een gewelfd aquaduct dat zich niet ver van een fors, aan zee gelegen amfitheater over het okerkleurige zand uitstrekte.

Sophie parkeerde de auto op een terrein bij de op een heuveltop gelegen ingang, grenzend aan verschillende vestingwerken uit de tijd van de kruis-vaarders.

'De ploeg van de universiteit is bij de ruïnes van de haven aan het werk,' zei ze tegen Sam. 'Dat is vanaf hier maar een klein stukje lopen.'

'Zou hier nou nergens iets te eten zijn?' Met een zorgelijke blik speurde hij de heuvels om hen heen af.

Sophie wierp hem een fles water van de achterbank toe. 'Bij de hoofd-weg zullen heus wel restaurants zijn, maar voorlopig zul je het met een waterdieet moeten doen.'

Ze liepen over een pad dat naar het strand kronkelde en op diverse plaatsen langs het steile klif breed uitwaaierde. Ze passeerden een al heel lang in onbruik geraakte straatweg, waarlangs ooit woonhuizen en kleine kantoren hadden gestaan. Nu waren de spookachtige overblijfselen niet veel meer dan wat vormeloze steenhopen. Nadat ze via het pad waren af-gedaald, lag er een kleine haven aan hun voeten. Van de oorspronkelijke omvang viel weinig meer te herkennen, omdat de oude golfbrekers al eeu-wen geleden onder water waren weggezakt.

Het pad kwam uit op een grote open plek, waarop in alle richtingen kleine bergjes stenen verspreid lagen. Iets verderop stond een groepje beige tenten bijeen en Sophie zag dat er in het midden onder een luifel een stel mensen aan het werk waren. Het pad liep langs de helling nog onge-veer honderd meter door tot waar de golven van de Middellandse Zee op het strand braken. Op een klein stukje grond waren twee mannen bezig met gereedschap dat door twee, op enige afstand luid zoemende generato-ren werd aangedreven.

Sophie liep op de grote luifel af, die boven een gedeelte waar druk aan de opgraving werd gewerkt, was opgesteld. Bij een berg aarde stonden twee jonge vrouwen kleine hoeveelheden van die aarde te zeven. Dichter-bij gekomen ontdekte Sophie een oudere man die in een geul gebukt stond en de aarde met een kleine troffel en een borsteltje opveegde. Met zijn ge-kreukte kleding, kortgeknipte grijze baard en een naar het puntje van zijn neus afgezakte bril voldeed Keith Haasis op en top aan het beeld van een gerenommeerde professor.

'Hoeveel Romeinse schatten hebt u vandaag al blootgelegd, dr. Haasis?'

De man met baard kwam met een geïrriteerde trek op zijn gezicht uit de geul overeind, maar die ergernis maakte ogenblikkelijk plaats voor een brede grijns toen hij de vragensteller herkende.

'Sophie!' bulderde hij. 'Wat goed om je te zien.' Hij sprong uit de geul en stoof op haar af voor een stevige omhelzing.

'Wat is dat lang geleden,' zei hij.

'Ik heb je twee maanden geleden nog gezien op dat congres in Jeruza-lem over Bijbelse archeologie,' corrigeerde ze.

'Zoals ik al zei, veel te lang,' reageerde hij lachend.

Tijdens haar opleiding had Sophie talloze cursussen onder leiding van de hoogleraar archeologie van de Universiteit van Haifa gevolgd, wat tot een professionele vriendschap had geleid. Haasis was een zeer gewaardeerd con-tactpersoon, niet alleen als archeologisch deskundige, maar ook als bron van informatie over nieuw ontdekte locaties en destructieve activiteiten.

'Dr. Haasis, dit is mijn assistent Sam Levine,' zei ze, waarop Haasis zijn studenten aan hen voorstelde. Vervolgens leidde hij Sophie en Sam naar een kring van campingstoeltjes die rond een grote koelbox stonden. De professor deelde gekoelde blikjes mineraalwater uit, wreef over zijn voor-hoofd en liet zich op een stoel vallen.

'Iemand zou de zeewind op een iets hogere stand moeten zetten,' zei hij met een vermoeide glimlach. Vervolgens keek hij Sophie aan en vroeg: 'Dit is een officieel bezoek, neem ik aan?'

Terwijl ze een slok water nam, knikte ze bevestigend.

'Moeten we ons ergens zorgen over maken?'

'Iets te veel publiciteit gisteren in de *Yedioth Ahronoth*,' antwoordde ze, terwijl ze het krantenartikel uit haar schoudertas opdiepte. Nadat ze het artikel aan Haasis had gegeven, keek ze kil toe hoe Sam zijn blikje leeg-dronk en een tweede uit de koelbox graaide.

'Ja, een paar dagen geleden is hier een plaatselijke journalist voor een interview langs geweest,' zei Haasis. 'Zijn verhaal is kennelijk tot Jeruza-lem doorgedrongen en overgenomen.'

Hij keek Sophie glimlachend aan toen hij het artikel teruggaf.

'Er is niks mis met een beetje publiciteit voor fatsoenlijke archeologie,' zei hij.

'Dat kan wel zijn, maar het is ook een open uitnodiging voor iedere dief die met een schep om kan gaan,' reageerde ze.

Haasis zwaaide afwerend met zijn arm. 'Deze plek hier is al eeuwen geleden geplunderd. Alle "Romeinse schatten" die hier begraven lagen, zijn allang verdwenen, ben ik bang. Of denkt jullie agent daar anders over?'

'Welke agent?' vroeg Sophie.

'Ik was voor een vergadering in Haifa, maar mijn studenten vertelden dat er gisteren iemand van de Oudheidkundige Dienst is langs geweest en het hele project hier heeft bekeken. Stephanie,' riep hij over zijn schouder.

Een van de meisjes bij de zeef kwam aangesneld. De slungelige studente van nauwelijks twintig bleef enigszins verlegen voor Haasis staan.

'Stephanie, vertel eens over die man van de Oudheidkundige Dienst die hier gisteren was,' vroeg hij.

'Hij zei dat hij van de afdeling Roofpreventie was. Hij wilde controleren of onze artefacten wel goed beveiligd waren en toen heb ik hem rondgeleid. Hij leek vooral geïnteresseerd in de havenopgraving en het papyrusdocument.'

Sophie en Sam keken elkaar met opgetrokken wenkbrauwen aan.

'Weet je nog hoe hij heette?' vroeg ze.

'Yosef en nog iets. Hij was vrij klein met een krullenkop en een donkere huid. Hij leek nogal Palestijns, eerlijk gezegd.'

'Heeft hij zich geïdentificeerd?' vroeg Sam.

'Nee, dat geloof ik niet. Klopt er iets niet?'

'Nee, hoor,' antwoordde Haasis. 'Bedankt, Stephanie. Neem meteen maar wat drankjes mee voor de anderen.'

Haasis wachtte tot het meisje met een arm vol blikjes was vertrokken, waarna hij zich tot Sophie wendde.

'Niet iemand van jullie?' vroeg hij.

Sophie schudde haar hoofd. 'In elk geval niet van Roofpreventie.'

'Misschien was hij van de nationale natuurparken of van een van onze regionale kantoren. Die jonge meiden van tegenwoordig herinneren zich nooit iets.'

'Dat kan,' antwoordde ze op een toon waaruit twijfel sprak. 'Kun je ons de hele opgraving laten zien? Ik ben vooral geïnteresseerd in het graf. Zoals je weet, hebben de grafrovers rond Jeruzalem er een complete thuishandel van gemaakt.'

Haasis glimlachte en wees met zijn duim over zijn schouder. 'Het ligt recht achter ons.'

Het trio stond op en liep naar een brede geul die direct achter de stoelen lag. In de bodem rond een aantal blootgelegde botten stond een hele zwerm rode plastic markeervaantjes. Sophie herkende een dijbeen tussen de overblijfselen die nog in de aarde staken.

'Het is niet echt een begraafplaats. We hebben alleen hier aan de rand van de opgraving dit ene graf gevonden. Er lijkt geen direct verband met de opgravingen hier,' legde Haasis uit.

'Wat zijn jullie hier op deze plek aan het opgraven?' vroeg Sam.

'Volgens ons een soort scheepsmagazijn. We zijn gaan zoeken nadat hier een paar jaar geleden een stel bronzen schalen waren gevonden. Wij hopen hier restanten van granen, rijst en andere levensmiddelen te vinden die wellicht via de haven werden vervoerd. Als het lukt, krijgen we zo een beter beeld van de aard en de omvang van de goederen die via Caesarea werden verscheept in de periode dat de stad een bloeiend handelscentrum was.'

'En hoe past dit graf in dat plaatje?' vroeg Sophie.

'We hebben het nog niet kunnen dateren, maar ik vermoed dat deze vent gesneuveld is bij de inname van de stad door de moslims in 638 na Christus. Het graf ligt net buiten het fundament van het gebouw, dus ik denk dat we uiteindelijk zullen vaststellen dat dit een enkeling is geweest die ze haastig tegen de buitenmuur hebben begraven.'

'In het krantenartikel stond dat het om een tombe "rijkelijk gevuld met artefacten" zou gaan,' merkte Sam op.

Haasis schoot in de lach. 'Journalistieke vrijheid, ben ik bang. Tot we met het blootleggen zijn gestopt, hebben we een paar knopen van dierlijk bot gevonden en het hielstuk van een sandaal. Maar meer "rijkelijks" aan artefacten hebben we in het graf niet aangetroffen.'

'Dus dan wacht onze eigenste grafrooflieverdjes een ferme teleurstelling,' zei Sam.

'Zeker,' reageerde de professor. 'Want onze echt kostbare vondsten lagen open en bloot achter de zeewering.' Hij knikte naar de Middellandse Zee, waar het brommen van de generatoren tegen de heuvel weerkaatste. 'We hebben een oud papyrusdocument gevonden waar we erg enthousiast over zijn. Kom, dan gaan we naar het strand en zal ik het laten zien.'

Haasis bracht Sophie en Sam naar het pad en liep met hen de helling af. Aan beide kanten liepen er in een kriskraspatroon smalle richels van kapotte stenen door het terrein: de vage restanten van een ooit imposante compositie van gebouwen die al heel lang geleden tot puin waren vergaan.

'Door gebruik te maken van mallen waarin betonblokken werden gegoten, liet koning Herodes twee enorme golfbrekers bouwen, die als een stel armen in een boog naar elkaar toeliepen,' doceerde Haasis tijdens de wandeling. 'Op deze havenhoofden werden pakhuizen gebouwd en bij de ingang van de haven stond een hoge vuurtoren.'

'Ik herinner me dat men bij een eerder project onder water een grote verzameling stenen in kaart heeft gebracht, waarvan men veronderstelt dat ze van de ingestorte vuurtoren afkomstig zijn,' zei Sophie.

'Doodjammer dat de werken van Herodes het geweld van de zee niet hebben weerstaan,' reageerde Sam, die uitkijkend over het water zo goed als geen zichtbare bewijzen van de oorspronkelijke golfbrekers kon ontdekken.

'Ja, vrijwel alle blokken zijn volledig onder water verdwenen. Maar hier ligt wel de feitelijke kern van mijn belangstelling,' zei Haasis met een wijde armzwaai naar de onzichtbare baai. 'Dat pakhuis op de heuvel is een stageobject voor mijn studenten, maar de haven is wat Caesarea uniek maakt.'

Ze staken het strand over en liepen naar een smalle landtong die in de branding van de zee uitstak. Midden op die rotsachtige pier waren twee studenten druk in de weer met het uithakken van een diepe put. Er vlakbij was een duiker in het water aan het werk met een door een hogedrukpomp aangedreven watersnijmachine.

'Hier was het begin van de golfbreker,' verklaarde Haasis met luide stem om boven de herrie van de vlakbij staande compressor uit te komen. 'We vermoeden dat hier ooit zoiets als een douanekantoor heeft gestaan. Een van de jongens heeft het papyrusdocument daar ontdekt, tussen de scherven van een kapotte vaas,' zei hij wijzend op een uitgegraven geul. 'We hebben in alle richtingen nog wat proefgeulen gegraven, maar verder geen artefacten gevonden.'

'Wel vreemd dat zoiets vlak bij het water toch bewaard is gebleven,' merkte Sam op.

'We hebben delen van het fundament gevonden die ook bij de hoogste waterstand droog blijven,' reageerde Haasis.

Ze tuurden in het testgat waar ze nu aan werkten, en een van de studenten wees op een plat stukje van een marmeren tegel.

'Zo te zien hebben jullie de bodem bereikt,' zei Sophie.

'Ja, ik ben bang dat we hier niet veel meer zullen vinden.'

'Wat is de duiker aan het doen?'

'Dat is een marien technicus die ons helpt bij de reconstructie van de plattegrond van de originele havenwerken. Hij vermoedt dat zich onder ons douanekantoor nog een ondergrondse ruimte bevindt en is daar met een waterstraalsnijder op zoek naar een onder de waterlijn gelegen ingang.'

Sophie liep naar de rand van de landtong en keek omlaag naar de duiker. Op een meter of drie onder water was hij vrijwel recht onder haar in de weer met een watersnijmachine, waarmee hij de keiharde stenen bodem bewerkte. Onbewust van de toeschouwer boven hem onderbrak hij zijn werkzaamheden en kwam omhoog. Hij hield het apparaat zo dat de spuitkop naar boven wees, waardoor er een krachtige waterstraal opspoot toen hij aan de oppervlakte verscheen. Sophie, die recht boven hem stond, kreeg voordat ze opzij kon springen een douche van zout water over zich heen

'Hé, kijk uit, idioot!' vloekte ze, terwijl ze het zoute water met een druipende mouw uit haar ogen wreef.

Zodra hij merkte wat er was gebeurd, zwenkte de duiker de boor in de richting van de zee en zwom naar de rand van de landtong, waar hij de compressor uitzette. Hij draaide zich om naar zijn slachtoffer en staarde naar haar natte kleren die strak om haar lijf gekleefd zaten. Vervolgens spuugde hij het mondstuk van zijn regulator uit.

'Krijg nou wat, een zeegodin!' zei hij breeduit glimlachend.

Sophie schudde haar hoofd en keerde hem haar rug toe, waarna haar woede bij het zien van de hartelijk lachende Sam alleen nog maar toenam. Haasis onderdrukte zijn leedvermaak en kwam haar te hulp.

'Sophie, er liggen handdoeken in mijn tent. Kom mee, dan kun je je afdrogen.'

De duiker stak zijn regulator terug in zijn mond en verdween onder water, terwijl Sophie achter Haasis aan het pad opliep. Bij de tent van de professor gekomen wreef ze haar haren en kleren zo goed mogelijk droog. In de warme wind zouden haar kleren snel drogen, maar ze huiverde door het verkoelende effect van het verdampen van het vocht op haar huid.

'Kan ik de artefacten zien die jullie hebben opgegraven?' vroeg ze.

'Natuurlijk. Ze liggen hiernaast.'

De professor ging haar voor naar een grote piramidetent die aan één zijde openstond. Binnen lagen de bij het uitgraven van het magazijn gevonden artefacten, voornamelijk potscherven en stukken tegel, verspreid over een lange, met een linnen doek bedekte tafel. De studente Stephanie was druk met een fototoestel en een opschrijfboekje in de weer. Nadat ze elk voorwerp zorgvuldig had genummerd en beschreven, borg ze het op in een dun plastic doosje. Haasis negeerde de artefacten en leidde Sophie naar een tafeltje achter in de tent. Er stond slechts één verzegelde doos, die Haasis voorzichtig beetpakte om het deksel te openen.

'Ik wou dat we er meer hadden gevonden,' zei hij pruilend, terwijl hij een stap opzij deed zodat Sophie in de doos kon kijken.

Daar lag, ingeperst tussen twee glazen platen, een langwerpige lap van een bruine stof. Sophie herkende het onmiddellijk als papyrus, dat tot het einde van het eerste millennium in het Midden-Oosten als schrijfmateriaal werd gebruikt. Dit exemplaar was versleten en gerafeld, maar over vrijwel de gehele lengte waren nog duidelijk regels met handgeschreven symbolen zichtbaar.

'Dit lijkt een officieel havenrapport. Ik herken verwijzingen naar grote hoeveelheden graan en een kudde vee die in de haven zijn ontscheept,' zei Haasis. 'Na de laboratoriumanalyse weten we meer, maar volgens mij is het een douaneformulier van een koopvaardijschip dat goederen uit Alexandrië heeft afgeleverd.'

'Dit is een fantastische vondst,' complimenteerde Sophie. 'Met een beetje geluk sluit het aan bij de informatie die jullie bij de opgraving van het pakhuis hebben opgedaan.'

Haasis schoot in de lach. 'Met een beetje pech bewijst 't het tegendeel.'

Ze draaiden zich allebei om toen er een lange gestalte met een grote plastic bak de tent inliep. Sophie zag dat het de duiker was, in zijn wetsuit en zijn slordige donkere haardos glanzend van het water. Nog kwaad over haar onvrijwillige douche wilde ze een sarcastische opmerking maken, maar slikte haar woorden in toen ze zijn stralende glimlach zag onder een stel donkergroene ogen die dwars door haar heen priemden.

'Dirk, daar ben je,' zei Haasis. 'Mag ik je de bevallige, maar nog ietwat vochtige Sophie Elkin van de Israëlische Oudheidkundige Dienst voorstellen. Sophie, dit is Dirk Pitt junior, aan ons uitgeleend door het Amerikaanse National Underwater and Marine Agency.'

De naar zijn vader genoemde zoon van de directeur van de organisatie liep naar hen toen en zette de bak neer. Nog altijd met zijn ontwapenende glimlach gaf hij Sophie een hand. Ze reageerde niet afwijzend toen hij haar hand iets te lang vasthield.

'Mijn excuses voor die douche. Ik wist niet dat u daar stond.'

'Geeft niet, ik ben alweer bijna droog.' Innerlijk schrok ze van de snelheid waarmee haar boosheid in een rare kriebel was omgeslagen. Zonder erbij na te denken klopte ze ter bevestiging op haar haren.

'Ik hoop dat ik u vanavond voor een etentje mag uitnodigen om het goed te maken. Wilt u mij dat genoegen doen?'

Door dit directe voorstel van Dirk was ze even uit het veld geslagen en haar gestamelde antwoord was volstrekt onverstaanbaar. Diep vanbinnen schreeuwde een stem haar toe hoe het in godsnaam mogelijk was dat ze haar normale onverstoorbaarheid zo compleet kwijt was. Gelukkig doorbrak Haasis dit pijnlijke moment.

'Dirk, wat zit er in die bak?' vroeg hij nieuwsgierig.

'Gewoon wat leuke spulletjes uit die ondergrondse ruimte.'

Haasis' mond viel open van verbazing. 'Is die er dan echt?'

Dirk knikte.

'Wat voor ruimte?' vroeg Sophie.

'Toen ik de overblijfselen van de golfbreker vlak onder de kust onderzocht, vond ik in de buurt van de testgaten van Keith onder water een kleine opening. Ik kon er alleen met mijn arm in, maar ik voelde dat mijn hand weer boven water uitkwam. Daarom heb ik de waterjet genomen om het gat door de modder en harde afzettingen heen te vergroten.'

'Hoe groot is die holte?' vroeg Haasis opgewonden.

'Niet veel groter dan een kruipruimte, een kleine twee meter diep. Maar het grootste deel zit boven water. Ik heb er geen bewijzen voor, maar ik ga ervan uit dat het een deel van een kelder is die voor de opslag van archieven werd gebruikt.'

'Hoe ben je tot die conclusie gekomen?' vroeg Sophie.

Dirk droogde de plastic bak die hij had meegebracht af en trok voorzichtig de waterdichte sluiting open. Er zaten diverse aardewerken doosjes in, rechthoekig en roodachtig oranje van kleur. Hij pakte er een uit en gaf die aan Sophie.

'Hopelijk kunt u de inhoud ontcijferen,' zei hij. 'Op de school voor scheepvaarttechniek heb ik geen oude teksten leren lezen.'

Sophie zette het doosje op tafel en wrikte behoedzaam het deksel open. Erin lagen zes strak opgerolde lapjes van een raffia-achtige stof.

'Dit is papyrus,' zei ze met een van opwinding trillende stem.

Haasis kon zich niet meer inhouden. Hij trok een paar witte handschoenen aan en glipte langs Sophie.

'Laat mij eens kijken,' zei hij, terwijl hij een van de rolletjes pakte en langzaam op het tafelblad uitrolde. Het vel was bedekt met een vreemde, maar met een keurige, vaste hand geschreven tekst.

'Dit lijkt wel koptisch Grieks,' zei Sophie, die over de schouder van de professor meekeek. Het koptische schrift, dat in Egypte uit het Griekse alfabet was ontstaan, was ten tijde van de Romeinse overheersing de meest gebruikte geschreven taal in het oostelijk deel van het Middellandse Zeegebied.

'Inderdaad,' bevestigde hij. 'Zo te zien is het een jaarverslag van de havenmeester, voor wat de havengelden betreft. Dit zijn de namen van schepen met hun lading,' zei hij, terwijl hij met zijn behandschoende vinger een lijstje langsging.

'Is dat niet een verwijzing naar de keizer?' vroeg Sophie op de kop boven aan het vel wijzend.

'Ja,' antwoordde Haasis, terwijl hij de kop probeerde te lezen. 'Er staat dat het een verslag is van de havengelden van Caesarea, of iets van gelijke strekking. Opgeschreven namens keizer Marcus Maxentius.'

'Zover ik me kan herinneren, was Maxentius een tijdgenoot van Constantijn.'

'Maxentius heerste in het westen en Constantijn in het oosten tot de laatste alle macht naar zich toetrok.'

'Dan hebben we het dus over het begin van de vierde eeuw.'

Haasis knikte, waarna hij met glinsterende ogen de overige rolletjes bekeek. 'Dit geeft ons een fascinerend kijkje in het leven in Judea tijdens de Romeinse overheersing.'

'Schitterend materiaal voor een paar scripties van je studenten,' zei Dirk, terwijl hij de bak leegmaakte door er nog drie aardewerken doosjes uit te pakken. Vervolgens stak hij de lege bak onder zijn arm, draaide zich om en liep de tent uit.

'Dirk, je hebt een waanzinnige historische vondst gedaan,' riep Haasis hem verwonderd na. 'Waar ga je in hemelsnaam naartoe?'

'Ik, zei de gek, duik het natte sop nog een keer in,' antwoordde hij met een scheve grijns, 'want er ligt daar nog heel wat meer.'

8

En uur na het ochtendgebed arriveerde Ozden Celik bij de Fatih moskee, waarvan de schitterende zalen zo goed als leeg bleken. Voorbij de grote gebedshal liep hij door een zijgang naar de achterkant van het complex, waar hij een klein binnenhof opliep. Over de marmeren vloerstenen kwam hij bij een onopvallend gebouw in een gedeelte dat voor toeristen en moskeegangers was afgezet. Celik passeerde de afzetting en stapte op een zware houten deur af.

Binnen bevond hij zich in een lichte en drukke kantoorruimte. In alle richtingen stonden rijen grijze hokjes, in het midden een brede houten ontvangstbalie. Van alle kanten klonk het zoemen van laserprinters en gerinkel van telefoons. Het had wel iets van het callcenter van een marketingbedrijf. Alleen de sterke wierookgeur en foto's van Turkse moskeeën aan de muren deden anders vermoeden. Dat én de volledige afwezigheid van vrouwen.

Het viel Celik op dat het hele kantoorpersoneel uit bebaarde mannen bestond, waarvan de meesten gekleed in een lang gewaad achter computers zaten, die in deze omgeving nogal uit de toon vielen. Achter de balie stond een jongeman op toen Celik naderde.

'Goedemorgen, meneer Celik,' begroette hij hem. 'De moefti verwacht u.'

De secretaris leidde Celik langs een rij hokjes naar een groter kantoor in een hoek. De ruimte was sober ingericht en alleen het prachtige Turkse tapijt op de grond gaf er nog enige sfeer aan. Opvallender waren de doorbuigende boekenplanken langs de muren volgestouwd met religieuze boekwerken die de erudiete achtergrond van een islamitische moefti benadrukten.

Moefti Altan Battal zat achter een groot onopgesmukt kantoorbureau en maakte aantekeningen in een schrift dat te midden van opengeslagen boeken lag. Hij keek op en glimlachte toen de secretaris Celik het kantoor binnenleidde.

'Ozden, daar ben je dan. Ga zitten, alsjeblieft,' zei hij. 'Hasan, laat ons met rust,' vervolgde hij met een weg-jij-gebaar tegen de secretaris. De assistent trok zich ijlings terug en sloot de deur achter zich.

'Ik zet net de puntjes op de i van mijn preek voor vrijdag,' zei de moefti, en legde zijn pen op het bureau naast een mobieltje.

'Dat moet je een van je imams voor je laten doen.'

'Misschien. Maar ik zie dat als mijn roeping. Als ik dat door een imam van de moskee laat doen, wekt dat alleen maar jaloezie. Kon ik er maar zeker van zijn dat alle imams van Istanbul met dezelfde stem spreken.'

Als moefti van Istanbul was Battal de geestelijke leider van alle drieduizend moskeeën van de stad. Alleen de voorzitter van de Diyanet Işleri, een niet-gekozen functie in de Turkse seculiere regering, was formeel gesproken een hogere geestelijke autoriteit voor de islamitische bevolking van het land. Toch was Battals invloed groter omdat hij de harten van de moskeegangers voor zich had kunnen winnen.

Ondanks zijn gevorderde leeftijd had Battal geenszins het typerende uiterlijk van de strenge geestelijke met een woeste grijze baard. Hij was een lange, krachtig gebouwde man met een imposante uitstraling. De nog net geen vijftigjarige had een langwerpig gezicht met de olijke uitdrukking van een labradorpuppy. Hij droeg dikwijls een pak in plaats van een gewaad en had een droog, afkeurend gevoel voor humor waardoor zijn geloof in de fundamentalistische islam haast iets grappigs kreeg.

Maar ondanks zijn zonnige persoonlijkheid was de boodschap die hij overbracht nogal naargeestig. Uitgaande van een extreem fundamentalistische interpretatie van het islamitische geloof was hij een overtuigd verkondiger van de islam, waarvan hij de verspreiding als zowel een religieuze als ook politieke beweging steunde. Met zijn wereldbeeld en ideeën over mensenrechten stond hij lijnrecht tegenover de westerse cultuur. Hij had geleidelijk een machtsbasis opgebouwd door zich tegen buitenlandse invloeden te verzetten en vervolgens, toen de economische malaise ook in Turkije toesloeg, zijn pijlen op de seculiere regering te richten. Hoewel hij publiekelijk nog geen militante houding had aangenomen, was hij een voorstander van de jihad voor de verdediging van het islamitische geloof. Net als Celik werd hij gedreven door een sterk ego en de ambitie om eens zowel politiek als religieus leider van het land te zijn.

'Ik heb heel goed nieuws te melden, op diverse fronten,' zei Celik.

'Mijn vriend Ozden, wat verzet jij achter de schermen in naam van mij toch altijd veel werk. Wat heb je nu weer voor onze zaak bereikt?'

'Ik heb onlangs een ontmoeting gehad met sjeik Zayad van het vorstenhuis van de Emiraten. Hij is blij met het werk dat je hebt gedaan en is opnieuw bereid tot een aanzienlijke financiële bijdrage.'

Battals ogen verwijdden zich. 'Boven op zijn eerdere gulle gaven? Dit is fantastisch nieuws. Hoewel ik nog altijd niet goed begrijp wat hij voor belang bij onze beweging hier in Turkije heeft.'

'Hij is een man met een visie,' antwoordde Celik, 'die trouw is aan het pad van de sharia. Hij maakt zich grote zorgen over de toenemende dreiging tegen ons, zoals die nu ook weer bleek uit de recente aanslagen op moskeeën hier en in Egypte.'

'Ja, verachtelijke misdaden tegen onze heilige plaatsen. En daar nog bovenop de recente diefstal van de relikwieën van de Profeet uit het Topkapi. Dit zijn onverteerbare aanslagen op ons geloof door kwade krachten van buiten.'

'De sjeik gaat daarin helemaal met ons mee. Hij acht de veiligheid van zijn land, en dat van de hele regio, beter gewaarborgd onder een fundamentalistische soennitische heerschappij.'

'Wat ons bij het volgende nieuws brengt, is het niet?' zei Battal met een veelbetekenende grijns.

'Zo, hebben de vogels al gezongen? Nou, zoals u waarschijnlijk weet, heb ik met het bestuur van de Gelukzaligheidspartij gesproken en zij gaan akkoord u als hun kandidaat voor het presidentschap naar voren te schuiven. Ze reageerden zelfs uitzinnig van enthousiasme op uw bereidheid om de plaats van imam Keya als hun presidentskandidaat over te nemen.'

'Het is verschrikkelijk dat hij bij de bomaanslag op de moskee in Bursa om het leven is gekomen,' reageerde Battal oprecht verontwaardigd.

Celik onderdrukte een veelbetekenende blik en knikte alleen. 'De partijleiders hebben zich ook bereid verklaard op uw eisen ten aanzien van het programma in te gaan,' vervolgde hij.

'We huldigen dezelfde filosofie,' reageerde Battal instemmend. 'U bent zich bewust dat de Gelukzaligheidspartij bij de laatste presidentsverkiezing slechts ongeveer drie procent van de stemmen heeft gekregen?'

'Ja,' antwoordde Celik, 'maar toen was u nog niet hun lijsttrekker.'

Dat idee streelde Battals ego, dat door zijn recentelijk sterk toegenomen populariteit toch al was opgebloeid.

'De verkiezing is al over een paar weken,' merkte hij op.

'En dat is perfect voor ons,' reageerde Celik. 'Voor de regeringspartij komt dit als een complete verrassing en ze hebben nauwelijks de tijd voor een adequate reactie op uw kandidatuur.'

'Denkt u echt dat ik een kans maak?'

'Uit de peilingen blijkt dat u, als u zich in de race mengt, hoogstens een procent of tien achterligt. En dat verschil is makkelijk met wat incidenten goed te maken.'

Battal staarde naar zijn boekenplank met islamitische geschriften. 'Het is een eenmalige kans om de schade die Atatürk heeft aangericht te herstellen en ons land op het rechte pad terug te brengen. Het regeringsbeleid moet in alle opzichten in overeenstemming worden gebracht met de sharia, de islamitische wetgeving.'

'Dat zijn we Allah verplicht,' zei Celik.

'Er zal een sterke oppositie tegen mijn kandidatuur zijn, vooral uit constitutionele overwegingen. Weet u zeker dat we die tegenstand kunnen overwinnen?'

'U vergeet dat de premier zonder dat hij dat laat merken aan onze kant staat. Zijn ware geloofsovertuiging houdt hij voor het publiek verborgen en hij zal ons zeker bijstaan bij de vorming van een nieuwe regering.'

'Ik ben blij met uw vertrouwen, Ozden. Ik zal er uiteraard voor zorgen dat er ook voor u in het nieuwe bestuur van ons land een belangrijke rol is weggelegd.'

'Daar reken ik wel op,' reageerde Celik zelfvoldaan. 'Wat betreft uw aangekondigde deelname aan de race om het presidentschap zal ik uw adviseurs bijstaan bij de coördinatie van een grote publiciteitscampagne. Met een deel van het geld van sjeik Zayad kunnen we een mediaoffensief op gang brengen dat zijn weerga niet kent. Ook werk ik nog aan wat andere ideeën om uw populariteit te vergroten.'

'Afgesproken,' zei Battal, waarna hij opstond en Celik de hand schudde. 'Met u aan mijn zijde, beste vriend, wat kan er dan nog misgaan?'

'Niets, meneer. Helemaal niets.'

Celik verliet het vertrek met een licht verende pas. Die dwaze naïeveling laat zich bespelen als een marionet, dacht hij. Als hij eenmaal gekozen was, zou Celik degene zijn die aan de touwtjes trok. En mocht Battal daar anders over gaan denken, dan had Celik nog wel een paar trucjes achter de hand om de moefti aan het lijntje te houden.

Terwijl hij de moskee onder een ongewoon heldere en zonnige hemel uitliep, voelde hij dat de toekomst hem inderdaad zonnig tegemoet scheen.

In een schaars verlicht hokje binnen de stevige muren van Fort Gordon in de staat Georgia luisterde de in de Turkse taal afgestudeerde George Withers via een koptelefoon met grote oorkappen naar een gesprek. In dienst van het Regional Security Operations Center van de National

Security Agency in Georgia, maakte Withers deel uit van een heel legertje taalkundigen die op de legerbasis in het beboste heuvellandschap rond Augusta hun brood verdienden met het afluisteren van gesprekken in het Midden-Oosten.

In tegenstelling tot het veel vaker voorkomende afluisterwerk waarbij hij afgetapte telefoongesprekken die via satellietverbindingen werden gevoerd simultaan moest vertalen, was dit gesprek al uren oud. De opname kwam van een afluisterpost in de Amerikaanse ambassade in Istanbul, die een gesprek had afgetapt dat via een gsm met de Turkse geheime dienst was gevoerd. Ze hadden het gesprek digitaal opgenomen en via een tussenstation van de NSA op Cyprus gecodeerd doorgestuurd naar Fort Gordon.

Withers kon niet weten dat het gesprek afkomstig was van de mobiele telefoon van Battal zelf. Terwijl die ongebruikt op het bureau lag, was het toestel op afstand door de Turkse inlichtingendienst aangezet. Net als de meeste gsm's was ook die van Battal voorzien van een ingebouwd gpssysteem, waardoor ze met geheime software getraceerd kunnen worden. Zonder dat ze in gebruik zijn of zelfs maar aanstaan, kan de microfoon van de gsm op afstand worden aangezet. Eenmaal geactiveerd kunnen de opgevangen omgevingsgeluiden via een normale gsmverbinding worden doorgegeven zonder dat de gebruiker het merkt. De moefti stond hoog op de lijst van te volgen personen van de directeur van de Turkse inlichtingendienst, een door de wol geverfde secularist die zich ernstig zorgen maakte over Battals groeiende populariteit en macht. Het gesprek van Battal met Celik was, net als alle andere gesprekken die hij in zijn kantoor voerde, rechtstreeks opgevangen door de Turkse inlichtingendienst. De Amerikaanse taalkundige die het gesprek vertaalde, luisterde dus iets af wat was afgeluisterd.

Omdat Whithers twijfelde over de aard van het gesprek en niet onterecht veronderstelde dat het om een clandestiene opname ging, besloot hij dat het de moeite waard was de vertaling voor verder onderzoek naar een deskundige van de inlichtingendienst door te sturen. Toen hij op de klok op zijn bureau zag dat het tijd was voor de lunchpauze, typte hij op zijn computer nog snel een code in. Na een paar seconden verscheen er, met dank aan de geavanceerde stemherkenningssoftware van de dienst, een uitgeschreven weergave van het gesprek op het scherm van zijn monitor. Withers las de tekst door, corrigeerde een paar fouten en lichtte het een en ander toe bij passages die de software niet had kunnen ontcijferen. Tot slot voegde hij op een aparte pagina nog een eigen commentaar toe. Nadat hij dit alles via een e-mail naar een specialist in Turkse kwesties binnen de organisatie had doorgestuurd, stond hij op van zijn stoel en snelde naar de kantine in de veronderstelling dat het verslag waarschijnlijk nooit meer enige belangstelling zou trekken.

9

De directeur van de Amerikaanse National Intelligence zat rustig zijn wekelijkse stafvergadering over kwesties in Eurazië en het Midden-Oosten uit. Braxton, een gesloten gepensioneerde legergeneraal, was voor de president het belangrijkste doorgeefluik van informatie afkomstig van de ministeries van Defensie en Binnenlandse Veiligheid, de CIA en een tiental andere diensten die zich allemaal met de beveiliging van het land bezighielden.

De bijeenkomst werd gedomineerd door de gebruikelijke veldverslagen van gebeurtenissen in Afghanistan, Pakistan, Irak en Iran. Een lange stoet van geheim agenten en mensen van het Pentagon maakte zijn opwachting in de beveiligde vergaderzaal van de Liberty Crossing Intelligence Campus, de splinternieuwe thuishaven van de Director of National Intelligence in McLean, Virginia.

De briefing was het derde uur ingegaan toen volgens de agenda Israël ter sprake kwam. Terwijl John O'Quinn, een adjunct-officier van de CIA voor West-Azië, van de gigantische vergadertafel wegglipte om een verse kop koffie te pakken, deed een inlichtingenagent van de CIA verslag van de laatste ontwikkelingen op de Westelijke Jordaanoever.

'Oké, oké, daar dus geen nieuwe ontwikkelingen,' onderbrak Braxton hem ongeduldig. 'Laten we doorgaan naar de rest van het Middellandse Zeegebied. Is er nog nieuws over de bomaanslag op de Al-Azhar moskee in Caïro?'

O'Quinn haastte zich terug naar zijn stoel terwijl de CIA-agent op de vraag inging.

'Het uiteindelijke dodental bleef tot zeven beperkt, omdat de aanslag werd gepleegd op een tijdstip dat er weinig mensen waren. We weten niet of dat bewust zo gepland was. Er was maar één explosie, die zware schade aan de grote gebedshal heeft veroorzaakt. Zoals u weet wordt de Al-Azhar als de staatsmoskee van Egypte beschouwd en bovendien als een van de oudste en heiligste plekken van de islam. De publieke verontwaardiging is enorm en dat heeft al tot diverse anti-Israëlbetogingen in de straten van

Caïro geleid. We zijn er vrijwel zeker van dat deze protesten door de Moslim Broederschap worden georganiseerd.'

'Weten ze in Caïro wie er voor de aanslag verantwoordelijk is?'

'Nee,' antwoordde de CIA-man. 'Niemand met enige geloofwaardigheid heeft die verantwoordelijkheid opgeëist, wat gezien de aard van de aanslag niet zo verwonderlijk is. Onze angst is dat de Moslim Broederschap deze onvrede handig aangrijpt om hun invloed op het Egyptische parlement te vergroten.'

'Dat de Egyptenaren fundamentalistischer worden is nu net wat we niet nodig hebben,' mompelde Braxton hoofdschuddend. 'Heeft het onderzoek van onze dienst iets opgeleverd omtrent de mogelijke daders?'

'We weten 't echt niet, sir. We hebben elke mogelijke betrokkenheid van Al Qaeda onderzocht, maar niets gevonden wat in die richting wijst. De Egyptische staatspolitie heeft ons wel op een curieus detail gewezen. Zij beweren dat ze op de plaats van de aanslag restanten van HMX hebben aangetroffen.'

'En wat wil dat zeggen?'

'HMX is een materiaal waar plasticbommen van worden gemaakt. Het is waanzinnig duur spul dat voornamelijk voor nucleaire doeleinden en als raketbrandstof wordt gebruikt. Het is niet iets wat we met Al Qaeda associëren en we vinden het nogal vreemd dat het in Egypte opduikt.'

Op de stoel direct naast de CIA-man voelde O'Quinn de haren in zijn nek rechtovereind staan. Hij schraapte zijn keel.

'Hoe zeker bent u van dat HMX?' vroeg hij.

'We wachten nog op de uitslag van onze eigen test, maar dit is wat de Egyptenaren hebben gemeld.'

'Zegt u dat dan iets, O'Quinn?' vroeg generaal Braxton.

De inlichtingenofficier knikte. 'Sir, drie dagen voor de aanslag op de Al-Azhar was er een bomaanslag op de Yeşil moskee in het Turkse Bursa. U hebt er misschien een kort verslag over gelezen. Drie doden, inclusief een vooraanstaande leider van de marginale Gelukzaligheidspartij. Net als in Egypte is dat een oude, zeer heilige moskee.' Hij nam een slok van zijn koffie en vervolgde: 'De Turkse autoriteiten hebben bevestigd dat de explosie werd veroorzaakt door een achtergelaten pakket met HMX-springstof.'

'Dus we hebben twee aanslagen met geplaatste bommen in twee landen binnen drie dagen,' concludeerde de generaal. 'Beide in een historische moskee, beide met een bewust gepland laag dodental, en beide kennelijk gebruikmakend van dezelfde soort springstof. Goed, kan iemand me iets zeggen over wie het zijn en waarom?'

Er viel een ongemakkelijke stilte in de ruimte tot O'Quinn ten slotte de stoute schoenen aantrok.

'Sir, ik geloof niet dat iemand zich tot dit moment bewust was van deze overeenkomsten.'

De CIA-man viel hem bij. 'We zetten hier meteen een paar analytici op om te kijken of er een mogelijk verband is. Gezien de aard van de springstof zouden er wel eens Iraniërs achter kunnen zitten.'

'Wat denken de Turken?' vroeg Braxton.

'Net als in Egypte is er geen verantwoordelijkheid opgeëist. We hebben geen reden om aan te nemen dat de Turken al een bepaalde verdachte op het oog hebben.'

De generaal verschoof onrustig op zijn stoel, terwijl hij zijn kobaltblauwe ogen priemend als een stel drilboren op O'Quinn richtte. O'Quinn werkte nog geen jaar voor de generaal, maar had in die tijd geleidelijk zijn respect gewonnen. Hij zag aan de houding van de directeur dat hij meer verwachtte en een volgende vraag bleef dan ook niet uit.

'Wat is uw conclusie?' vroeg de generaal kortaf.

O'Quinn pijnigde zijn hersens op zoek naar een acceptabel antwoord, maar in feite had hij meer vragen dan antwoorden.

'Sir, over de Egyptische aanslag kan ik niet veel zeggen, maar wat de aanslag op de moskee in Bursa betreft zijn er mensen die denken dat er een verband zou kunnen zijn met de recente roof van artefacten uit het Topkapi-paleis in Istanbul.'

'Ja, daar heb ik over gelezen,' reageerde de generaal. 'Ik heb begrepen dat er op de een of andere manier ook een vrouwelijk Congreslid bij betrokken was.'

'Loren Smith, afgevaardigde van Colorado. Zij heeft een deel van de gestolen artefacten teruggevonden, maar had dat bijna met de dood moeten bekopen. Op de een of andere manier is ze erin geslaagd haar naam uit de officiële papieren te houden.'

'Klinkt als iemand die ik wel in mijn staf zou kunnen gebruiken,' mompelde Braxton.

'Ik geloof dat er bij de inbraak in het Topkapi ook met springstof is gewerkt,' vervolgde O'Quinn. 'Ik ga onmiddellijk uitzoeken of er een verband is met de aanslagen in Bursa en Caïro.'

'Wat zou het motief kunnen zijn?'

'De typische aanslagen op moskeeën, zoals we die in Irak zien, worden uitgevoerd door sjiieten op soennitische moskeeën, of andersom,' antwoordde de CIA-officier. 'Maar in Turkije vormen de sjiitische moslims, voor zover ik weet, een niet gewelddadige minderheid.'

'Dat klopt,' bevestigde O'Quinn. 'Het ligt meer voor de hand dat het een actie van de Koerdische afscheidingsbeweging is geweest. Over een kleine vier weken zijn er landelijke verkiezingen in Turkije. Het is voorstelbaar dat de Koerden achter de aanslagen in Turkije zitten, of een van de kleinere politieke partijen die de boel willen opstoken, maar dan weet ik niet wat de link met Caïro zou kunnen zijn.'

'Je zou denken dat de Turkse autoriteiten niet zouden aarzelen om de Koerden publiekelijk de schuld te geven als ze ook maar enigszins de indruk hadden dat die voor de aanslagen verantwoordelijk zijn,' zei Braxton.

'Dat is waarschijnlijk zo, ja,' reageerde O'Quinn, terwijl hij zijn verslagen doorbladerde. Zijn vingers stopten bij een kopie van het door de NSA afgetapte en door George Withers vertaalde telefoongesprek.

'Sir, er is nog een ontwikkeling aan het Turkse front dat mogelijk zorgen baart.'

'Vertel,' zei de generaal.

'Altan Battal, de moefti van Istanbul en een invloedrijke fundamentalistische geestelijke in Turkije, heeft zich, volgens een door de NSA onderschept telefoongesprek, kandidaat gesteld voor de komende presidentsverkiezing.'

'President Yilmaz heeft zich al een aantal jaren een stabiele leider getoond,' merkte Braxton op. 'En Turkije is streng seculier. Ik kan me niet voorstellen dat deze Battal veel meer dan een marginale rol zal spelen.'

'Ik ben bang dat dat toch anders ligt,' reageerde O'Quinn. 'De populariteit van president Yilmaz heeft door de economische malaise een flinke deuk opgelopen en hij staat ook onder druk door beschuldigingen van corruptie aan het adres van zijn regering. De populariteit van moefti Battal is daarentegen sterk gestegen, vooral onder het arme en werkeloze deel van de bevolking. Niemand kan voorzien hoe hij het als politieke kandidaat zal doen, maar veel mensen vrezen dat hij tot een gevaarlijke uitdager van de zittende president kan uitgroeien.'

'Vertel eens iets meer over die Battal,' vroeg de generaal.

'Nou, volgens zijn officiële biografie was hij al op jonge leeftijd wees en had hij in de sloppenwijken van West-Istanbul bepaald geen makkelijke jeugd. Hij wist aan de armoede te ontsnappen nadat hij een oude man te hulp was gekomen die door een naburige bende werd overvallen. Uit dankbaarheid stuurde deze man, een oudste van een moskee, hem naar een islamitische privéschool, waarbij hij de jongen tot in zijn tienerjaren financieel ondersteunde. Dat was een zwaar fundamentalistische school, waar hij kennelijk zijn huidige visie opdeed. Hij is zeer wetenschappelijk ingesteld en tevens een begenadigd spreker, wat hem zeker heeft geholpen bij zijn snelle carrière in de hiërarchie van de moslimgemeenschap in Istanbul. Hoewel hij heel vriendelijk overkomt, getuigen zijn geschriften en preken van een Taliban-achtige interpretatie van de islam, nog aangedikt met felle uitvallen naar het kwaad van het Westen en de gevaren van buitenlandse invloeden. Het is onduidelijk wat er gebeurt als hij wordt gekozen, maar we zullen rekening moeten houden met de reële mogelijkheid dat we Turkije zomaar ineens kwijt zijn.'

'Bestaat de kans dat hij de verkiezingen wint?' vroeg Braxton op een toon waaruit bezorgdheid klonk.

O'Quinn knikte. 'Onze bevindingen wijzen uit dat hij inderdaad een goede kans maakt. En als het Turkse leger zijn verkiezing steunt, is het een gedane zaak.'

Lichtelijk geschokt mengde een kolonel van de luchtmacht zich in het gesprek. 'Een fundamentalistische machtsovername in Turkije? Dat zou een ongekende ramp zijn. Turkije is lid van de NAVO en een van de sterkste bondgenoten in de regio. We hebben een heel scala aan militaire bases in dat land, inclusief een eenheid met tactische nucleaire wapens. De luchtmachtbasis bij Incirlik is cruciaal voor onze operaties in Afghanistan.'

'En niet te vergeten de afluisterposten op hun grondgebied die we gebruiken om de Russen en Iraniërs in de peiling te houden,' vulde de CIA-man aan.

'Turkije is op dit moment de belangrijkste overslagbasis voor de aanvoer van voorraden naar Afghanistan, zoals destijds naar Irak,' merkte een sip kijkende majoor van de landmacht op. 'Het wegvallen van die aanvoerlijnen zou de hele Afghaanse operatie in gevaar brengen.'

'We voorzien allerlei mogelijke desastreuze scenario's,' reageerde O'Quinn kalmpjes, 'van een afsluiting van de Bosporus en het afsnijden van de toevoer van Russische olie en gas, tot overmoedig gedrag van de Iraanse machthebbers. Het zal op hele Midden-Oosten van invloed zijn en de gevolgen van een dergelijke verschuiving van het machtsevenwicht zijn nauwelijks te overzien.'

'Turkije is steeds een stille vriend en handelspartner van Israël geweest, waar het onder andere grote hoeveelheden voedsel en drinkwater naar exporteerde,' zei de CIA-officier. 'Wanneer zowel Turkije als Egypte een ommezwaai naar het fundamentalisme maakt, zal dat de isolatie van Israël aanzienlijk vergroten. Behalve een agressievere opstelling van Iran vrees ik een toenemende agressie van Hamas, Hezbollah en andere vijanden in het grensgebied van Israël, wat beslist tot meer geweld in de hele regio zal leiden. Een dergelijke ommekeer in de heersende machtsverhoudingen zou in feite de aanzet kunnen zijn voor iets waar we al zo lang bang voor zijn: dat in het hart van het Midden-Oosten de vlam in de pan slaat en dat dat een Derde Wereldoorlog in gang zet.'

Het werd stil in de zaal, terwijl Braxton en de anderen de betekenis van dit alles bezorgd, maar rustig op zich lieten inwerken. Ten slotte verbrak de generaal de onbehaaglijke spanning en begon op strenge toon orders uit te delen.

'O'Quinn, ik verwacht morgenochtend meteen een uitgebreid verslag over die moefti Battal op mijn bureau. Ook heb ik een officiële samenvatting nodig voor de dagelijkse briefing aan de president. We komen hier vrijdag weer bijeen en dan verwacht ik een volledig uitgewerkt verslag van zowel het ministerie als de CIA. Zet hiervoor alles in wat noodzakelijk is,' vervolgde hij knarsetandend, 'maar laat dit niet uit de hand lopen.' Hij sloeg zijn map met verslagen dicht en keek op naar de CIA-man.

'Derde Wereldoorlog?' siste hij. 'Niet zolang ik hier zit!'

10

Doordat de oproep voor het ochtendgebed door het openstaande hotelvenster klonk, werd Pitt eerder gewekt dan hij wilde. Hij maakte zich los uit de warmte van Lorens zij, stapte uit bed en keek uit het raam. De zwart getopte minaretten van de Sultanahmet moskee priemden op slechts een paar blokken afstand hoog de heiige lucht in. Pitt stelde licht teleurgesteld vast dat de islamitische oproep tot het gebed niet meer uit de keel van een boven in een van de minaretten opgestelde muezzin kwam, maar uit een batterij rond de moskee opgehangen luidsprekers.

'Kun je die herrie niet afzetten,' gromde Loren vanonder haar deken.

'Dat zul je aan Allah moeten vragen,' antwoordde Pitt.

Hij sloot het raam en keek door de ruit naar de hoog oprijzende architectuur van de moskee en het blauwe water van de Zee van Marmara erachter. Een heel contingent vrachtschepen lag in een lange rij te wachten tot ze aan de beurt waren voor de doorvaart van de smalle Bosporus. Ook Loren dook uit bed op. Ze trok een ochtendjas aan en voegde zich bij haar man voor het panoramavenster.

'Ik besefte helemaal niet dat dat kabaal van de moskee kwam,' zei ze vergoelijkend. 'Hij is werkelijk schitterend. Gebouwd door de Ottomanen, neem ik aan.'

'Ja, aan het begin van de zeventiende eeuw, geloof ik.'

'Laten we er na het ontbijt een kijkje gaan nemen. Maar na alle commotie van afgelopen nacht wou ik het daar voor wat de bezienswaardigheden betreft voor vandaag dan ook bij laten,' zei ze gapend.

'Niet nog even lekker shoppen in de Grand Bazaar?'

'Een volgende keer misschien. Ik wil dat we 't op onze enige dag in Istanbul rustig aan doen.'

Pitt zag hoe een rood vrachtschip van een kade wegvoer en zei: 'Ik geloof dat ik een goed idee heb.'

Nadat ze snel hadden gedoucht en zich hadden aangekleed, lieten ze het ontbijt op hun kamer komen. Net toen ze weg wilden gaan, ging de telefoon. Pitt nam op en sprak een paar minuten voordat hij ophing.

'Dat was dr. Ruppé, vanaf het vliegveld. Hij wilde weten of echt alles goed met je is,' legde hij uit.

'Ik zou me een stuk beter voelen als je me vertelt dat de politie die misdadigers te pakken heeft.'

Pitt schudde zijn hoofd. 'Kennelijk niet. Rey heeft nogal de pest in, omdat de plaatselijke media de schuld van de inbraak en moorden bij een antimoslimbeweging leggen. Het schijnt dat ze kostbare sieraden hebben laten liggen, terwijl ze wel een aantal relikwieën van Mohammed uit het Topkapi hebben meegenomen.'

'Zei je nou moorden in het meervoud?' merkte Loren op.

'Ja, er zijn bij de roof in totaal vijf beveiligingsmedewerkers gedood.'

Loren trok een pijnlijk gezicht. 'Het feit dat een deel van de moordenaars er nogal Perzisch uitzag is voor de politie geen reden om in een andere richting te zoeken?'

'De politie heeft ons verslag. Ik weet zeker dat zij volgens een ander scenario te werk gaan.' Diep vanbinnen was Pitt daar helemaal niet zo zeker van, maar hij hield zijn woede over de gedachte dat de kidnappers van zijn vrouw er ongestraft van afkwamen, voor zich.

'Het andere nieuws is, volgens Ruppé,' vervolgde hij, 'dat ze onze namen en betrokkenheid uit de pers hebben kunnen houden. Kennelijk is er een soort volkswoede uitgebroken over de diefstal, die door de moslimgemeenschap als een diepe belediging wordt ervaren.'

'Ook al waren we dan bijna dood geweest, ik vind 't wel prima zo,' zei Loren nadenkend. 'Tussen twee haakjes, wat hebben ze nu eigenlijk gestolen?'

'Ze zijn ervandoor met een strijdvaandel van Mohammed. De algemene verontwaardiging zou naar het schijnt nog vele malen groter zijn geweest als jij die tweede zwarte tas niet had afgepakt.'

'Wat zat daar in?'

'Een cape van Mohammed, de zogenaamde Heilige Mantel, plus een brief in zijn handschrift. Een gedeelte van wat ze de Heilige Geboden noemen.'

'Wat vreselijk dat iemand dit soort relikwieën wil stelen,' zei Loren hoofdschuddend.

'Kom, laten we de stad gaan bekijken voordat er nog meer verdwijnt.'

Ze verlieten het hotel door de lobby voor een wandeling door de drukke straten van het oude Istanbul. Pitt zag dat een man met een spiegelende zonnebril die hen passeerde toen ze het hotel uitkwamen, een aandachtige blik op Loren wierp. Met haar atletische, bijna ballerina-achtige lijf trok ze wel vaker de aandacht van mannen. In een lichte lange broek en een amethistkleurige blouse die haast met de kleur van haar ogen overeenkwam, zag ze er ondanks de beproevingen van de afgelopen nacht fris en vrolijk uit.

Bij een derde zijstraat aangekomen, bleven ze staan voor de etalage van de chique tapijtenwinkel Punto of Istanbul en bewonderden een schitterend Serapi tapijt dat er aan de muur hing. Nadat ze naar het einde van de straat waren geslenterd, liepen ze door het Hippodroom, een lang, vrij smal park, dat in de Byzantijnse tijd het toneel van wagenrennen was geweest. Erachter lag de moskee van sultan Ahmed I.

Dit uit 1617 stammende gebouw was de laatste van de grote vorstelijke moskeeën van Istanbul. Het vooraanzicht wordt bepaald door een steeds hoger oprijzende cascade van hele en halve koepels bekroond door een reusachtige centrale koepel. Op het tijdstip dat Pitt en Loren de gewelfde binnenplaats van de moskee opliepen, hadden de meeste gelovigen plaatsgemaakt voor druk fotograferende toeristen.

Ze betraden de gebedshal, die door hoge rijen gebrandschilderde ramen schaars was verlicht. Hoog boven hen waren de ronde koepels versierd met in prachtige geometrische patronen ingelegde tegels, in voornamelijk blauwe tinten. Vandaar ook de bijnaam de Blauwe moskee. Pitt bekeek een zuilengang met hem bekend voorkomende bloempatronen op de tegels, die vervaardigd waren in de nabijgelegen stad Iznik.

'Moet je dat patroon zien,' zei hij tegen Loren. 'Dat is vrijwel hetzelfde als het patroon van de aardewerken doos die we uit het wrak hebben meegenomen.'

'Je hebt gelijk,' reageerde Loren, 'hoewel de kleuren net iets anders zijn. Gefeliciteerd, opnieuw een bewijs dat het wrak rond zestienhonderd is gezonken.'

Pitts vreugde hierover duurde niet lang. Terwijl hij zijn blik op een groen betegelde muur aan de andere kant van de gebedshal richtte, zag hij een man met zonnebril in hun richting kijken. Het was dezelfde man die Loren voor het hotel had aangestaard.

Zonder er iets over te zeggen leidde hij Loren onopvallend in de richting van de uitgang, er angstvallig voor zorgend dat ze dicht in de buurt bleven van een groep Duitse toeristen die werden rondgeleid. Terloops speurde hij het overige publiek in de moskee af om te zien of de man met de zonnebril nog handlangers bij zich had. Pitt zag een dunne Perzische man met een borstelige snor die met een stuurs gezicht wat heen en weer schuifelde. Hij viel nogal uit de toon tussen de andere toeristen die met uitgestoken halzen naar het plafond tuurden. Het leek niet voor de hand liggend dat de Topkapi-dieven hem al zo snel hadden gevonden, maar Pitt herinnerde zich het dreigement van de vrouw in de cisterne. Hij wilde zekerheid.

Nadat ze met de Duitsers de gebedshal hadden verlaten, trokken Pitt en Loren hun schoenen weer aan die ze voor binnenkomst hadden uitgedaan, en volgden de rondleiding naar de binnenplaats. Vanuit zijn ooghoeken zag Pitt dat de Perzische man hen op de voet volgde.

'Blijf hier wachten,' zei Pitt tegen Loren, waarop hij zich omdraaide en met grote passen over het marmer op de man afliep.

De Iraniër wendde zich onmiddellijk af en deed alsof hij een zuil bekeek. Pitt liep recht op hem af en keek op de man neer, die een kop kleiner was.

'Neemt u me niet kwalijk,' zei Pitt, 'maar kunt u me vertellen wie er in Atatürks tombe begraven ligt?'

Eerst vermeed de man Pitts blik en tuurde naar de uitgang van de gebedshal waar de man met de zonnebril nu stond. Nadat deze kort met zijn hoofd had geschud, wendde de man zich tot Pitt en keek hem minachtend aan.

'Ik heb geen idee waar die hond ligt,' antwoordde hij bars. In zijn ogen glinsterde de intimiderende arrogantie van iemand die in het keiharde leven op straat was opgegroeid. Een undercoveragent was hij duidelijk niet. Toen Pitt de veelzeggende bobbel van een holster onder het wijde hemd van de man zag, besloot hij de zaak niet op de spits te drijven. Hij wierp de man nog een kille, veelbetekenende blik toe, waarna hij zich omdraaide en wegliep. Terwijl hij naar Loren terug wandelde, vermoedde hij ternauwernood te ontsnappen aan een kogel in zijn rug dankzij de aanwezigheid van omstanders en moskeebeveiligers.

'Wat was dat?' vroeg Loren toen hij bij haar terug was.

'Even gevraagd hoe laat het is. Kom, laten we kijken of we een taxi kunnen krijgen.'

De Duitse groep bewoog zich langzaam naar de uitgang van de binnenplaats, maar Pitt greep Loren bij de hand en trok haar met zich mee langs de groep en samen glipten ze naar buiten voordat de groep de doorgang versperde. Pitt nam niet de moeite om te kijken, want hij wist dondersgoed dat de man met de zonnebril en de Iraniër hen zouden volgen. Terwijl hij Loren de straat op duwde, zag hij dat ze geluk hadden en rende op een taxi af, waaruit juist een ouder echtpaar stapte.

'Naar de aanlegsteiger van de Eminönü-veerdienst, zo snel mogelijk, graag,' instrueerde hij de taxichauffeur.

'Vanwaar die haast opeens?' vroeg Loren lichtelijk geïrriteerd over het feit dat ze zo was meegesleept.

'Volgens mij worden we gevolgd.'

'De vent die je in de moskee aansprak?'

Pitt knikte. 'En een kerel met een zonnebril die ik ook al voor het hotel had gezien.'

Terwijl de taxi zich in het verkeer mengde, keek Pitt door het achter- raam. Langs de stoep kwam met piepende banden een kleine oranje per- sonenwagen tot stilstand. Er zat alleen iemand achter het stuur. Pitt speur- de het terrein van de moskee af en zag dat de Duitse groep nog bij de uitgang rondhing. Hij glimlachte toen hij zag hoe de Iraniër zich onbe- holpen een weg door de mensenmassa baande.

'Waarom gaan we niet naar de politie?' vroeg Loren op een toon waar- uit een lichte paniek sprak.

Pitt keek haar met een geruststellende grijns aan. 'Daar willen we die ene relaxte dag in Istanbul de we hebben toch niet door laten verpesten?'

11

De gele taxi was al snel in het drukke verkeer opgegaan, terwijl de koepel van de moskee en de minaretten ook in de achteruitkijkspiegel uit beeld verdwenen. Als de chauffeur in noordelijke richting het web van smalle straatjes van de historische oude stad in was gereden, had hij de oranje personenwagen in de verkeersdrukte makkelijk afgeschud. Maar de ervaren taxichauffeur, die tijd wilde winnen, sloeg een straat naar het zuiden in en reed naar de Kennedy Caddesi, een vierbaans autoweg.

De achtervolgers zetten alles op alles om dichterbij te komen. De oranje personenauto scheurde, nadat de twee passagiers waren ingestapt, van de moskee weg en werd bijna door een touringcar geramd toen hij de verkeersstroom inschoot.

'Ik geloof dat ze naar rechts gingen,' zei de chauffeur licht weifelend.

'Rijden,' riep de man met de zonnebril, die voorin zat en naar de chauffeur knikte dat hij zijn instinct moest volgen.

De auto draaide naar het zuiden en negeerde een rood stoplicht om vervolgens pas af te remmen achter een langzaam rijdende file. De Iraniër op de achterbank wees opeens schuin vooruit, waar hij twee huizenblokken verder een gele taxi de Caddesi op zag rijden.

'Volgens mij is dat hun taxi,' schreeuwde hij.

De chauffeur knikte en zijn knokkels verstrakten om het stuur. In de langzaam voortkruipende verkeersstroom kon hij weinig doen en terwijl de seconden verstreken vervloekte hij ongeduldig de auto's om hem heen. Toen hij eindelijk een gaatje in de tegemoetkomende verkeersstroom ontdekte, scheurde hij een heel huizenblok lang over de linkerbaan, waarna hij weer in de rechterbaan terug dook. De file kwam in beweging, waarna hij de Caddesi opdraaide, het gaspedaal intrapte en als een formule 1-coureur de snelweg opspoot.

De snelweg liep met een boog rond de oostgrens van het Topkapi en volgde de kustlijn van de Bosporus. Het verkeer reed hier stevig door terwijl de weg naar het noorden boog en vervolgens naar het westen langs de Gouden Hoorn, een natuurlijke baai die het Europese deel van Istanbul in tweeën deelt. Pitt keek uit over het water en bewonderde een groot groen baggerschip dat langs de kust aan het werk was. Toen de taxi de Galatabrug naderde, die over de Gouden Hoorn naar de wijk Beyoğlu liep, dook er plotseling een enorme file van auto's en bussen op, die de snelheid tot stapvoets reduceerde. De taxi nam de eerstvolgende afslag van de Caddesi en reed over een kronkelweg omlaag naar de aanlegsteiger van de veerdienst onder aan de brug.

'Boğaz Hatti kade bij Eminönü,' kondigde de chauffeur aan. 'De eerstvolgende pont vertrekt daar,' vervolgde hij met een armzwaai. 'Als u snel bent, haalt u hem nog net.'

Pitt betaalde de chauffeur, aangevuld met een stevige fooi en speurde bij het uitstappen de weg achter hen af. Toen hij daar geen oranje personenwagen zag, begeleidde hij Loren haastig naar het kaartjesloket.

'Het water laat jou echt nooit los, hè?' zei Loren, terwijl ze naar de grote veerboten keek die langs de kade afgemeerd lagen.

'Ik dacht aan een ontspannend boottochtje op de Bosporus, dat is toch precies wat de dokter heeft voorgeschreven?'

'Dat klink eigenlijk heel aanlokkelijk,' gaf ze toe en ze verheugde zich op wat sightseeing in de frisse lucht. 'Zolang we maar onder ons blijven en de lunch niet overslaan.'

Pitt grinnikte. 'Die lunch staat genoteerd. En ik geloof dat we onze vrienden kwijt zijn.'

Nadat ze hun kaartjes hadden gekocht, liepen ze naar een van de drukke loopplanken en gingen aan boord van een moderne passagierspont, waar ze twee zitplaatsen aan het raam vonden. Drie stoten op de scheepstoeter kondigden het vertrek aan en de loopplank werd ingetrokken.

Op de kade kwam met gierende banden een oranje personenwagen tot stilstand, waarvan aan beide kanten een portier openzwaaide. Er sprongen twee mannen uit. Ze stormden langs het loket de steiger op om daar te zien hoe de veerboot van de kant weg zwenkte. Zwaar hijgend staarde de man met de zonnebril de veerboot na tot hij zich naar de Iraniër omdraaide.

'Zoek een boot voor ons,' siste hij. 'Vlug!'

Met een lengte van ruim dertig kilometer en een breedte van maximaal anderhalve kilometer was de Bosporus ooit een van de drukst bevaren en meest pittoreske waterwegen. Deze historische handelsroute, die het centrum van Istanbul doorsnijdt, was van belang voor de Grieken, Romeinen en Byzantijnen. Tegenwoordig is het een belangrijk kanaal voor Rusland,

Georgië en andere landen grenzend aan de Zwarte Zee. Talloze tankers, kustvaarders en containerschepen verstoppen voortdurend de nauwe doorgang die het Europese en Aziatische continent scheidt.

De veerboot voer met een aangename vaart onder een helblauwe lucht langs het heuvelachtige Istanbul naar het noorden. Het schip passeerde al spoedig de Bosporus en even later de Fatih Sultan Mehmet, allebei reusachtige hangbruggen die hoog boven de waterweg uittorenen. Pitt en Loren namen voorzichtige slokjes van hun hete thee, terwijl ze de passerende schepen en de bouwwerken op de heuvels bewonderden. De dichte bebouwing langs de oever ging geleidelijk over in een aaneengesloten reeks statige landhuizen, ambassades en voormalige paleizen, die scherp tegen het groene achterland afstaken.

De veerboot legde diverse malen in jachthavens aan alvorens de Zwarte Zee in zicht kwam.

'Zullen we naar het bovendek gaan, voor een beter uitzicht?' stelde Pitt voor.

Loren schudde haar hoofd. 'Dat is iets te winderig voor mij. Wat dacht je van nog een kop thee?'

Pitt vond het prima en liep naar een kleine bar, waar hij nog eens twee koppen zwarte thee bestelde. Wanneer ze wel naar het bovendek waren gegaan, was Pitt wellicht de kleine speedboot opgevallen die met drie man aan boord razendsnel op de veerboot afstevende.

De veerboot draaide naar de Europese oever en meerde in de haven van Sariyer af naast een tweetal kleinere autoponten. Het oude vissersdorp Sariyer heeft nog altijd die rustieke, authentieke Turkse uitstraling van veel aan de overkant van de Bosporus gelegen haventjes, die geleidelijk door gefortuneerde gepensioneerden werden overspoeld.

'Hier zijn vast een paar goede visrestaurants,' zei Loren terwijl ze opkeek uit een reisgids. 'Wat vind je ervan om hier een hapje te gaan eten?'

Pitt vond het een goed idee en even later voegden ze zich bij toeristen die zich in het gangpad verdrongen om het schip te verlaten. De steiger lag aan de voet van de heuvel, terwijl het stadje zich aan de rechterkant langs de vlakke oever uitstrekte. Aan hun linkerhand kwam de hoofdstraat uit op een klein aan het water grenzend park, dat Pitts aandacht trok omdat er een oude Citroën Traction Avant over het drassige grasveld reed.

Ze wandelden door een kleine vismarkt, waar ze toekeken hoe een lading verse zeebaars uit een vissersboot werd gehesen. Aangekomen bij een hele rij met elkaar concurrerende visrestaurants kozen ze voor een klein aan het water gelegen eetcafé aan het einde van de rij. Een kwieke serveerster met lang zwart haar bracht hen naar een tafeltje op het terras direct aan het water, waarna ze hun tafel volzette met schaaltjes gevuld met borrelporties van diverse Turkse gerechten.

'Deze calamaris moet je echt eens proberen,' zei Loren, waarbij ze een rubberachtige prop in zijn mond stopte.

Pitt knauwde met zijn tanden speels op een van haar vingers. 'Heel lekker samen met die witte kaas,' antwoordde hij, nadat hij de gebakken inktvis had doorgeslikt.

Ze genoten van een heerlijke maaltijd en bekeken de manoeuvres van de schepen in de smalle zeestraat, en het drentelen van de toeristen rond de aangrenzende visrestaurants. Nadat ze de schaaltjes met visgerechten hadden leeggegeten, wilde Pitt een glas water inschenken, toen Loren opeens zijn arm greep.

'Zit er een graat in je keel?' vroeg hij toen hij de strakke bezorgde trek op haar gezicht zag.

Loren schudde zachtjes haar hoofd, terwijl haar greep geleidelijk verslapte. 'Er staat een man bij de deur. Dat is een van de kerels van de bestelwagen vannacht.'

Pitt nam een slok van het water en draaide achteloos zijn hoofd naar de ingang van het café. Daar zag hij een man met een bruine huid in een blauw hemd ongedurig heen en weer lopen. Hij hield zijn gezicht naar de straat gekeerd, waardoor Pitt het niet kon zien.

'Weet je het zeker?' vroeg Pitt.

Loren zag dat de man een snelle blik door het raam wierp waarna hij zich weer afwendde. Ze keek haar echtgenoot met een angstige blik in haar ogen aan en knikte.

'Ik herken zijn ogen,' zei ze.

Pitt vond ook dat zijn profiel hem bekend voorkwam en Lorens reactie bewees dat ze gelijk had. Dit was de vent die Pitt in de laadruimte van de bestelwagen buiten westen had geslagen.

'Hoe hebben ze ons hier kunnen vinden?' vroeg ze schor.

'We gingen als laatsten aan boord, maar ze waren waarschijnlijk al zo dicht in de buurt dat ze dat hebben gezien,' concludeerde Pitt. 'Daarna zijn ze ons in een andere boot gevolgd. En in het rijtje restaurants hier bij de aanlegsteiger hebben ze ons snel gevonden.'

Hoewel hij uiterlijk kalm bleef, maakte Pitt zich grote zorgen om de veiligheid van zijn vrouw. De Topkapi-dieven hadden die nacht bewezen dat ze voor moord niet terugschrokken. Als ze al die moeite deden om hen te vinden, kon dat maar één reden hebben: vergelding voor het verstoren van hun roof. Het dreigement van de vrouw in de cisterne leek opeens zo loos niet meer.

De serveerster kwam en vroeg, terwijl ze het tafeltjes afruimde, of ze nog een dessert wilden. Loren wilde nee schudden, maar Pitt was haar voor.

'Ja, graag. Twee koffie en twee porties baklava, alstublieft.'

Terwijl de serveerster naar de keuken terug snelde, riep Loren haar man ter verantwoording.

'Ik krijg geen hap meer door mijn keel, nu al helemaal niet,' zei ze met een schuine blik op de deur.

'Dat toetje is voor hem, niet voor ons,' antwoordde hij kalm. 'Laat duidelijk zien dat je naar het toilet gaat en wacht dan bij de keuken op me.'

Loren reageerde onmiddellijk, deed alsof ze Pitt iets in zijn oor fluisterde, waarna ze rustig opstond en naar een gangetje liep dat zowel naar de toiletten als de keuken leidde. Pitt zag dat de man bij de deur heel even verstijfde toen hij haar zag weggaan, maar zich weer ontspande toen de serveerster de koffie en het dessert bracht. Pitt schoof heimelijk een stapeltje Turkse lirabiljetten op de tafel en stak een vork in de fikse portie baklava. Voorzichtig opzij glurend zag hij dat de man in het blauwe hemd zich weer naar de straat had afgewend. Hij liet zijn vork los en snelde in een flits weg van het tafeltje.

Loren wachtte hem achter in het gangetje op. Hij glipte langs haar, greep haar hand en trok haar de keuken in. Een kok en een bordenwasser keken geschrokken op, terwijl Pitt glimlachend hallo zei en met Loren achter zich aan langs een fornuis met pruttelende pannen schoot. De achterdeur kwam uit op een steegje dat met een bocht naar de hoofdstraat liep. Ze renden door tot aan de hoek, die ze wilden omslaan om zo snel mogelijk van het restaurant weg te zijn, toen Loren in Pitts hand kneep.

'Wat dacht je van dat treintje?' vroeg ze.

Er kwam een bewust ouderwets vormgegeven treintje voor het plaatselijk vervoer van toeristen en inwoners langzaam hun richting op.

'Laten we aan de andere kant instappen,' ging Pitt akkoord.

Vlak voordat het treintje aankwam, staken ze de straat over en sprongen er snel in. De zitplaatsen waren allemaal bezet, waardoor ze moesten blijven staan toen het treintje langs de voorkant van het café reed. De man in het blauwe hemd stond daar nog en wierp een terloopse blik op het voorbijrijdende treintje. Pitt en Loren draaiden weg en probeerden zich achter andere passagiers te verschuilen, maar die dekking was nogal beperkt. De ogen van de man verstarden toen hij Lorens paarse blouse zag, waarna hij zich op zijn hakken omdraaide en zijn neus tegen het caféraam drukte. Pitt zag de schrik op het gezicht van de man, die over zijn schouder het door de straat wegrijdende treintje nakeek. Terwijl hij achter het treintje aanrende, trok hij een mobieltje uit zijn zak en toetste onder het lopen een nummer in.

Loren keek Pitt verontschuldigend aan. 'Sorry, ik geloof dat hij me zag.'

'Geeft niet,' reageerde Pitt in een poging zijn angst achter een zelfverzekerde grijns te verbergen. 'Het is een klein stadje.'

Het treintje stopte bij de vismarkt, waar de meeste passagiers uitstapten. Toen hij op een huizenblok afstand hun achtervolger aan zag komen, zochten Pitt en Loren een zitplaats en doken zo diep mogelijk in elkaar, terwijl het treintje weer vaart maakte.

'Ik geloof dat ik daarnet bij de aanlegsteiger een politieagent zag staan,' zei Loren.

'Als hij er niet meer is, kunnen we misschien snel weer een veerboot nemen.'

Het treintje passeerde nog een huizenblok en naderde de eindhalte bij de aanlegsteiger van de veerdienst. De wielen van het oude onderstel draaiden nog toen Pitt en Loren uit het treintje sprongen en zich naar de steiger haastten. Maar nu was het Pitt die Lorens arm greep en stokstijf bleef staan.

Voor hen was de aanlegsteiger leeg en de eerstvolgende veerboot kwam pas over een halfuur. Maar Pitt maakte zich meer zorgen over de beide mannen die hij bij de opgang naar de steiger zag. De ene was de Iraniër uit de Blauwe moskee, die naast zijn maat met de zonnebril over de kade snelde.

'Ik denk dat het slimmer is om een alternatief vervoermiddel te zoeken,' zei Pitt, terwijl hij met Loren de andere kant op liep. Ze snelden terug naar de straat, waar net een Peugeot cabriolet uit de jaren zestig van de vorige eeuw langs hobbelde, gevolgd door een groepje plaatselijke inwoners die achter de oldtimer aan naar het park aan de oever liepen. Pitt en Loren haastten zich naar de Turkse stoet met de bedoeling dekking te zoeken door zich in de stoet te mengen. Maar dat mislukte, omdat de man in het blauwe hemd van het restaurant in de straat verscheen. Hij schreeuwde naar zijn handlangers op de kade en gebaarde opgewonden in de richting van Pitt.

'Wat nu?' vroeg Loren, die zag dat ook de mannen op de kade hun richting opkwamen.

'Gewoon doorlopen,' antwoordde Pitt.

Zijn ogen schoten alle kanten uit, op zoek naar een vluchtweg, maar op dat moment zat er niets anders op dan met de stoet mee te blijven lopen. Zo bereikten ze het park, waar langs de met gras begroeide open plek nu in twee ongelijke rijen een hele verzameling oude auto's stond opgesteld. Pitt herkende veel van de glanzend opgepoetste auto's als Citroëns en Renaults uit de jaren vijftig en zestig.

'Waarschijnlijk een clubdag van een Franse oldtimervereniging,' merkte hij op.

'Jammer dat ik daar nu helemaal geen oog voor heb,' reageerde Loren, die voortdurend over haar schouder keek.

Toen de mensen om hen heen zich over het terrein begonnen te verspreiden, leidde Pitt zijn vrouw naar een groepje bij een auto in de eerste rij. Ze stonden rond het pronkstuk van de show, een glanzende Talbot-Lago uit het begin van de jaren vijftig met een bolvormige carrosserie, ontworpen door de Italiaan Ghia. Nadat ze zich door de mensen een weg naar de andere kant van de groep hadden gebaand, draaide Pitt zich om op zoek naar hun achtervolgers.

De drie mannen liepen net met stevige passen het park in. De man met de zonnebril was duidelijk de leider en dirigeerde de beide andere mannen ieder naar een plek aan de rand van het grasveld, terwijl hij zelf langzaam naar het midden van de rij auto's doorliep.

'Ik geloof niet dat we hier op dezelfde manier wegkomen als we gekomen zijn,' zei Pitt. 'Laten we proberen om ze voor te blijven. Misschien komen we aan de andere kant van het park weer op de hoofdstraat, waar we een auto of bus kunnen aanhouden.'

'Ik word nu niet graag opgepakt voor het kapen van een auto,' reageerde Loren stug. Haastig glipte ze, met Pitt op haar hielen, tussen de geparkeerde auto's door. Ze probeerden zich zo goed en zo kwaad als het ging tussen de toeschouwers te verschuilen, maar dat werden er naarmate ze langs de rij vorderden steeds minder. Al vrij snel bereikten ze de laatste auto, een vooroorlogse, zilver met groene tweedeurs cabrio. Pitt zag dat er een oudere man in zat, die een papier met TE KOOP op de voorruit plakte.

'Dit is onze laatste dekking,' merkte Pitt op. 'Nu snel naar de bomen.'

Pitt greep Lorens hand en samen renden ze het laatste stuk van het open veld over. Het hele park werd door een dichte rij bomen omzoomd. Daarachter moest de kustweg naar het westen lopen, wist Pitt.

Ze hadden net een meter of twintig overbrugd toen ze allebei abrupt inhielden. Pas nu zagen ze dat er achter de bomen een hoge stenen muur stond die de hele zuidelijke helft van het park omgaf. Op de muur, die de afscheiding met een stuk privégrond vormde, waren ter afschrikking glas-scherven gemetseld. Pitt begreep dat Loren zelfs met zijn hulp nooit snel genoeg over de muur zou komen om aan hun achtervolgers te kunnen ont-snappen, en al helemaal niet zonder daarbij een paar bloederige snijwon-den op te lopen.

Pitt draaide zich om en zag meteen de drie mannen. Ze baanden zich een weg tussen de auto's door en kwamen langzaam maar zeker dichter-bij. Terwijl hij Lorens hand weer pakte, liep Pitt naar de rij auto's terug.

'Wat doen we nu?' vroeg Loren met een van angst trillende stem.

Pitt keek haar aan met een duivelse fonkeling in zijn ogen.

'Om het met Monty Hall te zeggen: *Let's Make a Deal.*'

12

'Heeft deze een Cotal versnellingsbak?' vroeg Pitt.
De oudere man met baard leunde opzij en opende het portier aan de chauffeurskant.

'Jazeker,' zei hij met een duidelijk Amerikaans accent. 'Bent u bekend met Delahaye's?' Zijn ogen lichtten op toen hij de lange donkerharige man en zijn aantrekkelijke vrouw opnam.

'Ik ben een groot bewonderaar van het merk,' antwoordde Pitt, 'vooral de modellen met een Worblaufen carrosserie.'

'Dit is een Model 135 cabriolet coupé uit 1948, met een handgemaakte carrosserie uit de Parijse werkplaats van Henri Chapron.'

De grote tweedeurs cabriolet had de strakke, maar zwaar aangezette lijnen die kenmerkend waren voor de eenvoudige ontwerpen van de autobouwers van vlak na de Tweede Wereldoorlog. Loren bewonderde de opvallende kleurencombinatie van groen met zilver, waardoor de auto langer leek dan hij was.

'Hebt u hem zelf gerestaureerd?' vroeg ze.

'Ja. Ik ben mijnbouwer van beroep. Ik kwam de auto tegen in een oude datsja in Georgië, toen ik daar aan de kust van de Zwarte Zee met een project bezig was. Hij verkeerde in een abominabele staat, maar alles was er nog. Ik heb hem naar Istanbul gebracht en hier met hulp van een plaatselijk talent gerestaureerd. Voor rally's is hij niet goed genoeg, maar hij staat er mooi bij. Ze hebben de zes cilindermotor vaak op de staart getrapt, dus hij rijdt als een duivel.' Hij stak zijn hand naar Pitt uit. 'Ik ben Clive Cussler, *by the way*.'

Pitt schudde hem de hand, waarop hij ook zichzelf en Loren voorstelde.

'Hij is werkelijk schitterend,' reageerde Pitt, hoewel hij zijn ogen op de mensen om hen heen gericht hield. De man met de zonnebril keek op vijf auto's afstand in zijn richting en kwam met nonchalante passen dichterbij. Pitt zag dat de andere twee iets verder weg op het veld van de zijkanten naderden.

'Waarom wilt u hem verkopen?' vroeg hij, terwijl hij Loren zachtjes naar het portier aan de passagierskant duwde.

'Ik moet voor een tijdje naar Malta en daar heb ik er geen ruimte voor,' zei de man licht teleurgesteld. Hij glimlachte toen Loren het linkerportier opende. De zwart met bruine tekkel die daar lag te slapen, keek haar geïrriteerd aan, waarna hij log opsprong en naar zijn baasje rende. Loren liet zich op de met leer beklede passagiersstoel zakken en zwaaide naar Pitt.

'De auto past perfect bij u,' zei Cussler, die op de charmante verkoperstoer overging.

Loren glimlachte terug. 'Zouden we een klein proefritje door het park mogen maken?' vroeg ze.

'Ach ja, natuurlijk. De sleutel zit in het contact.' Hij wendde zich tot Pitt. 'Bent u vertrouwd met een Cotal versnellingsbak? U hoeft alleen maar te schakelen bij het starten en stoppen.'

Pitt knikte, terwijl hij snel achter het rechts geplaatste stuur stapte. Na het omdraaien van het sleuteltje hoorde hij dat de motor onmiddellijk aansloeg.

'We zijn zo terug,' zei hij en hij zwaaide vanachter de ruit naar de man.

Pitt keerde de auto en draaide achter de rij de oldtimers langs in de hoop dat hij zo de man met de zonnebril ontliep. De achtervolger stapte langs de laatste auto van de rij en zag Pitt achter het stuur zitten op het moment dat de Delahaye naar voren schoot. Pitt voerde de druk op het gaspedaal geleidelijk op in een poging te voorkomen dat de wielen door het snelle optrekken op het gladde gras doorslipten. De man met de zonnebril aarzelde en gilde toen dat hij moest stoppen. Pitt negeerde het bevel, terwijl de banden grip kregen en de oldtimer vooruit schoot en de man het nakijken gaf.

Boven het gebrul van de motor hoorde Pitt nog meer geschreeuw en ook Loren slaakte een waarschuwende kreet. De Topkapi-dief in het blauwe hemd stapte op een meter of twintig voor hen tussen de rij auto's uit.

'Hij heeft een vuurwapen,' gilde Loren, terwijl de optrekkende Delahaye hem snel naderde.

Pitt zag dat de man een handwapen had getrokken, wat hij probeerde te verbergen door het plat tegen de zijkant van zijn been te houden. Hij stond bij de achterkant van een Peugeot stationcar met houten panelen te wachten tot de Delahaye voor hem langs zou rijden.

Met een door het hoge toerental gierende motor schakelde Pitt met het op het dashboard gemonteerde pookje naar de tweede versnelling. Op nog maar een paar meter afstand hief de man in het blauwe hemd zijn arm met het pistool op.

'Bukken,' riep Pitt en gaf plankgas.

De krachtige motor accelereerde zo snel dat Pitt en Loren met een ruk tegen de rugleuning van hun stoel werden gedrukt. De plotselinge versnelling verstoorde de timing van de schutter en hij kreeg slechts met moeite het wapen op de voorruit gericht. Maar Pitt wenste hem die kans niet te geven.

Met een krachtige ruk aan het stuur naar rechts mikte Pitt de gestroomlijnde neus van de Delahaye recht op de schutter, die zich rot schrok. Met de achterkant van de Peugeot in zijn rug kon de man maar één kant op. Opzij deinzend liet hij zijn voornemen voor een gericht schot varen en probeerde te voorkomen dat hij werd geschept.

De voorbumper van de Delahaye schampte de achterbumper van de Peugeot alvorens hij een been van de schutter verbrijzelde en hem van de auto weg stootte. Er klonken twee schoten uit het pistool voordat hij naast de Peugeot kermend van de pijn tegen de grond sloeg. Beide kogels vlogen hoog over, maar een van de twee scheurde nog net het canvas dak.

Pitt trok het stuur onmiddellijk terug om geen andere auto's in de rij te rammen. Over het grasveld slingerend raakte hij bijna een met meloenen beladen pick-uptruck die het park binnenreed. De toeschouwers sprongen geschrokken opzij voor de langsrazende Delahaye, waarin Pitt luid toeterde. Hij wierp een vluchtige blik in zijn achteruitkijkspiegel en zag de man met de zonnebril en de Iraniër naar de gevallen schutter rennen, maar geen van beiden had een wapen getrokken.

Loren gluurde met een lijkbleek gezicht vanonder het dashboard omhoog. Terwijl hij op de uitgang van het park aanstuurde, gaf hij haar een geruststellende knipoog.

'Die vent had gelijk,' zei hij met een flauw glimlachje. 'Dit ding rijdt als een duivel.'

Pitt deed alsof hij exact wist waar hij heen moest. Buiten het park gekomen draaide hij naar links de hoofdweg op, die in zuidelijke richting langs de Bosporus naar Istanbul liep. De mannen in het park zetten zonder aarzeling de achtervolging in en kaapten met vuurwapens dreigend de pick-uptruck. Nadat ze er eerst hun gewonde handlanger in hadden gehesen, stapten ook de andere twee in het open vrachtwagentje en scheurden het park uit, waarbij de meloenen als enorme kanonskogels uit de achterbak alle kanten op vlogen.

Ondanks de bejaarde staat van de Delahaye waren Pitt en Loren qua voertuig ver in het voordeel. De wortels van het Franse automerk lagen in de racerij en de Delahaye's boekten talloze successen in de vooroorlogse races op het circuit van Le Mans. Onder de gestroomlijnde, veelal speciaal in opdracht van rijke en beroemde Parijzenaren vervaardigde carrosserie, zat een uiterst krachtige motor verborgen. De voor jaren-vijftigbegrippen uiterst geavanceerde motor bood Pitt ruimschoots gelegenheid de snelheid op te voeren. Maar de smalle, kronkelende weg met veel verkeer bleek algauw een spelbreker die het verschil in snelheid reduceerde.

Plankgas scheurde Pitt wild schakelend met piepende banden door de bochten. Dankzij de elektromagnetische koppeling kon Pitt met het versnellingspookje in het dashboard razendsnel schakelen. Hij had veel ervaring met het rijden in oldtimers, omdat hij zelf in een vliegtuighangar bij Washington DC een schitterende collectie oude auto's bezat. Het was eenzelfde soort passie als zijn liefde voor de zee en hij merkte dat hij er ondanks de omstandigheden lol in had om alles uit de oude Delahaye te persen.

Loren hield door het achterraampje in de kap van de cabrio angstvallig de weg achter hen in de gaten. Toen ze door een krappe haarspeldbocht scheurden zag ze dat Pitt met gefronste wenkbrauwen naar het instrumentenpaneel keek.

'Is er iets?'

'De wijzer van de benzinemeter staat op bijna leeg,' antwoordde hij. 'Ik vrees dat we een proefrit naar Istanbul kunnen vergeten.'

Door de toenemende drukte op de weg moesten ze snelheid minderen en op een lang recht stuk ontwaarde Loren in de verte de pick-uptruck, die snel dichterbij kwam.

'We moeten ze op een druk knooppunt afschudden,' stelde ze voor.

Er waren maar weinig mogelijkheden op de smalle weg die door een streek met statige landhuizen liep. Bij het dorp Buyukdere gekomen, raakte de weg met steeds meer verkeer verstopt en Pitt benutte alle gaatjes in de file om in te halen. Geholpen door het verkeer was de pick-uptruck geleidelijk tot op minder dan een halve kilometer genaderd en ze waren nog maar door een rij langzaam rijdende auto's van elkaar gescheiden.

Pitt overwoog om het dichtbebouwde deel van het dorp naar het westen in te slaan, maar het voortkruipende verkeer verstopte de hoofdader naar het centrum. Hij zette de shortcut uit zijn hoofd en bleef op de kustweg, die onverwachts overging in een lange brug over een brede watervlakte. Toen hij een lege ruimte in het tegemoetkomende verkeer zag, passeerde hij razendsnel optrekkend een hele stoet auto's die door een trage kiepauto werden opgehouden. Aan het einde van de brug had hij een flink stuk file achter zich gelaten, waarna de weg door een Turkse versie van

Embassy Row kronkelde, een wijk waar talloze buitenlandse diplomaten in weelderige zomerverblijven langs de waterkant huisden.

'Hoe doet onze meloenenwagen 't?' vroeg Pitt met zijn ogen strak op de weg voor hem gericht.

'Die haalt net de kiepauto in, op een kleine kilometer, schat ik,' antwoordde Loren, waarna het achteropkomend verkeer door een scherpe bocht aan het zicht werd onttrokken.

De groene Delahaye stoof langs de prachtige zomerresidentie van de Britse ambassadeur, toen Pitt plotseling vol op de rem moest, omdat voor hen een enorme verhuiswagen achteruit een oprijlaan instuurde en daarbij de beide banen van de weg blokkeerde.

'Opzij!' hoorde Loren zichzelf schreeuwen.

De vrachtwagenchauffeur hoorde haar niet, maar het had ook niets uitgemaakt. Behoedzaam manoeuvreerde hij de wagen iets naar voren en begon aan een tweede poging, zonder zich ook maar iets van het getoeter van de auto's uit de andere richting aan te trekken.

Pitt speurde om zich heen naar een uitweg en zag een mogelijkheid. Terugschakelend draaide hij de weg af en reed door het openstaande hek van een ommuurd landgoed. De verharde oprijlaan werd een grindweg op het moment dat ze op het grondgebied kwamen van een oud houten landhuis dat ooit van de Deense koninklijke familie was geweest. De oprijlaan liep met een wijde boog door een grote overwoekerde tuin langs het bordes van het zalmkleurige hoofdgebouw.

Een tuinman die op het middenterrein rozen stond te snoeien, keek verwonderd op toen hij de oude Franse sportwagen hoorde aankomen en het leek alsof de oorspronkelijke bewoner van het landgoed was teruggekeerd. Hij keek nieuwsgierig toe hoe de Delahaye afremde en achter een paar dichte struiken stopte en niet doorreed tot voor de hoofdingang van het landhuis. Een paar seconden later begreep hij waarom.

Voorafgegaan door het geluid van gierende remmen scheurde opeens de haveloze pick-uptruck door het toegangshek. De chauffeur nam de bocht te snel, waardoor de achterkant van de wagen tegen een stenen zuil sloeg en het linkerachterspatbord openscheurde. Een tweetal overgebleven meloenen stuiterden uit de bak en sloegen tegen de zuil te pletter, waarbij het kleverige oranje vruchtvlees alle kanten op spatte.

De chauffeur had de wagen meteen weer onder controle en stuurde op de Delahaye aan, die met stationair draaiende motor op de oprijlaan stond. Pitt had de pick-uptruck opzettelijk naar binnen gelokt, omdat hij wilde voorkomen dat hij in het hek stopte en zo de doorgang zou versper-

114

ren. Hij gaf gas en schakelde, waarop de auto in een opzwiepende wolk van grind en stof naar voren schoot. De pick-up naderde snel, terwijl Pitt het halfronde gedeelte van de oprijlaan bereikte dat voorlangs het bordes van het landhuis liep. Nog altijd vaart makend stuurde hij naar links en stoof langs het huis, alvorens hij de tegenoverliggende boog indraaide.

In de achtervolgende vrachtwagen leunde de Iraniër met een Glock automatisch pistool uit het zijraam en begon op de Franse auto te schieten. Door de bocht in de weg moest hij om de voorruit van de pick-up heen buigen om te kunnen mikken, wat een gericht schot haast onmogelijk maakte. Een paar kogels doorboorden de kofferbak van de Delahaye, maar de inzittenden en mechanische onderdelen bleven ongedeerd.

Inmiddels stuurde Pitt de auto met het gaspedaal spelend om zo min mogelijk vaart te verliezen door de tweede bocht. Aan de buitenkant van de draai stond vlak langs de weg een groot standbeeld van Venus met een uitgestrekte arm naar de hemel wijzend.

'Kijk uit!' gilde Loren toen de wegslippende Delahaye recht op het marmeren standbeeld afgleed.

Pitt hield het stuur stevig omklemd en drukte het gaspedaal verder in. Terwijl er een salvo van schoten over het dak floot, schoof de auto steeds verder door naar de rand van de weg en de imposante Venus. De banden slipten door het losliggende grind tot ze in de onderliggende aarde geleidelijk houvast vonden en de auto weer iets naar voren gleed. Loren hield zich krampachtig aan het dashboard vast toen de neus van de Delahaye over het gras slipte en op het marmeren beeld afschoot. De achterwielen hervonden plotseling hun grip op de ondergrond en drukten de voorkant van de auto net langs het standbeeld, waarna de neus terug de oprijlaan op draaide. Pitt en Loren hoorden het schrapende geluid van de achterbumper die het voetstuk van de Venus schampte, dat ophield toen alle vier de wielen weer op het grind terug waren.

'Je hebt haar arm geamputeerd,' merkte Loren op terwijl ze over haar schouder door het achterraam keek.

'Ik hoop maar dat de eigenaar deze auto goed verzekerd heeft,' zei Pitt zonder achterom te kijken.

Terwijl de Delahaye op het toegangshek afraasde, was het de beurt aan de pick-uptruck om de bocht te nemen. De Iraniër zwaaide nog steeds met zijn pistool door het raam aan de passagierskant en bleef op de Delahaye schieten, terwijl hij de chauffeur opjutte nog sneller te gaan. Maar met een hoger gelegen zwaartepunt en gladde banden was het uitgesloten dat de pick-uptruck de slalom van de Franse cabrio na kon doen. In de poging geen snelheid te verliezen verloor het lompe voertuig vrijwel onmiddellijk zijn grip op het grind en slipte weg in de richting van het standbeeld. Toen ze van de weg af dreigden te raken, trapte de man met de zonnebril in paniek vol op de rem, wat de zijwaartse glijbeweging van de auto alleen maar versterkte.

De tuinman keek met open mond toe hoe de oude vrachtwagen met een reusachtige knal tegen de Venus klapte. Het gekraakte kunstwerk verdween in een wolk stof, terwijl de auto omhoogschoot en achteruit stuiterde. Terug op de grindweg tolde de vrachtwagen drie keer om zijn as alvorens hij zich in een wilgenbosje boorde en nog een flink stuk doorgleed. Ten slotte kwam hij tegen een dikke kastanje tot stilstand, waarbij de drie inzittenden tegen het dashboard klapten.

De leider viel terug in zijn stoel en wreef over een dikke lip die hij door de harde confrontatie met het stuur had opgelopen. Naast hem probeerde de man in het blauwe hemd het bloed te stelpen dat uit zijn verbrijzelde neus stroomde. Alleen de Iraniër was ongedeerd, omdat hij zich met zijn vrije arm had schrap gezet.

Toen hij hoorde dat de motor nog liep, wendde hij zich tot de chauffeur. 'Kom, we gaan door.'

De leider schudde de versuftheid van zich af en schakelde in z'n achteruit, waarna hij de pick-uptruck zwaar schommelend terug naar de oprijlaan stuurde. Toen hij afremde, klonk er een geweldige dreun tegen de achterkant van de cabine. De Iraniër keek door het achterraam en zag het afgebroken hoofd van de Venus kletterend door de bak rollen.

Tegen de tijd dat ze bij de oprijlaan terug waren, was Pitt het terrein al afgereden. Zoals hij had gehoopt, had de verhuiswagen inmiddels voldoende tijd gehad om zijn manoeuvre af te ronden en was de kustweg vrij. Pitt kon op het harde wegdek nu weer vol gas geven.

'We hebben wat tijd gewonnen,' zei hij, 'maar de benzine is nu echt bijna op.'

Loren leunde opzij en zag dat de wijzer van de benzinemeter vrijwel tegen de E van empty aan lag.

'Misschien hangen zij nog in de armen van Venus,' zei ze optimistisch.

Nadat ze langs de zomerresidentie van de Oostenrijkse ambassade waren gezoefd, doemde even verderop een volgend kustplaatsje op. Aan de aanlegsteiger zagen ze een grote veerboot liggen, waar juist passagiers en auto's aan boord gingen voor een tocht over de Bosporus.

'Die pont is waarschijnlijk het beste wat we kunnen doen,' zei Pitt, terwijl de weg steil naar de kade afdaalde.

'Ja, krijgen we toch nog dat vreedzame, relaxte uitstapje waar jij het over had,' mopperde Loren.

Er krulde een ondeugende grijns om zijn lippen. 'Vreedzaam misschien, maar voor wie?' reageerde hij.

Ze passeerden het bord dat de bebouwde kom van Yenikoy aankondigde en reden door vrije, rustige straten naar de kade. Pitt stopte achter een open vrachtwagen beladen met oosterse tapijten die stond te wachten tot hij de veerboot op kon. Pitt wierp een onderzoekende blik op de kade en zag daar eenzelfde rij cafeetjes en restaurants als in Sariyer.

'Daar is de pick-uptruck,' riep Loren verschrikt.

Pitt tuurde in de richting vanwaar ze gekomen waren en ving een glimp op van de pick-up die op ongeveer een kilometer afstand het stadje naderde. Hij wendde zich tot Loren en gebaarde met zijn duim naar een zijstraatje.

'Zie je dat restaurant met die groene luifel? Bestel daar een biertje voor me, als je wilt,' zei hij.

'Dat viezige tentje met die donker getinte ramen?' vroeg ze, terwijl ze haar blik over een stel keurige, goed onderhouden etablissementen liet gaan.

Pitt knikte.

'En ons boottochtje dan?'

'We staan onze plaatsen graag aan onze vrienden af. Wacht daar op me, maar ga nu,' drong hij aan, terwijl hij haar snel kuste.

Hij keek toe hoe ze uitstapte en haastig het zijstraatje inliep, waar ze aarzelend het sjofele café betrad. Een paar seconden later zag hij in zijn achteruitkijkspiegel de pick-up ratelend de kade oprijden. Met enig leedvermaak stelde hij vast dat de met dikke strepen marmerstof bevlekte voorbumper van het vrachtwagentje flink in elkaar zat. Van een van de koplampen was als een lege oogkas alleen een gapend gat over. Het was duidelijk dat de achtervolgers de Franse auto al van verre hadden gezien, want de gehavende pick-up sloot meteen aan in de rij die voor inscheping op de veerboot wachtte, drie auto's achter Pitt.

Pitt zag dat de wagen met tapijten voor hem even treuzelde toen de oprit naar de veerboot vrijkwam, waarop hij de Delahaye met een flitsende manoeuvre langs de vrachtwagen stuurde en voordrong, wat hem op boos getoeter van de vrachtwagenchauffeur kwam te staan. De vrachtwagen onttrok hem nu enigszins aan het zicht en Pitt hoopte dat het zo niet zou opvallen dat hij nog maar alleen in de auto zat.

Pitt betaalde de kaartjesverkoper en reed het overdekte autodek van de

117

veerboot op, waar hij achter een kleine personenwagen vol kinderen ging staan. Hij stapte vlug uit en keek om zich heen. De vrachtwagen met tapijten stond stil bij de kaartjesverkoper en blokkeerde de doorgang voor de overige auto's, terwijl de chauffeur het geld voor de overtocht uit zijn portemonnee opdiepte. Wanneer een of meer van de schutters waren uitgestapt, waren ze in elk geval nergens te bekennen. Pitt draaide zich om en bekeek de veerboot.

Het was een dubbeldekker, waarbij de auto's op het benedendek stonden en de passagiers een plekje op het bovendek zochten. Net toen hij naar de trap wilde lopen, zag hij dat een straatventer popcorn aan de kinderen in de auto voor hem verkocht. De man was ongeveer net zo groot en fors als Pitt en had eenzelfde zwarte golvende haardos.

'Neemt u me niet kwalijk,' riep Pitt naar de man. 'Zou u even op mijn auto willen passen terwijl ik naar de wc ga?' Terwijl hij de vraag stelde, trok hij een biljet van tien lira uit zijn portefeuille tevoorschijn.

De venter zag het bankbiljet en knikte enthousiast. 'Ja, natuurlijk,' antwoordde hij.

Pitt drukte het biljet in zijn hand en liep met de man naar het portier aan de chauffeurskant.

'Ga zitten,' zei Pitt. 'De mensen blijven wel van m'n auto af als ze zien dat er iemand in zit.'

De man zette zijn mand met popcorn neer en stapte gretig in, enigszins opgewonden dat hij in zo'n mooie oude auto mocht zitten.

'Ik ben zo terug,' zei Pitt met een knipoog, waarna hij zich naar de trap haastte.

Hij liep naar het bovendek, mengde zich tussen de passagiers en baande zich onopvallend een weg naar het achterdek. De pick-uptruck reed juist naar de oprit toen hij over de reling tuurde en zag dat alle drie de mannen nog in de cabine zaten.

De pick-up was de laatste auto die aan boord ging en nadat havenarbeiders de oprit op de kade hadden getrokken, ging de klep in de achtersteven dicht. Pitt voelde hoe benedendeks het dreunen van de motoren aanzwol. Vervolgens kondigden drie stoten van de scheepshoorn het ophanden zijnde vertrek van de boot aan. Bij de reling aan de achtersteven wachtte Pitt tot de scheepsschroef aansloeg en keek toen achter zich.

Boven aan de middelste trap zag hij hun leider opduiken, de man met de zonnebril. Hij speurde meteen met een nerveuze haast de menigte om hem heen af. Pitt had graag de gezichten van de schutters gezien toen ze bij de Delahaye gekomen ontdekten dat er een popcornventer achter het stuur zat. Maar hij had geen tijd om hier lang bij stil te staan, want met een ruk bewoog het dek onder zijn voeten en bolde er een golf kolkend water vanonder de achtersteven van de veerboot op.

Snel klom hij over de reling en veroorzaakte zo enige beroering onder de omringende passagiers, wat onmiddellijk de aandacht van de man met de zonnebril trok. De schutter kwam over het dek aangerend, maar Pitt verdween uit het zicht. Hij liet zich langs een stijl van de reling zakken tot hij aan zijn gestrekte armen hing en zich op het benedendek kon laten vallen. Bij de landing zakte hij diep door zijn knieën, richtte zich meteen weer op en klauterde over de lage achterklep, waarna hij met een katachtige sprong van de hekbalk naar de kade sprong.

Op dat moment had de veerboot zich ruim een meter van de kaderand verwijderd en Pitt landde met een voet op de aanlegsteiger en duikelde voorover. Zodra hij zijn evenwicht had hervonden, kwam hij overeind. De wegvarende veerboot kreeg steeds meer vaart en er gaapte al een kloof van een meter of tien tussen de kade en het schip.

Pitt keek omhoog en zag de leider naar de reling rennen, waar hij zichtbaar balend naar de snel groter wordende afstand tussen wal en schip staarde. De achtervolger richtte zijn blik op Pitt en tastte instinctief naar de holster dat hij onder zijn lichte jasje droeg, tot hij die gedachte van zich afzette.

Pitt bekeek de man aandachtig en stak met een joviaal gebaar zijn arm naar hem op alsof hij een goede vriend uitzwaaide. De man met de zonnebril staarde met een ondoorgrondelijke trek op zijn als uit graniet gehouwen gezicht terug, terwijl de veerboot steeds verder de Bosporus opvoer.

13

De ondergaande zon wierp een gouden gloed op de mediterrane branding die vanuit het westen op de Israëlische kust brak. Sophie keek
naar de blauwe horizon en was blij dat het nu eindelijk wat minder heet
werd. Ze draaide zich om en liep de tent met de artefacten in. Professor
Haasis stond over een papyrusrol gebogen en probeerde met een rood-
gloeiend gezicht het oude schrift te ontcijferen. Sophie moest stiekem glimlachen om de verrukte blik in zijn ogen, als een kind in een snoepwinkel.

'Geef die hersenpan toch even rust, professor,' zei ze. 'Die rollen zijn er
morgen ook nog.'

Haasis keek haar schaapachtig aan. Op een lange tafel voor hem stond
een twaalftal aardewerken dozen, allemaal gevuld met een hele collectie
kleine papyrusrollen. Met enige tegenzin rolde hij het vel dat hij had bestudeerd op en legde het terug in een van de dozen.

'Ja, ik moet inderdaad even pauzeren om wat te eten,' zei hij. 'Ik kan 't
niet helpen, dit is zo'n geweldige schat aan informatie. Op die laatste rol
bijvoorbeeld,' vervolgde hij op de bewuste doos tikkend, 'staat beschreven
hoe een Anatolisch koopvaardijschip geladen met graan uit Egypte, nadat
de mast was gebroken, hier een veilige ligplaats heeft moeten zoeken. Van
dergelijke juweeltjes slaat m'n hart echt op hol.'

'Toch klinkt dat lang niet zo spannend als de Dode Zeerollen,' reageerde Sophie grinnikend.

'Nou, Jan met de pet mag hier misschien zijn neus voor ophalen,' zei hij,
'maar voor iedereen die zijn leven aan de geschiedenis heeft verpand, is dit
alsof je een venster op het verleden hebt ontdekt dat tot nu toe gesloten
was.'

Haasis stroopte de witte handschoenen van zijn vingers. 'Voor een juiste
analyse en conservering moeten ze beslist naar het universiteitslaborato-
rium worden overgebracht, maar de verleiding om er toch even naar te kijken is echt te groot.'

Tot het moment dat hij opstond en zich uitrekte, had hij de rolletjes in
op drie na alle dozen bekeken.

'Waar is Dirk eigenlijk gebleven?' vroeg hij. 'Ik heb hem sinds hij het laatste doosje heeft gebracht niet meer gezien.'

Sophie haalde haar schouders op in een poging onverschillig te lijken. Maar datzelfde vroeg zij zich ook al een tijdje af. Door Dirks uitnodiging om samen te gaan eten was ze al de hele middag enigszins van slag. Ze was zelfs even weggeglipt om zich op te frissen en haar haren te kammen en had er voor het eerst van haar leven spijt van dat ze geen make-upspullen bij zich had. Haar hart maakte een sprongetje toen er plotseling een gestalte achter hen de tent binnenkwam. Ze draaide zich vliegensvlug om, maar moest tot haar teleurstelling vaststellen dat het Sam maar was.

'Komen jullie eten? In de kantinetent wordt spaghetti met gehaktballetjes geserveerd,' zei hij. Een rode veeg tomatensaus op zijn kin verraadde dat hij zijn eerste portie al binnen had.

'Klinkt goed,' reageerde Haasis. 'Kom, Sophie, we gaan eten.'

Dralend liep ze met hen naar de uitgang en deed haar best haar teleurstelling te verbergen.

'Sam,' vroeg ze, 'hebben wij de avonddienst?'

Haar assistent knikte. 'Raban en Holder zijn hier over een uurtje. Ik heb tegen ze gezegd dat wij tot rond middernacht surveilleren.'

'Professor Haasis heeft ons een tent aangeboden, dus ik denk dat ik hier vannacht gewoon blijf. Jij kunt met de jongens meerijden, als je eerder weg wilt.'

'Dat denk ik wel, ja. Op de grond slapen vond ik op m'n dertiende wel leuk, maar nu niet meer,' reageerde Sam over zijn rug wrijvend.

Toen ze de tent uitliepen, zagen ze Dirk staan. Hij stond haar met een strandlaken als het servet van een kelner over zijn arm gedrapeerd op te wachten. Hij droeg een kaki broek en een polohemd, en Sophie was onwillekeurig onder de indruk hoe netjes hij zich had opgefrist. Met moeite onderdrukte ze een glimlach.

'We hadden toch afgesproken om te gaan eten?' zei hij met een buiginkje.

'Dat was ik bijna vergeten,' loog ze.

Hij gaf haar een arm en ze liepen achter Sam en Haasis aan naar de kantinetent. Toen Sophie in navolging van de twee mannen de tent in wilde gaan, voelde ze dat Pitt haar de andere kant op trok.

'Eten wij niet bij de anderen?' vroeg ze.

'Als jij per se spaghetti uit blik wilt eten, vind ik dat best, hoor,' antwoordde hij.

'Nou nee, niet per se,' reageerde ze hoofdschuddend.

'Oké, dan op naar Kaap Pitt.'

Hij leidde Sophie de helling af naar de zee, waar ze een stuk over het strand liepen. Toen ze bij een rotsachtige rand kwamen die tot in het water doorliep, hielp Dirk haar bij het klimmen over de verhoging van deels losliggende steenbrokken.

'Hier stond ooit een Romeins paleis,' zei Sophie, die zich een vroegere opgraving herinnerde van een groot bouwwerk met Griekse zuilen en een fraai waterreservoir.

'Veel mensen denken dat het van koning Herodes was, gebouwd na de aanleg van de haven,' vulde Dirk aan om te laten merken dat ook hij zich op Caesarea had voorbereid.

'Maar ik kan me niet herinneren dat ik hier ooit een restaurant heb gezien,' zei Sophie met een plagerig lachje.

'Het is achter die muur daar.'

Door de ruïne klauterden ze naar de top van het vooruitspringende gedeelte. Direct achter een half ingestorte muur bereikten ze een beschutte alkoof met een schitterend uitzicht over zee. Sophie schoot in de lach toen ze een koelbox zag staan naast een kleine Hibachi barbecue waarin brokjes houtskool gloeiden.

'Resto Koning Herodes, heden geopend. Hopelijk vind je het niet erg om in de open lucht te eten,' zei Dirk, terwijl hij de handdoek op een zanderige plek uitspreidde. Snel diepte hij een fles witte wijn op uit de koelbox en schonk voor hen allebei een glas in.

'Op de dwazen,' zei hij en tikte met zijn glas tegen het hare. Sophie bloosde en nipte ontspannen van haar wijn.

'Wat eten we?' vroeg ze snel om van onderwerp te veranderen.

'Verse zeebaars, nog vanmiddag door ondergetekende gevangen. Gegrild in olijfolie, gegarneerd met een groentekebab van louter biologische producten van de kibboets hier een stukje verderop langs de weg.' Hij hield twee spiesen op met stukjes peperoni, tomaat en ui.

'Ik ben blij dat ik niet voor de spaghetti heb gekozen,' zei Sophie.

Dirk legde de spiesen en een paar visfilets op het rooster van de barbecue en diende even later het eten op. Het verse voedsel smaakte Sophie uitstekend en hongerig at ze haar bord tot op de laatste kruimel leeg.

'Dat was verrukkelijk, zeg,' zei ze, terwijl ze haar bord neerzette. 'Weet je zeker dat je geen kok van beroep bent?'

Dirk lachte. 'Allesbehalve. Zet me in een keuken en er komt niet veel meer dan een boterham met pindakaas of jam uit mijn handen. Maar als je me bij een barbecue zet, ga ik helemaal uit m'n dak.'

'Dat uit je dak gaan levert wel iets lekkers op,' zei ze glimlachend.

Terwijl hij als toetje een kleine meloen in partjes sneed, vroeg ze hoe het werk bij het NUMA hem beviel.

'Ik had geen betere baan kunnen krijgen. Ik werk in en rond de zee en dat praktisch overal ter wereld. De meeste projecten zijn interessant en bovendien zinvol voor het behoud van een gezond zeemilieu. Daar komt nog bij dat ik zo met mijn familie kan samenwerken.'

Hij ontwaarde een ietwat gereserveerd trekje op Sophie's gezicht bij het horen van het woord 'familie'.

'Mijn vader is de directeur van het NUMA,' verklaarde hij. 'En ik heb een tweelingzus, Summer, die als oceanografe voor het NUMA werkt. Ik heb het in feite aan mijn vader te danken dat ik naar Israël kon komen. Hij heeft me vrij gegeven van een onderzoeksproject waar we voor de kust van Turkije aan werken.'

'Professor Haasis vertelde me dat hij verschillende goede vrienden bij het NUMA heeft en een groot ontzag heeft voor de organisatie.'

'Hij heeft hier zelf beslist ook goed werk verricht,' reageerde Dirk.

'Dus je blijft helemaal niet zo lang in Caesarea?'

'Nog twee weken, dan moet ik terug naar Turkije.'

Hij gaf haar een bord met stukjes meloen aan en vroeg: 'Oké, nu is 't jouw beurt. Hoe ben jij archeologe met een blaffer geworden?'

Sophie glimlachte. 'Door mijn belangstelling voor geologie en geschiedenis, en daar heeft m'n vader een belangrijke rol in gespeeld, neem ik aan. Ik ben gek van archeologie en graven in het verleden, maar daarnaast deed het me altijd weer pijn om te zien hoe onze culturele schatten aan persoonlijke gewinzucht verloren gingen. Als medewerker van de Oudheidkundige Dienst heb ik het gevoel daar iets aan te kunnen doen, hoewel we ten opzichte van die criminelen ver in de minderheid zijn.'

Dirk gebaarde naar de kustlijn. 'Caesarea is in de loop van de eeuwen al behoorlijk leeggeroofd. Denk je dat het bescheiden werk van de professor hier nog gevaar loopt?'

'Jouw vondst van vandaag bewijst dat hier nog culturele rijkdommen verborgen liggen. Oorspronkelijk was ik vooral bezorgd vanwege het gevonden graf. Een plaatselijke verslaggever was zo dom om het publiek te maken. En het feit dat iemand zich hier gisteren voor beveiligingsagent heeft uitgegeven, heeft me niet bepaald gerustgesteld.'

'Goed, maar we hebben toch geen goud of andere kostbaarheden gevonden. De rover die op onze opgraving komt rondsnuffelen, wacht een diepe teleurstelling.'

'Je zult verbaasd staan over de meest merkwaardige wensen van de gespecialiseerde artefactenverzamelaars. De meesten hechten evenveel waarde aan puur culturele antiquiteiten als aan de kostbare schatten. Die papyrusrollen van jou vertegenwoordigen een klein fortuin op de zwarte markt. Ik zou me een heel stuk beter voelen als ik wist dat professor Haasis de hele collectie in de universiteit van Haifa veilig en wel achter slot en grendel had.' Ze keek op haar polshorloge. 'Ik moet nu echt weg om de avondpatrouilles in te delen.'

Dirk schonk haar nog een half glas wijn in.

'Nog eentje voor onderweg dan?'

Sophie knikte en nam het glas aan, waarna Dirk met zijn glas naast haar kwam zitten. De branding sloeg op de rotsen om hen heen, terwijl boven hun hoofden de lucht donkerblauw schemerde. Het was een ontspannend, romantisch moment van het soort waarvan Sophie's leven alweer een hele tijd verstoken was geweest. Ze draaide zich naar Dirk en fluisterde: 'Het spijt me dat ik vandaag zo tegen je uitviel.'

Hij boog zich naar haar toe en kuste haar zachtjes, waarbij hun lippen zich een kort ogenblik met elkaar versmolten.

'Dat kun je een volgende keer goedmaken.'

Dicht tegen elkaar aan gedrukt dronken ze hun wijn op, voordat Sophie zich er met moeite toe kon brengen een einde aan hun samenzijn te maken. Hand in hand liepen ze over het strand en langs de helling omhoog terug naar het kamp. Een generator wekte de stroom op voor een sliert lampen die boven de tenten bungelde en het kampement in een witachtige gloed hulde. Sam zat aan de zijkant op een stenen muurtje met twee mannen in donkere kleding te praten.

'Ik zit in de laatste tent links,' zei Dirk tegen Sophie. 'Zorg er alsjeblieft voor dat de grafrovers me niet uit mijn slaap halen.'

'Welterusten, Dirk.'

'Welterusten.'

Dirk keek toe hoe Sophie zich bij haar collega's voegde, waarna hij naar de rij tenten doorliep. Voordat hij zich in zijn eigen tent terugtrok, liep hij de grote artefactentent in, die vanbinnen nog hel verlicht was. Haasis zat er weer met een vergrootglas in zijn hand over een papyrusrol gebogen.

'Al de ontdekking van de eeuw gedaan?' vroeg Dirk.

Haasis keek heel even op, maar staarde meteen weer naar het papyrusvel.

'Niet iets waardevols, maar het is wel fascinerend. Moet je kijken, ik denk dat dit voor jou ook interessant is.'

Dirk kwam een stap dichterbij en keek over de schouder van Haasis naar het dunne geribbelde, met een vloeiend handschrift volgeschreven vel.

'Dat is voor mij allemaal schipperslatijn,' zei hij met een zuinig lachje.

'Sorry, hoor,' reageerde Haasis. 'Ik zal het voor je vertalen. Op deze rol staat een beschrijving van de havenactiviteiten zo rond 330 na Christus, denk ik. Dit is een korte omschrijving van een zwaar beschadigd Cypriotisch piratenschip dat door een Romeinse trireem stuurloos op zee was aangetroffen. Ze hebben het schip vervolgens naar Caesarea gesleept, waar de havenautoriteiten vaststelden dat de dekken onder het bloed zaten en dat er een kleine voorraad aan Romeins wapentuig aan boord was. Veel bemanningsleden hadden verse verwondingen van een eerdere strijd.'

'Dus het waren piraten?' vroeg Dirk.

'Ja, kennelijk. Het incident baarde opzien, staat hier, toen er de persoonlijke wapens van een zekere centurio Plautius aan boord werden aangetroffen. Hij werd geïdentificeerd als een *scholae palatinae*, wat dat ook mag betekenen.'

'Kennelijk had het geen leuke consequenties voor de Cypriotische bemanning.'

'Nee, bepaald niet,' reageerde Haasis. 'Het schip werd tot keizerlijk koopvaardijschip "bevorderd" en de bemanning standrechtelijk geëxecuteerd.'

'Da's pas snelrecht,' zei Dirk, terwijl hij een van de aardewerken doosjes oppakte. 'Zijn de verhalen op deze rollen allemaal zo spannend?'

'Voor een antiquiteitenvoyeur zoals ik wel, ja,' antwoordde Haasis grijnzend, waarna hij het vel oprolde en in de doos teruglegde. 'Ik heb nu de meeste rollen doorgekeken en het zijn vooral administratieve verslagen van de haveninkomsten en dergelijke. Als afzonderlijke vondsten helemaal niet zo opzienbarend, maar als geheel geeft het een belangrijk beeld van het dagelijks leven hier zo'n tweeduizend jaar geleden.'

Hij wikkelde de doos in een doek en legde het pakketje op een archiefkast, waarna hij de hanglamp erboven uitdeed. De overige dozen lagen, allemaal eveneens zorgvuldig ingepakt, in plastic kratjes klaar voor transport naar de universiteit.

'Ik laat iets over om morgenochtend nog naar te kijken,' zei hij gapend. 'Weet je zeker dat er verder in die ruimte niets meer ligt?'

'Dat dacht ik wel,' antwoordde Dirk, 'maar ik leen morgen een paar troffels van je en ga voor de zekerheid nog een keer kijken.'

'Ik had nooit gedacht dat de komst van een marien technicus bij een opgraving op het land mij zoveel extra werk zou opleveren,' zei Haasis, terwijl hij met Dirk de tent uitliep.

Op de heuvelkam zagen ze Sophie met een van haar collega's langs de grens van het terrein patrouilleren.

'Toen ik naar Caesarea kwam, had ik nooit gedacht dat ik er zulke waanzinnige dingen zou ontdekken,' reageerde Dirk met een knipoog, waarna hij naar zijn tent slenterde.

14

Door het geratel van mitrailleurvuur zat Dirk met een ruk rechtop in zijn bed. De schoten klonken gevaarlijk dichtbij.

Dirk hoorde geschreeuw en dat er met een klein vuurwapen werd teruggeschoten. Vliegensvlug trok hij een korte broek en sandalen aan en stommelde de tent uit op het moment dat er boven het kampement vanuit diverse richtingen een hels vuurgevecht losbarstte. Met zijn nog slaperige hoofd dacht hij meteen aan Sophie, maar hij kreeg geen tijd om iets te doen. Hij hoorde en zag vervolgens ook twee met mitrailleurs zwaaiende gestalten over het pad rennen.

Dirk dook onmiddellijk aan de zijkant van zijn tent weg en sloop naar een lage omheiningsmuur die op korte afstand achter de tent langsliep. Stilletjes glipte hij over het muurtje en sloop in de dekking ervan van de tenten weg. Aan de achterkant van het kampement lagen brokstukken van diverse gebouwen die ooit in de oude havenstad hadden gestaan. Hij vervolgde zijn weg tussen de stapels verweerde stenen door naar een licht hellende verhoging in een van de hoeken. De donkere stenen barrière vormde een goede schuilplek vanwaar hij het hele kamp kon overzien.

Terwijl hij nog door zijn snelle reactie had kunnen ontsnappen, hadden zijn kampgenoten dat geluk niet. Sophie was de eerstvolgende die reageerde. Ze kwam met een pistool in de aanslag uit haar tent in de buurt van het pad gestormd. Maar een van de schutters stond daar vlakbij en had zijn mitrailleur al op haar gericht voordat ze goed en wel de slaap uit haar ogen had verdreven. Recht in de loop kijkend, had ze geen andere keus dan aarzelend haar wapen te laten vallen. De schutter reageerde met een bruuske stoot van zijn geweer tegen haar schouder, waarmee hij haar hardhandig op haar knieën dwong.

'Wat is dat daar?' schreeuwde professor Haasis die half aangekleed uit zijn tent opdook.

'Bek dicht,' beval de andere schutter, terwijl hij de kolf van zijn geweer in de ribbenkast van de professor ramde. Haasis klapte voorover en sloeg met een kreet van pijn tegen de grond. Sophie snelde naar hem toe en hielp hem overeind, allebei wankelend in het licht van de boven het kamp hangende lampen. Er verscheen een derde overvaller op het pad, die de bewaking van Sophie en Haasis overnam, terwijl de andere schutters de archeologiestudenten uit hun tenten bijeendreven. Sophie keek naar Dirks tent en zag tot haar verbazing dat de schutters daar niemand aantroffen.

Uit de richting van het pad klonk opgewonden geschreeuw, waarna er diverse figuren in het zicht verschenen. Een van de antiquiteitenagenten kwam met een bloederige wond op zijn arm over het pad aangestrompeld, daarbij met moeite Sam ondersteunend. De assistent van Sophie had een gemene snee over zijn voorhoofd en tolde verdwaasd op zijn benen. Achter hen doken nog twee schutters op, die de gewonde mannen met hun geweren porrend naar het kamp dreven.

'Sam, alles goed met jou?' riep Sophie, terwijl ze voorzichtig de beide agenten tegemoet liep. Ze greep Sam beet en liet hem naast de beide andere gevangenen op de grond zakken. Een van de studentes ving de agent Raban op en wikkelde een gescheurd hemd om zijn gewonde arm, terwijl Sophie de palm van haar hand tegen de bloedende wond op Sams voorhoofd hield.

'Waar is Holder?' vroeg ze fluisterend aan Raban.

De agent keek haar ontzet aan en schudde zijn hoofd.

Enigszins hersteld van de klap krabbelde Haasis overeind en richtte zich schreeuwend tot de overvallers.

'Wat willen jullie? Er is hier niets de moeite waard om voor te moorden!'

Sophie bekeek de groep gewapende aanvallers nu voor het eerst wat beter. Het leken Arabieren, allemaal met een zwarte bivakmuts die het onderste deel van hun gezicht bedekte. Toch zagen ze er anders uit dan de gebruikelijke, in de aarde wroetende rovers op zoek naar een paar oude vazen met wat antieke muntjes erin. Ze droegen militairachtige gevechtspakken en zwarte hoge schoenen die splinternieuw leken. En ze hadden moderne AK-74 aanvalsgeweren, een vernieuwde versie van de aloude AK-47 kalasjnikov. Sophie vroeg zich een moment lang af of het misschien niet een militaire commandogroep was die het kamp bij vergissing had overvallen. Maar toen beantwoordde een van hen de vraag van Haasis.

'De rol, waar is die?' brulde degene die kennelijk de leiding had, een man met dikke wenkbrauwen en een diep litteken over de rechterkant van zijn kaak.

'Wat voor rol?' antwoordde Haasis.

De man stak zijn hand onder zijn jas en trok uit een holster een klein sig Sauer pistool tevoorschijn. Haast achteloos mikte hij op Haasis' dij en schoot.

Het schot ontlokte een gil aan een van de studenten, terwijl Haasis op de grond zakte en zijn been boven de bloedende wond omklemde. Sophie reageerde meteen.

'Ze liggen in de grote tent,' zei ze in die richting wijzend. 'Er is geen reden om te schieten.'

Een van de schutters rende de tent in, was daar een paar minuten aan het zoeken en kwam terug met een aardewerken doos in zijn ene hand en een papyrusrol in de andere.

'Er zijn een heleboel rollen. Opgeborgen in plastic kratjes, minstens twaalf,' meldde hij.

'Neem ze allemaal mee,' brulde de leider. Vervolgens knikte hij naar de gevangenen.

'Breng ze naar het amfitheater,' beval hij twee van zijn mannen.

De beide schutters gebaarden met hun wapens dat ze moesten opstaan. Sophie hielp Sam overeind, terwijl een tweetal studenten zich over dr. Haasis ontfermden. Met hun wapens porrend en duwend dreven de schutters de gevangenen over het pad dat naar het strand liep. De leider met het litteken op zijn gezicht stapte op de artefactentent af en graaide de rol uit de vingers van zijn ondergeschikte. In het licht van een van de hangende lampen bestudeerde hij de rol een paar minuten, waarna hij ook de aardewerken doos greep en de man beval een buiten het terrein geparkeerde vrachtwagen te gaan halen.

Dirk wachtte in zijn schuilplaats tot Sophie en de anderen uit het kamp waren weggevoerd. Toen sloop hij door de ruïnes en volgde een paadje dat evenwijdig liep aan het pad naar het strand dat de gevangenen hadden genomen. Hij zocht koortsachtig naar iets wat hij kon doen of naar iets wat hij als wapen kon gebruiken, maar zijn mogelijkheden waren beperkt tegenover de met automatische geweren bewapende mannen.

Naarmate hij zich verder van het kamp verwijderde, werd het donkerder en steeds lastiger om op de rotsachtige bodem overeind te blijven. Hij hield angstvallig de lichtstraal van een zaklamp in de gaten die rechts van hem in de hand van de bewaker die de groep leidde, heen en weer zwiepte. De helling zwakte iets af op het punt waar Dirk de sporen kruiste van wat eens een geplaveide weg was geweest. Het schijnsel van de zaklamp verdween achter een muur die zich op zo'n vijftien meter afstand bevond, maar hij hoorde aan de schuifelende passen dat de gevangenen over het pad omlaag doorliepen. Beseffend dat ze dan ook zijn voetstappen zouden kunnen horen, wachtte hij diep weggedoken een paar minuten tot de stoet voldoende ver voor hem uit liep. Vervolgens sloop hij naar de achterkant van de muur. Bij het naderen van de barrière knarsten er losliggende steentjes onder zijn voeten. Op de tast de muur volgend liep hij naar het uiteinde, waar hij om de hoek gluurde en de dansende lichtstraal weer zag.

Maar plotseling voelde hij een koude ring van staal tegen de zijkant van zijn keel, die zo hard tegen zijn luchtpijp werd gedrukt dat hij haast geen adem meer kreeg. Dirk rukte zijn hoofd opzij en zag het met een sjaal omwikkelde hoofd van een van de Arabieren vanachter de muur opduiken. De man drukte de loop van zijn aanvalsgeweer nog harder tegen zijn hals. Zelfs in het schaarse licht zag Dirk een wrede, vijandige glans in de donkere ogen van de man.

'Als je je verroert, ben je dood,' fluisterde hij.

15

Terwijl Dirk over het pad terug naar het kamp werd geleid, week de geweerloop geen moment van zijn hals. Hij werd naar de artefactentent gebracht, waar een van de Arabieren de plastic kratjes voor het vervoer opstapelde. De man had zijn sjaal iets laten zakken, waardoor Dirk zijn smalle, fretachtige gelaatstrekken kon zien. Een seconde later kwam de bendeleider de tent binnen.

'Bedek je gezicht,' brulde hij in het Arabisch tegen de man, die zijn sjaal onmiddellijk met een licht verontwaardigde blik weer straktrok. Daarop wendde de leider zich tot Dirk en zijn bewaker.

'Waarom breng je die kerel hier?' vroeg hij.

'Ik heb de tenten die in gebruik zijn geteld en we kwamen één persoon tekort. Op weg naar het strand zag ik dat hij zijn vrienden volgde.' Hij hield een nachtkijker op om te laten zien hoe hij Dirk had ontdekt.

De leider knikte instemmend terwijl hij Dirk opnam.

'Knal ik hem hier meteen neer of doen we hem bij de anderen?' vroeg Dirks bewaker.

De leider schudde zijn hoofd. 'Knevel hem en leg hem in de truck. Een gijzelaar kan handig zijn als we hier klaar zijn.' Hij trok een pistool en richtte het op Dirk, zodat de andere man zijn instructies kon opvolgen.

Met een van de tent afgesneden stuk scheerlijn bond de bewaker Dirks polsen en armen stevig op zijn rug. Daarna dreef hij Dirk, weer met zijn geweer porrend, de tent uit en de heuvel op. Na zo'n honderd meter passeerden ze het lijk van Holder. De antiquiteitenagent lag op zijn buik met zijn gezicht in een plas bloed. Even verderop stond op het parkeerterrein een wrakkige bestelwagen met de achterkant naar de rand van het pad gekeerd.

De bewaker bracht Dirk naar het bestelbusje en gaf hem een hardhandige zet, waardoor hij met zijn gezicht omlaag in de laadruimte duikelde. Voordat Dirk opzij kon rollen, sprong ook de bewaker in de bak en bond met een los stuk touw zijn enkels bij elkaar.

'Blijf hier lekker liggen, vrind, anders ga je eraan,' zei de bewaker. Voordat de man uit de bak sprong, gaf hij Dirk nog een gemene trap tegen zijn ribben.

Dirk voelde de pijnsteek wegtrekken, terwijl hij de bewaker nakeek die naar het kampement terugliep. Hij probeerde het touw om zijn polsen los te wrikken, maar het zat te strak. Door de bak schuivend tastte hij om zich heen in de hoop een stuk gereedschap of iets dergelijks te vinden, maar hij stuitte alleen op de kratjes met artefacten. Daarna schoof hij zich in een zodanige houding dat zijn gezicht naar de openstaande achterkant van de laadruimte was gekeerd.

De auto had twee openslaande deurtjes waardoor je je op de grond kon laten vallen. Dirk keek over de rand en zag de achterbumper, een roestig, halfrond gebogen stuk staal dat ooit wit was geweest. De binnenrand van de bumper was vrij dun en verroest, maar kon als snijrand dienen.

Om zijn handen bij de bumper te krijgen was een riskante evenwichtsoefening nodig, waarbij hij haast uit de auto viel. Maar door zich tegen de zijkant van de bumper schrap te zetten, slaagde hij erin het touw tegen de scherpe rand te drukken en heen en weer te bewegen. Net toen het touw begon te rafelen, hoorde hij voetstappen over het pad naderen, waarop hij snel met zijn handen onder zijn lichaam in de laadruimte terugschoof.

Het was de eerste overvaller, de man met het frettengezicht. Hij droeg een paar artefactenkratjes, die hij in de laadruimte neerzette. Frettengezicht stapte zelf ook in en stapelde de kratjes tegen de scheidingswand met de cabine op. Toen hij langs Dirk kwam, nam hij de gelegenheid te baat en overtrof zijn trawant met een trap tegen Dirks achterhoofd.

Dirk overdreef de pijn van de tik. Hij kreunde luid en kronkelde over de vloer. De Arabier grinnikte en snelde, iets naar zijn vrienden roepend, terug naar het kamp. Onmiddellijk manoeuvreerde Dirk zich weer in zijn positie met het touw om zijn polsen tegen de bumper. Na één wilde haal scheurden de rafels door en voelde hij het scherpe staal zijn pols schampen. Vliegensvlug wrikte hij het touw verder los en wikkelde het van zijn polsen en armen. Vervolgens drukte hij zich op in een zittende positie en ging met zijn bevrijde handen het touw om zijn enkels te lijf. Maar hij aarzelde, toen hij het knarsen van voetstappen op het grindpad hoorde. Een weerbarstige knoop maakte dat het touw te strak zat. Door zijn benen te ontspannen wist hij de knoop los te krijgen. Hij schoof terug de laadruimte in en wikkelde het touw weer losjes om zijn enkels, waarna hij op zijn handen op zijn rug ging liggen.

Er liep maar één Arabier op het pad, die Dirk als het frettengezicht herkende. Dirk glimlachte toen hij zag dat de man een stel artefactenkratjes droeg en geen wapen. Net als de vorige keer zette hij de kratjes in de laadruimte en stapte naar binnen om ze tegen de cabinewand te stapelen. Dirk begon weer te kreunen en te kronkelen met de bedoeling zich zo in een betere positie te manoeuvreren. Hij wachtte tot de Arabier de kratjes had neergezet en zich omdraaide om hem weer die verplichte trap te geven. Maar op het moment dat de man met het frettengezicht zijn voet ophief, schoot Dirk naar voren en wierp zijn lichaam hard tegen het andere onderbeen van de man.

Omdat hij maar op één voet stond, verloor de man zijn evenwicht. Nog terwijl hij viel, sprong Dirk overeind, greep de voet die op zijn borstkas was gericht en duwde hem omhoog. De geschrokken overvaller viel achterover en smakte met zijn hoofd en schouders tegen de grond, waarbij een drietal artefactenkratjes van de stapel kletterden. Een van de kratjes klapte voor Dirks voeten open, waardoor de aardewerken doos eruit viel. Dirk pakte de doos op en dook op de man af. De Arabier krabbelde net overeind, toen Dirk hem met de doos vol op zijn slaap raakte. De doos brak en de man zakte bewusteloos op de grond.

'Sorry, dr. Haasis,' mompelde Dirk, terwijl hij een verkreukte papyrusrol opraapte en in een kratje stopte. Vervolgens boeide hij de Arabier op dezelfde manier als de man hem had vastgebonden, waarna hij snel uit de bestelwagen sprong.

Op het pad was het nog stil toen Dirk naar de voorkant van de auto liep en daar tevergeefs naar de contactsleutel van de auto zocht. Daarna stak hij met een rustige, regelmatige tred het parkeerterrein over en begon pas in het veld ernaast te rennen. Nu hij wist dat de mannen nachtkijkers hadden, leek het hem, als hij niet nogmaals gesnapt wilde worden, het beste om zo snel mogelijk uit het zicht te zijn.

Hij liep de heuvel af terug naar het strand, waarbij hij in door regenwater uitgesleten geulen zoveel mogelijk dekking zocht. Hij overwoog om het Caesarea Park uit te lopen en daarbuiten hulp te zoeken, maar besefte dat wanneer de politie uiteindelijk arriveerde, de dieven er allang vandoor zouden zijn. En met hen ook Sophie, Haasis en de anderen.

Hij klauterde over de restanten van een tweeduizend jaar oud woonhuis en doorkruiste een oude tuin tot hij een steile klip bereikte, vanwaar hij het strand kon overzien. Onder hem ontwaarde hij het vage silhouet van een Romeins amfitheater. Het was een van de best bewaarde bouwwerken van Caesarea, een vrij steil oplopende halve ring van stenen zitplaatsen, die vrijwel volledig intact was en nog altijd voor openluchtconcerten en toneelvoorstellingen werd gebruikt. Ter verhoging van het dramatisch effect hadden de Romeinen de open zijde richting strand gebouwd, zodat de Middellandse Zee voor de toeschouwers een spectaculair decor vormde.

Dirk liep langs de klip tot hij over de hoogste rijen van het amfitheater heen kon kijken. In het schijnsel van twee gekruiste lichtbundels ontwaarde hij op het strand achter het podium het bijeengedreven groepje gevangenen. In het licht zag Dirk de beide gewapende schutters heen en weer lopen, luid naar elkaar schreeuwend om boven het kabaal van de branding uit te komen. Hij concludeerde dat ze op die plek, met aan beide kanten het open strand en aan de voorkant het platte podium, moeilijk ongezien te benaderen zouden zijn.

Hij zag het zilverwitte schuim op de rand van een golf die op het strand brak en tot op een meter of twintig van de groep doorrolde voordat hij terugzakte. Hij begreep dat het vloed was. Terwijl hij een volgende golf op het strand zag breken, kreeg hij een idee. De schutters die de gevangenen bewaakten stonden met hun rug naar de zee omdat ze van die kant geen aanval verwachtten. Een nadering vanuit zee was zijn enige kans.

Hij tuurde het strand af en zag in de verte nog net de landtong die zich op de plek waar hij de papyrusrollen had gevonden, tot in het water uitstrekte. Terwijl hij zich afvroeg hoe hij het zou aanpakken, besefte hij dat het grootste deel van zijn duikuitrusting nog in de tent lag. Maar op de plek van de opgraving zelf waren ze nog niet klaar. De kans was groot dat daar nog graafgereedschap lag. Ook zijn hogedrukpomp en waterjet lagen er nog.

Hij dacht diep na en vertrok zijn gezicht tot een grimas.

'Maar goed, een dwaas plan is beter dan geen plan,' mompelde hij in zichzelf, waarna hij haastig de steile helling naar het strand afdaalde.

16

Sophie voelde dat de ogen van de schutter voortdurend op haar gericht waren. Als een hongerige tijger die ongedurig op en neer drentelde, gluurde de kleinste van de beide schutters bij haast elke stap met zijn bloeddoorlopen ogen in haar richting. Bewust vermeed ze oogcontact met hem en concentreerde zich op Sam en Raban of keek uit over zee. Dit irriteerde de bewaker alleen maar en ten slotte riep hij haar.

'Jij,' zei hij met zijn geweer gebarend. 'Opstaan.'

Sophie kwam langzaam overeind, maar hield haar ogen daarbij op de grond gericht. De schutter prikte zijn geweer onder haar kin en duwde zo haar hoofd omhoog.

'Laat haar met rust,' schreeuwde Raban met een verzwakte stem.

De schutter deed een stap opzij en vloerde de agent met een welgemikte karatetrap tegen zijn kaak. Raban lag met open ogen versuft in het zand.

'Lafaard,' zei Sophie, die de Arabier nu minachtend aankeek.

Kalm boog hij zich naar haar toe. Weer hield hij zijn geweer omhoog en prikte zachtjes met de loop in haar wang en kin.

'Mahmoud, vind je d'r leuk?' vroeg zijn collega, die het tafereel geamuseerd bekeek. 'Ze is best mooi voor een Jodin. En voor een antiquiteitenagent helemaal,' vervolgde hij lachend.

Mahmoud zweeg, zijn geile ogen boorden zich in die van Sophie. Hij streek met de geweerloop langs haar hals omlaag en volgde de openstaande kraag van haar hemd, waarbij hij het koele staal lichtjes tegen haar huid drukte. Toen de loop bij het bovenste knoopje van haar blouse kwam, hield hij hem stil en zette zich schrap voor de klap. Toen die niet kwam, duwde hij de loop langzaam opzij in de verwachting zo haar linkerborst te kunnen zien.

Sophie wilde hem een knietje in zijn kruis geven, maar koos toch voor een trap tegen zijn scheenbeen in de hoop dat dat de kans dat hij haar meteen zou doden verkleinde. Mahmoud sprong op één been hinkend en grommend van de pijn naar achteren. Zijn collega schoot in de lach, wat de vernedering voor de schutter nog vergrootte.

'Dat is een felle. Volgens mij is ze veel te wild voor jou,' zei hij pesterig.

Mahmoud verbeet de pijn en stapte weer op Sophie af. Hij stond nu zo dichtbij dat ze zijn slechte adem kon ruiken.

'We zullen wel eens zien wie hier echt wild is,' siste hij, zijn ogen fonkelend van woede.

Hij draaide zich om en wilde zijn geweer aan zijn collega geven, toen het ratelende geluid van een aanslaande compressor over het strand schalde. Een paar seconden later weerkaatste het kletteren van neerstortend water over de golven. Alle ogen zwenkten in die richting, waar een vage zilverachtige boog over de horizon schoot.

'Mahmoud, ga kijken wat dat is,' riep zijn collega nu plotseling bloedserieus.

Mahmoud boog zich naar Sophie's oor en fluisterde: 'De lol die ik met jou ga beleven, komt straks wel.'

Sophie keek hem met een priemende blik na en zag hoe hij zich omdraaide en met zijn geweer in de aanslag over het strand wegliep. Ze liet zich in het zand vallen en probeerde haar van angst trillende handen te verbergen. In een poging zichzelf te kalmeren dacht ze aan Dirk en vroeg zich af of hij iets met dat tumult daar in de verte te maken had.

Nadat de gestalte van Mahmoud in de duisternis verdwenen was, liep de andere schutter met grote passen nerveus voor de gevangenen op en neer. Hij speurde het strand in beide richtingen af, waarna hij om het groepje heen liep en met zijn zaklantaarn de zitplaatsen van het amfitheater afzocht. Toen hij daar niets verontrustends vond, zocht hij zijn plek langs de waterlijn weer op.

Sam, die op het zand lag, drukte zich tot een zittende houding overeind en leek na die klap tegen zijn hoofd weer enigszins bij te komen.

'Hoe voel je je, Sam?' vroeg Sophie.

'Oké,' antwoordde hij met een gezwollen tong. Hij keek om zich heen naar de andere gevangenen en zocht diep in zijn geheugen naar wat er was gebeurd. Zijn blik richtte zich op de schutter. Hij hief een bevende arm in zijn richting en vroeg: 'Wie is dat?'

'Een van de terroristen die ons gijzelen,' antwoordde Sophie verbitterd. Maar ze verslikte zich haast in haar laatste woorden toen ze langs de bewaker keek en besefte dat dat niet degene was die Sam bedoelde.

Een meter of twintig achter de Arabier was een vage gestalte uit de branding opgedoken die nu recht op de bewaker afrende. Hij was lang, dun en had een stomp voorwerp in zijn handen. Sophie's hart knalde haast uit haar borstkas toen ze het donkere silhouet herkende.

Het was Dirk.

De schutter stond met zijn rug naar de zee en zijn ogen op het gebied rond het amfitheater gericht. Hij hoefde zijn hoofd maar om te draaien om Dirk te zien aankomen, die dan een zekere prooi voor het aanvalsgeweer zou zijn. Sophie besefte dat ze de aandacht van de bewaker moest vasthouden zodat Dirk ongezien dichterbij kon komen.

'Hoe… hoe heet je eigenlijk?' stamelde ze.

De schutter keer haar verbaasd aan en schoot in de lach.

'Hoe ik heet? Haha. Noem me maar David, de herdersjongen bij zijn schaapjes.'

Hij was trots op zijn grap en keek Sophie stralend aan. Sophie deed haar best niet langs hem heen te kijken naar de donkere figuur die hem naderde.

'Wat ga je met die artefacten doen, David?' vroeg ze om de aandacht van de man niet te verliezen.

'Hoezo, in geld omzetten, natuurlijk,' antwoordde hij grinnikend. Op datzelfde moment merkte hij een beweging achter zich en wilde zich omdraaien. Maar hij was te laat.

Het platte blad van een schep trof hem vol in het gezicht. Overweldigd door de klap zakte hij, terwijl hij aan zijn geweer frommelde, op zijn knieën. Dirk zwenkte de schep terug en liet hem iets zakken voor een tweede klap tegen de andere kant van zijn hoofd, waarop hij buiten westen tegen de grond sloeg.

'Iedereen oké hier?' vroeg Dirk uithijgend. Het zoute water droop van zijn lichaam.

Sophie sprong op en greep opgelucht zijn arm.

'Wij zijn oké, maar er is nog een schutter. Die is zojuist over het strand weggelopen.'

'Dat weet ik. Ik heb de waterjet aangezet om hem weg te lokken.'

Terwijl hij dat zei, hoorden ze hoe de compressor in de verte sputterend afsloeg en het geluid van het neerkletterende water wegstierf.

'Maar dan komt hij zo meteen wel terug,' zei ze fluisterend.

Dirk nam het groepje gevangenen om hem heen op. Sam zat versuft met zijn rug tegen de bloedende Raban geleund. Dr. Haasis lag languit op de grond met een hemd als verband om zijn been gewikkeld en hij keek alsof hij in shock verkeerde. De studenten – drie vrouwen en twee mannen – zaten hem angstig aan te kijken. Het was voor Dirk duidelijk dat deze groep niet tot een snelle vlucht in staat was. Hij bekeek de bewusteloze schutter en wendde zich weer tot Sophie.

'Help me even bij het uittrekken van zijn jas.'

Dirk tilde het bovenlichaam van de man op, terwijl Sophie het wijde zwarte jasje van zijn lijf stroopte. Daarna sleepte Dirk de man naar de andere kant van het groepje.

'Begraaf zijn benen in het zand en ga dan op zijn borst zitten,' zei hij tegen de twee mannelijke studenten. Waarop zij meteen zand over zijn voeten en benen gooiden en de rest van zijn lichaam in bedwang probeerden te houden door er met gekruiste benen tegenaan te gaan zitten.

Dirk rukte de sjaal van het hoofd van de schutter en wikkelde die om zijn eigen hoofd, waarna hij ook het zwarte jasje aantrok. Hij liep terug naar de voorkant van de groep en raapte het aanvalsgeweer op.

'Hij komt eraan,' fluisterde iemand angstig.

'Ga weer zitten,' zei Dirk tegen Sophie, terwijl hij het wapen controleerde. Het was een in massa geproduceerde AK-74, die waarschijnlijk via Egypte het land was in gesmokkeld. Dirk was enigszins vertrouwd met het wapen, omdat hij een keer op de schietbaan met een dergelijk geweer had geoefend. Hij tastte langs de linkerkant van de laadslede of het palletje op automatisch stond en trok de laadhendel naar achteren. Vlug hief hij het wapen op en posteerde zich tegenover de groep alsof hij hen onder schot hield.

Mahmoud naderde over het strand en liep met een kwaad gezicht op het groepje af.

'Iemand had daar met een hogedrukpomp een fontein aangezet,' gromde hij. 'Het water spoot minstens vijftien meter hoog.'

Dirk hield zijn rug naar de man gekeerd en wachtte tot hij dichterbij was gekomen. Toen hij voelde dat de man niet ver meer van hem vandaan was, draaide hij zich langzaam op zijn hakken om en richtte haast achteloos de AK-74 op Mahmouds borst.

'Heb je goed op die meid gepast terwijl ik weg was?' vroeg de Arabier, die vervolgens verstijfde.

Het drong tot hem door dat zijn zwijgende collega opeens een stuk was gegroeid, een natte korte broek droeg en hem met een stel groene ogen kwaadaardig aankeek. Bovendien was de kalasjnikov op hem gericht.

'Laat je wapen vallen,' beval Dirk.

Sophie herhaalde het bevel in het Arabisch, maar dat was niet nodig. Mahmoud wist precies wat Dirk bedoelde. De Arabier keek naar Sophie en de studenten en vervolgens weer naar Dirk. Stelletje amateurs, dacht hij. Zijn maat Saheem had zich laten overrompelen, maar dat zou hem niet gebeuren.

138

'Ja, ja,' zei hij met een hoofdknikje en hij bukte zich alsof hij het wapen op de grond wilde leggen. Maar met een onverwachte beweging liet hij zich op een knie vallen en drukte de kolf van zijn geweer tegen zijn schouder met de loop op Dirk gericht.

De AK-74 in Dirks handen ging als eerste af. Vier kogels troffen Mahmoud in zijn borst en wierpen hem achterover voordat hij de trekker over kon halen. Hij slaakte een reutelende zucht, maar zijn laatste woorden werden overstemd door een gil van een van de geschrokken studenten. Sophie sprong overeind en kwam dicht bij Dirk staan.

'Wat een smerig varken,' zei ze met een van afschuw vertrokken gezicht.

Dirk haalde diep adem om zijn bonzende hart te kalmeren, waarna hij op Mahmoud afliep en zijn geweer oppakte. Boven op de heuvel klonk de toeter van de bestelwagen. Het geluid galmde over het strand.

'Waarschijnlijk een afgesproken signaal,' zei Dirk. 'We moeten hier met z'n allen weg en ons verstoppen.'

Hij liep naar de groep en richtte zich tot een van de studenten, een pezige man met lange benen.

'Thomas, jij moet hulp gaan halen. Op ongeveer anderhalve kilometer langs het strand is een gehucht. Zoek daar een telefoon en probeer hier zo snel mogelijk politie te krijgen. Maar maak ze wel heel goed duidelijk met wie ze hier te maken krijgen.'

De jongeman stond op en keek even weifelend naar zijn vrienden, maar draaide zich toen om en liep op een drafje over het strand weg. Dirk bekeek de omgeving nog eens aandachtig en stelde zich voor de groep op.

'We moeten hier weg voordat ze komen kijken waar hun kameraden blijven. Laten we om te beginnen proberen of we aan de achterkant van het amfitheater kunnen komen,' zei hij.

'Hij begint zich te verroeren,' reageerde een van de studenten, waarbij hij naar het vooroverliggende lichaam van Saheem wees.

'Laat hem maar,' antwoordde Dirk. Hij liep naar Sophie en overhandigde haar een van de aanvalsgeweren. 'Heb jij in het Israëlische leger gediend?' vroeg hij.

'Ja, ik heb mijn twee jaar gedaan,' zei ze. In Israël gold de dienstplicht ook voor vrouwen. Ze nam het wapen zonder aarzeling van hem aan.

'Kun jij onze aftocht dekken?' vroeg hij.

'Dat kan ik proberen.'

Dirk boog voorover en kuste haar op haar voorhoofd. 'Blijf vlak bij ons.'

Vervolgens liep hij naar dr. Haasis en hielp hem overeind. Het gezicht van de professor was lijkbleek en zijn ogen stonden dof van de schrik over zijn verwonding. Samen met de andere mannelijke student sjouwde Dirk hem over het zand. Terwijl de anderen hem volgden, liep hij naar het podium van het amfitheater en vandaar naar de rand van de hoog oprijzende zitplaatsen. Sophie volgde de groep op een paar passen afstand en tuurde gespannen in de duisternis om te zien of er mensen naderden.

Zwaar hijgend sleurde Dirk het niet meewerkende lichaam van Haasis naar de achterkant van het hoge bouwwerk. Daar stond tegen de zijkant van het theater een schuur voor de opslag van geluidsapparatuur. Dirk sleepte Haasis tot achter de schuur en legde hem daar voorzichtig op de grond. De studenten en de gewonde agenten lieten zich naast de professor op de grond zakken, terwijl Sophie zich op de hoek posteerde.

'We blijven hier op de politie wachten,' zei Dirk, die het gevoel had dat ze zich zo in een redelijk verdedigbare positie bevonden.

'Dirk, ik zie lichtjes het pad afkomen,' meldde Sophie kalm.

Ze tuurden om de hoek van de schuur naar twee vage lichtpuntjes die heen en weer zwaaiend de helling afdaalden. Over het strand kwamen de lichtbundels geleidelijk dichterbij en af en toe werd er luid een naam geschreeuwd. In een van de lichtbundels dook Saheem op, die overeind was gekrabbeld maar nog versuft op zijn benen tolde. Meteen daarna werd het dode lichaam van Mahmoud ontdekt en klonk er een koor van opgewonden stemmen op. Een van de lichtbundels zwaaide omhoog en streek over de binnenkant van het amfitheater. Dirk sloeg een arm om Sophie en trok haar weg van de rand.

'Sorry,' fluisterde hij, terwijl zijn greep nauwelijks verslapte. 'Ze hebben nachtkijkers.'

Sophie legde een arm om Dirks middel en kneep terug. Zo hielden ze elkaar nog een minuut omklemd tot Dirk het aandurfde nog eens om de hoek te kijken. Tot zijn grote opluchting bewogen de lichtbundels zich over het strand van hen af en streken al spoedig over het pad langs de helling tot ze achter de heuveltop uit het zicht verdwenen. Een paar minuten later hoorden ze vaag het rammelen van de bestelwagen die uit het park wegreed.

Zo'n tien minuten daarna arriveerde de politie met loeiende sirenes en zwaailichten in het park. Toen Dirk en Sophie naar het kamp liepen, kwam hen halverwege het pad een politiepatrouille met felle schijnwerpers en blaffende Duitse herders tegemoet. Zij leidden de politie naar het amfitheater, waar Haasis en de gewonde agenten spoedeisende hulp werd geboden tot ze niet veel later met een ziekenwagen werden afgevoerd. Dirk constateerde tot zijn verbazing dat het lijk van Mahmoud was verdwenen. Kennelijk hadden zijn kameraden hem de heuvel opgesleept en met de gestolen artefacten meegenomen.

Na een uitvoerig verhoor door de politie nam Dirk een kijkje in de artefactentent. Zoals verwacht waren alle kratjes met de papyrusrollen verdwenen. Maar wat hij niet had verwacht, was dat alle artefacten uit het pakhuis nog keurig gerangschikt over de tafels verspreid lagen. Hij liep de tent uit en zag Sophie juist van het parkeerterrein terugkomen. In het licht van de hanglampen zag hij dat haar ogen rood waren en ze leek te trillen. Dirk liep naar haar toe en pakte haar hand.

'Ze hebben Arie zojuist meegenomen,' zei ze, waarmee ze op agent Holder doelde. 'Doodgeschoten vanwege een paar lullige artefacten.'

'Ze gaan niet alleen als moordenaars grondig te werk, maar ook als dieven. Ze hebben alleen de papyrusrollen geroofd en de andere artefacten met geen vinger aangeraakt,' zei hij met een knikje van zijn hoofd naar de tent.

Sophie's gezicht verstrakte. 'Die valse antiquiteitenagent heeft ze getipt. De jongste studente, Stephanie, denkt dat ze hem in een van de schutters heeft herkend.'

'Heb jij enig idee wie met zo'n commandoachtige inzet antiquiteiten voor de zwarte markt rooft?'

Sophie knikte. 'Dan denk ik meteen aan de Muildieren. Een bende Libanese smokkelaars die banden met Hezbollah zou hebben. Ze staan vooral bekend om hun doorvoerhandel in wapens en drugs, maar ze hebben zich ook wel met antiquiteiten beziggehouden. Zij zijn de enigen van wie ik weet dat ze bereid zijn om voor artefacten te moorden.'

'Toch denk ik niet dat deze rollen zo makkelijk te verkopen zijn.'

'Er is waarschijnlijk al voor betaald. Dit had alle schijn van een roof in opdracht van een rijke verzamelaar. Iemand die geen grenzen kent.'

'Zorg dat je hem te pakken krijgt,' zei Dirk.

'Zeker, alleen al voor Holder,' reageerde ze vastbesloten. Ze staarde een tijdje naar de zee tot ze met een veel zachtere glans in haar ogen naar Dirk opzij keek.

'Ik weet niet of een van ons het had overleefd als jij niet uit zee was opgedoken.'

Dirk glimlachte. 'Ik wilde gewoon zeker zijn dat ik nog een afspraakje met je kon maken.'

'Die garantie,' zei ze, terwijl ze opstond en hem een kus op zijn wang gaf, 'kan ik je haast wel geven.'

17

Pitt stond in de wachtruimte van de vertrekhal en slaakte een zucht van verlichting. Door het raam zag hij het vliegtuig van Loren van het platform wegrijden naar een rij vliegtuigen die klaarstonden voor hun vertrek van Atatürk International Airport. Nu zijn vrouw buiten gevaar was, kon hij zich eindelijk ontspannen.

Het was aan één stuk door hectisch geweest sinds hij op de kade van Yenikoy de mannen die hen naar het leven stonden, op de veerboot had zien wegvaren. Hij en Loren hadden meteen een taxi genomen en waren naar Istanbul terug geracet, waar ze via de achteringang hun hotel waren binnengeglipt en zich hadden uitgecheckt. Nadat ze kriskras de stad hadden doorkruist om eventuele achtervolgers af te schudden, hadden ze hun intrek genomen in een eenvoudig hotel niet al te ver van het vliegveld.

'Eigenlijk hadden we naar het Amerikaanse consulaat moeten gaan om de hele boel te melden,' klaagde Loren toen ze hun sobere hotelkamer binnenstapten. 'Ze hadden ons op z'n minst beveiliging en een wat aantrekkelijkere kamer kunnen geven.'

'Je hebt gelijk,' gaf Pitt toe. 'Na zevenendertig keer ons verhaal te hebben gedaan bij een stuk of tien bureaucratische instanties hadden ze voor donderdag over een week misschien een veilige plek voor ons gevonden.' Het had hem niet verbaasd dat ze niet al eerder op diplomatieke hulp had aangedrongen. Ondanks haar jarenlange reputatie als Congreslid had ze die status nooit voor een voorkeursbehandeling misbruikt.

'Het ministerie van Buitenlandse Zaken moet dit wel weten,' reageerde ze. 'Die griezels moeten echt achter de tralies.'

'Doe me alsjeblieft een lol en wacht tot je veilig thuis bent voordat je op je toeter gaat blazen.'

Nadat ze hun vluchten hadden omgeboekt, vertrok zij met de eerstvolgende vlucht naar Washington. Omdat hij voor zijn vlucht naar Chios nog wat tijd overhad, bestelde hij een ontbijt in een restaurant op het vliegveld en probeerde dr. Ruppé te bereiken. Tot zijn verbazing meldde hij zich op het nummer in Rome dat hij Pitt had gegeven.

'Bel je van het vliegveld?' vroeg Ruppé, terwijl er uit een luidspreker vlak boven Pitts hoofd een elektronisch versterkte mededeling schalde.

'Ja, ik heb Loren zojuist uitgezwaaid en ik wacht nu op mijn vlucht.'

'Ik dacht dat jullie nog een dag zouden blijven?'

Pitt vertelde hem wat ze de vorige dag hadden meegemaakt.

'Godzijdank hebben jullie het overleefd, zeg,' reageerde Ruppé geschrokken. 'Die gasten hebben beslist goede contacten. Heb je de politie ingelicht?'

'Nee,' antwoordde Pitt. 'Ik vertrouwde het niet meer toen ze ons zo snel weer op het spoor waren.'

'Waarschijnlijk heel verstandig. De Turkse politie staat bekend om de corruptie die er heerst. En gezien het slechte nieuws dat je van mij te horen krijgt, denk ik dat je daar inderdaad goed aan hebt gedaan.'

'Wat is er gebeurd?'

'Ik werd gebeld door mijn assistent in het museum. Er is in mijn kantoor ingebroken en iemand heeft daar op klaarlichte dag de hele boel overhoopgehaald. Het goede nieuws is dat ze mijn kluis niet hebben gevonden en dat jouw gouden kroon er dus nog is.'

'En het slechte nieuws?'

'Ze hebben de munten en een deel van mijn papieren meegenomen, inclusief jouw aantekeningen over de locatie van het wrak. Ik weet het niet zeker, maar het lijkt er sterk op dat al deze dingen met elkaar te maken hebben. Dit heb ik zo nooit eerder meegemaakt.'

'Denk je dat ook hier een lek bij de Turkse politie meespeelt?' vroeg Pitt.

'Zou heel goed kunnen. Mijn assistent heeft de inbraak gemeld en ze hebben een onderzoek ingesteld. Maar net als bij de roofoverval in het Topkapi beweren ze dat ze absoluut geen aanknopingspunten hebben.'

'Die zijn er ondertussen meer dan zat, dacht ik zo,' reageerde Pitt.

'Maar goed, we kunnen er verder weinig aan doen, vrees ik. Zodra ik in Istanbul terug ben, zal ik die kroon van jou eens goed bekijken.'

'Pas wel op, Rey. Ik bel je over een paar dagen.'

Pitt verbrak de verbinding en hoopte dat hiermee zijn betrokkenheid bij de Topkapi-diefstal definitief voorbij zou zijn.

Maar diep vanbinnen voelde hij dat dat niet zo was.

18

De in Marokkaanse stijl gebouwde villa bood vanaf een hoge rotswand aan de Turkse kust een schitterend uitzicht over de Middellandse Zee. Hoewel de omvang lang niet zo gigantisch was als van enkele andere peperdure landhuizen langs de kust, was het huis met een fantasievol oog voor details gebouwd. De buitenmuren waren met prachtige tegelpatronen versierd en op alle daknokken troonden slanke torentjes. Desondanks werd al dit fraais deels overvleugeld door het praktische belang en betaalden de bewoners een hoge prijs voor hun privacy. Rond het grondstuk stond een hoge stenen muur die alles wat zich erachter bevond aan het oog onttrok voor zowel de plaatselijke bevolking als de toeristen die over de kustweg naar de nabijgelegen badplaats Kuşadasi reden.

Ozden Celik staarde door een groot panoramavenster over de glinsterende blauwe zee naar de vage omtrekken van het Griekse eiland Samos, dat op zo'n vijfentwintig kilometer voor de Turkse kust lag.

'Het is belachelijk dat een ander land de eilanden voor onze kust zomaar mag afpikken,' zei hij verbitterd.

Maria zat achter een bureau, waar ze een stapel financiële documenten doorbladerde. De in het zonlicht badende kamer was net als het kantoor aan de Bosporus ingericht met dikke oosterse tapijten op de grond en een verzameling artefacten uit de Ottomaanse tijd op schappen langs de muren.

'Wind je toch niet zo op over de fouten van mensen die al eeuwenlang dood zijn,' zei ze.

'Tijdens het bewind van Süleyman was het land nog van ons. De grote Atatürk, die heeft ons rijk verkwanseld,' reageerde hij bits.

Maria ging er niet verder op in. Ze had haar broer al zo vaak tegen de stichter van het moderne Turkije tekeer horen gaan. Celik draaide zich met een felle blik in zijn ogen om naar zijn zus. 'Ons erfgoed mag niet verloren gaan en onze enige echte bestemming mogen we niet ontkennen.'

Maria knikte kalm. 'De overboeking van de sjeik is binnen,' zei ze en hield een rekeningafschrift naar hem op.

'Twintig miljoen dollar?' vroeg hij.

'Ja. Hoeveel heb je de moefti beloofd?'

'Ik heb hem gezegd dat hij twaalf miljoen kon verwachten, dus als we hem veertien geven, kunnen we de rest net als de vorige keer voor onszelf houden.'

'Waarom zo genereus?' vroeg ze.

'Het is belangrijk om hem te vriend te houden. Bovendien heb ik zo meer invloed op hoe het geld wordt uitgegeven.'

'Ik neem aan dat je daar al ideeën over hebt?'

'Natuurlijk. Er zal al een groot deel opgaan aan het omkopen van advocaten en rechters om ervoor te zorgen dat de Gelukzaligheidspartij met moefti Battal als lijsttrekker op het stembiljet voor de komende verkiezingen komt. De rest van het geld wordt gebruikt voor de traditionele uitgaven voor een verkiezingscampagne: het organiseren van partijbijeenkomsten, promotiecampagnes en een aanvullende fondsenwerving.'

'Dat geld zal wel binnenstromen gezien de druk die hij op moskeeën uitoefent, nog afgezien van zijn sterk stijgende populariteit.'

'En dat heeft hij allemaal aan ons te danken,' reageerde Celik zelfvoldaan.

Het had Celik heel wat jaren gekost om een islamitische leider te vinden die hij voor zijn doelen geschikt achtte. Moefti Battal bezat de juiste mix van ego en charisma om de beweging te leiden op de manier zoals Celik die had uitgestippeld. Dankzij Celiks zorgvuldig uitgekiende, op smeergelden en dreigementen gebaseerde strategie, had Battal in heel Turkije een aanzienlijke fundamentalistische moslimaanhang verworven die geleidelijk tot een landelijke beweging was uitgegroeid. Achter de schermen was Celik er zo goed als in geslaagd een religieuze beweging tot een politieke om te vormen. Hij was slim genoeg om te beseffen dat zijn aspiraties in bepaalde kringen op veel verzet zouden stuiten en daarom liet hij zijn kar trekken door de populistische moefti.

'Uit de verslagen in de media blijkt dat het grote publiek nog altijd woedend is over de diefstal uit het Topkapi,' merkte Maria op. 'De roof wordt algemeen als een belediging van het islamitisch geloof beschouwd. Het zou me niet verbazen als de populariteit van de moefti hier nog een procent of twee, drie door toeneemt.'

'Dat was precies de bedoeling,' zei Celik. 'Ik moet er nu voor zorgen dat hij een persverklaring uitgeeft waarin hij die gruwelijke misdaad krachtig veroordeelt,' vervolgde hij met een zuur glimlachje.

Hij liep naar het bureau, waar hij een verzameling munten in een vilten doosje bekeek dat naast een stapel wetenschappelijke tijdschriften en een zeekaart stond. Het waren de spullen die Maria als toerist verkleed uit dr. Ruppés kantoor in het museum had gestolen.

'Was 't niet riskant om naar de plaats van het misdrijf terug te gaan?' vroeg hij.

'Het was niet bepaald het geheime kabinet van het Topkapi,' antwoordde ze. 'Ik achtte het heel goed mogelijk dat daar uiteindelijk onze tweede tas met relikwieën van Mohammed was beland, totdat ik van de politie hoorde dat dat niet zo was. Om zijn kantoor binnen te komen was een karweitje van niks.'

'Nog iets interessants, behalve die munten?' vroeg hij, terwijl hij een gouden munt bestudeerde die hij uit het doosje had gepakt.

'Een aardewerken doos uit Iznik. Volgens een notitie van de archeoloog stamt die uit de tijd van Süleyman, net als de munten. Kennelijk is dit allemaal afkomstig uit een scheepswrak dat de Amerikaan heeft ontdekt.'

Celik fronste zijn wenkbrauwen. 'Uit een wrak van Süleyman dus? Daar wil ik meer van weten.'

Na een klop op de deur stapte er een forse man in een donker pak de kamer binnen. Hij had een licht getinte huid en grijze, harde ogen die duidelijk van de meer duistere kant van het leven getuige waren geweest.

'Het bezoek is gearriveerd,' zei hij met een schorre stem.

'Laat maar komen,' zei Celik, 'en neem meteen nog een janitsaar mee.'

De term janitsaar is al vele eeuwen oud en was de benaming van de lijfwachten en elitetroepen van de Ottomaanse sultans. Door een vreemde samenloop van omstandigheden waren de oorspronkelijke janitsaren in dienst van het islamitische hof zelf geen moslims, maar christenen afkomstig uit de Balkan. Ze werden als jonge jongens gerekruteerd en vervolgens opgeleid tot lakei, lijfwacht of zelfs legercommandant.

Op een dergelijke manier waren ook de janitsaren van Celik christelijke rekruten uit Servië en Kroatië, waar ze veelal als militaire commando's actief waren geweest. In het geval van Celik werden ze echter uitsluitend als lijfwachten en huursoldaten in dienst genomen.

De janitsaar kwam al snel terug met een collega, die drie mannen tot in de kamer begeleidde. Het waren de drie moordenaars die Pitt en Loren over de Bosporus achterna hadden gezeten. Ze voelden zich zichtbaar niet op hun gemak en ze vermeden oogcontact met Celik.

'Hebben jullie de indringers uitgeschakeld?' vroeg Celik zonder hen te groeten.

De langste van de drie, die de spiegelende zonnebril had gedragen, deed het woord.

'De man, een zekere Pitt, en zijn vrouw hadden onze aanwezigheid kennelijk opgemerkt en vluchtten op een veerboot naar Sariyer. Daar hebben we ze weer gevonden, maar ze zijn ontsnapt.'

'Dus jullie hebben gefaald,' zei Celik met een trage nadruk waardoor zijn woorden hen nog even dreigend als het zwaard van een beul boven het hoofd hingen. 'En waar zijn ze nu, Farzad?'

De man schudde zijn hoofd. 'Ze zijn weg uit hun hotel. We weten niet of ze nog in de stad zijn.'

'De politie?' vroeg hij aan Maria.

Ze schudde haar hoofd. 'Die hebben niets gemeld.'

'Die Pitt. Die heeft een hoop geluk, of anders een goed stel hersens.'

Celik liep naar het bureau en pakte de gouden munt uit het kantoor van Ruppé.

'Hij gaat ongetwijfeld terug naar dat wrak. Het wrak van een Ottomaans schip,' benadrukte hij nog eens extra. Hij posteerde zich voor Farzad en keek hem recht in de ogen. 'Je hebt één keer gefaald, dat pik ik niet nog eens.'

Hij deed een stap naar achteren en richtte zich tot alle drie de mannen. 'Jullie worden volledig betaald voor deze klus. Voordat jullie weggaan, kunnen jullie het geld ophalen. Voorlopig houden jullie je koest tot je een seintje van me krijgt voor een volgend project. Is dat begrepen?'

Alle drie knikten ze op timide wijze. Een van de janitsaren opende de deur, waarop de mannen zich ijlings uit de voeten maakten.

'Wacht,' bulderde Celik opeens. 'Atwar, ik wil jou nog even spreken. De anderen kunnen gaan.'

De man die het blauwe hemd had gedragen bleef staan, terwijl Farzad en de Iraniër het vertrek verlieten. De eerste janitsaar bleef in de kamer en stelde zich, nadat hij de deur had dichtgedaan, naast Atwar op. Celik liep op de Irakees af.

'Atwar, jullie hebben je bij de inbraak in het Topkapi door die Pitt laten aftroeven. Met als gevolg dat we de Heilige Mantel van de Profeet kwijt zijn terwijl die eigenlijk al in onze handen was. En gisteren is hij je opnieuw te slim af geweest.'

'Hij heeft ons overdonderd,' stamelde Atwar, terwijl hij met zijn ogen bij Maria steun zocht.

Ze reageerde niet. Celik trok een lade open en pakte er een boogpees van ongeveer een meter lang uit. Net als bij zijn Ottomaanse voorouders was dit het gereedschap voor zijn favoriete executiemethode.

'In tegenstelling tot Farzad heb jij twee keer gefaald,' zei Celik met een hoofdknikje naar de janitsaar.

De lijfwacht stapte naar voren en nam Atwar vanachteren in een houdgreep, waarbij hij de armen van de man tegen zijn middel klemde. De Irakees probeerde zich los te wringen, maar de janitsaar was veel te sterk.

'Het was haar fout,' schreeuwde hij met zijn hoofd naar Maria gebarend. 'Zij heeft gezegd dat we die vrouw moesten ontvoeren. Als we haar hadden laten gaan, was dit allemaal niet gebeurd.'

Celik ging er niet op in en kwam een paar passen dichterbij tot hij op een paar centimeter voor het gezicht van de tegenstribbelende man stond.

'Dit flik je me niet nog een keer,' fluisterde Celik in zijn oor. Vervolgens sloeg hij het koord om Atwars nek en trok het met een gelakte houten koker aan.

De man gilde, maar zijn stem werd vrijwel onmiddellijk gesmoord door het koord dat zijn keel dichtsnoerde. Zijn gezicht liep blauw aan en zijn ogen puilden uit, terwijl Celik het koord met behulp van de koker steeds strakker aandraaide. Celik keek de stervende man aan met een perverse schittering in zijn ogen. Hij hield het stijf aangedraaide koord nog strak nadat het lichaam van zijn slachtoffer verslapte, alsof hij er nog even intens van nagenoot. Uiteindelijk draaide hij het wurgtouw terug en verwijderde het op zijn gemak van de hals van de dode man, waarna hij het in de bureaula teruglegde.

'Leg het lijk in de boot en dump het, zodra het donker is, op zee,' zei hij tegen de janitsaar. De lijfwacht knikte en sjouwde het verstijvende lijk de kamer uit.

Het doden van een mens leek Celik extra kracht te geven en hij ijsbeerde met een nerveuze energie door de kamer. De gouden munt hield hij weer, als een dierbaar stuk kinderspeelgoed, beschermend in zijn hand geklemd.

'Je had dat stelletje imbecielen hier nooit naartoe mogen halen voor dit soort werk,' snauwde hij tegen Maria. 'Mijn janitsaren hadden geen fouten gemaakt.'

'In het verleden hebben ze uitstekend werk gedaan. Bovendien zijn ze vervangbaar, zoals jij zojuist hebt bewezen.'

'We kunnen ons niet veroorloven dat ze fouten blijven maken,' las hij haar de les. 'Er staat gewoon te veel op het spel.'

'De volgende operatie zal ik persoonlijk leiden. En nu we het er toch over hebben, wil je in Jeruzalem doorgaan?'

'De kans dat dat tot een massale eensgezindheid zal leiden is heel groot. Bovendien, als we de zionisten een beetje schrik kunnen aanjagen, is dat weer goed voor zo'n twintig miljoen euro van onze Arabische sponsors.'

Celik stopte met het ijsberen en keek zijn zus aan. 'Ik weet dat het niet zonder gevaar is. Sta jij volledig achter onze zaak?'

'Natuurlijk,' antwoordde ze zonder met haar ogen te knipperen. 'Mijn contact bij de Hezbollah heeft alles al geregeld met een absolute vakman, die tegen een redelijke prijs meedoet. En als er toch problemen ontstaan, ligt de aansprakelijkheid daarvoor bij hen.'

'Hezbollah had geen bezwaar tegen de aard van de missie?'

'Ik heb ze niet alles verteld,' antwoordde Maria met een sluwe grijns.

Celik liep naar zijn zus en aaide haar over haar wang. 'Je hebt altijd laten zien dat je de beste partner bent die een man zich maar kan wensen.'

'Ons wacht een grootse taak,' zei ze aanhakend op wat hij eerder had gezegd. 'Toen onze overgrootvader in 1922 door Atatürk werd verbannen, was dat het einde van het eerste Ottomaanse Rijk. Onze grootvader en vader hebben hun hele leven als verschoppelingen geleefd en zijn er niet in geslaagd hun droom van een restauratie te verwezenlijken. Maar bij de gratie van Allah ligt de terugkeer van het rijk nu binnen handbereik. We hebben geen keuze, we moeten nu handelen, ter ere van onze vader en allen die hem voorgingen.'

Celik zweeg, terwijl er tranen in zijn ogen opwelden en zijn hand zich zo stevig om de gouden munt klemde dat zijn vuist ervan beefde.

DEEL II

HET MANIFEST

19

De citroengele duikboot zakte door het duikersgat in het kolkende water en was vrijwel meteen uit het zicht verdwenen. De stuurman zette een snelle daling in, want hij wilde zo vlug mogelijk bij het moederschip weg zijn vanwege de sterke stromingen in het woelige, door een storm met windkracht zeven opgezweepte water.

De ijskoude wateren rond de Orkney Eilanden ten noordoosten van het Schotse vasteland waren zelden rustig. De rotsige eilanden werden regelmatig door hevige Noord-Atlantische stormen met huizenhoge golven bestookt, terwijl er haast ononderbroken een jagende wind om de rotsen gierde. Maar op dertig meter onder het woeste wateroppervlak, hadden de drie passagiers van de duikboot absoluut geen oog meer voor de turbulente weersomstandigheden die boven de zeespiegel heersten.

'Ik was een beetje bang voor de afdaling, maar in feite is het hier een stuk rustiger dan op het stampende schip,' stelde Julie Goodyear vanaf de achterste zitplaats vast. Als geschiedkundige verbonden aan de universiteit van Cambridge was dit haar eerste duik en sinds ze drie dagen eerder in Scapa Flow aan boord van het NUMA-onderzoeksschip Odin was gestapt, had ze manmoedig de onaangename gevolgen van zeeziekte getrotseerd.

'Mevrouw Goodyear, ik garandeer u dat u zozeer van dit uitstapje zult genieten dat u niet meer terug wilt naar die deinende badkuip,' reageerde de stuurman met een lijzig Texaans accent. Jack Dahlgren, een streng kijkende man met een flinke hangsnor, hanteerde het besturingsmechanisme met de fijnzinnige motoriek van een chirurg.

'Daar zou u wel eens gelijk in kunnen hebben. Dat wil zeggen, mits het me hierbeneden niet te claustrofobisch wordt,' zei Julie. 'Ik begrijp niet hoe u het hier in dit benauwde hok met zijn tweeën zo lang uithoudt.'

Hoewel Julie voor een vrouw tamelijk lang was, kwam ze ten opzichte van zowel Dahlgren als de vrouw die op de passagiersstoel naast hem zat, een centimeter of vijf tekort. Summer Pitt draaide zich om en keek haar met een geruststellende glimlach aan.

'Als je je op de wereld hierbuiten concentreert,' zei ze met een gebaar naar het kijkvenster aan de voorkant van de duikboot, 'dan vergeet je gewoon hoe krap het hierbinnen is.'

Met haar lange rode haren en lichtgrijze ogen was Summer een hoogst aantrekkelijke verschijning, zelfs in het verweerde met vetvlekken bespikkelde duikpak dat ze droeg. De ruim één meter tachtig lange dochter van de directeur van het NUMA en tweelingzus van Dirk was een krappe omgeving wel gewend. Als oceanografe in dienst van de onderwaterorganisatie had ze voor allerlei onderzoeken van de zeebodem heel wat uren in het nauwe omhulsel van de meest petieterige duikbootjes doorgebracht.

'Wat dachten jullie van wat extra licht,' zei Dahlgren, waarop hij een paar boven hen geplaatste schakelaars overhaalde. Op hetzelfde moment flitsten er buiten twee schijnwerpers aan die de donkergroene zee om hen heen verlichtten.

'Dat is beter,' zei Julie, die nu een meter of twaalf voor zich uit kon zien. 'Ik had nooit gedacht dat je onder water zo ver kon kijken.'

'Het water is hier opmerkelijk helder,' merkte Summer op. 'Het zicht is veel beter dan in Noorwegen.' Summer en de bemanning van de Odin waren net teruggekeerd van een project voor de Noorse kust, waar ze gedurende drie weken de temperatuurwisselingen van het zeewater en de invloed daarvan op het plaatselijke zeeleven hadden bestudeerd.

'Diepte ruim vijftig meter,' meldde Dahlgren. 'We moeten nu bijna op de bodem zijn.'

En toen er in de diepte onder hen een bruine zandvlakte verscheen, stelde hij de ballasttanks op neutraal drijfvermogen in. Vervolgens startte hij de elektrische motor en zette een voorwaartse beweging in, waarbij hij de koers, na een vluchtige blik op het gyrokompas, iets bijstelde.

'De vloed is bijna op het hoogste punt en de stroming is hier nog altijd zo'n twee knopen,' zei hij naar aanleiding van de druk die hij op de buitenkant van de duikboot voelde.

'Geen leuke plek voor een vrije duik dus,' reageerde Summer.

Ze voeren nog een stuk door tot er een groot buisvormig voorwerp opdoemde dat bijna het hele venster verduisterde.

'Schoorsteen nummer één,' zei Dahlgren, terwijl hij over de gigantische buis heen stuurde.

'Wat groot, zeg,' riep Julie opgewonden uit. 'Ik ben gewend om op die oude korrelige zwart-witfoto's de schoorstenen in verhouding tot het hele schip te zien.'

'Zo te zien is hij behoorlijk hard neergekomen,' merkte Summer op, die

154

zag dat het uiteinde van de dunne roestige schoorsteen sterk verbogen was en deels zelfs platgedrukt.

'In de verklaringen van ooggetuigen staat dat de Hampshire op de boeg stond en in feite voorover kiepte toen ze zonk,' zei Julie. 'De schoorstenen zijn op dat moment afgebroken, of eerder.'

Summer boog zich naar een instrumentenpaneel en zette een tweetal high-definition videocamera's aan.

'De camera's zijn aan. Jack, ik geloof dat daar links wrakstukken verspreid liggen.'

'Ik ben al onderweg,' reageerde Dahlgren, terwijl hij de duikboot tegen de stroom in zwenkte.

Niet ver achter de schoorsteen stak een wirwar van donkere voorwerpen uit het zand op. Het waren voor het grootste deel onherkenbare, zwaar verroeste wrakstukken die tijdens het omslaan en het zinken van het schip waren gevallen.

Summer ontwaarde een koperen behuizing en keramische plaat tussen een steeds hogere concentratie van niet meer te identificeren brokstukken. Tot er recht voor hen geleidelijk een reusachtige zwarte vorm opdoemde. Dichterbij gekomen herkenden ze het onmiskenbare silhouet van een gigantisch scheepswrak.

De krappe eeuw die de Britse kruiser uit de Eerste Wereldoorlog onder water lag, had beslist zijn sporen nagelaten. Het schip lag als één geweldige wirwar van verwrongen en verroest staal recht op de kiel en sterk naar stuurboord overhellend op de bodem. Als gevolg van de over de bodem schurende stromingen waren delen van het schip half onder een dikke laag zand verdwenen. Summer zag dat de bovenbouw al lang geleden was ingestort en ook het teakhouten dek was al sinds tientallen jaren weggerot. Zelfs stukken van de rompbeplating waren weggevreten. Het prachtige slagschip dat de Slag van Jutland had overleefd, was nog slechts een schaduw van wat het ooit was geweest.

Dahlgren stuurde de duikboot naar het achterschip van de Hampshire en bleef er als een helikopter boven hangen. Vervolgens voer hij langs de romp van het schip naar de boeg, die deels in het zand begraven lag, wat erop wees dat het schip inderdaad met de boeg omlaag de zeebodem had geraakt. Hij keerde om en voer nog een aantal keren langs de hele lengte van de romp, terwijl een videocamera voortdurend alles filmde en een tweede camera aan één stuk door foto's maakte, die later zouden worden samengevoegd tot een mozaïekfoto van het totale wrak.

Toen ze naar het achterschip terugvoeren, wees Summer op een gat met een onregelmatig gekartelde rand in een vrij liggende dekplaat boven een ruim in het achterschip. Naast het gat lag een keurig opgestapelde berg puin van minstens een meter hoog.

'Dat is een raar gat,' zei ze. 'Dat ziet er niet uit alsof het bij de ondergang van het schip is ontstaan.'

'Aan dat opgestapelde puin ernaast te zien zijn er volgens mij al bergers aan boord geweest,' zei Dahlgren. 'Is hier iemand bezig geweest voordat de regering dit tot beschermde wraklocatie heeft verklaard?'

'Ja, het wrak is in de jaren dertig van de vorige eeuw door sir Basil Zaharoff ontdekt en voor een deel geborgen,' antwoordde Julie. 'Ze waren op zoek naar goud dat volgens geruchten aan boord zou zijn. Door de verraderlijke stromingen hier hebben ze volgens eigen zeggen niet veel van het schip geborgen. Niemand gelooft dat het ze erg veel goud heeft opgeleverd, als ze überhaupt al iets hebben gevonden.'

Dahlgren stuurde de duikboot over het gebogen vlak van de achtersteven tot hij aan de onderkant een tweetal lege schachten naar buiten zag steken.

'In elk geval heeft iemand de grote bronzen schroeven meegenomen,' zei Dahlgren.

'De Britse regering heeft het wrak pas in 1973 beveiligd. Sindsdien is het wettelijk niet meer toegestaan om naar het wrak te duiken. Ik ben drie jaar bezig geweest voordat ik uiteindelijk een vergunning kreeg voor een uitsluitend fotografisch onderzoek en dat alleen omdat mijn oom parlementslid is.'

'Altijd handig, familie op hoge posten,' reageerde Dahlgren met een knipoog naar Summer.

'Ik ben al blij dat jullie organisatie ons de middelen hiervoor ter beschikking stelt,' zei Julie. 'Ik denk niet dat ik het geld bij elkaar had gekregen dat je nodig hebt voor de huur van een commerciële duikboot met bemanning.'

'Een stel microbiologen uit Cambridge heeft ons geholpen bij ons project in Noorwegen,' zei Dahlgren. 'Ze hadden nogal wat Old Speckled Hen bij zich. Verdraaid aardige mensen, dus we waren blij dat we iets terug konden doen.'

'Old Speckled Hen?' vroeg Julie.

'Een Engels biermerk,' antwoordde Summer met rollende ogen. 'Maar eigenlijk komt het erop neer dat toen Jack eenmaal had gehoord dat het om een scheepswrak ging, er absoluut geen sprake meer van was dat we niet zouden helpen.'

Dahlgren glimlachte, terwijl hij de duikboot tot een paar meter boven de kruiser manoeuvreerde. 'Laten we eens kijken of we kunnen vinden waar ze de mijn hebben geraakt,' zei hij ten slotte.

'Is de Hampshire door een mijn of door een torpedo tot zinken gebracht?' vroeg Summer.

'De meeste historici denken dat ze op een mijn is gelopen. Er stond een flinke storm in de nacht dat ze verging. De Hampshire voer aanvankelijk met een escorte van torpedobootjagers, maar die konden de kruiser door de zware zeegang niet bijhouden, waarna ze op zichzelf was aangewezen. Er was een explosie bij de boeg, wat op een botsing met een mijn wijst. De Duitse onderzeeër U-75 was in de buurt en had gemeld dat ze iets verderop voor de kust mijnen hadden gelegd.'

'Zo te horen was 't een behoorlijke ramp,' merkte Summer op.

'Het schip is binnen tien minuten gezonken. Er zijn maar een paar reddingsboten uitgezet en die zijn ofwel tegen het schip te pletter geslagen of in de hoge golven gekapseisd. Degenen die zich drijvende konden houden, waren binnen de kortste keren door de kou bevangen. Het grootste deel van de bemanning is lang voordat ze de kust konden bereiken door blootstelling aan de kou bezweken. Van de 655 opvarenden hebben maar twaalf het overleefd.'

'En daar was Lord Kitchener niet bij,' zei Summer gelaten. 'Is zijn lichaam ooit gevonden?'

'Nee,' antwoordde Julie. 'De beroemde veldmaarschalk heeft de reddingsboten niet gehaald en is met het schip ten onder gegaan.'

Het was een tijdje stil in de duikboot, terwijl de inzittenden peinzend het gezonken oorlogsgraf bekeken dat daar zo vlak onder hen lag. Dahlgren stuurde langs de bakboordzijde van het schip naar het hoofddek, dat op een aantal plekken deels was ingestort. Toen ze de boeg naderden, ontdekte Dahlgren onregelmatige bollingen in de rompplaten. En het volgende moment viel het licht op een gapend gat van minstens zes meter breed vlak onder de waterlijn.

'Geen wonder dat ze zo snel is gezonken,' merkte Dahlgren op. 'Daar kun je met een flinke bestelwagen doorheen.'

Hij legde de duikboot zodanig schuin dat de lichten in het in de romp geslagen gat schenen. Erbinnen lagen verwrongen staalconstructies verspreid over twee dekken. Uit het binnenste dook een grote schelvis op, die nadat hij even nieuwsgierig naar de felle lichten had gekeken, weer in de duisternis verdween.

'Lopen de camera's nog?' vroeg Julie. 'Deze beelden zijn fantastisch voor het onderzoek.'

'Ja, op volle toeren,' antwoordde Summer. 'Jack, kun je proberen nog iets dichter bij het gat te komen?' vroeg ze gespannen door het kijkvenster turend.

Dahlgren speelde met de stuwmotoren tot ze op nauwelijks nog een halve meter voor de opengescheurde romp hingen.

'Zie je iets bijzonders?' vroeg Julie.

'Ja. Moet je eens naar de rand van het gat kijken.'

Julie bestudeerde het gerafelde, met een dikke roestlaag bedekte staal zonder dat haar iets opviel. Maar in de stoel voor haar sperde Dahlgren opeens zijn ogen wijdopen.

'Krijg nou wat! De rand van het verwrongen staal lijkt naar buiten te steken,' zei hij.

'En dat is langs de hele rand zo,' vulde Summer aan.

Julie keek verwonderd van Dahlgren naar Julie.

'Wat willen jullie daarmee zeggen?' vroeg ze ten slotte.

'Ik geloof dat zij daarmee wil zeggen dat de Duitsers hierbij vrijuit gaan,' antwoordde Dahlgren.

'Hoezo?'

'Omdat,' zei Summer naar het gat wijzend, 'de ontploffing waardoor de Hampshire tot zinken is gebracht, zo te zien binnen in het schip heeft plaatsgevonden.'

Anderhalf uur later zat het drietal in de officierskajuit van de Odin voor een forse flatscreenmonitor naar de videobeelden van de Hampshire te kijken. Dahlgren spoelde snel door de eerste opnamen tot de camera bij het gat aan bakboordzijde kwam. Julie en Summer zaten naast elkaar haast met hun neus op het scherm en bestudeerden aandachtig de beelden.

'Stop,' riep Summer.

Dahlgren drukte op de pauzeknop en de video bleef staan op een close-up van de opengebarsten romp.

'Hier is het toch heel duidelijk te zien,' zei Summer op de onregelmatige kartelrand wijzend die als de blaadjes van een bloemkelk naar buiten kromden. 'De kracht van de explosie die dit heeft veroorzaakt, moet van binnenuit het schip zijn gekomen.'

'Zou het kunnen dat dit door het bergingsteam van Zaharoff is gedaan?' vroeg Julie.

'Lijkt me niet waarschijnlijk,' antwoordde Dahlgren. 'Hoewel ze hier en daar misschien wel explosieven hebben gebruikt, denk ik toch dat ze zich door de binnenruimtes een weg dieper het schip in hebben gewerkt. Ze hadden geen enkele reden om met zoveel geweld een doorgang te forceren, al helemaal niet zo vlak bij het hoofddek.' Onder het spreken drukte hij op het videoapparaat op play. 'Overal rond de opening zagen we sporen van een inwendige ontploffing, wat niet zo zou zijn als Zaharoff het bestaande gat alleen maar had willen vergroten.'

'En een ontploffing van in het schip opgeslagen munitie veroorzaakt door een mijn of de inslag van een torpedo?' vroeg Summer.

'Daar is het gat niet groot genoeg voor,' antwoordde Dahlgren. 'We hebben zelf gezien dat er flink wat inwendige schade is aangericht, maar dat wel allemaal vlak bij de romp. Als er munitie in het schip was geëxplodeerd, zouden er grote delen van het schip zijn weggeblazen.'

'Een inwendige explosie dus,' concludeerde Julie. 'Misschien is er dan toch iets waar van die oude geruchten.'

'Wat voor geruchten?' vroeg Summer.

'De dood van Lord Kitchener in 1916 was een belangrijke emotionele gebeurtenis. Twintig jaar eerder was hij de held van Khartoem in Soedan en tijdens de Eerste Wereldoorlog werd hij algemeen gezien als een strateeg van cruciaal belang voor een overwinning op Duitsland. Hij is waarschijnlijk vooral bekend vanwege de beroemde rekruteringsposter, waarop hij je met een priemende vinger bijna beveelt het leger in te gaan. Toen zijn lichaam niet werd gevonden, deden de wildste geruchten de ronde. Dat hij het ongeluk had overleefd bijvoorbeeld, of dat er alleen een dubbelganger van hem aan boord was geweest. Weer anderen beweerden dat de IRA een bom aan boord van het schip had gesmokkeld toen het een paar maanden daarvoor in Belfast was gereviseerd.'

'Dit geeft je biografie een hele nieuwe wending, lijkt me?' merkte Summer op.

'Wilde je daarom de Hampshire zien, vanwege Kitchener?' vroeg Dahlgren.

Julie knikte. 'Het idee om de toestand van de Hampshire in kaart te brengen, kwam van mijn mentor, maar de aanleiding is wel degelijk mijn biografie van de veldmaarschalk. Ik denk dat ik terug moet naar zijn archief op het oude landgoed van Kitchener bij Canterbury.'

'Canterbury?' vroeg Summer. 'Dat is niet zo ver van Londen, toch?'

'Nee, zo'n honderdvijftig kilometer.'

'Zodra we in Yarmouth terug zijn, vertrek ik naar Londen.'

'Yarmouth is de haven waar we naartoe gaan nadat we jou in Kirkwall hebben afgezet,' verduidelijkte Dahlgren voor Julie. 'Daar worden we opnieuw bevoorraad, waarna een aantal van ons voor een volgend project doorgaat naar Groenland,' vulde hij aan met een jaloerse blik op Summer.

'Ik vlieg volgende week naar Istanbul voor een project in het Middellandse Zeegebied samen met mijn broer.'

'Klinkt zonnig en lekker warm,' zei Julie.

'Vertel mij wat,' gromde Dahlgren.

'Misschien kan ik je, voor mijn vertrek uit Londen, nog een paar dagen met je onderzoek helpen,' stelde Summer voor.

'Zou je dat willen doen?' vroeg Julie verrast over het aanbod. 'Het doorspitten van stoffige oude boeken is heel iets anders dan het duiken naar een scheepswrak.'

'Dat maakt me niet uit. Ik ben zelf ook benieuwd naar wat er met de Hampshire is gebeurd. Jeetje, dat is het minste wat ik kan doen nadat we samen dit blik met extra werk voor jou hebben opengetrokken.'

'Dank je, Summer. Dat zou fantastisch zijn.'

'Geen probleem,' reageerde ze glimlachend. 'Zeg nou zelf, wie houdt er niet van een mysterie?'

20

De winkel met het opschrift SOLOMON BRANDY – ANTIEKE KUNST bevond zich in een rustige zijstraat van de oude stad van Jeruzalem, niet ver van de Heilige Grafkerk. Net als de overige vierenzeventig vergunninghouders in het land had Brandy een officiële, door de Israëlische overheid verleende vergunning voor het verhandelen van antieke kunst, mits de betreffende voorwerpen niet gestolen waren.

Deze wettelijke voorwaarde vormde echter geen groot beletsel voor de meeste handelaren, die simpelweg oude legale identificatienummers opnieuw gebruikten voor de verkoop van dubieuze voorwerpen die ze door de achterdeur binnenkregen. Door de handel in artefacten officieel toe te staan, een praktijk die in de meeste andere landen juist verboden is, creëerde Israëls wetgeving op dit gebied merkwaardig genoeg juist een enorme vraag naar relikwieën uit het Heilige Land, zowel originele als namaak. De oude voorwerpen werden veelal vanuit de omringende landen Israël binnengesmokkeld, waar ze gelegaliseerd en doorverkocht konden worden aan andere handelaren en verzamelaars over de hele wereld.

Sophie Elkin stapte de helverlichte winkel van Brandy binnen en schrok van het plotselinge geluid van een luide zoemer die afging door het openen van de deur. Er was niemand in de kleine ruimte die volgestouwd was met een overweldigende verzameling artefacten, uitgestald in uitpuilende glazen vitrines langs alle vier de muren. Ze liep naar een kast in het midden van de winkel vol aardewerken potjes, voorzien van labels met het opschrift JERICHO. Met haar kennersblik zag Sophie meteen dat het allemaal vervalsingen waren die binnenkort dierbare familiestukken zouden zijn van anonieme toeristen op bedevaart door het Heilige Land.

Uit de achterkamer verscheen een klein dik mannetje met ogen als schotels, gekleed in een stoffige voorschoot over gekreukte kleren. Hij zette een aardewerken beeldje op de toonbank en keek met een onzekere blik naar Sophie op.

'Mevrouw Elkin, wat een verrassing,' zei hij op een matte toon die verraadde dat hij niet bepaald blij was haar te zien.

'Hallo, Sol,' reageerde Sophie. 'Geen toeristen op het moment?'

'Het is nog vroeg. 's Morgens gaan ze naar de bezienswaardigheden en 's middags gaan ze pas winkelen.'

'We moeten praten.'

'Mijn vergunning is in orde. Ik heb mijn overzichten tijdig ingediend,' mopperde hij.

Sophie schudde haar hoofd. 'Weet jij iets van de diefstal en schietpartij in Caesarea?'

Brandy ontspande zich en schudde zijn hoofd. 'Een trieste toestand. Is er niet een van je mensen bij omgekomen?'

'Arie Holder.'

'Ja, ik weet wie hij is. Nogal luidruchtig type. Hij heeft een keer gedreigd een troffel om m'n nek te buigen, als ik het me goed herinner,' zei hij met een zelfgenoegzaam lachje.

Sophie had Brandy twee jaar eerder betrapt via een opgezette operatie, waarbij hij een grote hoeveelheid uit Masada gestolen artefacten accepteerde. Ze had geen aanklacht tegen hem ingediend nadat hij zich bereid had verklaard heimelijk mee te werken aan de opsporing van de feitelijke dieven. Maar de antiquiteitenagent gebruikte deze oude kwestie nog af en toe om informatie over nieuwe zaken af te dwingen. Brandy reageerde over het algemeen nogal ontwijkend op haar vragen, maar alle keren dat ze met hem te maken had gehad, had hij nooit botweg tegen haar gelogen.

'Ik wil weten wie hem heeft vermoord,' zei Sophie.

Brandy haalde zijn schouders op. 'Ik vrees dat ik je niet kan helpen.'

'Jij hoort altijd alles, Solomon. Waren het de Muildieren?'

Brandy keek nerveus naar het raam of hij op straat een onbekende zag rondhangen. 'Dat is een bloedlinke organisatie, de Muildieren. Criminelen met geheel eigen wetten. Met hen wilt u echt niks te maken hebben, mevrouw Elkin.'

'Waren zij het?'

Brandy keek haar recht aan. 'Men denkt in die richting,' zei hij haast fluisterend. 'Maar ik kan er echt niets meer over zeggen dan u zelf al weet.'

'Ik ken verder niemand die wapens inzet bij het stelen van artefacten en er niet voor terugdeinst om ze te gebruiken.'

'Ik ook niet,' gaf Brandy toe. 'In ieder geval niet in ons land.'

'Vertel op, Solomon, wie zou zo'n ploeg hebben ingehuurd?'

'Beslist geen handelaar,' antwoordde hij gepikeerd. 'Over de mores op onze zwarte markt hoef ik u niks te vertellen. Het merendeel van het illegale opgravingswerk wordt gedaan door straatarme Arabieren die maar een schijntje krijgen voor hun vondsten. De artefacten worden via een hele reeks tussenpersonen – soms handelaren, soms ook niet – doorverkocht tot ze uiteindelijk bij een publieke of particuliere verzamelaar terechtkomen. Maar ik kan u verzekeren dat geen enkele handelaar in Israël zijn levensonderhoud op het spel zal zetten voor artefacten waar bloed aan kleeft. Dat is gewoon veel te riskant.'

Hoewel Sophie er nauwelijks aan twijfelde dat minstens de helft van de artefacten in Brandy's winkel van illegale opgravingen afkomstig was, wist ze dat hij gelijk had. De kwaliteit van de inventaris van de beste handelaren was gebaseerd op geheime, obscure onderhandelingen waarbij wederzijds vertrouwen een eerste vereiste was. Het gevaar om daarbij met de verkeerde lieden in aanraking te komen lag levensecht op de loer. De bereidheid om voor artefacten te moorden ging absoluut veel te ver voor de handelaren die Sophie kende.

'Ik geloof ook wel dat geen enkele handelaar met hersens zich met dit soort slagers in zal laten,' zei ze. 'Maar weet u dan misschien of er momenteel Romeinse papyrusrollen uit de vierde eeuw worden aangeboden?'

'Aha, dus dat is wat ze uit Caesarea hebben gestolen,' antwoordde hij met een begrijpende knikje. 'Nee, ik heb geen aanwijzingen dat er zoiets op de markt zou zijn.'

'Als ze niet worden aangeboden, moet het dus in opdracht van een particuliere verzamelaar zijn gebeurd.'

'Dat zou ik ook denken, ja,' bevestigde Brandy.

Sophie liep naar de toonbank en pakte het aardewerken beeldje op. Het had de ruwe vorm van een os met een verguld juk. Ze bestudeerde de vorm en het ontwerp aandachtig.

'Uit de Eerste Tempelperiode?' vroeg ze.

'Dat ziet u goed,' antwoordde hij.

'Voor wie is het?'

'Een bankier in Haifa,' zei hij licht stotterend. 'Hij is gespecialiseerd in vroeg Israëlitisch aardewerk. Hij heeft een kleine, maar beslist imposante collectie, overigens.'

'Ook papyrusrollen?'

'Nee, dat ligt buiten zijn terrein. Hij is meer een hobbyist en niet zo'n verbeten fanaticus. De paar verzamelaars van papyrus die ik ken, concentreren zich op de inhoud en op bepaalde teksten. Geen van allen zijn het, wat je noemt, geldwolven.'

'Maar, weet je dan misschien niet iemand die waanzinnig kien is op dit

163

soort rollen en bovendien over de middelen beschikt om tot het uiterste te gaan om ze te krijgen?'

Brandy staarde peinzend naar het plafond.

'Wat zal ik zeggen? Ik ken schatrijke verzamelaars in Europa en Amerika die bereid zijn om voor een specifiek artefact krankzinnige bedragen neer te tellen. Maar er zijn beslist nog tientallen andere verzamelaars in diezelfde categorie die ik absoluut niet ken.'

'Het bestaan van de Caesarea rollen was net een dag bekend,' zei Sophie. 'Het lijkt mij niet erg waarschijnlijk dat een westerse verzamelaar daar al zo snel op kan hebben gereageerd. Nee, Solomon, degene die hier achter zit moet uit de regio komen. Niemand hier uit de buurt die dat zou kunnen zijn?'

Brandy haalde zijn schouders op en schudde zijn hoofd. Sophie had ook niet anders verwacht. Ze wist dat de kapitaalkrachtige verzamelaars voor handelaren als Brandy de snel verdiende centen binnenbrachten. Hij had waarschijnlijk geen flauw idee wie er achter de roof in Caesarea zat en hij zou beslist ook geen van zijn belangrijkste klanten met verdenkingen in diskrediet willen brengen.

'Als je iets hoort, wat dan ook, laat me dat dan alsjeblieft weten,' zei ze. Ze wilde weglopen, maar draaide zich weer om en keek hem met een dreigende blik aan.

'Als ik deze moordenaars te pakken krijg – en ik krijg ze te pakken – dan ga ik de medeplichtigen niet sparen, en dan bedoel ik niet alleen degenen die hebben meegedaan maar ook die ervan wisten,' verklaarde ze.

'Ik doe m'n best, mevrouw Elkin,' antwoordde Brandy gelaten.

De deurzoemer klonk terwijl de deur openging en er een magere, stijf rechtop lopende man de winkel binnenstapte. Hij had een knap vierkant gezicht, lichtblond, achterovergekamd haar en energieke blauwe ogen waarin een glans van herkenning glinsterde. In zijn versleten kaki kleren en een panamahoed sloeg hij, hoewel net iets te gladjes, geen slecht figuur.

'Hé, kijk nou, als dat de mooie Sophie Elkin niet is,' zei hij met een Brits aristocratisch accent. 'Komt de Oudheidkundige Dienst hun door confiscatie verkregen Bijbelse artefactencollectie aanvullen?'

'Hallo, Ridley,' antwoordde ze koeltjes. 'Nee, hoor, de Oudheidkundige Dienst zit niet in de artefactenhandel. Wij hebben liever dat ze blijven waar ze zijn, in hun eigen culturele omgeving.'

Ze liep naar de vitrine met het aardewerk uit Jericho. 'Ik sta hier net de nieuwste aankoop van vervalsingen van de heer Brandy te bewonderen. Hier moet jij toch het een en ander van weten.'

Dit was een venijnige steek aan het adres van Ridley Bannister. Als een in de klassieken gespecialiseerde archeoloog uit Oxford was hij zowel voor de schrijvende pers als op de televisie een prominente autoriteit op het gebied van de Bijbelse geschiedenis. Hoewel hij voor veel collega's meer een showfiguur dan wetenschapper was, ontkende niemand dat hij over een enorme kennis van de regionale geschiedenis beschikte. Bovendien leek het geluk hem voortdurend gunstig gezind. Zijn collega's verwonderden zich over zijn haast griezelige vermogen om steeds weer te scoren met opzienbarende vondsten uit zelfs de meest obscure opgravingen, of de ontdekking van vorstelijke graven, belangrijke steensculpturen en schitterende sieraden op plaatsen die door anderen over het hoofd waren gezien. Met eenzelfde talent voor zelfpromotie verdiende hij handenvol geld met een eindeloze reeks boeken en documentaires over zijn vondsten.

Maar zijn geluk had hem in de steek gelaten toen een van zijn secondanten hem een stenen tablet met een Aramese inscriptie uit 1000 voor Christus had bezorgd. Bannister had de plaat als een mogelijke hoeksteen uit de Tempel van Salomo geïdentificeerd zonder dat hij doorhad dat het om een vervalsing ging waarmee de aanbrenger goed geld wilde verdienen. Voor Bannister was het geval bijzonder pijnlijk, een vuurtje dat zijn vakgenoten maar al te graag nog wat extra opstookten. Zijn reputatie liep een gevoelige deuk op. Bij de media raakte hij uit de gratie, waarna zijn werkzaamheden zich al spoedig beperkten tot minder opzienbarende opgravingen en zelfs het rondleiden van toeristengroepen door het Heilige Land.

'Sophie, jij weet net zo goed als ik dat Solomon de fatsoenlijkste antiquiteitenhandelaar van heel Israël is,' zei hij om het gesprek een andere wending te geven.

Sophie rolde met haar ogen. 'Dat mag dan zo zijn, maar dan lijkt het me voor een fatsoenlijke archeoloog nog altijd niet slim om zich in de winkel van een handelaar te vertonen,' zei ze en stapte naar de deur.

'Helemaal mijn idee, mevrouw Elkin. Leuk je weer eens te hebben gezien. Zullen we een keertje wat gaan drinken?'

Sophie wierp hem koele blik toe, waarna ze zich omdraaide en de winkel uitliep. Bannister keek haar door de etalageruit na.

'Een prachtmeid,' mompelde hij. 'Ik heb altijd graag iets meer contact met haar willen hebben.'

'Met haar?' zei Brandy hoofdschuddend. 'Die ziet jou het liefste achter slot en grendel.'

'Misschien is ze dat wel waard,' bevestigde Bannister lachend. 'Wat kwam ze hier doen?'

'Voor het onderzoek naar de diefstal en schietpartij in Caesarea.'

'Een afschuwelijke toestand, inderdaad.' Hij nam Brandy aandachtig op. 'Je hebt er toch niks mee te maken, hè?'

'Natuurlijk niet,' antwoordde hij, kwaad dat Bannister dat zelfs maar in overweging nam.

'Weet je wat er is gestolen?'

'Elkin had het over papyrusrollen, Romeins uit de vierde eeuw.'

Dit wekte Bannisters interesse, maar hij deed zijn best dat niet te laten blijken.

'Iets bekend over de inhoud?'

Brandy schudde zijn hoofd. 'Nee. Ik kan me niet voorstellen dat die erg opzienbarend is, uit die periode.'

'Dat lijkt me ook. Ik vraag me af wie daar zoveel geld voor overheeft?'

'Nou praat je al net zoals mevrouw Elkin,' reageerde Brandy. 'Ik weet er echt helemaal niets van. Probeer 't eens bij de Dikke Man.'

'O ja. Dat is waar ik voor kom. Heb je de amuletten van mijn compagnon Josh ontvangen?'

'Ja, met de mededeling dat ik ze vast moest houden tot ik met jou had gesproken.' Brandy liep de achterkamer in en kwam terug met een kleine doos. Hij maakte hem open en haalde er twee groene stenen hangers uit, allebei met een uitgehakte afbeelding van een ram erop.

'Twee prachtig bij elkaar passende amuletten uit de Kanaänitische tijd,' zei Brandy. 'Komen deze van Tel Arad?'

'Ja. Een voormalige student van mij leidt daar een opgraving voor een Amerikaanse universiteit.'

'Die gozer kan zo wel problemen krijgen wegens diefstal uit een opgraving.'

'Daar is hij zich heel goed van bewust, maar dit is een uitzondering. Die gozer is in wezen zo eerlijk als goud. Hij is per ongeluk in een graf gaan graven en heeft daar een paar goede vondsten gedaan. In feite hebben ze vier amuletten opgegraven. Een is er naar de universiteit gegaan en een hebben ze aan het Israël Museum geschonken. De andere twee heeft Josh mij cadeau gedaan als blijk van waardering voor de manier waarop ik hem in de loop der jaren bij zijn carrière heb geholpen.'

'Wil je dat ik ze verkoop?' vroeg Brandy met opgetrokken wenkbrauwen.

Bannister glimlachte. 'Nee, jongen. Hoewel ik besef dat ze wel wat poen zullen opbrengen, heb ik het geld niet nodig. Neem er een voor jezelf en doe ermee wat je wilt.'

Brandy's ogen lichtten op. 'Dat is een groot cadeau.'

166

'Je bent al die jaren een gewaardeerde vriend geweest en ik kan je hulp in de toekomst misschien nog goed gebruiken. Het is je gegund.'

'Shalom, mijn vriend,' reageerde Brandy, terwijl hij Bannister een hand gaf. 'Mag ik vragen wat je met de andere amulet gaat doen?'

Bannister pakte hem op, bekeek hem een seconde en liet hem, terwijl hij naar de deur liep, in zijn zak glijden.

'Die gaat naar de Dikke Man,' zei hij.

'Prima idee,' reageerde Brandy. 'Hij geeft je er beslist de beste prijs voor.'

Bannister zwaaide ten afscheid en liep in zichzelf glimlachend de straat op. Hij vertrouwde erop dat de Dikke Man hem goed voor de amulet zou betalen, maar dan wel met iets wat aanzienlijk waardevoller was dan geld.

21

Julie Goodyear wandelde langs een monstrueus, al eeuwenlang zwijgend stel vijftien inch scheepskanonnen die met hun lopen naar de Thames wezen, waarna ze de treden naar het Imperial War Museum opliep. Dit eerbiedwaardige instituut in de Londense wijk Southwark was gehuisvest in een negentiende-eeuws bakstenen kantoorgebouw dat oorspronkelijk als krankzinnigengesticht dienst had gedaan. Het museum, dat beroemd was vanwege een enorme collectie foto's, kunstvoorwerpen en militaire artefacten uit de twee wereldoorlogen, bezat daarnaast een omvangrijk archief met oorlogsdocumenten en privécorrespondenties.

Julie meldde zich bij de receptie in het grote atrium. Men begeleidde haar in een telefooncelachtige lift naar de tweede etage, waarna ze nog een trap op moest voordat ze haar bestemming bereikte. De leeszaal van het museum was een imposante ronde bibliotheek die zich in de hoge middelste koepel van het gebouw bevond.

Terwijl ze naar de informatiebalie liep, keek een typische bibliothecaresse in een bruine jurk haar met een blik van herkenning glimlachend aan.

'Goedemorgen, mevrouw Goodyear. U komt Lord Kitchener weer eens opzoeken?' vroeg ze.

'Hallo, Beatrice. Ja, ik vrees dat de nooit eindigende mysteries rond de veldmaarschalk me daar weer eens toe dwingen. Ik heb een paar dagen geleden gebeld en een paar speciale dingen aangevraagd.'

'Eens even kijken of er iets voor je bij ligt,' reageerde Beatrice, terwijl ze het magazijn voor particuliere archieven inliep. Nog geen minuut later kwam ze terug met een dikke stapel dossiermappen onder haar arm.

'Hier heb ik een witboek van de admiraliteit over de ondergang van de HMS Hampshire en de officiële oorlogscorrespondentie van de Eerste Graaf Kitchener uit het jaar 1916,' zei de bibliothecaresse, waarna ze Julie voor de ontvangst van de documenten liet tekenen. 'Zo te zien is je verzoek volledig gehonoreerd.'

'Bedankt, Beatrice. Het zal niet zo lang duren.'

Julie nam de documenten mee naar een rustige hoektafel en begon het verslag van de admiraliteit over de Hampshire te lezen. Veel nieuws stond er niet in. Ze had al eerdere beschuldigingen van de bewoners van de Orkney Eilanden tegen de Royal Navy gelezen. Ze beweerden dat de marine lang had geaarzeld alvorens ze het getroffen schip te hulp waren gekomen. In het officiële verslag werden alle fouten van de marine verdoezeld en alle geruchten over een mogelijk andere oorzaak voor het zinken van het schip van tafel geveegd.

Kitcheners correspondentie bracht niet erg veel meer aan het licht. Ze had zijn oorlogscorrespondentie al eerder gelezen en had die ook weinig inspirerend gevonden. Kitchener was in 1916 minister van Oorlog en het merendeel van zijn officiële brieven betrof zijn voornaamste zorg: het rekruteren en op sterkte houden van voldoende manschappen voor het Britse leger. In een voor hem typerende brief beklaagde hij zich bij de premier over het feit dat er manschappen uit het leger werden onttrokken om aan thuisfront in munitiefabrieken te werken.

Julie keek de pagina's vluchtig door tot ze bij de vijfde juni kwam, de dag van Kitcheners dood op de Hampshire. De ontdekking dat de Hampshire door een interne ontploffing tot zinken was gebracht, legitimeerde voor haar de mogelijkheid dat iemand hem bewust had willen doden. Die gedachte deed haar denken aan een merkwaardige brief die ze maanden geleden had gelezen. Terwijl ze tot onder in het dossier doorbladerde, vielen haar vingers plotseling stil bij het betreffende document.

In tegenstelling tot de vergeelde vellen van de militaire correspondentie was deze brief nog helder wit, getypt op dik katoenpapier. Boven aan het vel stond in sierletters: Lambeth Palace. Julie las de brief langzaam door.

```
'Sir,

In de naam van God en Vaderland, verzoek ik U een laatste
maal om het document af te staan. De heiligheid van onze
Kerk hangt ervan af. Terwijl U een tijdelijke oorlog tegen
de vijanden van Engeland voert, voeren wij een eeuwige
kruistocht voor de verlossing van de gehele mensheid. Onze
vijanden zijn kwaadaardig en doortrapt. Mochten zij het
Manifest in handen krijgen, zou dat het einde van ons
eigen geloof betekenen. Ik wijs er hier ten strengste op
dat er voor U geen andere mogelijkheid is dan aan de Kerk
tegemoet te komen. In afwachting van Uw toestemming,

Randall Davidson'
```

Julie wist dat dit de aartsbisschop van Canterbury was. In de kantlijn zag ze een met de handgeschreven aantekening: 'Nooit!' Het handschrift herkende ze als dat van Kitchener.

De brief was om diverse redenen verbijsterend. Kitchener was, dat wist ze, een trouwe, vrome kerkganger. In haar onderzoek was ze nooit ook maar iets van een conflict met de anglicaanse Kerk tegengekomen, laat staan met het hoofd van de Kerk, de aartsbisschop van Canterbury zelf. Dan was er nog de verwijzing naar een document of manifest, een duur woord voor de verzamelstaat van een lading. Wat zou dat kunnen zijn?

Hoewel er geen rechtstreeks verband tussen de brief en de Hampshire leek te zijn, vond ze hem intrigerend genoeg voor nader onderzoek. Ze maakte een kopie van de brief en werkte zich door de rest van de map. Onderin vond ze een aantal documenten betreffende Kitcheners reis naar Rusland, inclusief een officiële uitnodiging van het Russische consulaat en een reisschema voor het bezoek aan Petrograd. Ook deze kopieerde ze, waarna ze de map aan Beatrice teruggaf.

'Heb je gevonden wat je zocht?' vroeg de bibliothecaresse.

'Nee, alleen nog wat opmerkelijke feitjes.'

'Voor het ontdekken van historische parels moet je stug doorgaan, heb ik geleerd. Gewoon stenen blijven omschoppen, op den duur komen ze vanzelf.'

'Bedankt voor je hulp, Beatrice.'

Onderweg van het museum naar haar auto herlas ze de brief nog een paar keer, waarna ze ook de handtekening van de aartsbisschop nog eens goed bekeek.

'Beatrice heeft gelijk,' mompelde ze ten slotte in zichzelf. 'Ik moet gewoon nog wat stenen omschoppen.'

Daarvoor hoefde ze niet ver te gaan. Nauwelijks een kilometer verderop in de straat bevond zich het Lambeth Palace. Deze Londense residentie van de aartsbisschop van Canterbury bestond uit een langs de Thames gegroepeerde reeks oude bakstenen gebouwen. Maar Julie was vooral geïnteresseerd in de bibliotheek die zich op het terrein van Lambeth Palace bevond.

Julie wist dat het paleis normaal gesproken niet toegankelijk was voor het publiek, dus parkeerde ze haar auto in een zijstraat en wandelde naar de hoofdingang. Nadat ze zich bij het controlepunt van de beveiliging had gemeld, mocht ze doorlopen naar de Great Hall, een in gotische stijl uit rode bakstenen opgetrokken gebouw met een markante witte rand. In dit historische bouwwerk bevond zich een van de oudste bibliotheken van

Engeland en het belangrijkste deel van de archieven van de anglicaanse Kerk, die teruggingen tot in de negende eeuw.

Ze liep naar de voordeur en belde aan, waarop ze door een tiener naar een kleine, maar moderne leeszaal werd gebracht. Op de balie vulde ze twee verzoekkaartjes in en gaf ze aan een meisje met korte rode haren.

'De geschriften van aartsbisschop Randall Davidson uit de periode van januari tot juli 1916,' las het meisje belangstellend, 'en alles met betrekking tot de Eerste Graaf Horatio Herbert Kitchener.'

'Ik besef dat dat laatste verzoek een beetje vreemd overkomt, maar ik wil op z'n minst proberen of ik iets te weten kan komen,' zei Julie.

'We kunnen de computer er al onze archieven op na laten zoeken,' antwoordde het meisje niet al te enthousiast. 'En waar heb je het voor nodig?'

'Ik werk aan een biografie over Lord Kitchener,' antwoordde Julie.

'Mag ik uw leeskaart even zien?'

Julie woelde in haar handtas en overhandigde een bibliotheekkaart, want ze had de archieven van het Lambeth Palace al een paar keer eerder geraadpleegd. Het meisje noteerde haar naam en adresgegevens, waarna ze op een klok aan de muur keek.

'Ik ben bang dat het opzoeken van deze documenten niet meer voor sluitingstijd gaat lukken. Maandagochtend ligt het allemaal voor u klaar.'

Julie keek het meisje teleurgesteld aan, want de bibliotheek was nog minstens een uur open.

'Goed. Dan kom ik maandag wel terug. Bedankt.'

Het roodharige meisje hield de verzoekkaartjes voor de documenten stevig in haar hand. Zodra Julie het gebouw had verlaten, gebaarde ze naar de tiener dat hij bij haar moest komen.

'Douglas, kun jij een minuutje op de balie passen?' vroeg ze op een toon die geen tegenspraak duldde. 'Ik moet dringend even bellen.'

22

Eigenlijk heette hij Oscar Gutzman, maar hij werd door iedereen de Dikke Man genoemd. Waar hij die bijnaam aan te danken had, was bij de eerste aanblik duidelijk. Met zo'n honderdvijftig kilo in een lichaam van anderhalve meter hoog leek hij haast net zo breed als dat hij lang was. En met zijn kaalgeschoren hoofd en ongewoon grote oren leek hij zo uit een reizend circus ontsnapt. Dat uiterlijk verhulde echter wel het feit dat Gutzman een van de rijkste mensen van Israël was.

Hij was in Jeruzalem als een echte straatjongen opgegroeid, die met Arabische weeskinderen munten opgroef uit de graven in de heuvels en gratis maaltijden bietste bij de christelijke gaarkeukens. Zijn open houding ten opzichte van de verschillende religies en culturen in Jeruzalem in combinatie met zijn op straat gevormde scharrelaarsmentaliteit bleek een gedegen basis voor zijn latere carrière als zakenman. De selfmade man die van een klein aannemersbedrijfje het grootste hotelbouwconsortium van het Midden-Oosten maakte en daarmee schatrijk werd, verkeerde vrijelijk met de politieke machthebbers van de hele regio. Zijn enorme inzet voor het vergaren van rijkdom en succes werd echter nog overvleugeld door zijn passie voor antieke kunstvoorwerpen.

De dood van zijn jongere zus, die bij een verkeersongeluk voor een synagoge om het leven was gekomen, had zijn leven veranderd. Net als anderen die een tragisch persoonlijk verlies te verwerken krijgen, ging hij voor zichzelf op zoek naar God. Maar in zijn geval ontwikkelde die zoektocht zich niet alleen op het spirituele vlak maar ook op een meer tastbaar niveau en wilde hij de waarheid van de Bijbel met fysieke bewijzen staven. Een bescheiden collectie artefacten uit de Bijbelse periode was naarmate hij rijker werd alleen maar gegroeid, waarbij zijn beginnende hobbyisme zich tot een allesoverheersende hartstocht had ontwikkeld. Zijn artefacten, waarvan de omvang al in de honderdduizenden liep, waren inmiddels opgeslagen in pakhuizen verspreid over drie landen. Gutzman besteedde, nu hij tegen de zeventig liep, al zijn tijd en middelen uitsluitend nog aan zijn persoonlijke zoektocht.

Ridley Bannister stapte een duur, niet al te groot hotel binnen dat op een privéterrein direct aan het strand van Tel Aviv stond. De lobby was op een moderne minimalistische manier ingericht, met een aantal oncomfortabel ogende zwarte leren fauteuils op een helderwit betegelde vloer. Bannister vond de inrichting wel passend, maar tegelijkertijd ook spuuglelijk. Een kalme hotelbediende begroette hem vriendelijk toen hij op de balie afkwam.

'Ik heb een afspraak met de heer Gutzman. Mijn naam is Bannister,' zei hij.

Na een bevestigend telefoontje werd hij door een potige beveiliger naar een privélift gebracht, waarin hij naar de bovenste verdieping zoefde. Op hetzelfde moment dat hij uit de lift stapte, rukte de Dikke Man met een forse sigaar tussen zijn lippen de deur van het penthouse open.

'Ridley, kom binnen, jongen, kom binnen,' zei Gutzman met een hijgerige stem.

'Je ziet er goed uit, Oscar,' reageerde Bannister, die hem de hand schudde voordat hij het appartement binnenging.

Bannister verwonderde zich steeds weer over de inrichting van Gutzmans appartement, dat meer een museum dan een woning leek. Overal waren planken en vitrinekasten volgestouwd met keramiek, beeldjes en andere relikwieën, allemaal enkele duizenden jaren oud. Gutzman leidde hem door een gang met oude Romeinse mozaïeken uit een publiek badhuis in Carthago. Vervolgens liepen ze onder een stenen boog uit de ruïnes van Jericho door en betraden een ruime woonkamer met uitzicht over Gordon Beach en de glinsterende Middellandse Zee voor de kust van Tel Aviv.

Nadat hij in een overdadige, dik beklede leren fauteuil had plaatsgenomen, viel het Bannister tot zijn verbazing op dat er op een dienstbode na verder niemand in de woning aanwezig was. Bij zijn vorige bezoeken hing er altijd een kleine horde handelaren rond in de hoop nog een prijzig artefact aan de rijke verzamelaar te kunnen slijten.

'Die hitte… ik kan er steeds minder tegen, zeg,' zei Gutzman, zwaar puffend van het loopje naar de voordeur, terwijl hij zich in eenzelfde zware fauteuil liet vallen.

'Marta, iets kouds om te drinken, graag,' riep hij naar zijn dienstbode.

Bannister diepte de hanger uit zijn zak op en legde hem in Gutzmans hand.

'Een cadeautje, Oscar. Hij komt uit Tel Arad.'

Gutzman bestudeerde de hanger en langzaam begon zijn gezicht steeds meer te stralen.

'Dit is werkelijk prachtig, Ridley, bedankt. Ik heb iets dergelijks uit Nahal Besor. Vroeg Kanaänitisch, denk ik zo.'

'Klopt helemaal, zoals gebruikelijk. Is dit nieuw?' vroeg Bannister op een glazen plaatje met een bewerkte rand wijzend.

'Ja,' antwoordde Gutzman, terwijl zijn ogen oplichtten. 'Die heb ik net binnen. Opgegraven bij Beth She'an. Bewerkt glas uit de tweede eeuw, waarschijnlijk vervaardigd in Alexandrië. Moet je zien hoe gaaf het nog is.'

Bannister pakte het stuk glas op en bekeek het aandachtig.

'Het verkeert in een prima staat.'

Marta, de dienstbode, verscheen en serveerde twee glazen limonade, waarna ze zich weer in de keuken terugtrok.

'Zo, Ridley, vertel eens, gebeurt er nog iets opzienbarends in de wereld van de legale archeologische vondsten?' vroeg Gutzman grinnikend.

'Er schijnen relatief weinig nieuwe projecten op stapel te staan voor het komend jaar. Het Israël Museum subsidieert een opgraving naar een oude nederzetting aan de kust van Galilea, en de universiteit van Tel Aviv heeft groen licht gegeven voor een nieuw project bij Megiddo. De meeste wetenschappelijke veldonderzoeken zijn kennelijk voortzettingen van reeds bestaande projecten. Er is uiteraard het gebruikelijke assortiment aan door het buitenland gesubsidieerde theologische opgravingen, maar zoals we weten, leveren die maar zelden echt iets op.'

'Klopt, maar ze hebben tenminste wel meer fantasie dan de wetenschappelijke instituten,' reageerde Gutzman spottend.

'Ik heb twee mogelijke opgravingen gevonden, waarvan ik denk dat ze ook voor jou wel interessant zijn. De ene is bij Beit Jala. Als het graf van Batseba bestaat, denk ik dat het daar is: in haar geboorteplaats, die in die tijd Giloh heette. Ik heb al een locatiebepaling en een opgravingsschema opgesteld.'

Gutzman knikte om aan te geven dat hij door kon gaan.

'De tweede is bij Gibeon. Dat is een uitgelezen kans om te bewijzen dat daar het paleis van koning Manasseh heeft gestaan. Dit vereist nog extra onderzoek, maar het is beslist veelbelovend. De benodigde opgravingspapieren kan ik net als anders weer krijgen onder auspiciën van de anglicaanse Kerk, als jij bereid bent het te sponsoren.'

'Ridley, je hebt me altijd fantastische vondsten geleverd en ik heb elke keer weer veel plezier in de samenwerking met jouw veldprojecten. Maar ik denk dat ik een punt ga zetten achter het sponsoren van dit soort projecten.'

174

'Je bent altijd al heel genereus geweest, Oscar,' reageerde Bannister, met moeite zijn teleurstelling onderdrukkend over het verlies van de steun van een trouwe geldschieter.

Gutzman staarde met een afwezige blik uit het raam.

'Ik heb het grootste deel van mijn fortuin uitgegeven aan het verzamelen van artefacten die de verhalen uit de Bijbel bevestigen,' zei hij. 'Ik bezit kleistenen die van de Toren van Babel zijn geweest. Ik heb stenen uit de Tempel van Salomo. Ik heb duizend-en-een objecten uit de Bijbeltijd. Toch hangt er altijd iets van twijfel over de authenticiteit van al die stukken.'

Plotseling barstte hij in een enorme hoestbui uit en hapte kuchend naar adem tot hij zich met een slok limonade tot rust kon brengen.

'Oscar, moet ik je helpen?'

De Dikke Man schudde zijn hoofd. 'Mijn longen laten me de laatste tijd nogal in de steek,' antwoordde hij zwaar ademend. 'De artsen zijn niet erg optimistisch.'

'Onzin. Je bent zo sterk als David.'

Gutzman glimlachte en hees zich moeizaam overeind. Deze beweging scheen hem wat nieuwe energie te geven, want hij liep met driftige pasjes naar een kast, waarna hij terugkwam met een glazen plaatje in zijn handen.

'Bekijk dit eens,' zei hij, terwijl hij het aan de archeoloog overhandigde.

Bannister pakte het glas aan en zag dat het in feite twee glazen plaatjes waren waartussen een document zat geklemd. Toen hij het tegen het licht hield, zag hij dat het een rechthoekig stuk papyrus was met een duidelijk zichtbaar horizontaal schrift erop.

'Een bijzonder fraai voorbeeld van een koptisch handschrift,' merkte hij op.

'Kun je lezen wat er staat?'

'Ik herken een paar woorden, maar zonder mijn naslagwerken ben ik nogal onthand,' moest hij bekennen.

'Het is een verslag van een havenmeester van de haven van Caesarea. Het is een gedetailleerde beschrijving van de overmeestering van een piratenschip door een Romeinse galei. De piraten waren in het bezit van de wapens van een Romeinse centurio afkomstig uit de scholae palatinae.'

'Caesarea,' zei Bannister met een opgetrokken wenkbrauw. 'Ik heb gehoord dat daar bij een recente diefstal een aantal papyrusrollen zijn meegenomen. En dat is met ten minste één moord gepaard gegaan.'

'Ja, heel vervelend. Het document stamt duidelijk uit het begin van de vierde eeuw,' reageerde Gutzman zonder verder op de gebeurtenis in te gaan.

'Interessant,' zei Bannister, die zich opeens niet meer zo op zijn gemak voelde bij zijn gastheer. 'Van groot belang?'

'Volgens mij is dit een mogelijk bewijs van het bestaan van het Manifest en bovendien een belangrijke sleutel tot de aard van de lading.'

Het Manifest. Aha, daar was het hem dus om te doen, dacht Bannister. Die ouwe bok voelde Magere Hein naderen en deed voor het te laat was nog een wanhopige gooi naar een godsbewijs.

Bannister grinnikte in zichzelf. Hij had heel wat geld van zowel Gutzman als de anglicaanse Kerk opgestreken voor de jacht op sporen van het legendarische Manifest. Misschien was hier nog wel iets meer uit te halen.

'Oscar, je weet dat ik er zowel hier als in Engeland heel intensief naar op zoek ben geweest en dat dat niets heeft opgeleverd.'

'Er moet een andere weg zijn.'

'We hebben samen geconcludeerd dat het hoogstwaarschijnlijk niet meer bestaat, als het al ooit bestaan heeft.'

'Dat was voordat ik dit had,' zei Gutzman op de glazen plaat tikkend. 'Ik zit hier al heel lang achteraan. Ik ruik dat ik ditmaal beet heb. Het is echt, daar ben ik van overtuigd. Ik heb besloten me alleen hier nog op te concentreren en op niets anders meer.'

'Het is een fascinerende aanwijzing,' gaf Bannister toe.

'Dit wordt,' zei de Dikke Man vermoeid, 'het hoogtepunt van mijn levenslange zoektocht. Ik hoop dat je me hierbij kunt helpen, Ridley.'

'Je kunt op me rekenen.'

Marta verscheen weer, ditmaal om hem aan een doktersafspraak te herinneren. Bannister nam afscheid en liet zichzelf uit. Terwijl hij het hotel uitliep, dacht hij na over de papyrusrol en of Gutzman gelijk kon hebben over waar hij zo rotsvast in geloofde. De oude verzamelaar was behoorlijk goed op de hoogte, moest hij toegeven. Meer zorgen maakte Bannister zich over de manier waarop hij zoveel mogelijk profijt kon trekken uit deze nieuwe jacht van de Dikke Man. Hij was zo diep in gedachten verzonken dat hij de jongeman in een blauwe overall die naast zijn auto stond te wachten, niet opmerkte.

'Meneer Bannister?' vroeg de jongeman.

'Ja.'

'Koeriersdienst, meneer,' zei hij, waarbij hij Bannister een grote, dunne envelop overhandigde.

Bannister schoof achter het stuur van zijn auto en vergrendelde de deuren voordat hij de envelop openmaakte. Hij schudde de inhoud eruit en zag een eersteklasticket voor een vlucht naar Londen in zijn schoot vallen.

23

'Summer, hier zo!'
Nadat ze met een reistas over haar schouder uit de trein uit Great Yarmouth was gestapt, had ze een moment nodig om het drukke perron af te speuren voordat ze Julie zag staan, die vanaf de andere kant naar haar zwaaide.

'Bedankt dat je me komt afhalen,' zei ze, terwijl ze de onderzoekster met een omhelzing begroette. 'Ik weet niet of ik hier in m'n eentje de weg had gevonden,' vervolgde ze, terwijl ze verwonderd naar de imposante overkapping boven de perrons van het Liverpool Street Station in Noordoost-Londen keek.

'Het is op zich heel simpel,' antwoordde Julie grijnzend. 'Je hoeft alleen de ratten maar te volgen die de doolhof verlaten.'

Ze leidde Summer via diverse perrons en de stampvolle vertrekhal naar een aangrenzend parkeerterrein. Daar stapten ze in een kleine groene Ford, die wel iets weghad van een uit de kluiten gegroeid insect.

'Hoe was je bootreis naar Yarmouth?' vroeg Julie, terwijl ze de auto door het Londense verkeer dirigeerde.

'Verschrikkelijk. Na het vertrek uit Scapa Flow kwamen we in een storm terecht en gedurende het hele stuk door de Noordzee heeft die ons met enorme windstoten bestookt. Ik voel me nog steeds een beetje draaierig.'

'Ik geloof dat ik blij mag zijn dat ik vanuit Schotland met het vliegtuig terug naar huis mocht.'

'En heb je nog nieuws over het mysterie van de ondergang van de Hampshire?' vroeg Summer. 'Heb je een verband met Lord Kitchener kunnen vinden?'

'Alleen een paar losse draadjes, het stelt niet veel voor, ben ik bang. Ik heb het officiële rapport van de admiraliteit over het zinken van de Hampshire doorgekeken, maar dat is een banaal witboek waarin de oorzaak simpelweg aan het lopen op een Duitse mijn wordt toegeschreven. Ik heb ook de bewering onderzocht dat de IRA een bom op het schip zou hebben geplaatst, maar dat lijkt volledig uit de lucht gegrepen.'

'Zouden de Duitsers een bom kunnen hebben geplaatst?'

'Daar is in alle bekende Duitse verslagen geen enkele aanwijzing voor gevonden, dus dat lijkt ook niet erg waarschijnlijk. Zij gaan ervan uit dat een mijn van de U-75 de oorzaak is geweest. Helaas heeft de kapitein van de U-boot, Kurt Beitzen, de oorlog niet overleefd, dus is er geen officieel Duits rapport over wat er is gebeurd.'

'Goed, dat zijn dus twee doodlopende paden. Maar wat zijn de losse draadjes waar je het over had?' vroeg Summer.

'Nou, ik heb een deel van mijn bevindingen over Kitchener nog eens goed bekeken en zijn militaire oorlogsverslagen herlezen. Daarbij zijn me twee dingen opgevallen. In het voorjaar van 1916 heeft hij bij de landmacht zonder daar een speciale reden voor op te geven twee bewapende lijfwachten aangevraagd. In die tijd waren lijfwachten iets heel uitzonderlijks, hoogstens voorbehouden aan de koning. Het andere was een merkwaardige brief die ik in zijn militaire dossier vond.'

Terwijl ze voor een rood stoplicht stonden, pakte ze een map van de achterbank en gaf Summer een kopie van de brief van aartsbisschop Davidson.

'Zoals ik al zei, het zijn twee kleine dingetjes die waarschijnlijk nergens op slaan.'

Summer las de brief met gefronste wenkbrauwen snel door.

'Dat Manifest waar hij het over heeft... is dat een kerkelijk document of zoiets?'

'Ik heb echt geen flauw benul,' antwoordde Julie. 'Daarom gaan we nu ook eerst naar het archief van de anglicaanse Kerk in het Lambeth Palace. Ik heb de privédocumenten van de aartsbisschop aangevraagd in de hoop dat we daar iets substantiëlers vinden.'

Via de London Bridge staken ze de Thames over en reden naar het Lambeth Palace, waar Julie de groene Ford parkeerde. Summer bewonderde de pracht van het oude gebouw aan de rivieroever, met Buckingham Palace aan de overkant van de rivier op de achtergrond. Ze liepen naar de Grand Hall, waar ze naar de leeszaal van de bibliotheek werden begeleid. Toen ze binnenkwamen, viel het Summer op dat een magere, aantrekkelijke man bij het kopieerapparaat hen glimlachend aankeek.

Julie meldde zich bij de balie, waar de archivaris een hele stapel mappen voor haar had klaarliggen.

'Dit is alles over de aartsbisschop. Maar een verwijzing naar Lord Kitchener hebben we nergens gevonden, het spijt me,' verklaarde de jonge vrouw.

'Helemaal goed,' reageerde Julie. 'In elk geval bedankt voor de moeite.'

De twee vrouwen liepen naar een tafel, waar ze de mappen verdeelden en de documenten begonnen door te spitten.

'De aartsbisschop was een productieve schrijver,' zei Summer onder de indruk van de hoeveelheid.

'Kennelijk. Dit is alleen zijn correspondentie van de eerste helft van 1916.'

Terwijl ze de map doornam, zag Summer dat de man bij het kopieerapparaat een stel boeken bijeenzocht en aan een tafel recht achter haar ging zitten. Haar neus rook een parfum, muskusachtig maar niet onaangenaam, dat uit de richting van de man leek te komen. Toen ze even snel over haar schouder keek, zag ze een antiek ogende gouden ring aan zijn rechterhand.

Ze bladerde de brieven vluchtig door, die over het algemeen droge kost over financiën en beleid bevatten, gericht aan de ondergeschikte bisschoppen van Groot-Brittannië, aangevuld met hun overvriendelijke reacties. Na een uur hadden de vrouwen allebei de helft van hun stapel doorgeploegd.

'Hé, hier is een brief van Kitchener,' meldde Julie opeens.

Summer tuurde nieuwsgierig over de tafel. 'Wat staat erin?'

'Kennelijk een antwoord op de brief van de aartsbisschop, want de datering is een paar dagen later. Het is maar kort, dus ik zal het voorlezen:

```
'Uwe Excellentie,

Tot mijn spijt is het me niet mogelijk op Uw recentelijke
verzoek in te gaan. Het Manifest is een document van
ongekend historische importantie. Het dient openbaar
gemaakt zodra de wereld weer in vrede verkeert. Ik vrees
dat wanneer het in uw handen is, de Kerk deze openbaring,
ter bescherming van de bestaande theologische inzichten,
slechts verborgen zal houden.
Ik verzoek U Uw ondergeschikten, die mij hier onophoude-
lijk over blijven lastigvallen, tot terughoudendheid te
manen.

Uw gehoorzame dienaar,
H.H. Kitchener'
```

'Wat zou dat toch voor Manifest zijn?' vroeg Summer zich hardop af.

'Dat weet ik niet, maar Kitchener bezat kennelijk een afschrift en begreep dat het belangrijk was.'

'De Kerk ook, kennelijk.'

Summer hoorde de man achter haar zijn keel schrapen, waarna hij zich omdraaide en zich over hun tafel boog.

'Neem me niet kwalijk dat ik meeluisterde, maar hebt u het over Kitchener?' vroeg hij met een ontwapenende glimlach.

'Ja,' antwoordde Summer. 'Mijn vriendin Julie schrijft een biografie over de veldmaarschalk.'

'Ik heet Baker,' loog Ridley Bannister, waarop de vrouwen zich aan hem voorstelden. 'Mag ik u erop wijzen dat het Imperial War Museum een veel betere bron voor historische documenten over en van Lord Kitchener is?'

'Heel vriendelijk van u, meneer Baker,' antwoordde Julie, 'maar hun materiaal heb ik al uitvoerig bestudeerd.'

'Waar bent u naar op zoek?' vroeg hij. 'Ik verwacht niet dat een militaire held erg veel invloed op de anglicaanse Kerk zal hebben gehad.'

'We zijn wat correspondentie van hem met de aartsbisschop van Canterbury op het spoor,' antwoordde ze.

'Ja, dan bent u hier inderdaad aan het juiste adres,' zei Bannister glimlachend.

'Wat doet u voor onderzoek?' vroeg Summer.

'Het is maar een hobby van me. Ik doe wat onderzoek naar plekken waar abdijen hebben gestaan die tijdens de zuiveringsacties van Hendrik VIII werden vernietigd.' Hij hield een stoffig boek op met de titel *Abbey Plans of Olde England*, waarna hij zich weer tot Julie richtte.

'Hebt u iets nieuws ontdekt over Kitchener?'

'Die eer komt Summer toe. Zij heeft me aan het bewijs geholpen dat het schip waarop hij is omgekomen, waarschijnlijk door een bom aan boord is gezonken.'

'De Hampshire?' vroeg hij. 'Ik dacht dat algemeen werd aangenomen dat die op een Duitse mijn is gelopen.'

'Uit het gat in de romp blijkt dat de ontploffing in het schip zelf moet hebben plaatsgevonden,' antwoordde Summer.

'Misschien zijn die oude geruchten dat de IRA een bom zou hebben geplaatst, dan toch niet helemaal uit de lucht gegrepen,' zei hij.

'Weet u daar iets van?' vroeg Julie.

'Ja,' antwoordde Bannister. 'De Hampshire is begin 1916 voor een revisie naar Belfast gestuurd. Er zijn mensen die geloven dat daar een bom aan boord is gesmokkeld die maanden later tot ontploffing is gebracht.'

'U weet veel over de Hampshire,' merkte Summer op.

'Ik ben zo'n Eerste Wereldoorlog fanatiekeling,' reageerde Bannister. 'En wat is de volgende stap in uw onderzoek?'

181

'Wij gaan nu naar Kent om daar in Broome Park nog eens een kijkje in de persoonlijke papieren van Kitchener te nemen,' antwoordde Julie.

'Hebt u zijn laatste dagboek gelezen?'

'Nou nee,' zei Julie verbaasd. 'Er wordt toch algemeen aangenomen dat dat verloren is gegaan?'

Bannister keek op zijn horloge. 'O jee, is 't alweer zo laat. Dat wordt rennen, vrees ik. Het was me een genoegen, dames,' zei hij, terwijl hij opstond en buiginkjes naar hen maakte. 'Dat uw speurtocht naar historische kennis maar geheel bevredigd mag worden.'

Haastig leverde hij zijn boek bij de bibliothecaresse in en zwaaide ten afscheid toen hij de leeszaal uitliep.

'Een knappe vent, zeg,' zei Julie met een brede grijns.

'Zeker,' bevestigde Summer. 'Hij was behoorlijk op de hoogte over Kitchener en de Hampshire.'

'Dat is waar. Volgens mij zijn er niet zoveel mensen die weten dat het laatste dagboek van Kitchener wordt vermist.'

'Is het dan niet met hem en het schip mee de diepte in gegaan?'

'Dat weet niemand. Hij schreef in kleine gebonden boekjes die steeds een periode van een jaar besloegen. Zijn notities uit 1916 zijn nooit gevonden, dus is men er altijd van uitgegaan dat hij het boekje op de Hampshire bij zich had.'

'Wat vind je van de opmerking van meneer Baker dat de IRA de Hampshire met een bom tot zinken heeft gebracht?'

'Dat is een van de vele bizarre beweringen die na het zinken van het schip de kop opstaken, maar waarvoor ik nooit een gegronde historische reden heb kunnen vinden. Het is niet geloofwaardig dat de Hampshire meer dan zes maanden lang een bom aan boord zou hebben gehad. De IRA kon onmogelijk zo ver van tevoren weten dat Kitchener ooit met dat schip zou varen. Bovendien werden ze pas na de Paasopstand in april 1916 een echt militante groepering en toen was de Hampshire allang weer uit Belfast vertrokken. Maar belangrijker is dat zij nooit de verantwoordelijkheid voor de ondergang van het schip hebben opgeëist.'

'Dan moeten we nog even doorgaan met spitten,' zei Summer, terwijl ze een nieuwe map met papieren van de aartsbisschop opensloeg.

Ze werkten nog een dik uur door alvorens het einde van de stapels in zicht kwam. Bijna onder in haar laatste map aangekomen, schoot Summer onder het lezen van een kort briefje van een bisschop uit Portsmouth opeens overeind. Ze las het nog een keer over, voordat ze het aan Julie gaf.

'Moet je dit zien,' zei ze.

'Het pakje is afgeleverd en de brenger weggestuurd,' las Julie hardop voor. 'Het betreffende voorwerp zal binnen tweeënzeventig uur niemand meer tot zorg zijn. Getekend, bisschop Lowery, bisdom Portsmouth.'

Julie legde het briefje neer en keek Summer niet-begrijpend aan. 'Ik ben bang dat ik de relevantie niet helemaal begrijp,' zei ze.

'Zie je de datum?'

Julie keek naar de kop van de brief. 'Twee juni 1916. Drie dagen voordat de Hampshire zonk,' zei ze hoorbaar verrast.

'Hier zijn we,' concludeerde Summer doodkalm, 'voorlopig nog niet uit.'

24

Na het verlaten van de bibliotheek liep Ridley Bannister over het terrein van Lambeth Palace, naar een stenen gebouwtje naast het hoofdgebouw met de woonverblijven. Door een deur zonder opschrift betrad hij een volgestouwde kantoorruimte, waarin een handjevol mensen in beveiligingsuniformen de monitors van videocamera's in de gaten hielden of met computers in de weer waren. Terwijl hij de vragende blik van een man die bij de deur zat negeerde, liep Bannister door naar een kantoortje achter in de zaal, waar hij door de openstaande deur naar binnen stapte.

Achter een bureau zat een man met valkachtige ogen en vettige haren naar videobeelden op zijn computer te kijken. Bannister zag Julie en Summer aan een tafel in de leeszaal zitten. De man keek op en staarde Bannister teleurgesteld aan.

'Bannister, eindelijk. Je had hier voor de komst van de dames moeten zijn. Nu hebben ze je gezien.'

Bannister ging op een houten stoel voor het bureau zitten. 'Sorry, hoor, maar de wekdienst van het Savoy heeft me vanochtend vergeten te wekken. In ieder geval bedankt voor de vliegtickets. Fijn ook dat je er deze keer aan gedacht hebt ze eersteklas te boeken.'

Het hoofd van de beveiliging van de aartsbisschop van Canterbury verbeet knarsetandend zijn minachting.

'Je hebt de dossiers toch wel opgeschoond voordat ze naar hen zijn gegaan?' vroeg hij op de monitor wijzend.

'Ik had die dossiers al eerder doorgespit, Judkins,' zei Bannister, terwijl hij een stofje van zijn jasje plukte. 'Er staat niets in die dossiers wat nog kwaad kan.'

Judkins' gezicht liep rood aan. 'Jou was uitdrukkelijk bevolen om die dossiers na te kijken en op te schonen.'

'Bevolen? Bevolen, zei je? Ben ik opeens zonder medeweten in het privéleger van de aartsbisschop ingelijfd of zo?'

Vanaf het eerste moment dat ze elkaar hadden ontmoet, mochten ze elkaar al niet en dat gevoel was in de loop der tijd alleen maar sterker geworden. Maar Judkins was Bannister als contactpersoon toegewezen en daar konden ze beiden weinig aan veranderen. De archeoloog ging in het uiten van zijn antipathie jegens Judkins zo ver als hij durfde, zonder zijn contractuele overeenkomst met de Kerk in gevaar te brengen.

'Je bent in dienst van de aartsbisschop en dan heb je je maar te houden aan wat hij van je vraagt,' antwoordde het hoofd van de beveiliging met fel flonkerende ogen.

'Ik ben zo niet,' kaatste Bannister terug. 'Ik ben een eenvoudige huurling voor historische waarheidsvinding. Al maakt de aartsbisschop dan inderdaad van tijd tot tijd van mijn diensten gebruik, dan wil dat nog lang niet zeggen dat ik verplicht ben "bevelen op te volgen" of zelfs maar op m'n knieën te gaan voor die eerwaarde aartsbisschop van jou.'

Judkins reageerde hier niet op. Hij staarde Bannister zwijgend aan en wachtte tot zijn bloeddruk weer iets was gedaald. Nadat de hoogrode blos op zijn gezicht was weggetrokken, vervolgde hij het gesprek op een puur zakelijke toon.

'Hoewel het beslist niet mijn keuze zou zijn geweest, heeft de aartsbisschop ervoor gekozen ook in het vervolg van uw diensten gebruik te maken als informant en adviseur met betrekking tot historische vondsten, met name in het Midden-Oosten, die in direct verband staan met de bestaande kerkelijke doctrine. Dat zogenaamde Manifest, en de mate waarin de Kerk daarbij betrokken is geweest, wordt als een uiterst gevoelige kwestie beschouwd. Wij, ik bedoel de aartsbisschop, wil weten waarom deze onderzoekster uit Cambridge de dossiers van aartsbisschop Davidson raadpleegt en hoe riskant dat voor de Kerk kan zijn.'

Bannister glimlachte flauwtjes om Judkins' geforceerd formele taalgebruik.

'Julie Goodyear is een historica uit Cambridge die diverse alom geprezen biografieën over belangrijke leidinggevende figuren uit de negentiende eeuw heeft geschreven. Momenteel werkt ze aan een biografie over Lord Kitchener. Mevrouw Goodyear en de Amerikaanse vrouw, Summer Pitt, hebben kennelijk ontdekt dat het schip van Kitchener, de Hampshire, door een interne explosie is vergaan. Zij schijnen te denken dat er eventueel een verband met wijlen de aartsbisschop Davidson bestaat.'

Judkins verbleekte letterlijk bij het horen van dit nieuws.

'Mijn beste Judkins, gaat het wel goed met je?'

'Nee,' antwoordde de beveiliger driftig zijn hoofd schuddend. 'En dat Manifest?'

'De aartsbisschop weet dat ik een aantal jaren geleden al heel ijverig naar dat document op zoek ben geweest. Dat heeft nog het nodige gekost, kan ik je wel zeggen,' vervolgde hij met een knipoog. 'Ik ben er zo goed als zeker van dat het met Kitchener op de Hampshire verloren is gegaan.'

'Ja, daar gaat de aartsbisschop ook van uit. Maar er zouden daarnaast nog hieraan gerelateerde historische bewijzen kunnen zijn die, laten we zeggen, pijnlijk voor de Kerk zijn en de aartsbisschop in verlegenheid brengen. Ik wil dat je achter die twee vrouwen aangaat.'

'Wil jij dat?' reageerde Bannister met een opgetrokken wenkbrauw.

'Dat wil de aartsbisschop,' antwoordde Judkins kwaad. 'Hou ze goed in de gaten en vernietig zo nodig dingen die eventueel problemen kunnen veroorzaken.'

'Ik ben archeoloog, geen moordenaar.'

'Je weet wat je te doen staat. Je hebt mijn nummer.'

'Ja. En heb jij mijn nummer?' vroeg Bannister, terwijl hij opstond. 'Het rekeningnummer van mijn bank op Bermuda, bedoel ik?'

'Ja,' gromde Judkins. 'En nou wegwezen.'

Het hoofd van de beveiliging reageerde slechts hoofdschuddend op Bannisters gracieuze buiging, waarna de archeoloog het kantoor uitliep alsof het van hem was.

25

De felle mediterrane ochtendzon brandde al op het dek van de Aegean Explorer toen Rudi Gunn met zijn eerste kop koffie van de dag naar buiten stapte. Tot zijn schrik zag hij een aan hem onbekend deel van de Turkse kust op zo'n drie kilometer afstand van de zijreling van het schip. Hij hoorde het knetteren van een buitenboordmotor in de verte en tuurde in die richting tot hij de Zodiac van het schip door de golven ploegend naar de kust zag varen.

Plotseling drong het tot zijn slaperige hoofd door aan welk onderzoekproject ze ook alweer werkten en hij haastte zich naar het achterschip. Onderweg passeerde hij een witte duikboot en stelde tot zijn teleurstelling vast dat het autonome onderwatervaartuig al was binnengehaald en weer keurig in de houder lag. De grote torpedovormige onderwaterrobot bevatte een heel scala aan sensoren waarmee het water op afstand van het schip op alle mogelijke manieren kon worden geanalyseerd. Toen hij zes uur eerder doodop zijn bed was ingeduikeld, volgde de Explorer de AOV die systematisch een groot afgebakend deel van de zee op ruim vijftien kilometer van de kust afwerkte.

Hij nam een flinke slok van zijn koffie, draaide zich om en liep terug naar voren, waar hij de twee trappen naar de brug opliep. Daar trof hij Pitt, die met de kapitein van het schip, Bruce Kenfield, een zeekaart bestudeerde.

'Goedemorgen, Rudi,' begroette Pitt hem. 'Je bent vroeg op.'

'In mijn kooi voelde ik het gedreun van de motoren opzwellen,' reageerde Gunn. 'Waarom zijn we daar weggegaan?'

'Kemal kreeg bericht dat zijn vrouw een verkeersongeluk heeft gehad. Het is kennelijk niet echt ernstig, maar we brengen hem aan land, zodat hij bij haar kan zijn.'

Kemal was een zeebioloog van het Turkse ministerie van Milieuzaken, die als toezichthouder op het NUMA-schip was gestationeerd om bij het wateronderzoek behulpzaam te zijn.

'Dat is heel vervelend,' zei Gunn. 'Als de Zodiac terug is, hoelang gaat 't dan duren voordat we op de plek terug zijn en het onderzoek kunnen hervatten?'

Glimlachend schudde Pitt zijn hoofd. 'Formeel gezien kunnen we het onderzoek niet voortzetten zolang we Kemal of een vervanger niet aan boord hebben. In onze vergunning van de Turkse regering staat specifiek vermeld dat er tijdens al ons onderzoek in de Turkse wateren steeds een vertegenwoordiger van het ministerie aan boord moet zijn. Dit betekent dat we een pauze van een dag of drie, vier moeten inlassen.'

'We lopen al achter op het schema. Eerst die problemen met die sensor en nu dit weer. We zullen de projectduur moeten verlengen als we nog alle locaties zoals afgesproken willen onderzoeken.'

'Dan moet dat maar.'

Gunn merkte dat Pitt zijn ergernis over deze vertraging absoluut niet deelde. Dat was heel atypisch voor de man die hij kende als iemand die er een hekel aan had om dingen niet af te maken.

'Sinds je terug bent uit Istanbul hebben we pas twee volle dagen op die nieuwe locatie kunnen werken,' zei Gunn. 'Nu staan we alweer stil en daar zit jij kennelijk helemaal niet mee. Hoe komt dat?'

'Heel simpel, Rudi,' antwoordde Pitt, en met een knipoog vervolgde hij: 'Dat het werk aan het algengroeiproject stilligt, betekent dat ik het werk aan een Ottomaans scheepswrak weer kan opnemen.'

Nog geen vier uur nadat de Zodiac weer aan boord was gehesen, was de Aegean Explorer bij Chios aangekomen en op ongeveer honderd meter van de plek waar het Ottomaanse wrak lag, voor anker gegaan. Na de eerste duik van Pitt en Giordino was er nauwelijks verder onderzoek naar het wrak gedaan. Alleen de marien archeoloog van het schip, Rodney Zeibig, had nog net de gelegenheid gehad met aluminium paaltjes een raster rond de vrij liggende delen van het wrak uit te zetten.

Zeibig had een handjevol wetenschappers met duikervaring een spoedcursus onderwateronderzoek en -documentatie gegeven en vervolgens een plan de campagne voor een zorgvuldige exploratie van het wrak opgesteld. Pitt, Giordino en zelfs Gunn hielpen om beurten bij het fotograferen, meten en graven van proefputjes op diverse plaatsen rond het wrak. Bij het blootleggen van de skeletachtige delen van het schip werd een bescheiden aantal artefacten gevonden, voornamelijk keramiek en een paar ijzeren onderdelen.

Pitt stond bij de achterreling van de Aegean Explorer naar het groeiende patroon van witte kopjes te kijken die door een aanwakkerende westenwind in toenemende mate op de golven verschenen. Een lege, wild op de golven schommelende Zodiac lag vlakbij aan de boei afgemeerd die de locatie van het wrak markeerde. Plotseling doken er een paar duikers uit het water op, die vervolgens op hun buik naar de opblaasboot peddelden. Een van de mannen gooide de meertros los, terwijl de andere de buitenboordmotor startte, waarna ze naar de zijkant van het onderzoeksschip scheurden. Pitt liet een kabel over de rand zakken en hielp bij het aan dek hijsen van de Zodiac, waar de beide mannen nog in zaten.

Rudi Gunn en Rod Zeibig sprongen eruit en wrongen zich uit hun wetsuits.

'Het begint daar een beetje erg woest te worden,' merkte Zeibig op, een opgewekte man met helderblauwe ogen en peper-en-zoutkleurig haar.

'Ik heb de anderen gezegd dat we niet meer duiken tot de wind is gaan liggen,' zei Pitt. 'Volgens de weersverwachting is het morgen in de ochtend alweer een stuk rustiger.'

'Een prima idee,' reageerde de archeoloog, 'hoewel ik denk dat Rudi wel op hete kolen zal zitten zolang hij niet naar het wrak terug kan.'

'Iets interessants ontdekt?'

Gunn knikte met een opgewonden blik in zijn ogen. 'Ik was in vak C-1 aan het graven en stuitte daar op een grote bewerkte steen. Ik kon er maar een klein hoekje van blootleggen voordat ik weer naar boven moest. Ik heb het idee dat het wel eens een soort monoliet of stèle zou kunnen zijn.'

'Daarmee kunnen we misschien de identiteit van het schip vaststellen,' opperde Pitt.

'Ik hoop alleen dat we die ontdekking niet met anderen hoeven te delen,' zei Zeibig met een hoofdknikje naar de stuurboordreling.

Op nauwelijks drie kilometer afstand kwam een hoog over de golven bonkend, ultramodern motorjacht recht op de Aegean Explorer afgestevend. Het was een Italiaans schip met donker getinte, rondom doorlopende ramen en een groot open achterdek. Aan een mast wapperde een rode Turkse vlag met witte maansikkel en ster, boven een kleinere rode vlag met alleen een goudkleurige halvemaan. Hoewel het lang niet zo groot was als de luxe jachten in Monte Carlo, zag Pitt wel dat het een peperduur schip was. De drie mannen keken toe hoe het jacht tot op een kleine kilometer naderde alvorens het afremde en hevig schommelend op het woelige water tot stilstand kwam.

'Over je wrak zou ik me maar niet al te veel zorgen maken, Rod,' zei Gunn. 'Ze zien er niet bepaald naar uit dat ze hier bergingswerk komen verrichten.'

'Waarschijnlijk iemand die eens komt neuzen wat een onderzoeksschip hier aan het doen is,' zei Pitt.

'Of om te zeggen dat we het uitzicht van een villa op de kust verpesten,' mompelde Gunn.

Pitt ging ervan uit dat behalve Ruppé niemand de locatie van het wrak kende. Mogelijk had hij het Turkse ministerie van Cultuur al ingelicht, overwoog hij. Maar toen herinnerde hij zich dat er in Ruppés kantoor was ingebroken en dat daarbij samen met de artefacten ook zijn kaart van de locatie was gestolen. Hij schrok uit deze zorgelijke gedachten op, toen hij vanaf het voorste deel van het schip zijn naam hoorde roepen. Hij draaide zich om en zag het bovenlijf van Giordino langs de deur naar een werkruimte onder de brug steken.

'Er is zojuist wat info uit Istanbul voor je binnengekomen,' riep Giordino.

'Als je het over de duivel hebt,' mompelde Pitt. 'Ik kom eraan,' riep hij terug, waarna hij zich tot de twee mannen naast hem wendde.

'Ik wed dat dat de analyse van dr. Ruppé is van de artefacten die we al eerder uit het wrak hadden gehaald.'

'Daar ben ik ook wel nieuwsgierig naar,' zei Zeibig.

De twee duikers kleedden zich snel om, waarna ze zich bij Pitt en Giordino voegden in de kleine werkruimte, waarin diverse via satellietverbindingen opererende computers stonden. Giordino overhandigde Pitt een meerdere pagina's tellende uitdraai, waarna hij weer achter een van de computers plaatsnam.

'Dr. Ruppé heeft per e-mail ook een paar bij het rapport behorende foto's opgestuurd,' zei hij, en typte op een toetsenbord een code in om een bestand te openen. Op het computerscherm verscheen een beeldvullende close-up van een gouden munt.

Pitt las vluchtig het rapport door, waarna hij het doorgaf aan Zeibig.

'Hebben we het nog altijd over een Ottomaans wrak?' vroeg Gunn.

'Zo goed als zeker,' antwoordde Pitt. 'Dr. Ruppé heeft ter vergelijking deze in Syrië geslagen munt gevonden, die volgens hem identiek is aan een van de munten in de kluis van Al. Deze stamt ongeveer uit 1570. Helaas vermeldt Ruppé dat hij hierbij op zijn geheugen af moest gaan, omdat de munten uit zijn kantoor gestolen zijn.'

'Ik geloof dat hij gelijk heeft,' zei Giordino. 'Die munten lijken heel erg op elkaar.'

'Van deze munttekens is bekend dat ze tussen 1560 en 1580 werden gebruikt,' las Zeibig voor uit het rapport.

'Dan weten we dus dat het wrak niet ouder dan 1560 kan zijn,' concludeerde Gunn. 'Doodzonde dat die hele doos met munten weg is, want dan hadden we 't toch een stukje makkelijker gehad.'

'Iets anders wat bij de datering kan helpen is de keramische doos waar de kroon in zat,' zei Pitt. 'Toen Loren en ik in de Blauwe moskee waren, ontdekten we dat de versiering op de doos overeenkwam met het patroon op de tegels daar, die uit de ovens van Iznik afkomstig zijn.'

Giordino klikte een paar foto's aan met voor Iznik kenmerkende tegelpatronen.

'Helaas is die doos ook uit het kantoor van dr. Ruppé gestolen, dus ook hierbij zijn we op ons geheugen aangewezen.'

'In zijn rapport staat dat de patronen en kleuren op deze tegels populair waren op keramiek dat aan het eind van de zestiende eeuw in Iznik werd vervaardigd,' merkte Zeibig op.

'Dat klopt dan tenminste enigszins,' reageerde Giordino.

'Daar kan ik aan toevoegen dat de constructie van het wrak, voor zover ik dat kon zien, overeenkomt met de manier waarop schepen in het Middellandse Zeegebied in de zestiende eeuw werden gebouwd,' vulde Zeibig aan, opkijkend uit het rapport.

'Drie keer is scheepsrecht,' zei Gunn.

'En dan hebben we de kroon van koning Al nog,' benadrukte Pitt.

Na een muisklik van Giordino verscheen er een close-up van de gouden kroon op het scherm. Nu de groene aanslag van zeediertjes zorgvuldig was verwijderd, zagen ze een fonkelende hoofdtooi die rechtstreeks van een goudsmid afkomstig leek.

'Wat een geluk dat mijn schatje veilig in dr. Ruppés kluis was opgeborgen,' zei Giordino.

'Volgens dr. Ruppé is dit een van de belangrijkste, en tevens een van de meest mysterieuze vondsten die ooit in Turkse wateren is gedaan,' merkte Pitt op. 'Ondanks uitvoerig onderzoek heeft hij in de vorm en het formaat van de kroon geen aanwijzingen gevonden waaruit de herkomst valt af te leiden. Maar na de uiterst intensieve schoonmaak heeft hij de vage inscriptie aan de binnenkant van de kroon kunnen duiden.'

Giordino klikte een detailfoto van de kroon aan, terwijl Zeibig de bewuste passage in het rapport opzocht.

'De inscriptie is in het Latijn,' meldde Zeibig verwonderd opkijkend. 'Ruppé heeft de tekst als volgt vertaald: VOOR ARTRIUS, ALS DANK VOOR DE VANGST VAN DE RELIKWIEPIRATEN. – CONSTANTIJN.'

'Ruppé heeft berichten gevonden over een Romeinse senator die Artrius heette. En het toeval wil dat hij ook in de tijd van Constantijn leefde,' zei Pitt.

'Constantijn de Grote?' riep Gunn verbluft. 'De Romeinse keizer? Die leefde duizend jaar eerder.'

Er viel een stilte, terwijl ze naar de foto op het scherm staarden. Niemand had zo'n afwijking van de overige artefacten op het schip verwacht en al helemaal niet bij zoiets als een gouden kroon. En er was ook geen enkele aanwijzing waarom hij daar aan boord was geweest. Pitt rechtte zijn rug, stond op en verbrak ten slotte de stilte.

'Ik zeg 't niet graag,' zei hij grijnzend, 'maar ik denk dat dit betekent dat koning Al naar het Romeinse legioen is overgeplaatst.'

26

Broome Park was een karakteristiek oud Engels landgoed, dat Kitchener in 1911 had gekocht. Het bestond uit een hoog, in jakobitische stijl opgetrokken stenen woonhuis uit de tijd van Karel I, omgeven door een weelderige, parkachtig aangelegde tuin met een totale oppervlakte van zo'n 190 hectare. In de korte tijd dat hij er woonde, stak Kitchener veel tijd en energie in het verfraaien van de tuinen van het landgoed, onder meer door de aanleg van twee schitterende fonteinen. Maar net als hoge hoed en rokkostuum of paard-en-wagen was de oorspronkelijke charme van Broome Park nog slechts een herinnering aan lang vervlogen tijden.

Een kleine honderd kilometer ten zuidoosten van Londen sloeg Julie bij Dover een zijweg in en volgde die naar het landgoed. Tot haar verbazing zag Summer een groepje van vier mensen die op een grasveld achter het bord dat hen in Broome Park verwelkomde, aan het golfen waren.

'Dat is in heel Engeland overal hetzelfde verhaal,' legde Julie uit. 'Historische landgoederen blijven generaties lang in de familie tot het moment komt dat een erfgenaam wakker schrikt en beseft dat hij de belastingen en het onderhoud niet meer kan betalen. Dan worden eerst de omringende landerijen verkocht tot er uiteindelijk ingrijpender maatregelen noodzakelijk zijn. Van sommige wordt een *bed and breakfast* gemaakt en andere worden als conferentieoord aan bedrijven verhuurd of er worden in de tuin openluchtconcerten georganiseerd.'

'Of de tuin wordt tot golfbaan gemaakt,' reageerde Summer.

'Precies. Broome Park heeft waarschijnlijk het ergste lot van allemaal getroffen. Het grootste deel van het landgoed is omgezet in een timesharingconstructie van vakantiewoningen met overnachtingsmogelijkheid, en van het omringende grondstuk is een golfbaan gemaakt. Ik weet zeker dat Horatio Herbert zich omdraait in zijn graf als hij dat zou weten.'

'Is het landgoed nog in het bezit van Kitcheners erfgenamen?'

'Kitchener is zijn hele leven vrijgezel gebleven, maar hij heeft het landgoed aan zijn neef Toby nagelaten. Toby's zoon Aldrich beheert het nu, hoewel hij inmiddels ook al aardig op leeftijd is.'

Julie parkeerde de auto op een ruim parkeerterrein, waarna ze langs een slecht onderhouden rozentuin naar de hoofdingang liepen. Summer raakte meer onder de indruk toen ze de grote hal betraden waarin een enorme glazen kaarsenkroon en een levensgroot olieverfschilderij van de beste man zelf hing. In zijn grijze ogen lag een priemende blik waarmee hij omstanders zelfs vanaf het doek zijn wil nog leek op te leggen.

Achter een bureau zat een pezige man met een witte haardos een boek te lezen, maar toen hij Julie zag binnenkomen, keek hij glimlachend op.

'Hallo, mevrouw Goodyear,' zei hij, vanachter het bureau opspringend. 'Ik heb het bericht dat je vanochtend zou komen, ontvangen.'

'Je ziet er goed uit, Aldrich. Zit 't huis een beetje vol?'

'De zaken gaan goed, dank je. Er hebben vandaag al een paar gasten een kamer voor de nacht geboekt.'

'Dit is Summer Pitt, een vriendin die me bij mijn onderzoek helpt.'

'Prettig kennis te maken, mevrouw Pitt,' zei hij terwijl hij haar zijn hand reikte. 'Jullie willen waarschijnlijk meteen aan het werk, dus volg me maar.'

Hij leidde hen door een zijdeur naar een afgeschermde zijvleugel, waarin zich zijn privéverblijven bevonden. Ze liepen door een ruime zitkamer vol met spullen uit Noord-Afrika en het Midden-Oosten, die Kitchener gedurende zijn legerjaren uit die regio had meegenomen. Aldrich opende een volgende deur en liet hen een studeerkamer met een houten lambrisering binnen. Summer zag dat een van de muren volledig achter hoge mahoniehouten archiefkasten schuilging.

'Ik dacht dat je het hele archief van oom Herbert ondertussen wel uit je hoofd kende,' zei Aldrich glimlachend tegen Julie.

'Daarvoor ben ik er in ieder geval lang genoeg mee bezig geweest,' gaf Julie toe. 'We willen nu alleen zijn privécorrespondentie van de maanden voor zijn dood even inzien als dat kan.'

'Die staat in de laatste kast rechts.' Hij draaide zich om en liep terug naar de deur. 'Als je nog vragen hebt, ik zit bij de receptie.'

'Bedankt, Aldrich.'

De beide vrouwen stortten zich meteen op de betreffende kast. Summer stelde tot haar tevredenheid vast dat de correspondentie hier op het eerste gezicht persoonlijker en interessanter leek dan de dossiers in het Imperial War Museum. Ze bladerde langzaam door tientallen brieven van familieleden en een ogenschijnlijk eindeloze correspondentie met aannemers, die door Kitchener werden aangespoord tot het uitvoeren van uitgebreide restauratiewerkzaamheden aan Broome Park.

'Moet je zien wat schattig,' zei ze, terwijl ze een kaart met een zelfgetekende vlinder van een driejarig nichtje van Kitchener ophield.

'Die norse oude generaal had een hecht contact met zijn zus en broers en hun kinderen,' merkte Julie op.

'Het lezen van de privécorrespondentie is een prima manier om iemand beter te leren kennen, vind je ook niet?' zei Summer.

'Zeker. Zonde dat de handgeschreven brief door het e-mailverkeer van tegenwoordig tot een haast uitgestorven kunstvorm is verworden.'

Zo zochten ze nog bijna twee uur door, tot Julie opeens in haar stoel overeind schoot.

'Kijk nou, het is niet met de Hampshire verloren gegaan,' riep ze uit.

'Waar heb je 't over?'

'Zijn dagboek,' antwoordde Julie met wijd opengesperde ogen. 'Hier, moet je dit zien.'

Het was een brief van een zekere sergeant Wingate, die een paar dagen voor de ondergang van de Hampshire was geschreven. Summer las geïnteresseerd dat de sergeant zijn spijt betuigde over het feit dat hij Kitchener op zijn komende reis niet kon vergezellen en dat hij de veldmaarschalk veel succes wenste op deze belangrijke missie. Het was het PS onder aan de pagina dat haar deed verstijven.

'P.S. Heb je dagboek ontvangen. Bewaar het veilig tot je terug bent,' las ze hardop.

'Hoe heb ik dat kunnen missen?' jammerde Julie.

'Verder is het een onbetekenende brief, geschreven in een vreselijk slordig handschrift,' zei Summer. 'Ik had er ook overheen kunnen kijken. Maar het is een fantastische ontdekking. Waanzinnig dat zijn laatste dagboek misschien toch nog ergens is.'

'Maar het is niet hier of in de officiële dossiers. Hoe heette die sergeant ook alweer?'

'Sergeant Norman Wingate.'

'Ik ken die naam, maar ik kan 'm niet plaatsen,' antwoordde Julie, terwijl ze zich suf piekerde.

Vanuit het aangrenzende vertrek klonk scherp gepiep dat langzaam dichterbij kwam. Ze keken naar de deuropening, waardoor ze Aldrich een theewagen met een krom wiel de studeerkamer in zagen duwen.

'Neem me niet kwalijk dat ik stoor, maar ik dacht dat jullie een theepauze wel op prijs zouden stellen,' zei hij, waarna hij voor hen beiden een kopje inschonk.

'Dat is heel vriendelijk van u, meneer Kitchener,' zei Summer, terwijl ze een van de hete kopjes oppakte.

195

'Aldrich, heb jij toevallig wel eens van een kennis van Lord Kitchener gehoord die Norman Wingate heette?' vroeg Julie.

Aldrich streek over zijn voorhoofd, terwijl zijn ogen in gedachten naar het plafond afdwaalden.

'Was hij niet een van de lijfwachten van oom Herbert?' vroeg hij.

'Dat is 't,' zei Julie, die het zich opeens herinnerde. 'Wingate en Stearns waren de twee bewapende lijfwachten die hij van de premier mocht hebben.'

'Ja,' zei Aldrich. 'Die andere vent... Stearns, zei je dat hij heette? Hij is samen met oom Herbert bij de ondergang van de Hampshire omgekomen. Maar Wingate niet. Hij was ziek, geloof ik, en is op die reis niet meegegaan. Ik herinner me dat mijn vader jaren later nog regelmatig met hem ging lunchen. De beste man voelde zich kennelijk een beetje schuldig dat hij dat ongeluk had overleefd.'

'Wingate schreef dat hij het laatste dagboek van de veldmaarschalk in zijn bezit had. Weet je of hij dat ooit aan je vader heeft gegeven?'

'Nee, want dan zou het hier bij de rest van de papieren moeten zijn. Wingate heeft het waarschijnlijk als herinnering aan de ouwe zelf gehouden.'

Van de andere kant van het huis klonk vaag een zoemer. 'O, er is iemand bij de receptie. Geniet van de thee,' zei hij, waarna hij de studeerkamer uit slofte.

Summer las de brief nog een keer door en bekeek het adres van de afzender.

'Wingate heeft dit vanuit Dover geschreven,' zei ze. 'Dat is hier toch verderop aan dezelfde weg?'

'Klopt, nog geen vijftien kilometer,' antwoordde Julie.

'Misschien heeft Norman nog nabestaanden in de stad die iets weten.'

'Een beetje vergezocht, maar de moeite van het proberen waard, lijkt me.'

Na even zoeken in de computer van Aldrich en een website met adresgegevens van de regio Kent, hadden de beide vrouwen een lijst verzameld van alle in de omgeving woonachtige Wingates. Om beurten belden ze alle nummers af in de hoop zo een nabestaande van Norman Wingate te vinden.

Maar geen van de telefoontjes leverde resultaat op. Na een uur hing Summer op en streepte nee schuddend de laatste naam door.

'Ruim twintig nummers en nog niet eens een tip,' zei ze teleurgesteld.

'Het dichtstbij kwam een vent die dacht dat Norman misschien een oudoom van hem was, maar meer wist hij ook niet,' reageerde Julie. Ze keek op haar horloge.

'Ik denk dat we maar eens naar het hotel moeten. Het dossier hier kunnen we morgen afmaken.'

'Blijven we dan niet hier in Broome Park?'

'Ik heb voor ons een hotel in Canterbury geboekt, bij de kathedraal. Ik dacht dat je die misschien zou willen zien. Bovendien,' vervolgde ze op een fluistertoon, 'is het eten hier niet zo best.'

Summer schoot in de lach, stond op en strekte haar armen. 'Ik zal 't niet tegen Aldrich zeggen. Kunnen we dan onderweg eerst nog even ergens stoppen?'

'Waar dan?' vroeg Julie met een vragende blik.

Summer pakte de brief van Wingate op en las het adres van de afzender voor. 'Dorchester Lane veertien in Dover,' zei ze met zuinig lachje.

De motorrijder zette zijn integraalhelm met donkergetint glas op en tuurde langs de achterkant van een tunierswagen. Hij wachtte geduldig tot Julie en Summer door de voordeur van Broome Park naar buiten waren gekomen. Voorzichtig glurend om niet gezien te worden, keek hij toe hoe ze aan de andere kant van het parkeerterrein in hun auto stapten en naar de uitgang reden. Hij startte zijn zwarte Kawasaki motor en tufte zachtjes achter hen aan, waarbij hij de afstand tot de wegrijdende auto zo groot mogelijk hield. Toen hij Julie de weg naar Dover zag inslaan, liet hij eerst een paar auto's passeren alvorens hij de achtervolging inzette, er steeds voor zorgend dat de groene auto net niet uit het zicht verdween.

27

Het moderne Dover is een drukke havenstad, die vooral bekend is vanwege de veerdienst naar Calais en de wereldberoemde witte kalkklippen langs de kust iets ten oosten van de stad. Julie reed het historische centrum in, waar ze stopte om de weg te vragen. Dorchester Lane lag op een paar blokken van de waterkant en bleek een rustige straat met stenen rijtjeshuizen uit het einde van de negentiende eeuw. Nadat ze de auto onder een hoge berk had geparkeerd, liepen de vrouwen de keurig schoongeveegde stoeptreden naar nummer veertien op en belden aan. Na lang wachten werd er opengedaan door een slonzige vrouw van in de twintig met een slapende baby op haar arm.

'O, het spijt me verschrikkelijk dat ik stoor,' fluisterde Julie. 'Hopelijk hebben we de baby niet gewekt.'

De vrouw schudde glimlachend haar hoofd. 'Deze slaapt dwars door een concert heen van U2 als het moet.'

Julie stelde hen voor. 'We zoeken naar iemand die lang geleden op dit adres heeft gewoond. Een zekere Norman Wingate.'

'Dat was mijn opa,' antwoordde de vrouw opeens geïnteresseerd. 'Ik ben Ericka Norris. Wingate was de meisjesnaam van mijn moeder.'

Julie keek Summer ongelovig glimlachend aan.

'Wilt u niet even binnenkomen?' bood Norris aan.

De jonge vrouw bracht hen naar een eenvoudig, maar knus ingerichte huiskamer, waar ze zelf met haar slapende baby in een schommelstoel ging zitten.

'U hebt een leuk huis,' zei Julie.

'Mijn moeder is hier opgegroeid. Ze heeft wel eens verteld dat opa het vlak voor de Eerste Wereldoorlog had gekocht. Ze heeft hier vrijwel haar hele leven gewoond, nadat zij en pa het van hem hadden gekocht.'

'Leeft ze nog?'

'Ja, en ze is nog fit voor een vrouw van vierennegentig. We hebben haar een paar maanden geleden naar een bejaardentehuis moeten verhuizen, want daar is de verzorging voor haar toch beter. Toen de baby op komst was, stond ze erop dat we bij haar introkken. Nu hebben we eindelijk wat meer ruimte voor onszelf.'

'Maar uw moeder zou ons misschien wel kunnen helpen,' zei Julie. 'We zijn op zoek naar een paar spullen uit de oorlog die uw opa misschien nog in zijn bezit had.'

Norris dacht even diep na. 'Ma had uiteindelijk alle spullen van mijn grootouders,' zei ze. 'Ik weet wel dat ze in de loop der tijd het meeste heeft weggedaan. Maar in de kinderkamer liggen nog wat oude boeken en foto's die u van mij rustig even mag inkijken.'

Voorzichtig liep ze voor hen uit een trap op, en bracht hen naar een lichtblauwe kamer met een houten wieg tegen een van de muren. Ze legde de baby behoedzaam in de wieg, waar hij een kreetje slaakte voordat hij weer wegdoezelde.

'Kijk, hier liggen de spullen van mijn opa,' fluisterde ze terwijl ze op een hoge houten kast afliep. De planken stonden vol met oude boeken in linnen banden achter zwart-witfoto's van mannen in uniform. Julie pakte een van de foto's, waarop een jongeman naast Lord Kitchener stond.

'Is dit uw opa?'

'Ja, met Lord Kitchener. Hij was in de oorlog het hoofd van het hele leger. Wist u dat?'

Julie glimlachte. 'Ja. Voor hem zijn we uiteindelijk ook hier.'

'Opa had het er vaak over dat hij samen met Kitchener was gestorven als hij mee was gegaan op zijn schip naar Rusland. Maar zijn vader was ernstig ziek en Kitchener had hem verlof gegeven.'

'Ericka, we hebben een brief van uw opa gevonden waarin hij zegt dat Kitchener hem zijn persoonlijke dagboek in bewaring had gegeven,' zei Julie. 'Naar dat dagboek zijn we op zoek.'

'Als opa het inderdaad had, moet het hier zijn. Kijk zelf, als u wilt.'

Julie had Kitcheners eerdere dagboeken gelezen. Dat waren allemaal boekjes met een harde kaft. Ze liet haar blik over de planken gaan en verstijfde toen ze op de bovenste plank een op dezelfde wijze ingebonden boekje zag staan.

'Summer... kun jij bij dat kleine blauwe boekje daarboven?' vroeg ze zenuwachtig.

Op haar tenen staand kon Summer er net bij. Ze pakte het boekje en gaf het aan Julie. Het hart bonsde haar in de keel toen de historica zag dat er geen titel op de rug of de voorkant stond. Lichtjes trillend sloeg ze het kaft open en vervolgens de titelpagina. In een keurig handschrift stond daar:

Dagboek van H.H.K.
1 Jan., 1916'

'Dit is 't!' riep Summer terwijl ze nog naar de pagina staarde.

Julie sloeg een bladzijde om en begon de eerste notities te lezen, waarin de auteur beschreef dat hij moeite had gedaan voor een verhoging van de vergoedingen voor nieuw aangeworven soldaten. Ze bladerde snel door naar de laatste notitie ongeveer halverwege het boek met als datum 1 juni 1916. Daarna klapte ze het boek dicht en keek hoopvol op naar Norris.

'De historici zijn al heel lang op zoek naar dit verloren gewaande dagboek,' zei ze zachtjes.

'Als het zo belangrijk voor u is, ga uw gang en neem 't maar mee,' reageerde Norris met een gebaar naar het boek alsof het haar echt niets deed. 'Hier is niemand van plan om er binnenkort in te gaan lezen,' vervolgde ze, terwijl ze glimlachend naar haar slapende kind keek.

'Ik zal het aan de Kitchener collectie van het Broome Park in bruikleen geven, voor het geval u ooit van mening verandert.'

'Ik weet zeker dat opa het fantastisch zou vinden dat er nog mensen rondlopen met belangstelling voor Kitchener en "de Grote Oorlog", zoals hij het noemde.'

Julie en Summer bedankten de jonge moeder voor het dagboek, waarna ze zachtjes op hun tenen de trap af en het huis uit liepen.

'Jouw omweg naar Dover is onverwachts een heel gelukkige keuze gebleken,' zei Julie glimlachend terwijl ze in de auto stapten.

'Volharding is nooit voor niks,' reageerde Summer.

In haar opwinding over hun ontdekking merkte Julie niets van de motorrijder die hen van de Dorchester Lane de hele weg naar Canterbury volgde, er steeds zorgvuldig voor zorgend dat er een paar auto's tussen hen in zaten. Terwijl Julie reed, bladerde Summer door het dagboek en las af en toe een interessant fragment hardop voor.

'Moet je dit horen,' zei ze. '"Drie maart. Kreeg een onverwachte brief van de aartsbisschop van Canterbury met het verzoek om het Manifest te mogen inzien. Er is nu kennelijk toch uit de school geklapt, maar hoe, dat weet ik niet. Wijlen dr. Worthington heeft me levenslange geheimhouding beloofd, maar misschien heeft hij dat na zijn dood niet volgehouden. Geeft niet. Met het risico dat ik me zijn woede op de hals heb gehaald, heb ik het verzoek van de aartsbisschop afgewezen in de hoop zo de kwestie te kunnen vertragen tot we weer in vrede leven."'

'Dr. Worthington, zeg je?' vroeg Julie. 'Dat was in het begin van de vorige eeuw een bekende archeoloog uit Cambridge. Hij heeft een aantal belangrijke opgravingen in Palestina geleid, als ik het me goed herinner.'

'Dat zou wel heel toevallig zijn,' reageerde Summer, terwijl ze doorbladerde. 'Maar Kitchener had gelijk dat de aartsbisschop daar niet blij mee was. Twee weken later schrijft hij: "Vanochtend gebeld door bisschop Lowery van Portsmouth, namens aartsbisschop Davidson. Hij gaf mij uitvoerig te verstaan dat het bijzonder op prijs werd gesteld wanneer ik het Manifest voor het welzijn van de hele mensheid aan de anglicaanse Kerk zou schenken. Daarbij vergat hij echter te vermelden wat de Kerk met het document van plan is. Vanaf het eerste begin had ik mijn hoop op een goedgezinde waarheidsvinding gevestigd. Helaas is het nu duidelijk dat de Kerk uit angst reageert en hun oorspronkelijke doel uit het oog verliest en geheimhoudt. In hun handen zou het Manifest voor het nageslacht verborgen blijven. Dit kan ik niet toestaan en dat heb ik bisschop Lowery tot zijn immense teleurstelling laten weten. Hoewel het er nu nog niet de tijd voor is, zal een publiekelijke openbaarmaking van het Manifest de hele mensheid een vonkje hoop bieden."'

'Hij maakt het Manifest zo wel heel erg belangrijk,' zei Julie. 'En nu heeft ook bisschop Lowery zijn intrede gedaan. Zijn cryptische brief aan Davidson in juni is zo een stuk begrijpelijker.'

'Kitchener gaat er niet erg gedetailleerd op in, maar zijn wantrouwen jegens de Kerk blijft groeien,' zei Summer. 'In april schrijft hij: "De plannen voor het zomeroffensief in Frankrijk zijn vrijwel gereed. De voortdurende pesterijen van de volgelingen van de aartsbisschop zijn niet meer te harden. Premier heeft mijn verzoek om beveiliging gehonoreerd. Gelukkig hoefde ik niet te specificeren waarom."'

'En hier verschijnen onze vrienden Wingate en Stearns dus ten tonele,' merkte Julie op.

Terwijl Summer nog wat in het boekje bladerde, bereikten ze de buitenwijken van Canterbury.

'Zijn aantekeningen van april en mei zijn vrijwel volledig aan de voorbereidingen van de oorlog gewijd en af en toe een vrij weekend met familie op Broome Park. Hé, wat staat hier: "Vijftien mei. Kreeg weer eens een dreigende bisschop Lowery aan de telefoon. Met dat schandelijke gedrag van hem had hij het land beter gediend als hoofd van de militaire inlichtingendienst dan als hoofd van het bisdom Portsmouth." En een dag later schrijft hij: "Op straat lastiggevallen door een mij onbekend lid van de a. Kerk, die het Manifest opeiste. Korporaal Stearns heeft het opdringerige sujet zonder verdere ophef weggewerkt. Ik begin spijt te krijgen dat ik dat verdomde ding in '77 heb ontdekt... of het vorig jaar door dr. Worthington heb laten ontcijferen. Wie had ooit gedacht dat een oud vodje papyrus, dat we tijdens ons verblijf in Palestina van een bedelaar hebben gekocht, zulke consequenties kon hebben?"'

Summer sloeg de bladzijde om. 'Kun jij daar iets mee?'

Julie dacht terug aan wat ze eerder over Kitchener had geschreven. 'Dit is ver voor zijn beroemde heroïsche optreden in Khartoem. In 1877 was hij volgens mij in het Midden-Oosten gestationeerd. Ongeveer in deze tijd nam hij de leiding over van verkenningstroepen in Noord-Palestina, in het kader van het door koningin Victoria in het leven geroepen Palestine Exploration Fund.'

'Werkte hij toen als verkenner?'

'Ja, en hij nam de leiding over die verkenningsploeg over toen de commandant ervan ziek werd. Ze leverden eersteklas werk af, hoewel ze diverse keren door lokale Arabische stamhoofden werden bedreigd. Veel van de gegevens die ze toen verzamelden werden nog tot in de jaren zestig van de vorige eeuw gebruikt. Wat Kitchener betreft, in die tijd doorkruiste hij dus het hele Midden-Oosten en het is onmogelijk te zeggen waar hij dat Manifest nu precies vandaan heeft. Helaas is hij pas vele jaren later die dagboeken gaan bijhouden.'

'Als het een document op papyrus is, moet het heel erg oud zijn.' Summer kwam aan het einde van het dagboek en stuitte op een aantekening die hij eind mei had gemaakt.

'Julie, hier staat 't,' zei ze verbluft. 'Hij schrijft: "Kreeg weer zo'n onheilspellende waarschuwing van de aartsbisschop. Ik moet zeggen, als ze hun zinnen op iets hebben gezet, schrikken ze werkelijk nergens meer voor terug. Ik twijfel er niet aan dat ze al stiekem een kijkje in Broome Park zijn wezen nemen. Mijn reactie zal ze hopelijk een tijdje koest houden. Ik heb ze verteld dat ik het Manifest mee naar Rusland zal nemen om het daar aan de orthodoxe Kerk in Petrograd te leen te geven met het verzoek of zij het tot het einde van de oorlog in beveiligde bewaring willen houden. Wat zouden ze kwaad zijn als ze wisten dat ik het in werkelijkheid tot mijn terugkomst aan Sally in bewaring heb gegeven, onder het toeziend oog van Emily."'

'Dus hij heeft het niet meegenomen naar Rusland,' concludeerde Julie met een van opwinding krassende stem.

'Kennelijk niet. Het gaat nog verder. Op één juni schrijft hij: "Mijn laatste aantekening voorlopig. Er zijn overal loerende ogen, zo lijkt het. Ik ben niet gerust op de komende reis, maar het is van cruciaal belang dat de

Russen aan onze kant blijven en geen eenzijdige wapenstilstand met Duitsland sluiten. Zal dit dagboek bij korporaal Wingate in veilige bewaring geven. H.H.K.'"

'Ik heb in andere verslagen gelezen dat hij zich niet op zijn gemak voelde toen hij vertrok en erg leek op te zien tegen die reis,' zei Julie. 'Hij moet een voorgevoel hebben gehad.'

'Kennelijk, anders had hij het dagboek niet achtergelaten. Maar de grote vraag is nu: wie was Sally?'

'Ze moet een betrouwbaar iemand geweest zijn, maar ik geloof niet dat ik in mijn onderzoek naar Kitchener ooit de naam Sally ben tegengekomen.'

'Niet een oude secretaresse, of misschien de vrouw van een collega-officier?' vroeg Summer.

Julie schudde haar hoofd.

'Of de bijnaam van een van zijn naaste medewerkers?'

'Nee. Je zou toch denken dat er ergens in zijn correspondentie een verwijzing moet zijn, maar ik kan 't me niet herinneren.'

'Het lijkt me niet logisch dat hij een oppervlakkige kennis het document zou toevertrouwen. En die andere naam: Emily?'

Julie dacht een ogenblik na, terwijl ze wachtte tot ze een rotonde op kon rijden, vanwaar ze de afslag naar het centrum van Canterbury nam.

'Ik herinner me zelfs twee Emily's. Kitcheners grootmoeder van moederskant heette Emily, maar zij was in 1916 allang dood. Daarnaast had hij een oudere broer die een kleindochter had die Emily heette. Als we in het hotel zijn, zal ik in mijn stamboomonderzoek nakijken wanneer ze geboren is. Haar vader, een neef van Kitchener, heette Hal. Hij kwam vrij regelmatig op Broome Park.'

'Dus de jongere Emily is in feite een nichtje van Aldrich?' vroeg Summer.

'Ja, dat klopt dan. Misschien kan Aldrich ons morgenochtend meer over haar vertellen.'

Ze hadden inmiddels het centrum van de stad bereikt en Julie reed langzaam langs de beroemde kathedraal van Canterbury met de bedoeling dat Summer die goed kon bekijken. Een paar straten verderop parkeerde ze bij het Chaucer Hotel, een van de vele eenvoudige hotelletjes van de stad. Nadat ze in twee aangrenzende kamers hun intrek hadden genomen, gingen de vrouwen samen eten in het restaurant van het hotel. Summer verslond een groot bord fish-and-chips en merkte nu pas hoe hongerig ze was na zo'n lange excursiedag. Julie deed wat dat betreft niet voor haar onder en werkte een flink bord pasta naar binnen.

'Als jij ook het eten wat wil laten zakken, kunnen we een wandelingetje naar de kathedraal maken,' stelde Julie voor.

'Ik stel je aanbod voor een rondleiding erg op prijs,' antwoordde Summer, 'maar om eerlijk te zijn besteed ik de tijd die we hebben liever aan het dagboek van Kitchener.'

Julie reageerde stralend op dat antwoord. 'Ik hoopte dat je dat zou zeggen. Al sinds we in het hotel zijn, zit ik te popelen om het beter te bekijken.'

'Bij de lobby is een rustige lounge. Zullen we daar thee bestellen en het dagboek nog eens doornemen? Dan maak ik aantekeningen, terwijl jij nu voorleest,' vervolgde ze glimlachend.

'Dat is prima,' stemde Julie in. 'Ik ga meteen het dagboek en een notitieboekje uit mijn kamer halen en dan ontmoeten we elkaar weer hier.'

Ze liep de trap op naar de tweede verdieping en ging haar kamer binnen, maar aarzelde toen ze zag dat al haar papieren over het bed verspreid lagen. Op hetzelfde moment floepte het licht uit en sloeg de deur achter haar dicht. Er kwam een schaduw op haar af en ze wilde gillen, maar een gehandschoende hand bedekte haar mond voordat er geluid uit kwam. Een andere arm gleed om haar middel en drukte haar stevig tegen de overvaller aan die dikke gevoerde kleding droeg. Vervolgens hoorde ze een zware grommende stem in haar oor.

'Eén kik en je ziet de zon nooit meer opgaan.'

28

In de lounge wachtte Summer twintig minuten voordat ze naar Julie's kamer belde. Toen er niet werd opgenomen, wachtte ze nog vijf minuten, waarna ze naar boven liep en op haar deur klopte. Haar bezorgdheid nam nog toe toen ze het bordje NIET STOREN aan de deurknop zag hangen. Verderop in de gang vond ze een kamermeisje bezig met het schoonmaken van andere kamers en ze wist haar over te halen samen in Julie's kamer te gaan kijken. Nadat ze de deur had opengedaan en het licht aandeed, slaakte het kamermeisje een gil van schrik.

Julie zat met haar armen op haar rug op de grond en was met een laken aan het bed vastgebonden. Met een ander laken waren haar enkels bijeengebonden en over haar hoofd stak een kussensloop. Aan de wanhopig wrikkende bewegingen van haar armen en benen was te zien dat ze springlevend was.

Summer stormde langs het kamermeisje en rukte het kussensloop van Julie's hoofd. Julie's wijd opengesperde ogen keken Summer opgelucht aan, terwijl de Amerikaanse de knoop in de kous lostrok, die half in haar mond geprop om haar hoofd was gebonden.

'Ben je gewond?' vroeg Summer, die vervolgens het laken om Julie's armen losmaakte.

'Nee... ik ben oké,' stamelde ze terwijl ze tegen de tranen vocht die van angst en opluchting in haar ogen opwelden. 'Alleen wat geschrokken.'

Maar ze had zichzelf snel weer onder controle en zei met vaste stem: 'Hij was eigenlijk niet zo ruw. Ik geloof niet dat hij me pijn wilde doen.'

'Was 't maar één man?'

Julie knikte.

'Heb je gezien hoe hij eruitzag?'

'Nee. Ik ben bang van niet. Ik denk dat hij zich in de badkamer had verstopt en daar ben ik voorbijgelopen. Hij deed het licht uit en trok daarna dat kussensloop over mijn hoofd. Ik heb geen idee hoe hij eruitzag. Ik herinner me alleen dat zijn kleren nogal bol leken of dik gevoerd.'

De hotelmanager verscheen, gevolgd door een tweetal agenten van de gemeentepolitie van Canterbury. Ze doorzochten de kamer en namen Julie, Summer en het kamermeisje een uitvoerig verhoor af. De historica had haar handtas in de kamer gelaten, maar die was door de dief niet meegenomen. Julie keek Summer geschrokken aan toen het tot haar doordrong dat er maar één ding uit de kamer werd vermist: het dagboek van Kitchener.

'Een typisch voorbeeld van een poging tot hotelinbraak,' hoorde Summer een van de agenten in de gang zeggen. 'Ze heeft hem duidelijk in de kamer verrast, waarop hij besloot om haar te boeien voordat hij vluchtte. Ik hoef u niet te vertellen dat er weinig kans is dat we die knakker te pakken krijgen.'

'Ja, helaas komt dit vaker voor,' reageerde de hotelmanager. 'Bedankt, rechercheur.'

De hotelmanager liep terug de kamer in en verontschuldigde zich tegenover Julie en beloofde dat er de hele nacht extra bewaking in de gang zou zijn. Nadat hij vertrokken was, bood Summer aan dat Julie in haar kamer zou slapen.

'Ja, als je 't niet erg vindt. Dan voel ik me wel prettiger, denk ik,' zei ze. 'Ik pak even mijn tandenborstel.'

Julie liep de badkamer in, waar ze plotseling om Summer riep.

'Julie, wat is er?' vroeg ze, terwijl ze kwam aangerend.

Julie wees met een grimmige trek op haar gezicht op een kleine spiegel boven de wastafel. De kamerdief had een waarschuwing achtergelaten, die hij met haar eigen roze lippenstift op de spiegel had geschreven. Kort en bondig stond er: LAAT K RUSTEN.

29

Toen Julie de volgende ochtend na een slechte nachtrust wakker werd, bleek dat haar angst en bezorgdheid waren overgegaan in verontwaardiging over wat haar was aangedaan. Nadat ze vroeg was opgestaan, merkte ze dat ze echt kookte van woede.

'Wie had kunnen weten dat zij het dagboek hadden ontdekt?' vroeg ze zich door de hotelkamer ijsberend hardop af. 'We hadden het zelf pas net gevonden.'

Summer was in de badkamer met haar haren bezig. 'Misschien wist hij ook wel niets van het dagboek af,' reageerde ze. 'Hij was waarschijnlijk alleen op zoek naar wat jij wist en dat hij het dagboek vond was puur toeval.'

'Dat zou kunnen. Maar waarom dan die waarschuwing? Wat zou er bijna een eeuw na Kitcheners dood zo belangrijk kunnen zijn dat iemand er nog zo bang voor is?'

Nadat ze een vleugje parfum had opgedaan, voegde Summer zich bij Julie in de slaapkamer. 'Eén ding is zeker. Het moet iemand zijn die meer weet dan wij over het Manifest of anders de ondergang van de Hampshire.'

'Of over allebei,' vulde Julie aan. Ze rook Summers parfum. 'Dat is een lekker geurtje,' zei ze.

'Dank je. Een cadeautje van een vriendje in British Columbia.'

'Die geur,' riep Julie opeens uit. 'Dat was ik bijna vergeten. De indringer die me gisteravond heeft vastgebonden, had zo'n typisch mannenparfum. Ik weet zeker dat 't hetzelfde geurtje was als van die vent die we in de Lambeth bibliotheek hebben ontmoet.'

'Meneer Baker, bedoel je die? Denk je dat hij het was?'

'Op het moment ben ik nergens helemaal zeker van, maar het zou hem geweest kunnen zijn. Hij begon over het dagboek. Herinner je je dat niet? Ik vond dat toen al een beetje raar.'

'Je hebt gelijk. Zodra we in Londen terug zijn, gaan we het bij de bibliotheek navragen,' zei Summer. 'Ik weet zeker dat zij de naam en het adres van die man hebben.'

Dit stelde Julie enigszins gerust, maar dat ze dit nu wisten maakte haar alleen maar ongeduriger.

'Eerst gaan we terug naar Broome Park om te horen wat Aldrich ons over zijn nichtje Emily kan vertellen.'

Na een haastig ontbijt in het hotel sprongen ze in de auto en gingen op weg naar Broome Park. Drie kilometer buiten Canterbury reed de auto met een bonk door een diepe put in de weg.

'Er is iets niet in orde,' zei Julie, die een heftige trilling in het stuur voelde.

De auto bonkte opnieuw door een kleiner gat in de straat en de inzittenden voelden een plotselinge ruk gevolgd door het gierende geluid van schurend metaal. Summer keek geschrokken naar buiten en zag het rechtervoorwiel voor de auto uit de berm van de weg inrollen. Op hetzelfde moment zwenkte de auto scherp naar rechts, de baan van het tegemoetkomende verkeer op. Julie rukte het stuur uit alle macht naar links, maar dat had geen effect.

De wielloze rechternaaf boorde zich in een regen van vonken in het asfalt, waarop de auto een draai met de klok mee maakte. De overige drie banden slipten gierend en rokend over het wegdek, terwijl de auto om zijn as tolde en ten slotte achteruit van de weg schoot. Door de berm hobbelend gleed de auto over een strook gras tot hij tegen een lage verhoging tot stilstand kwam. Nadat de stofwolken waren opgetrokken zette Julie de nog lopende motor af en wendde zich tot Summer.

'Alles goed?' vroeg ze nahijgend.

'Ja,' antwoordde Summer, eveneens diep in- en uitademend. 'Dat is schrikken. Ik geloof dat we nog behoorlijk geluk hebben gehad.'

Ze zag dat Julie lijkbleek was en haar handen nog stijf om het stuur had geklemd.

'Dit heeft hij gedaan,' zei ze zachtjes.

'Nou, als dat zo is, dan zal hij 't toch een stuk beter moeten aanpakken als hij ons uit de weg wil hebben,' reageerde Summer uitdagend in de hoop zo Julie een beetje op te vrolijken. 'Eerst maar eens kijken of we dit ding weer op de weg kunnen krijgen.'

Terwijl ze de deur opende, kwam er over de weg een zwarte motorfiets aan gescheurd. De motorrijder nam iets gas terug en wierp een aandachtige blik op de gestrande auto. Vervolgens draaide hij het gas weer ver open en spoot er met een rotgang vandoor.

'Vooral niet helpen, hoor,' verzuchtte Summer, terwijl het zwarte silhouet om een bocht uit het zicht verdween.

Ze liep naar de weg en vond het losse wiel terug in de berm. Ze pakte het op en rolde het naar de auto. Julie was ook uitgestapt en zat met trillende handen op een grote kei. Summer opende de kofferbak en diepte er een krik uit op, die ze onder de voorbumper schoof. De bodem was hard en vrij vlak, waardoor het haar lukte de naaf los van de grond te krikken. Ondanks een paar diepe krassen en deuken kreeg ze het wiel erop, waarna ze het vastzette met drie wielmoeren die ze van de andere wielen had gekannibaliseerd. Tot slot controleerde ze of de moeren van alle vier de wielen stevig vastzaten, waarna ze de krik weer in de kofferbak opborg.

'Summer, wat doe je dat toch handig,' zei Julie. Ze was over de ergste schrik heen en haar handen trilden niet meer. 'Ik dacht dat we de wegenwacht moesten bellen.'

'Mijn vader heeft me geleerd hoe je aan oude auto's knutselt,' zei ze met een trotse glimlach. 'Hij zei altijd dat iedere vrouw een wiel moet kunnen verwisselen.'

Julie zag een vage kras op de achterbumper en gaf de autosleutels aan Summer.

'Vind je het heel erg om te rijden? Ik kan echt niet meer.'

'Helemaal niet,' antwoordde Summer. 'Als jij het niet erg vindt dat we de gaten in het wegdek nu iets rustiger nemen.'

Ze pakte de sleutels aan, stapte achter het stuur en startte de auto, waarna ze langzaam de weg weer opreed. Ze voelden verder geen vreemde trillingen meer en reden al spoedig het parkeerterrein van Broome Park op. De beide vrouwen liepen het landhuis in en troffen Aldrich in het atrium, waar hij croissantjes en thee serveerde. Toen ze hem even terzijde nam, zei Julie niets over wat hen zojuist was overkomen.

'Aldrich, ik vroeg me af of je ons iets kunt vertellen over Emily Kitchener?'

De ogen van de oude man begonnen te stralen. 'Natuurlijk. Emily was een schat van een vrouw. Ik heb gisteravond nog met een gast over haar gesproken. Ze vond het heerlijk om hier 's avonds door het park te wandelen en naar de nachtegalen te luisteren. Het is nauwelijks te geloven dat ze alweer tien jaar dood is.'

'Woonde ze hier op het landgoed?' vroeg Summer.

'Jazeker. Mijn vader nam haar in huis nadat haar man bij een treinongeluk om het leven was gekomen. Dat moet rond 1970 zijn geweest. Ze woonde in wat nu de Windsor Suite is, op de bovenste verdieping.'

'Weet je toevallig of ze een vriendin of een kennis had die Sally heette?' vroeg Julie.

'Nee, ik ken eigenlijk helemaal geen Sally, voor zover ik me kan herinneren,' antwoordde hij.

'Heeft ze ooit iets gezegd over documenten of papieren die ze van Lord Kitchener zou hebben gekregen?' informeerde Summer.

'Tegenover mij heeft ze het daar nooit over gehad. Ze was natuurlijk nog heel jong toen de graaf stierf. Je mag best in haar spullen kijken, als je dat wilt. Er staan nog een paar dozen met spullen van haar in de kelder.'

Summer keek Julie met een bemoedigende blik aan.

'Als het jou niet ongelegen komt, graag,' zei Julie tegen Aldrich.

'Helemaal niet. Ik zal jullie nu meteen laten zien waar het staat.'

Aldrich leidde hen door zijn privéverblijf naar een afgesloten deur die toegang gaf tot een trap. Onder aan de trap kwamen ze in een slecht verlichte kelder, die in feite niet veel meer was dan een brede gang die onder een gedeelte van het huis doorliep. Langs beide muren stonden oude houten kratten en stoffige meubels opgestapeld.

'Die oude meubels zijn voor het grootste deel van de graaf geweest,' legde Aldrich uit, terwijl hij hen voorging door de gang. 'Ik geloof dat ik hoognodig weer eens een veiling moet organiseren.'

Aan het einde van de gang bereikten ze een stevige deur die met een brede schuif was vergrendeld.

'Oorspronkelijk was dit een extra provisiekast,' zei hij en hij stak zijn hand uit om de grendel open te schuiven tot hij zag dat die al open was. 'Die was altijd goed afgesloten tegen de ratten.'

Met een draaiknop aan de buitenkant deed hij het licht aan, waarna hij een handvat beetpakte en de zware deur opentrok, die toegang gaf tot een ongeveer drie meter lange ruimte met aan beide kanten planken langs de muur en een houten kast aan het andere uiteinde. De planken stonden vol kartonnen dozen met documenten en boedelbeschrijvingen.

'De spullen van Emily moeten hierbeneden staan,' zei hij, terwijl hij naar achteren doorliep en op een plank wees waarop drie dozen met het opschrift E.J. KITCHENER stonden.

'Emily Jane Kitchener,' zei Aldrich. 'Het is waarschijnlijk het makkelijkst als jullie de dozen gewoon hier inkijken. Jullie vinden de weg zelf wel terug, hè?'

'Dank je, Aldrich, dat zal wel lukken,' antwoordde Julie. 'Als we klaar zijn sluiten we de boel af.'

'Ik zou het leuk vinden als jullie vanavond blijven eten. We gaan vis barbecueën in de tuin.' Daarna draaide de oude huisbewaarder zich om en slofte de provisiekast uit.

Summer keek hem glimlachend na. 'Wat een schattig mannetje toch,' zei ze.

'Een ouderwetse gentleman,' vond ook Julie, terwijl ze twee dozen over de plank naar zich toe trok. 'Aan het werk, één voor jou en één voor mij.'

Summer stapte naar voren en klapte de doos open, die niet verzegeld bleek. In de doos lag alles door elkaar, alsof de spullen er haastig waren ingegooid of er later nog iemand in had gewoeld. In zichzelf glimlachend trok ze er een babydekentje uit tevoorschijn dat ze op een lege plank legde. Ernaast legde ze nog wat kinderkleertjes, een grote pop en diverse porseleinen beeldjes. Op de bodem van de doos vond ze nog wat sieraden en een boek met kinderversjes.

'Doos nummer één zit vol herinneringen aan haar kinderjaren,' zei ze, terwijl ze de doos weer zorgvuldig inpakte. 'Niets van belang, vrees ik.'

'Bij mij is 't niet veel beter,' reageerde Julie, die een paar met lovertjes versierde laarsjes op de plank zette. 'Voornamelijk schoenen, truien en een stel avondjurken.' Van de bodem plukte ze een plat bord van een servies. 'En wat aangeslagen zilverwerk.'

De vrouwen schoven de dozen terug op hun plaats en openden samen de derde doos.

'Dit ziet er veelbelovender uit,' zei Julie en viste er een dun bundeltje brieven uit.

Terwijl zij de brieven vluchtig doorlas, bekeek Summer de overige inhoud van de doos. Het waren vooral lievelingsboeken van Emily en een paar ingelijste foto's van haarzelf en haar man. Op de bodem van de doos vond Summer een grote envelop vol oude foto's.

'Dit is ook niks,' zei Julie, nadat ze de laatste brief had bekeken en in de envelop had teruggestopt. 'Het zijn allemaal brieven van haar man. Geen woord over onze geheimzinnige dame. Ik vrees dat de mysterieuze Sally voor altijd een mysterie zal blijven.'

'We wisten dat de kans niet groot zou zijn,' reageerde Summer, terwijl ze de foto's uit de envelop haalde en naast elkaar op de plank legde. Het waren allemaal sepiakleurige kiekjes van bijna een eeuw oud. Julie hield een foto op van een jonge vrouw in paardrijkleding met de teugels van een paard in haar hand.

'Ze was een mooie vrouw,' merkte Summer op, terwijl ze in de fijne gelaatstrekken dezelfde priemende oogopslag ontdekte die ook voor haar beroemde oom zo kenmerkend was.

'Deze is met Kitchener,' zei Julie terwijl ze op een foto met een tuintafereel wees. Kitchener stond in zijn uniform naast een stel met hun jonge dochter die, met een grote pop in haar handen, in het midden stond. Summer herkende de peuter als een jongere versie van de Emily met het paard.

'Zo te zien is ze hier een jaar of vier,' zei Summer, terwijl ze de foto op-pakte en omdraaide om te kijken of er een datum achterop stond. Ze ver-slikte zich haast toen ze de handgeschreven tekst las.

'April 1916. Oom Henry en Emily met Sally op Broome Park.'

Ze duwde Julie de foto onder haar neus. Julie las de tekst, waarna ze hem omdraaide en het kiekje met opgetrokken wenkbrauwen bestudeerde.

'Maar dit zijn Emily en haar ouders. Haar moeder heette Margaret, ge-loof ik.'

Summer keek haar glimlachend aan. 'Sally is de pop.'

Tegen de tijd dat bij Julie het kwartje viel, had Summer de eerste doos met Emily's spullen al opengetrokken. Het volgende moment diepte ze er een blonde pop met een porseleinen gezicht en gekleed in een geruite schort uit op. Summer hield de pop op en vergeleek hem met die op de foto.

Het was dezelfde.

'Hij zei dat het Manifest bij Sally veilig was,' sputterde Julie. 'En Sally is een pop?'

De twee vrouwen bekeken de pop, waarvan de kleertjes en armen en benen nogal hadden geleden onder het intensieve spel van een meisje, bij-na honderd jaar geleden. Met tastende vingers draaide Summer de pop om en trok de geruite schort en het bijpassende jurkje uit. Over de rug van de pop liep een brede naad die vrij grof en onregelmatig was dichtgenaaid, wat nogal afweek van het vakmanschap waarmee de rest van de pop was afgewerkt.

'Dit lijkt niet het werk van een geschoolde naaister,' merkte Summer op.

Julie wroette in de inhoud van een van de andere dozen en haalde er een aangeslagen zilveren tafelmes uit.

'Doe jij de operatie?' vroeg ze zenuwachtig, terwijl ze het mes aan Sum-mer gaf.

Summer legde de pop met het gezicht omlaag op de plank en sneed de bovenste steek door. Het botte mes had moeite met de sterke kattendarm-draad, maar ten slotte kreeg ze een paar steken los. Nadat ze het mes had weggelegd, trok ze de rest van de draad weg en klapte de achterkant van de pop open, die met dikke katoenen proppen was gevuld.

'Sorry, Sally,' zei ze, voorzichtig door het vulsel woelend alsof de pop een levend wezen was. Julie keek nieuwsgierig over Summers schouder mee, maar wendde zich weer af toen ze zag dat er in het lijf van de pop al-leen maar katoenen vulsel zat. Ze sloot haar ogen en schudde haar hoofd toen Summer er een grote prop uithaalde.

'Dit slaat nergens op,' mompelde ze.

Maar Summer was nog niet klaar. Ze tuurde in de holte en woelde er met haar vingers in.

'Wacht eens, ik geloof dat ik hier iets voel.'

Julie keek met wijd opengesperde ogen toe hoe Summer in het linkerbeen van de pop tastte en iets te pakken kreeg. Summer wrikte het los en trok een in een linnen doek gewikkeld rolletje van een kleine tien centimeter lang tevoorschijn. Julie leunde over Summer heen, terwijl ze het pakketje op de plank legde en het voorzichtig uit de doek wikkelde. Het bleek een dik, strak opgerold stuk perkament. Met ingehouden adem drukte Summer de bovenrand omlaag en ontrolde het perkament over de plank.

Het perkament bleek niet beschreven. Maar ze zagen dat het een beschermlaag was voor een kleinere rol eronder. Het was een bamboekleurig papyrusblad met in het midden één beschreven kolom.

'Dit... dit moet het Manifest zijn,' zei Julie zachtjes met haar ogen strak op het oude document gericht.

'Het lijkt geschreven in een heel oud schrift,' merkte Summer op.

Julie staarde naar de letters, die haar bekend voorkwamen. 'Het lijkt erg op Grieks,' zei ze, 'maar verder is het nieuw voor mij.'

'Het is hoogstwaarschijnlijk koptisch Grieks,' bulderde een mannenstem achter hen.

De vrouwen sprongen geschrokken op en keken om naar de deur, waar ze tot hun verbijstering Ridley Bannister in de opening zagen staan. Hij droeg een dik gevoerd, zwart leren jack met bijpassende broek, kleding die vooral bij coureurs op crossmotoren populair is. Maar geen van beide vrouwen viel deze ongebruikelijke kleding op. Hun aandacht was volledig op de korte loop van de revolver gevestigd die hij op hen gericht hield.

30

'Jij bent de man die mij in het hotel heeft overvallen!' riep Julie, die nu ook de leren kleding zag.

'Overvallen is nogal overdreven uitgedrukt,' reageerde Bannister luchtigjes. 'Ik hou het er liever op dat we gewoon wat onderzoeksresultaten hebben uitgewisseld.'

'Gestolen, bedoel je,' zei Summer.

Bannister keek haar gekweld aan. 'Helemaal niet,' zei hij. 'Uitsluitend geleend. Boven zullen jullie zien dat het dagboek een nieuw plekje tussen de overige persoonlijke papieren van Kitchener heeft gevonden.'

'Ach, een dief met berouw,' reageerde Summer sarcastisch.

Bannister ging er niet op in.

'Ik moet wel zeggen dat ik diep onder de indruk ben van je speurtalent,' zei hij terwijl hij Julie aankeek. 'Het leren dagboek was een geweldige vondst, hoewel de aantekeningen van de graaf nou niet bepaald boeiend bleken. Maar het opsporen van Sally, dat is helemaal een prestatie.'

'We zijn gewoon niet zo slordig als jij,' zei Summer.

'Oké, prima, ik had nu eenmaal niet zoveel tijd voor het bekijken van Emily Kitcheners spulletjes. Maar hoe 't ook zij, topklasse. Ik ben er tien jaar geleden met minder succes naar op zoek geweest.' Hij hief het pistool op en gebaarde ermee.

'Als de dames zo vriendelijk zouden willen zijn om een paar passen naar achteren te doen. Ik wil graag het Manifest met me meenemen.'

'Lenen?' vroeg Julie.

'Deze keer niet, ben ik bang,' antwoordde Bannister met een slangachtig glimlachje.

Julie tuurde naar de rol, voordat ze langzaam een stap achteruit deed.

'Vertel ons eerst wat er nou zo belangrijk is aan dat Manifest?' vroeg ze.

'Zolang de authenticiteit ervan niet vaststaat, kan niemand daar iets van zeggen,' zei Bannister, terwijl hij een paar passen naar voren sloop om het in perkament verpakte papyrusvel weg te grissen. 'Het is gewoon een oud document waarvan sommigen schijnen te denken dat het de verhoudingen tussen de godsdienstige machthebbers danig op zijn kop kan zetten.' Hij greep de rol met zijn vrije hand en schoof hem voorzichtig in een binnenzak van zijn jas.

'Is Kitchener hier willens en wetens voor om het leven gebracht?' vroeg Julie.

'Ik ga er wel van uit. Maar daarvoor moet je bij de anglicaanse Kerk zijn. Het was leuk om jullie weer eens te zien, dames,' zei hij achteruitlopend, 'maar ik moet nog een vliegtuig halen.'

Hij stapte de provisiekast uit en begon de deur dicht te doen.

'Sluit ons hier alsjeblieft niet op,' smeekte Julie.

'Maak je geen zorgen,' reageerde Bannister. 'Ik zal Aldrich over een dag of wat opbellen en vertellen dat er een stel lekkere meiden in zijn kelder opgesloten zitten. Vaarwel.'

De deur sloeg met een doffe dreun dicht, gevolgd door het geluid van de grendel die werd dichtgeschoven. Daarna draaide Bannister het licht in de provisiekamer uit. Stilletjes sloop hij terug naar Aldrich' privévertrekken, waar hij even stilhield om de ongeladen Webley terug te leggen in de glazen vitrine met Kitcheners oorlogssouvenirs, waaruit hij hem een paar minuten eerder had geleend. Nadat hij had gewacht tot er niemand in de lobby was, glipte hij ongezien het landhuis uit en stapte even later op zijn gehuurde motorfiets.

Drie uur later belde hij vanuit een telefooncel op Heathrow Airport met het hoofd van de beveiliging van Lambeth Palace.

'Judkins, met Bannister.'

'Bannister,' reageerde de beveiliger op scherpe toon. 'Ik zit al de hele tijd op je te wachten. Heb je die mevrouw Goodyear gevonden?'

'Ja. Samen met een Amerikaanse zat ze in Broome Park in de documenten van Kitchener te neuzen. En daar is ze nog, als je 't precies wilt weten.'

'Gaan we daar nog problemen mee krijgen?'

'Nou, ze zijn wat wantrouwig en zaten beslist ook op het goede spoor.'

'Maar hebben ze iets waarmee ze ons nog kunnen dwarszitten?' vroeg de beveiliger ongeduldig.

'O nee,' antwoordde Bannister, waarbij hij breeduit grijnzend op zijn binnenzak klopte. 'Zij hebben niets. Helemaal niets.'

31

Het was pikkedonker in de afgesloten provisiekamer. Summer greep een plank beet om zich in evenwicht te houden terwijl ze wachtte tot haar ogen aan de plotselinge duisternis gewend waren. Maar zonder het minste spoortje licht, was er niets te zien. Ze herinnerde zich dat ze haar mobieltje bij zich had en haalde het uit haar zak. Het display verspreidde een vaalblauwe gloed.

'Hier is geen bereik, vrees ik, maar we hebben nu tenminste iets van licht,' zei ze.

Met de telefoon als zaklamp liep ze naar de deur, waar ze eerst met haar schouder tegenaan duwde en vervolgens een paar harde trappen tegen gaf. De dikke deur gaf geen krimp en ze begreep dat zelfs een sumoworstelaar hem niet uit de zware grendel zou kunnen tillen. Ze liep terug naar Julie en keek, toen ze het telefoonlicht op haar richtte, in een angstig gezicht.

'Ik vind dit helemaal niet leuk,' zei Julie met een trillende stem. 'Ik zou het liefst gaan gillen.'

'Hé, Julie, dat is niet zo'n gek idee. Waarom eigenlijk niet?'

Summer hief haar hoofd naar het plafond en slaakte een luide gil. Julie viel haar onmiddellijk bij, waarna ze om beurten om het hardst om hulp schreeuwden.

Maar het gegil klonk gedempt door de dikke deur maar heel zacht tot boven door. De paar gasten die wel iets van het ver verwijderde ge-schreeuw hoorden, dachten dat het iemand was die zijn iPod te hard had aanstaan. En tot de bejaarde oren van Aldrich drong het geluid al helemaal niet door.

De vrouwen pauzeerden even, waarna ze het opnieuw probeerden. De minuten verstreken zonder dat er een reactie kwam en ten slotte moesten ze zich erbij neerleggen dat ze niet werden gehoord. Toch had het gillen wel als een afleiding gewerkt en verdreef het enigszins de angst van het op-gesloten zijn. Vooral Julie, die bijna haar bezinning had verloren, kwam weer een beetje tot zichzelf.

'Ik denk dat we het ons maar beter gemakkelijk kunnen maken, als we hier toch een tijdje moeten blijven,' zei ze, waarna ze een grote doos op de grond zette om als stoel te gebruiken. 'Denk je dat hij Aldrich ook echt gaat bellen?' vroeg ze somber.

'Ik verwacht het wel,' antwoordde Summer. 'Hij gedroeg zich niet als een gewetenloze moordenaar en het leek me ook geen psychopaat.' Diep vanbinnen was ze daar echter niet zo zeker van.

'Persoonlijk zou ik liever niet op Aldrich wachten,' vervolgde ze. 'Misschien zit er ergens in deze dozen iets waar we de deur mee open krijgen.'

In het zwakke schijnsel van haar mobieltje begon ze een stel andere dozen te doorzoeken. Maar het werd al snel duidelijk dat er in de voormalige provisiekamer alleen papieren, kleren en wat andersoortige persoonlijke bezittingen waren opgeslagen. Algauw trok ze een doos naast die van Julie en ging zitten.

'Het ziet ernaar uit dat we hier voor een ontsnapping alleen een mooie garderobe ter beschikking hebben.'

'Nou, dan hebben we in ieder geval iets wat we aan kunnen trekken tegen de kou,' zei Julie. 'Maar ik wou dat er iets te eten was.'

'Ik ben bang dat de provisiekamer ons wat voedsel betreft weinig te bieden heeft,' reageerde Summer. Nadat ze hier even over had nagedacht, vroeg ze: 'Aldrich zei toch dat dit als een extra provisiekast was gebouwd?'

'Klopt,' bevestigde Julie. 'En godzijdank ook rattenvrij.'

'Julie, weet jij waar de grote keuken zich bevindt?'

De onderzoekster dacht een moment diep na. 'Ik ben er nooit in geweest, maar hij ligt naast de eetzaal aan de westkant van het woonhuis.'

Summer probeerde zich een voorstelling van de plattegrond te maken. 'We zijn hier aan de westkant, toch?'

'Ja.'

'Dus de keuken zou hier ergens boven ons moeten zijn?'

'Ja, dat moet dan wel. Waar wil je naartoe?'

Summer stond op en liep het vertrek op en neer, waarbij ze de muur achter de opslagdozen met het licht van haar mobiel bescheen. Zo werkte ze de hele muur af tot ze achter in de provisiekamer kwam, waar ze een rij van vier houten kastdeuren onderzocht die ze achter een stapel dozen ontdekte. Ze gaf de telefoon aan Julie met het verzoek haar bij te lichten.

'Als jij de kok van Kitchener was en een zak meel uit de provisiekamer nodig had, zou je die dan door het hele huis heen sjouwen?' vroeg ze, terwijl ze een stapel dozen opzijschoof. Vervolgens reikte ze naar de twee bovenste kastdeuren en probeerde ze open te trekken. Maar ze zaten stevig dicht.

'Het zijn nepdeuren,' zei Julie, die het licht ophield, terwijl Summer met haar nagels onder de rand van de deur wrikte. 'Probeer de deurtjes eronder.'

Julie schoof een doos op de grond opzij zodat Summer kon proberen of ze de onderste deuren open kon krijgen. Toen ze aan de rand trok, sprongen de beide deuren tot haar verbazing haast als vanzelf open. Erachter was een donkere lege ruimte.

'Schijn eens naar binnen,' stelde Summer voor.

Julie stak het mobieltje door het gat van de deuren. Het licht scheen op een groot plateau onder in de ruimte dat aan de achterkant vastzat aan een stellage. Aan de zijkant was een katrol zichtbaar met een strak touw eromheen dat door het bovendeel van de kast omhoogliep. Julie richtte het licht van de gsm omhoog en bescheen een hoge verticale schacht.

'Dit is een goederenlift,' zei Julie. 'Uiteraard. Maar hoe wist je dat?'

Summer haalde haar schouders op. 'Een aangeboren aversie tegen moeilijk doen als het ook makkelijk kan, of zo.'

Ze bekeek de kast nog eens aandachtig. 'Het is een beetje krap, maar ik denk dat we hem wel als lift kunnen gebruiken. Helaas zul je me het licht even terug moeten geven.'

'Je kunt daarmee niet naar boven,' zei Julie. 'Dan breek je je nek.'

'Maak je geen zorgen. Ik pas er precies in, denk ik.'

Summer nam de telefoon over en wrong haar lange benen door de opening, waarna ze ook de rest van haar lichaam naar binnen werkte tot ze met gekruiste benen op het plateau zat. Naast de katrol hingen een paar gerafelde touwen waaraan het plateau werd opgehesen, maar ze vertrouwde er niet op dat die haar gewicht zouden houden. Ze legde het mobieltje in haar schoot en zag dat er een dunne fietsketting om de katrol zelf liep. Vervolgens stak ze haar hoofd weer in de provisiekamer.

'Wens me geluk. Hopelijk zie ik je over een minuut of vijf bij de deur,' zei ze.

'Doe voorzichtig.'

Summer greep de ketting met beide handen beet en trok hem hard omlaag. Het plateau schoot meteen omhoog en Summer steeg de schacht in. Julie pakte snel een doos met kleren en leegde de inhoud als een kussen op de bodem voor het geval Summer haar houvast verloor en terugviel.

Maar de sportieve jonge oceanografe viel niet. Summer slaagde erin zichzelf zo'n drie meter omhoog te hijsen alvorens haar handen en armspieren verslapten. Vervolgens ontdekte ze dat ze zich op het plateau schrap kon zetten door met een voet tegen de ene zijwand van de schacht te duwen, terwijl ze haar rug tegen de tegenoverliggende zijwand drukte. Door op deze manier haar gewicht van het plateau te tillen, kon ze eventjes haar handen van de scherpe ketting nemen om ze te ontspannen. Na een paar minuten trok ze zichzelf weer een meter op, waarna ze opnieuw pauzeerde.

Ze zag dat de bovenste katrol nu nog maar een ruime meter boven haar hoofd hing en met een laatste krachtsinspanning trok ze zich op gelijke hoogte met de katrol en schampte met haar hoofd langs de bovenkant van de schacht. Voor haar verscheen de achterkant van een kastdeur, die ze onmiddellijk met haar voet probeerde open te duwen. Maar de deur gaf niet mee.

Terwijl ze nog een keer krachtig duwde, voelde ze haar armen verslappen, maar nu bemerkte ze een minieme beweging in de deur. Ze zat te hoog en te dicht op de katrol om zich in de schacht schrap te kunnen zetten en voelde dat de ketting haar uit de vingers zou glippen. Omdat ze besefte dat ze dit nog maar een paar seconden zou volhouden, schoof ze zo ver mogelijk naar achteren om vervolgens haar benen met alle kracht die ze nog in zich had tegen de deur te stoten.

Met een knal gevolgd door luid gerinkel klapte de deur open en op hetzelfde moment baadde de grotachtige schacht in het licht. Verblind door de plotselinge lichtinval liet ze zich door de opening zakken. Terwijl ze de ketting losliet, gleed ze door de vaart die ze had door over een gladgeboend oppervlak.

Zodra haar ogen aan het licht gewend waren, zag ze dat ze op een groot teakhouten buffet lag. Het stond in een kleine, maar fel verlichte, tot eetkamer omgebouwde ruimte, die vroeger een deel van de keuken van het landgoed was geweest. Tot haar schrik zag ze dat er een stuk of zes oudere stellen in de knusse kamer aan de thee zaten. Ze staarden haar allemaal zwijgend aan alsof ze een buitenaards wezen van de planeet Ursa Minor was.

Traag liet ze zich van het buffet op de grond zakken en keek om zich heen om de schade op te nemen. Over de hele vloer verspreid lagen lepeltjes en de scherven van de kopjes en schotels van een omvangrijk theeservies dat bij het opentrappen van de deur van het buffet was gevlogen.

Timide klopte Summer haar kleren af, verborg haar met olie besmeurde handen en keek glimlachend de kring van aangapers rond.

'Ik kom altijd graag op de thee,' zei ze verontschuldigend, waarna ze zich haastig uit de voeten maakte.

In de hal stuitte ze op Aldrich, die op de commotie kwam afgesneld, en zei hem mee te komen om Julie te bevrijden. Samen renden ze de trap af en openden de deur van de provisiekamer. Julie glimlachte opgelucht toen ze Summer zag.

'Ik hoorde een enorme knal. Is alles in orde?' vroeg ze.

'Ja, hoor,' antwoordde Summer grinnikend, 'maar ik ben Aldrich wel een nieuw theeservies schuldig.'

'Lariekoek!' gromde de oude man. 'Maar zeg me alsjeblieft wie jullie hier heeft opgesloten.'

Julie beschreef Bannister en zijn motorpak.

'Dat is beslist die Baker geweest,' zei Aldrich. 'Die heeft zich vanmorgen uitgecheckt.'

'Wat weet je van hem?' vroeg Summer.

'Niet veel, ben ik bang. Hij zei dat hij een schrijver was uit Londen en hier op vakantie kwam om te golfen. En ik kan me vaag herinneren dat hij hier wel eens eerder heeft gelogeerd, een jaar of vier, vijf geleden. Ik weet nog dat ik hem toen de archieven heb laten zien. Hij is behoorlijk op de hoogte over de graaf. In feite was hij ook degene die naar Emily had gevraagd.'

Julie en Summer keken elkaar veelbetekenend aan, waarna Summer de provisiekamer inliep.

'Willen jullie dat ik de politie bel?' vroeg Aldrich.

Julie dacht hier even over na. 'Nee, ik geloof niet dat dat nodig is. Hij heeft wat hij hebben wilde, dus ik denk niet dat hij ons nog eens lastigvalt. Bovendien weet ik wel zeker dat hij een valse naam en vals adres in Londen heeft opgegeven.'

'Als hij zich hier ooit nog eens waagt te vertonen, krijgt hij van mij flink de waarheid te horen,' reageerde Aldrich verongelijkt. 'Arme meiden. Kom mee naar boven, dan krijgen jullie een lekkere kop thee.'

'Dank je, Aldrich. Wij overleven dit wel.'

Toen Aldrich weg slofte, liet Julie zich zwaar ademend op een Queen Anne-bankje zakken dat naast wat andere ingepakte meubels stond. Summer kwam de provisiekamer weer uit en zag het wit weggetrokken gezicht van Julie.

'Gaat 't wel goed met jou?' vroeg Summer.

'Ja. Ik wilde het eigenlijk niet zeggen, maar ik ben nogal claustrofobisch. Ik hoop dat ik dit niet nog een keer hoef mee te maken.'

Summer draaide zich om en sloot de zware deur achter zich.

'Er is voor ons geen enkele reden om daar ooit nog een voet in te zetten,' zei ze. 'Waar is Aldrich?'

'Hij is naar boven gegaan om thee voor ons te zetten.'

'Dan hoop ik maar dat hij nog kopjes heeft.'

Met een teleurgesteld gezicht schudde Julie haar hoofd.

'Ik geloof dit niet. We hadden de sleutel tot Kitcheners dood in handen en die is ons afgepakt voordat we de kans hadden om uit te zoeken hoe het nu precies zit.'

'Kijk niet zo treurig. Zo erg is 't niet,' sprak Summer troostend.

'Maar we hebben haast niks meer om van uit te gaan. De echte betekenis van het Manifest, daar komen we nu waarschijnlijk nooit achter.'

'Lariekoek, om met Aldrich te spreken,' reageerde Summer. 'We hebben Sally nog,' vervolgde ze, terwijl ze pop omhooghield.

'Wat hebben we daaraan?'

'Nou, onze vriend mag dan het linkerbeen hebben gestolen, wij hebben het rechter nog.'

Ze hield de half gevilde pop naar Julie op en rukte er een plukje van het katoenen vulsel uit. De historica tuurde in de holte en zag het puntje van nog een rol papier, ditmaal in het rechterbeen.

Zwijgend keek ze met glinsterende ogen toe hoe Summer het rolletje voorzichtig uit de pop peuterde. Nadat Summer het op de bank behoedzaam had uitgerold, zagen ze allebei dat dit niet zoals het eerste rolletje een vel perkament of papyrus was. Dit was een gewone getypte brief op postpapier met daarop in grote sierlijke letters: University of Cambridge Archaeology Department.

32

'D e duikers zijn nog beneden,' meldde Gunn.
Op de brug van de Aegean Explorer tuurde hij door een verrekijker naar een lege Zodiac die lag afgemeerd aan de boei van de duiklijn naar het Ottomaanse scheepswrak. Om de paar seconden zag hij op een paar meter van de boei een dubbele wolk luchtbelletjes in het water opborrelen. Gunn richtte de verrekijker langs de Zodiac en stelde scherp op het grote blauwe Italiaanse jacht dat iets verderop lag. Hij vond het vreemd dat de boeg op hem was gericht, waardoor het jacht dwars op de stroming lag. Hij ving af en toe een glimp op van het achterdek, waarop een paar mensen druk in de weer waren, maar Gunns zicht daarop werd door de bovenbouw van het schip grotendeels geblokkeerd.

'Ons nieuwsgierige aagje ligt nog steeds op de loer,' zei hij.

'De Sultana?' vroeg Pitt, die al eerder met enige moeite de naam van het Italiaanse jacht had ontcijferd.

'Ja. Het lijkt alsof ze iets dichter naar de plek van het wrak is opgeschoven.'

Pitt keek op van de kaartentafel, waarop hij een aantal documenten bestudeerde.

'Hij heeft kennelijk erge behoefte aan vermaak.'

'Ik kom er maar niet achter wat hij nu eigenlijk wil,' zei Gunn, terwijl hij de verrekijker weglegde. 'Hij heeft de zijschroeven aan en houdt zich daarmee dwars op de stroming.'

'Waarom roep je hem niet op via de radio en vraag je het?'

'De kapitein heeft de afgelopen nacht een aantal vriendelijke oproepen gedaan. Maar er werd niet eens gereageerd.'

Gunn liep naar hem toe en ging op een stoel tegenover Pitt aan de tafel zitten. Op de tafel stonden twee aardewerken doosjes die uit het wrak waren opgehaald. Pitt vergeleek ze met beschrijvingen in de archeologische inventarisatie van een koopvaardijschip dat door de beroemde onderwaterarcheoloog George Bass was opgegraven.

'Al iets gevonden over een mogelijke datering?' vroeg Gunn, terwijl hij een van de doosjes oppakte en nauwkeurig bekeek.

'Ze lijken heel erg op aardewerk dat op een koopvaarder is gevonden die in de vierde eeuw bij Yassi Ada is vergaan,' antwoordde Pitt, waarbij hij een foto uit het rapport naar Gunn ophield.

'Dus die Romeinse kroon van Al is geen namaak?'

'Nee, hij lijkt authentiek. We hebben hier een wrak uit de Ottomaanse tijd met om de een of andere reden Romeinse artefacten aan boord.'

'Hoe je 't ook bekijkt, een schitterende vondst,' zei Gunn. 'Ik vraag me af waar die dingen vandaan komen.'

'Dr. Zeibig analyseert wat graanmonsters die in een potscherf zijn aangetroffen, en waaruit misschien de haven van vertrek valt af te leiden. Maar als jij ons de rest van die monoliet van jou had laten onderzoeken, hadden we daar waarschijnlijk allang antwoord op gehad.'

'Nee, als je dat maar laat,' protesteerde Gunn. 'Die heb ik gevonden en Rod heeft gezegd dat ik hem bij onze volgende duik mag opgraven. Zorg alsjeblieft dat Al ervan afblijft. Nu je 't zegt,' vervolgde hij op zijn horloge kijkend, 'Iverson en Tang kunnen nu elk moment bovenkomen.'

'Dan zal ik Al maar eens gaan wekken,' zei Pitt, die opstond. 'De volgende duik is voor ons.'

'Ik zag dat hij naast zijn nieuwe speelgoedje zat te pitten,' zei Gunn.

'Ja, hij verheugt zich verschrikkelijk op testduiken met de Bullet.'

Terwijl Pitt door de brug wegliep, kreeg hij van Gunn nog een laatste waarschuwing mee.

'En denk eraan. Jullie blijven met je poten van mijn monoliet,' riep hij Pitt met een bestraffend vingertje na.

Nadat Pitt zijn duiktas uit zijn hut had opgehaald, liep hij naar het achterdek. In de schaduw van een witte, aerodynamisch gevormde duikboot vond hij Giordino, die daar met zijn hoofd op een opgerolde wetsuit lag te slapen. Het feit dat Pitt op hem afkwam, was voldoende om hem te wekken en loom sloeg hij een ooglid op.

'Tijd voor een nieuw uitstapje naar mijn zeiknatte koninklijke jacht?' vroeg hij.

'Ja, koning Al. Volgens het schema moeten wij vak C-2 doorzoeken, waarin op het oog alleen een berg ballast ligt.'

'Ballast? Ik kan m'n juwelencollectie toch niet aanvullen uit een berg ballast?' Hij kwam overeind en begon zijn wetsuit aan te trekken, terwijl Pitt zijn duiktas openritste en zijn voorbeeld volgde. Een paar minuten later kwam Gunn met een bezorgd gezicht op hen afgerend.

'Dirk, de duikers hadden al tien minuten geleden terug moeten zijn, maar ze zijn nog steeds niet boven.'

'Misschien hebben ze uit voorzorg een decompressiestop ingelast,' suggereerde Giordino.

Pitt staarde naar de lege Zodiac die vlakbij lag afgemeerd. Iverson en Tang, de twee mannen die nu in het water lagen, waren allebei milieuwetenschappers en ervaren duikers, wist Pitt.

'We gaan met de speedboot wel even kijken,' zei Pitt. 'Help ons een handje, Rudi.'

Gunn hielp hen bij het laten zakken van een kleine stijve opblaasboot die maar net groot genoeg was voor de twee mannen en hun duikuitrusting. Snel gespte Pitt zijn persluchtfles op zijn rug, trok zijn vinnen aan en zette het duikmasker op, terwijl Giordino de motor startte en vol gas op de Zodiac afkoerste. Er was nog steeds geen spoor van de beide duikers toen ze langszij de grotere opblaasboot kwamen.

De speedboot lag nog niet helemaal stil toen Pitt al achterover duikelend het water in plonsde. Hij zwom direct naar de duiklijn, waarlangs hij meteen afdaalde. Hij verwachtte de beide mannen tussen de drie en zes meter onder het wateroppervlak tegen te komen, waar ze voor een decompressiestop aan de duiklijn hingen. Maar er was niemand te zien. Bij het vijftienmeterpunt gekomen klaarde Pitt zijn oren, waarna hij met een paar harde vinslagen naar de bodem zwom. Onder hem herkende hij vaag het gele aluminium opgravingsraster dat in de bodem was uitgezet. Hij deed zijn duiklamp aan toen hij de onderkant van de duiklijn bereikte, waar de directe omgeving door een groenachtig waas in een haast ondoordringbare duisternis was gehuld.

Snel doorzocht hij de bodem rond het ankerpunt van de lijn, waarna hij over het raster langs de hele lengte van het wrak zwom. Hij aarzelde toen hij door het vierde vak van het raster zwom en daar de brede inkeping in het zand zag op de plek waar de voor Gunn zo dierbare stenen monoliet had gelegen. Om zich heen turend zag hij een blauwe vorm bij de ballastberg. Met een paar stevige beenslagen schoot hij op het voorover liggende lichaam van een van de duikers af.

Het lichaam lag onder het aluminium raster geklemd met een aantal ballaststenen op zijn borst. Toen Pitt de starre blik in de ogen achter het duikmasker zag, begreep hij dat de NUMA-wetenschapper Iverson dood was. Pitt controleerde de duikuitrusting van de man en ontdekte dat de regulator ontbrak. Op een paar meter afstand zag hij hem op de zeebodem liggen. Hij was, aan de scherpe snijkant van de slang te zien, duidelijk bewust doorgesneden.

Pitt zag een licht boven hem en herkende tot zijn opluchting het forse lijf van Giordino dat snel zijn richting opkwam. Toen hij tot op een paar meter was genaderd, gebaarde Giordino naar het lichaam van Iverson. Pitt schudde zijn hoofd en hield de losse regulator op, waarbij hij op het punt wees waar de slang was doorgesneden. Giordino knikte en wees vervolgens naar de achterkant van het wrak, waarna Pitt hem in die richting volgde.

Daar vonden ze het lichaam van Tang. Het dreef vlak boven de zeebodem met een van zijn vinnen vastgeklemd in het raster. Hij was net als Iverson verdronken, hoewel hij kennelijk in de laatste momenten van zijn leven veel woester om zich heen had geslagen. Zijn duikmasker, loodgordel en een van zijn vinnen waren losgerukt en ook zijn regulator zagen ze afgesneden in het zand liggen. Pitt richtte zijn duiklamp op het gezicht van de dode man en zag een flinke paarse plek op zijn rechterjukbeen. De wetenschapper had kennelijk gezien wat er met Iverson was gebeurd en had nog geprobeerd zich te verweren, dacht Pitt. Alleen waren de overvallers te sterk of met te veel geweest. Pitt scheen met de lamp om zich heen, maar er was niets te zien. De aanvallers waren al naar het Italiaanse jacht teruggekeerd.

Hij greep het trimvest van Tang beet en trok het lijk los, waarop Giordino gebaarde dat hij het lichaam van Iverson mee zou nemen. Met krachtige vinslagen zwom Pitt met zijn dode metgezel naar de duiklijn, waarlangs hij langzaam omhoogging. Toen hij bijna aan de oppervlakte was, hoorde hij het lage brommende geluid van startende motoren. Het geluid zwol aan en Pitt veronderstelde terecht dat het van het jacht kwam, dat zich opmaakte om ervandoor te gaan.

Hoewel Pitts conclusie juist was, had hij er niet bij nagedacht welke richting het jacht zou opgaan. Toen hij aan de oppervlakte kwam, besefte hij te laat dat het geluid van de motoren bleef aanzwellen en dat er over de waterspiegel een silhouet razendsnel in zijn richting schoot. Hij kwam boven naast de Zodiac en de speedboot en zag de enorme romp van het jacht op nog geen zes meter afstand op hem afkomen. De hoge blauwe romp klapte over het water, terwijl de schroeven aan de achterkant een fontein van wit bruisend water opspoten.

Het volgende ogenblik knalde het jacht vol op de beide kleinere boten, waarbij de Zodiac door de rammende romp en de malende schroeven werd opengereten en de kleine speedboot als een insect werd verpletterd. De zwaar beschadigde Zodiac zonk vrijwel onmiddellijk, terwijl het jacht als een bliksemschicht over het water scherend binnen de kortste keren aan de horizon uit het zicht verdween.

In het opgewoelde kielzog van het jacht plopte de boei van de duiklijn, die naar de diepte was gestuwd, weer uit het water op. Van de lijn losgerukt dobberde hij in het bruisende, door bloed fel rood gekleurde water.

33

Giordino zag het donkere silhouet van het jacht over zich heen flitsen en kwam op een paar meter van de boei, met het lijk van Iverson in een stevige greep, boven water. Handmatig vulde hij het trimvest van de dode man met perslucht, terwijl hij de verwrongen restanten van de Zodiac naar de bodem zag zinken. Iets verder weg ontwaarde hij de gedeeltelijk leeggelopen speedboot, die voortgestuwd door de wind vrij snel wegdreef. Hij speurde het wateroppervlak om hem heen af, maar Pitt was nergens te zien. Op hetzelfde moment ontdekte hij een donkere plek in het water bij de dobberende boei.

Her ergste vrezend liet hij Iverson los en zwom naar de boei, waar hij onder water naar Pitt wilde gaan zoeken. Bij de boei gekomen kromp zijn maag ineen toen het tot hem doordrong dat de donkere vlek in het water ontstond door bloed dat op die plek felrood opborrelde. Plotseling barstte de vlek open en dook er een in een wetsuit gehuld lichaam uit op. Het lichaam dreef op de buik, met het hoofd en de armen en benen onder water, waardoor het onherkenbaar was. Het lijf bleek duidelijk de bron van het bloed in het water. Met diepe snijwonden zag het eruit alsof er een grasmaaier overheen was gegaan, de rug was een afgrijselijke mix van bloederig vlees en neopreen, door elkaar gehakt door de scherpe bladen van de schroeven van het jacht.

Giordino onderdrukte zijn walging en zwom snel naar het lijk. Doodsbang voor wat hij zou zien, greep hij het lijf voorzichtig beet en tilde het hoofd uit het water.

Pitt was het niet.

Hij sprong haast uit zijn wetsuit toen hij vrijwel op hetzelfde ogenblik een stevige tik op zijn schouder voelde. Hij tolde om zijn as en keek recht in het gezicht van Pitt, die achter hem was opgedoken. Giordino zag een vage veeg witte verf op Pitts cap en schouders.

Giordino spuugde zijn regulator uit en vroeg: 'Alles oké met jou?'

'Ja, met mij wel,' antwoordde Pitt, hoewel Giordino een fonkeling van woede in de ogen van zijn vriend zag.

'Lagen jij en Tang op de rails van die vrachttrein?' vroeg Giordino.

Pitt knikte. 'Tang heeft m'n leven gered.'

Toen hij recht voor het aanstormende jacht boven water kwam, had Pitt een fractie van een seconde om te reageren. Hij sloeg een arm om Tangs trimvest en drukte de dode man tegen zijn borst, waarna hij achterover boog in een poging om weg te duiken. Op dat moment was het jacht al bij hen en knalde boven op Tang en Pitt eronder. Samen werden ze onder de romp door gesleurd recht op de maaiende schroeven af. Pitt had Tang nog net boven zich kunnen houden, waardoor het lijk de klappen van de scherpe schroefbladen opving.

Pitt voelde een geweldige walging en woede over het feit dat hij het lichaam van de wetenschapper als een menselijk schild had moeten gebruiken, maar anders was ook hij finaal aan mootjes gehakt.

'Ze hebben hem vandaag twee keer vermoord,' zei Giordino met een wrang lachje.

'Ze...' mompelde Pitt, terwijl hij het aan de horizon verdwijnende stipje van het jacht nakeek. Hij brak zich al het hoofd over de vraag wie voor zo'n oud scheepswrak niet voor moord terugschrok, en waarom.

'Laten we hem hier maar snel weghalen voordat alle haaien in de Middellandse Zee doorhebben dat hier iets te vreten valt,' zei Giordino, terwijl hij Tangs arm beetpakte.

Op de Aegean Explorer was het anker al opgehaald en het schip voer nu langzaam op hen af. Een stel dekknechten lieten een kraan zakken, waarmee ze de dode mannen aan boord hesen en vervolgens ook Giordino en Pitt. De kapitein en de scheepsarts kwamen meteen aangesneld, op de voet gevolgd door Gunn. De onderdirecteur van de NUMA leek lichtelijk versuft en hij hield een ijspakking tegen zijn hoofd.

'Ze zijn allebei in het water gestorven,' zei Pitt, toen de dokter bij de lijken knielde en ze allebei onderzocht. 'Verdronken.'

'Allebei door een ongeluk?' vroeg de kapitein.

'Nee,' antwoordde Pitt, terwijl hij zich uit zijn wetsuit wrong. Hij wees op de doorgesneden luchtslang die aan Iversons persluchtfles bungelde. 'Iemand heeft hun luchtslangen doorgesneden.'

'Dezelfde lieden die ons met de bodem van hun mooie Italiaanse romp als een strijkijzer probeerden te pletten,' vulde Giordino aan.

'Ik wist dat ze logen toen ze aan boord kwamen,' zei kapitein Kenfield hoofdschuddend. 'Maar niet dat ze ook tot moord in staat waren.'

Pitt zag de buil onder de ijspakking die Gunn tegen zijn hoofd hield.

'Wat is er met jou gebeurd?'

Met een pijnlijk grimas liet Gunn de pakking zakken.

'Toen jullie beneden waren, kwam er een sloep met bewapende schurken van het jacht naar ons toe. Ze beweerden dat ze van het Turkse ministerie van Cultuur waren.'

'Op volle zee patrouillerend met een luxueus jacht?' vroeg Giordino sceptisch.

'Ik vroeg of ze zich konden identificeren, maar kreeg als antwoord een geweerkolf tegen m'n kop,' antwoordde Gunn, die de ijspakking weer zorgvuldig tegen de buil op zijn hoofd hield.

'Ze lieten ons op niet mis te verstane wijze weten dat we niet het recht hadden om naar een scheepswrak van het Ottomaanse Rijk te duiken,' zei de kapitein.

'Interessant dat ze wisten wat voor wrak het was,' merkte Giordino op.

'Wat wilden ze nog meer?' vroeg Pitt.

'Ze eisten alle artefacten op die we van het wrak hebben geborgen,' antwoordde Kenfield. 'Ik heb ze gezegd dat ze ogenblikkelijk m'n schip moest verlaten, maar dat maakte geen indruk. Ze dreven Rudi en mij naar de brugvleugel en dreigden ons te doden. De bemanning had geen andere keus dan toe te geven.'

'Hebben ze alles meegenomen?' vroeg Giordino.

Gunn knikte. 'Ze hebben het lab leeggeplunderd en zijn vervolgens, net voordat jullie opdoken, naar hun jacht terug geracet.'

'Maar pas nadat ze ons hadden bevolen een stuk weg te varen met de waarschuwing vooral van de radio af te blijven,' vulde Kenfield aan.

'Ik moet je helaas vertellen dat ze niet alleen onze artefacten hebben meegenomen, Rudi,' zei Pitt. 'Ze hebben ook jouw monoliet bij het wrak weggehaald.'

'Dat is niet het ergste,' reageerde hij grimmig. 'Ze hebben Zeibig.'

De kapitein knikte. 'Ze vroegen wie de leiding over de opgraving had. Dr. Zeibig was toevallig in het lab en ze hebben hem gedwongen met hen mee te gaan.'

'Na wat ze met Iverson en Tang hebben gedaan, is het duidelijk dat ze niet zullen aarzelen ook hem te doden,' zei Giordino zachtjes.

'Hebt u al contact met derden opgenomen?' vroeg Pitt aan de kapitein.

'Via de satelliettelefoon heb ik met het ministerie van Cultuur gebeld. Zij bevestigden dat ze geen jachten bezitten en ook niet met patrouilles varen in deze regio. Ik heb ook contact gehad met de Turkse kustwacht. Helaas hebben ook zij geen schepen hier in de directe omgeving. Ze zeiden dat we ons op hun thuisbasis bij Izmir moesten melden voor het opmaken van een rapport.'

'Ondertussen zijn die schurken er met Zeibig al lang en breed vandoor,' zei Pitt.

'Ik ben bang dat we verder weinig kunnen doen,' zei de kapitein. 'Dat jacht is minstens twee keer zo snel als de Aegean Explorer. Als we achter ze aan gaan, is er echt geen kans dat we ze inhalen. En aan land kunnen we net zo goed de officiële autoriteiten achter ze aan sturen.'

Giordino schraapte luidruchtig zijn keel en stapte naar voren. 'Ik weet iets waarmee we achter het jacht aan kunnen gaan.'

Hij wendde zich naar Pitt en gaf hem een vertrouwelijke knipoog.

'Zeker weten dat ze er klaar voor is?' vroeg Pitt.

'Ze is er zo klaar voor,' antwoordde Giordino, 'als een hongerige alligator in een eendenvijver.'

Omdat ze al helemaal klaarlag om te water te worden gelaten, was het controleren van de werking van alle systemen nog slechts een kwestie van minuten, waarna Giordino's nieuwe duikboot langs de zijkant van het schip het water in zakte. Zij aan zij achter het bedieningspaneel gezeten, werkte Giordino snel een laatste veiligheidscheck af, terwijl Pitt radiocontact met de Aegean Explorer opnam.

'Explorer, de huidige koers van ons doelwit, graag,' zei hij.

'Volgens de radar een vaste koers van nul-één-twee graden,' antwoordde de stem van Rudi Gunn. 'Ze is momenteel een kilometer of vijftien ten noorden van ons.'

'Roger, Explorer. Volg ons op volle snelheid, graag, dan gaan wij achter de vos aan. Bullet uit.'

Pitt had op zich weinig vertrouwen in een achtervolgingsjacht met een duikboot. De normaal gesproken met elektrische, door accu's gevoede motoren uitgeruste onderzoeksduikboten waren tot dan toe altijd trage, logge vaartuigen geweest met een beperkte actieradius. Maar de Bullet doorbrak alle wetten van de duikbotenbouw.

De Bullet, die zijn naam eerder aan zijn snelheid dan zijn vorm te danken had, was gebaseerd op een ontwerp van de Marion Hyper-Subs. Het prototype van het NUMA bestond uit een stalen duikbootcabine gekoppeld aan een ultramoderne speedbotenromp. Als duikboot kon de Bullet dieptes aan van zo'n driehonderd meter. Aan de oppervlakte overbrugde de Bullet met haar gescheiden stuwmotoren in gesloten drukcabines en een brandstoftank van zo'n tweeduizend liter ook enorme afstanden op hoge snelheid. Hierdoor kon de duikboot zonder begeleidend moederschip in afgelegen duikgebieden worden ingezet.

'Klaar voor oppervlaktekoers,' meldde Giordino, waarna hij naar voren boog en de startknoppen van de beide turbodieselmotoren indrukte.

Achter hen klonk het lage dreunen van de twee vijfhonderd pk motoren die gelijktijdig aansloegen. Giordino checkte diverse metertjes op het bedieningspaneel en wendde zich tot Pitt.

'We kunnen gaan.'

'Oké, eens kijken wat ze in huis heeft,' reageerde Pitt, terwijl hij de gashendel openschoof.

Door de plotselinge kracht waarmee de dieselmotoren de duikboot vooruitstuwden, werden ze met een ruk tegen de rugleuning van hun stoelen gedrukt. Binnen enkele seconden stoof de boot op haar slanke witte romp hoog over de golven. Pitt voelde hoe de duikboot door het woelige water werd opgetild en weer neerklapte, maar zodra hij merkte dat hij de boot beter onder controle kreeg, gaf hij gas bij. Omdat de stuurcabine aan de voorkant van het torpedoachtige vaartuig zat, voelde het alsof ze over het water vlogen.

'Vierendertig knopen,' zei hij na een snelle blik op het navigatiedisplay. 'Dat is geen kattenpis.'

Giordino knikte breed glimlachend. 'Ik denk dat ze op vlak water ruim veertig haalt.'

Zo stoven ze een minuut of twintig noordwaarts over de Egeïsche Zee voordat ze eindelijk een stipje aan de horizon ontwaarden. Nog minstens een uur achtervolgden ze het jacht en kwamen geleidelijk dichterbij, terwijl ze aan de noordkant van de Dardanellen tussen een aantal grote olietankers doorvoeren die uit de Zwarte Zee kwamen. Algauw doemde het Turkse eiland Gökçeada voor hen op en het jacht verlegde zijn koers naar het oosten van het eiland.

Pitt voer een zigzagkoers om de indruk te vermijden dat ze het jacht volgden en hij nam gas terug toen ze tot op een paar kilometer afstand genaderd waren. Het jacht zwenkte geleidelijk weg van Gökçeada en koerste op het Turkse vasteland aan, waarbij het vrij dicht de kustlijn volgde en geleidelijk snelheid minderde. Pitt draaide met het jacht mee en hield op afstand een parallelle koers aan, waarbij hij ervoor zorgde dat ze het luxueuze jacht steeds net niet uit het zicht verloren. Nu ze lager in het water voer, leek de Bullet vanuit de verte gezien een klein pleziervaartuigje onderweg voor een onschuldig tochtje over zee.

Het jacht voer nog een aantal kilometers langs de Turkse westkust tot het opeens vaart minderde en een gedeeltelijk afgeschermde inham insloeg. Toen ze er op enige afstand langs voeren, zagen Pitt en Giordino een paar gebouwen en een kade waaraan een klein vrachtschip lag afgemeerd. Pitt vervolgde hun koers, tot ze op een kilometer of twee ten noorden van de inham zo goed als uit zicht waren, voordat hij zoveel gas terugnam dat ze stillagen.

'Volgens mij hebben we twee mogelijkheden,' zei Giordino. 'We kunnen hier ergens aan land gaan om vandaar naar de inham terug te lopen. Of we wachten tot het donker is en varen met de Bullet onder water de inham in.'

Pitt tuurde naar de rotsachtige kust die op een kleine kilometer afstand lag.

'Ik weet niet of daar veel goede plekken te vinden zijn om aan land te gaan,' zei hij. 'Bovendien, als Zeibig of een van ons gewond raakt, zou de terugweg wel eens problematisch kunnen worden.'

'Mee eens. Op naar de inham dus.'

Pitt keek op zijn oranje Doxa duikhorloge. 'Hier valt over ongeveer een uur de schemering in. Dan kunnen we gaan.'

Dat uur vloog voorbij. Pitt gaf via de radio hun positie aan de Aegean Explorer door en instrueerde Gunn dat ze met het onderzoeksschip op een plek zo'n vijftien kilometer ten zuiden van de inham moesten wachten. Giordino gebruikte de wachttijd om een digitale zeekaart van het kustgebied op te zoeken en daarin een onderwaterroute tot in het midden van de inham uit te zetten. Eenmaal onder water zou de duikboot hen op de computergestuurde automatische piloot exact naar de door Giordino ingevoerde locatie brengen.

Toen het donker werd, stuurde Pitt de Bullet tot op ongeveer een kilometer voor de ingang van de inham, waar hij de oppervlaktemotoren uitzette. Giordino sloot de drukcabines waterdicht af en opende de kleppen in de romp voor het pompen van water in de ballasttanks. De boegtank werd eerst gevuld, waarop de duikboot al snel onder water verdween.

Pitt activeerde een stel duikvinnen en vervolgens de elektrische motoren voor de voortstuwing. Omdat de onderwaterwereld rond de acrylglazen bol vrijwel onmiddellijk in een diepe duisternis was gehuld, moest hij de neiging onderdrukken om de buitenlampen aan te doen. Hij stuurde de duikboot op een laag pitje vooruit tot Giordino hem zei dat hij de knoppen los kon laten.

'De automatische piloot heeft het nu van je overgenomen,' zei hij.

'Weet je zeker dat die ons niet ergens op een uitstekende rotspunt of een ander obstakel spietst?' vroeg Pitt.

'We zijn uitgerust met een hoge frequentie sonar die alles tot honderd meter voor ons aftast. De automatische piloot corrigeert de koers bij kleinere obstakels en waarschuwt zodra de route door iets substantiëlers wordt geblokkeerd.'

'Dan is de lol er ook wel een beetje af, zeg,' merkte Pitt op.

Hoewel Pitt niets tegen computers had, was hij wel ouderwets wanneer het om besturing ging. Hij voelde zich geen moment echt op zijn gemak wanneer een computer dat volledig van hem overnam. Het besturen van een voertuig, zowel boven als onder water, vereiste altijd een bepaald gevoel, waarover zelfs de beste computers nu eenmaal niet beschikten. Althans zo zag hij dat. Met zijn handen vrij volgde hij gespannen hun voortgang, klaar om zo nodig de besturing onmiddellijk weer over te nemen.

De Bullet dook tot op een diepte van negen meter automatisch de elektrische motoren aansloegen. De duikboot volgde langzaam de geprogrammeerde route en compenseerde een lichte stroming bij het invaren van de inham. Terwijl ze naar het midden van de inham kropen, hield Giordino aandachtig het sonarscherm in de gaten. Er flitste een lampje op de monitor op, en het zoemen van de elektromotoren viel weg toen ze hun bestemming hadden bereikt.

'Tot zover het geautomatiseerde deel van het programma,' meldde Giordino.

Pitts handen lagen alweer op de knoppen.

'Eens kijken of we een parkeerplek kunnen vinden,' reageerde hij.

Terwijl met kleine stoten de ballasttanks werden leeggepompt, stegen ze langzaam op tot de plexiglazen koepel van de cabine net een krappe decimeter boven water uitstak. Boven hen zagen ze dat aan de hemel nog net het laatste daglicht schemerde, terwijl het water om hen heen diepzwart leek. Giordino deed alle binnenlichten en onnodige displays uit. Vervolgens loosde hij een laatste slok water uit de ballasttanks, zodat ze nog een paar centimeter hoger kwamen te liggen.

Zich half uit hun stoel opdrukkend tuurden de beide mannen naar de kustlijn. Ze zagen dat er slechts drie gebouwen aan de noordkant van de halfronde inham stonden. Ertegenover lag een houten steiger loodrecht op de kade. Het blauwe Italiaanse jacht lag aan de rechterkant van de steiger duidelijk zichtbaar achter een klein werkschip afgemeerd. Aan de andere kant van de steiger lag een groot roestig vrachtschip. In het felle licht van schijnwerpers was op de steiger een verrijdbare kraan bezig met het beladen van het vrachtschip.

'Denk je dat Rod nog aan boord is van het jacht?' vroeg Giordino.

'Ik denk dat we daar om te beginnen van uit moeten gaan. Zullen we maar gewoon langszij gaan liggen om een kijkje te nemen? Ze verwachten ons echt niet.'

'Een surpriseparty is altijd leuk. Doen we.'

Pitt legde de koers vast, liet de Bullet onder water zakken en stuurde voorzichtig in de richting van het haventje. Giordino activeerde de sonar en gidste hen tot op een paar meter van het jacht, waar ze in de schaduw aan bakboordzijde stilletjes uit het water oprezen. Pitt schoof iets terug langs de zijkant van het jacht toen daar op het achterdek enige commotie ontstond.

Er stormde een drietal gewapende mannen naar buiten, die zich vervolgens naar de steiger omdraaiden. Het volgende moment dook er een vierde man op die door de anderen over het dek werd voortgeduwd.

'Dat is Zeibig,' zei Pitt toen hij een glimp van het gezicht van de wetenschapper opving.

Vanaf hun lage positie in het water konden ze Zeibig maar net zien. Zijn handen waren op zijn rug gebonden. Hij werd door twee van de gewapende mannen op de steiger getild, waarna ze hem in zijn rug porrend naar de kade dreven. Pitt zag dat een van de mannen naar de boot terugkeerde en zich nonchalant op het achterdek posteerde.

'Streep door het jacht,' zei Pitt doodkalm. 'Tijd om weer even te verdwijnen.'

Giordino had de ballasttanks al geopend, waarop de Bullet meteen de inktzwarte diepte inzakte. Ze voeren terug de inham in, waarna ze terugkeerden om vlak bij de achtersteven van het vrachtschip, recht achter de hekbalk, weer op te duiken. Het was een optimaal beschutte plek, waar ze vanaf de kade door het vrachtschip niet zichtbaar waren en vanaf de pier werden ze aan het zicht onttrokken door een aantal opgestapelde oliedrums. Giordino klom uit de cabine en maakte een meertouw aan de steiger vast, terwijl Pitt het contact uitzette en achter hem aankwam.

'Het lijkt me geen leuk gezicht als die grote jongen zijn motoren start,' zei Giordino toen hij zag hoe dicht de duikboot boven de schroeven van het vrachtschip dreef.

'We hebben in elk geval zijn kenteken,' reageerde Pitt, die langs de spiegel van het schip omhoogkeek. In grote witte letters stond daar de naam van het schip: Osmanli Yildiz, wat Ottomaanse Ster betekende.

De twee slopen over de steiger tot ze de schaduw bereikten van een grote generator die ter hoogte van het voorste ruim van het vrachtschip stond. Ervoor was een handjevol havenarbeiders met behulp van de grote kraan bezig met het laden van enorme houten kratten in het vrachtschip.

Het blauwe jacht, waarop de gewapende man nog steeds heen en weer liep, lag hier op slechts een paar meter tegenover. Giordino tuurde peinzend naar de felle schijnwerpers die de weg voor hen verlichtten.

'Ik geloof niet dat het een makkie is om van hieruit even snel het prijzengeld te gaan scoren,' zei hij.

Pitt knikte en speurde behoedzaam langs de generator de kade af. Hij zag daar een klein, twee verdiepingen hoog stenen gebouw aan beide kanten geflankeerd door geprefabriceerde opslagloodsen. In het helverlichte interieur van de rechterloods was een tweetal vorkheftrucks in de weer met houten kratten, die ze door de openstaande deur naar de wachtende kraan brachten. De loods aan de linkerkant was daarentegen zonder enige zichtbare bedrijvigheid volledig in het donker gehuld.

Pitt richtte zijn aandacht op het stenen gebouw ertussenin. De voorgevel werd verlicht door een heldere lamp in het portaal, waar duidelijk zichtbaar een gewapende man de voordeur bewaakte.

'Het stenen gebouw in het midden,' fluisterde hij tegen Giordino. 'Daar zit Zeibig, dat moet haast wel.'

Toen hij nog eens keek, zag hij vanuit de omringende heuvels de koplampen van een auto naderen. De auto daalde schokkend een steile zandweg af, waarna hij de kade opdraaide en voor het stenen gebouw stopte. Tot zijn verbazing zag Pitt dat het een tamelijk nieuw model Jaguar was. Er stapten een goed geklede man en vrouw uit, die meteen het gebouw inliepen.

'Ik denk dat we niet al te lang meer mogen wachten,' fluisterde Pitt.

'Heb jij een idee hoe we van deze steiger afkomen?' vroeg Giordino, die in elkaar gedoken op de zijkant van een ladder zat die schuin tegen de generator lag.

Pitt keek om zich heen, waarna hij Giordino even peilend aanstaarde tot er geleidelijk een steeds bredere glimlach om zijn lippen krulde.

'Al,' zei hij, 'volgens mij zit jij erbovenop.'

34

Niemand besteedde enige aandacht aan de twee mannen die gekleed in turquoise overalls met gebogen hoofd een aluminium ladder over de steiger sjouwden. Ze waren kennelijk bemanningsleden van het vrachtschip die een geleende ladder terug aan land brachten. Alleen waren het wel bemanningsleden die niemand ooit eerder op het schip had gezien.

De mannen die op de kade werkten, waren geconcentreerd bezig met het bevestigen van een krat met het opschrift TEXTIEL aan de kraan en keurden Pitt en Giordino toen ze voorbijkwamen, geen blik waardig. Pitt had gezien dat de bewaker op het jacht heel even naar hen keek alvorens hij zich omdraaide.

'Welke kant op, baas?' vroeg Giordino toen hij met de voorkant van de ladder op zijn schouder de steiger afliep.

De verlichte loods lag bijna recht voor hen met de openstaande schuifdeur een paar meter verder naar rechts.

'Ik stel voor dat we de drukte mijden en naar links gaan,' antwoordde Pitt. 'Op de andere loods af.'

Ze sloegen links af en liepen over de kade langs het stenen gebouw. Pitt vermoedde dat het oorspronkelijk als een vissenwoning was gebouwd, maar nu als havenkantoor fungeerde. In tegenstelling tot de gewapende man op het jacht nam de bewaker bij de voordeur hen achterdochtig op toen ze langs het voorterrein van het huis liepen. Giordino probeerde hun aanwezigheid wat onschuldiger te doen lijken door in het voorbijgaan achteloos 'Yankee Doodle Yankee' te fluiten, in de veronderstelling dat de Turkse bewaker dat deuntje niet zou kennen.

Even later bereikten ze de tweede opslagloods: een donker gebouw, waarvan de brede kanteldeur in de voorgevel met een grendel was afgesloten. Giordino probeerde de knop van een kleinere zijdeur, die niet op slot bleek. Zonder te aarzelen liep hij met Pitt naar binnen, waar ze de ladder tegen een werktafel onder een flakkerende tl-buis neerzetten. Verder was de ruimte leeg op wat stoffige kratten in een hoek na en een forse afgesloten container bij het laadplatform achter in de hal.

'Dat ging soepeltjes,' zei Pitt, 'maar ik denk niet dat we de voordeur van het gebouw hiernaast zo makkelijk binnentrippelen.'

'Nee, die bewaker beloerde ons als een havik. Maar zou er geen achterdeur zijn?'

Pitt knikte. 'Laten we maar gaan kijken.'

Nadat hij een houten hamer had meegegrist die hij op tafel zag liggen, volgde hij Giordino door de loods. Bij het laadplatform was een smalle deur, waar ze door naar buiten glipten. Haastig liepen ze naar de achterkant van het stenen gebouw, waarin ze geen enkele achter- of zijdeur ontdekten. Pitt stapte op een van de lagere ramen af en probeerde naar binnen te gluren, maar de rolgordijnen waren zorgvuldig gesloten. Hij deed een paar passen naar achteren en bestudeerde de ramen op de eerste etage, waarna hij op zijn tenen naar de loods terugliep om daar met Giordino te overleggen.

'Zo te zien zijn we op de voordeur aangewezen,' zei Giordino.

'Eigenlijk dacht ik aan een entree op hoger niveau,' opperde Pitt.

'Via de bovenverdieping?'

Pitt gebaarde naar de ladder. 'Nu we hem toch hebben, kunnen we hem ook gebruiken. Achter de ramen boven is alles donker, maar er hangen volgens mij geen rolgordijnen. Als jij voor wat afleiding zorgt, klim ik door een van de ramen naar binnen. Dan verrassen we ze van boven.'

'Zoals ik al zei, een surpriseparty is altijd leuk. Als jij een afleiding verzint, ga ik de ladder wel halen.'

Terwijl Giordino door de loods holde, stak Pitt zijn hoofd door een kier van de achterdeur en zocht naar iets waarmee ze de aandacht konden afleiden. Een oplegger die achter de andere loods geparkeerd stond, bood wellicht een mogelijkheid. Hij trok zijn hoofd weer naar binnen toen Giordino met de ladder terugkwam, en staarde opeens nieuwsgierig naar iets wat zich achter hem bevond.

'Wat is er?' vroeg Giordino.

'Moet je kijken,' zei Pitt, terwijl hij op de stalen zeecontainer afliep.

Hij was in een kakikleurig camouflagepatroon beschilderd, maar er stonden ook een stel zwarte sjabloonletters op die Pitts aandacht hadden getrokken. Op diverse plekken rondom de hele container stond in het Engels de waarschuwing DANGER – HIGH EXPLOSIVES met eronder DEPARTMENT OF THE U.S. ARMY.

'Een container met explosieven van het Amerikaanse leger. Wat doet die in hemelsnaam hier?' vroeg Giordino.

'Al sla je me dood. Maar ik durf te wedden dat het leger er niets van af weet.'

Pitt liep naar de voorkant van de container, waar hij de grendel los-
schoof en de zware stalen deur opentrok. Er stonden tientallen houten
kratjes met dergelijke waarschuwingen op de zijkanten, allemaal stevig afgesloten met metalen klemmen. Vlak achter de deur was een van de voorste kratjes opengewrikt. De inhoud bestond uit een verzameling plastic
dozen ter grootte van een baksteen.

Pitt pakte er een doos uit en peuterde het plastic deksel los. In de ver-
pakking zat een tot een rechthoekig blok samengeperste poederachtige
substantie.

'Kneedbommen?' vroeg Giordino.

'Het lijkt niet op C-4, maar het moet iets dergelijks zijn. Er ligt hier genoeg om deze loods naar de maan en terug te blazen.'

'En jij denkt dat we hiermee wel voor wat afleiding kunnen zorgen?'
vroeg Giordino met een licht opgetrokken wenkbrauw.

'Ik weet iets,' reageerde Pitt, terwijl hij het pakje weer dichtdeed en het
voorzichtig aan zijn partner gaf. 'Er staat een vrachtwagen aan de achterkant van de andere loods. Kijk eens of je die kunt laten knallen.'

'En jij?'

Pitt hield de hamer op. 'Dan tik ik daarboven een ruitje in.'

35

Zeibig had tot dan toe niet voor zijn leven gevreesd. Natuurlijk was hij behoorlijk overstuur over de manier waarop ze hem onder bedreiging met wapens hadden geboeid, ontvoerd en in een hut op een luxueus jacht hadden opgesloten. Maar hier in de inham aangekomen begon hij te twijfelen toen ze hem tamelijk hardhandig aan land en vervolgens naar het oude stenen gebouw brachten, waar hij in een soort vergaderkamer met een stevige duw op een stoel werd geplant. Zijn ontvoerders, allemaal lange mannen met een bleke huid en harde donkere ogen, gedroegen zich stuk voor stuk even intimiderend. Toch waren ze nog niet echt gewelddadig tegen hem geweest. Zijn gevoelens veranderden toen er een auto voor het gebouw stopte en er een nors kijkend Turks stel het huis binnenliep.

Het viel Zeibig op dat de bewakers bij de binnenkomst van de bezoekers opeens een stijvere, onderdanige houding aannamen. De archeoloog hoorde hoe ze een paar minuten met een voorman van de havenarbeiders over het vrachtschip en de lading spraken, waarbij de vrouw tot zijn verbazing veruit de meeste vragen stelde. Na dit inschepingsoverleg liep het stel door naar de vergaderkamer, waar de man Zeibig met een uitdrukking van diepe verachting aankeek.

'Zo, dus u bent de man die de artefacten van Süleyman de Grote heeft gestolen,' siste Ozden Celik met een opzwellende ader op zijn slaap.

In zijn zichtbaar peperdure maatpak zag hij er voor Zeibig uit als een succesvolle zakenman. Maar door de woede die in zijn roodomrande ogen schemerde, maakte de man eerder een psychotische indruk.

'We deden een doodnormaal vooronderzoek op de opgraving onder auspiciën van het Archeologisch Museum van Istanbul,' reageerde Zeibig. 'Wij hebben de opdracht om alle artefacten die we vinden aan de staat over te dragen, wat we ook zeker zouden hebben gedaan als we over twee weken naar Istanbul waren teruggegaan.'

'En wie zegt dat het wrak van het Archeologisch Museum is?' vroeg Celik met een opgetrokken bovenlip.

'Dat moet u aan de Turkse minister van Cultuur vragen,' antwoordde Zeibig.

Zonder hier verder op in te gaan liep Celik met Maria aan zijn zijde naar de vergadertafel. Op het mahoniehouten tafelblad lagen de tientallen artefacten die de duikers van het NUMA uit het wrak naar boven hadden gehaald. Zeibig keek toe hoe ze de voorwerpen aandachtig bestudeerden, tot hij opeens zelf zijn ogen opensperde toen hij Gunns monoliet helemaal aan de andere kant van de tafel zag liggen. Nieuwsgierig strekte hij zijn hals uit, maar de steen lag te ver weg om de inscriptie te kunnen lezen.

'Uit welke periode hebt u het wrak gedateerd?' vroeg Maria. Ze droeg een donkere wijde broek en een donkerrode trui boven een stel onflatteuze wandelschoenen.

'Uit een aantal munten die het museum al heeft onderzocht, blijkt dat het schip rond 1570 is vergaan,' antwoordde Zeibig.

'Is het een Ottomaans schip?'

'De materialen en de bouwwijze stemmen overeen met die van kustvaarders uit het oostelijk deel van de Middellandse Zee in die periode. Dat is alles wat we op dit moment weten.'

Celik bekeek de verzameling artefacten nauwkeurig en bewonderde met name de scherven van de vierhonderd jaar oude aardewerken borden en schalen. Met het geschoolde oog van een verzamelaar wist hij dat de datering van het wrak, bevestigd door de munten die hij nu in zijn bezit had, juist was. Vervolgens kwam hij bij de monoliet.

'Wat is dit?' vroeg hij op de steen wijzend aan Zeibig.

Zeibig schudde zijn hoofd. 'Dat is door uw mannen uit het wrak opgehaald.'

Celik bestudeerde de platte steen aandachtig en ontwaarde een Latijnse inscriptie op de bovenkant.

'Romeinse rotzooi,' mompelde hij, waarna hij zijn blik nog eens over de overige artefacten liet gaan alvorens hij naar Zeibig terugliep.

'U zult geen eigendommen van het Ottomaanse Rijk meer plunderen,' zei hij met zijn donkere ogen snoerstrak op Zeibigs pupillen gericht. Hij schoof zijn hand in de zak van zijn jasje en diepte er een dun leren koord uit op. Hij draaide het vlak voor Zeibigs gezicht een paar keer rond, waarna hij het langzaam straktrok. Celik deed alsof hij van Zeibig wegstapte, maar draaide zich plotseling om en sloeg het koord over het hoofd van de archeoloog, waarbij hij om hem heen zwenkte. Het koord zat in één keer om Zeibigs hals gewikkeld en hij werd met een harde ruk overeind getrokken.

Zeibig spartelde en probeerde zijn elleboog in Celik te stoten, maar er stapte een bewaker naar voren die hem bij zijn geboeide polsen greep en zo zijn armen naar voren drukte, waarbij het koord om zijn nek verstrakte. Zeibig voelde hoe het touw in zijn strottenhoofd sneed en terwijl het bloed in zijn oren bonsde, hapte hij naar adem. Hij hoorde een harde knal en vroeg zich af of zijn trommelvliezen waren geknapt.

Ook Celik hoorde de knal, maar reageerde niet. In zijn ogen fonkelde pure moordlust. Er klonk een tweede explosie vlakbij. Het hele gebouw schudde op zijn grondvesten door de kracht van het bulderende geweld. Celik verloor haast zijn evenwicht op de schokkende vloer. Boven klapten ruiten aan diggelen. Instinctief verslapte zijn greep op het leren wurgkoord.

'Ga kijken wat dat was,' snauwde hij tegen Maria.

Ze knikte en snelde achter de voorman aan het huis uit. Celik verstevigde meteen zijn greep weer op het koord, terwijl de bewaker bleef staan en Zeibig stevig bij zijn polsen vasthield.

Zeibig had in die korte pauze een paar teugen lucht naar binnen kunnen zuigen en probeerde zich met hernieuwde kracht los te wringen. Maar Celik ramde een schouder in zijn rug en trok met een draaiende ruk het koord aan, waarbij hij de archeoloog haast van de grond tilde.

Met een hoogrood aanlopend en heftig bonkend hoofd tevergeefs naar adem happend, keek hij recht in de ogen van de bewaker die sadistisch glimlachend terugstaarde. Maar opeens verscheen er een uitdrukking van verbazing op het gezicht van de bewaker. Zeibig hoorde een doffe dreun, waarna het leren koord om zijn hals plotseling losschoot.

De bewaker liet Zeibigs polsen los en tastte bliksemsnel onder zijn jas. Ondanks zijn wazige, door zuurstofgebrek aangetaste brein begreep Zeibig dat de man een wapen wilde trekken. In een plotselinge opwelling die aanvoelde alsof het in slow motion gebeurde, boog Zeibig naar voren en greep de bewaker bij zijn mouw. De bewaker probeerde de hand eerst los te schudden alvorens hij de archeoloog met zijn vrije arm van zich wegtrok. Toen hij zijn hand ten slotte op zijn wapen in de schouderholster legde, suisde er iets op hem af wat hem vol in het gezicht trof. Hij bleef wankelend overeind tot hij door een tweede stoot bewusteloos tegen de grond werd geslagen.

Zeibig draaide zich om en zag in een waas een man naast zich staan met een houten hamer in zijn handen en een grimmige, maar niet ontevreden trek op zijn gezicht. Zeibig glimlachte toen hij hoestend en kuchend weer enigszins op adem kwam en in het uit zijn ogen wegtrekkend waas Pitt herkende.

'Hé, mijn vriend,' wist hij met veel moeite uit te brengen, 'je komt me als frisse lucht aangewaaid.'

36

Vrijwel alle mensen op de kade waren naar de achterkant van de loods gerend om er de nasmeulende restanten van de vrachtwagen te bekijken. Giordino's actie had voor een perfecte afleiding gezorgd. En het was zo makkelijk.

Nadat hij langs de zijkant van de oplegger was geslopen, had hij zachtjes de deur van de cabine geopend. Het stonk er naar sigarettenrook en op de vloer zag hij tientallen peuken tussen verfrommelde blikjes frisdrank liggen. Op de bank lagen naast een blocnote en wat gereedschap de afgekloven botjes van een gegrilde, deels nog in bruin papier verpakte kip. Maar Giordino's oog viel op een dun, versleten sweatshirt dat in een prop onder de bank lag.

Giordino pakte het hemd en scheurde er moeiteloos een mouw vanaf, waarna hij op het dashboard de aansteker vond, die hij indrukte. Vervolgens liep hij terug naar de achterkant van de vrachtwagen, waar hij de benzinedop losdraaide. Voorzichtig propte hij de mouw in de tank tot die gedeeltelijk met benzine doordrenkt was, waarna hij hem er voor de helft weer uittrok en het droge uiteinde langs de tank liet hangen. De dop legde hij er weer op om de dampen binnen te houden. Toen hij een plopje hoorde, holde hij terug naar de cabine om er de gloeiende sigarettenaansteker te halen, waarmee hij het droge uiteinde van de mouw aanstak voordat de aansteker weer was uitgedoofd.

Hij had nauwelijks de tijd om naar de achterkant van het stenen gebouw weg te rennen, voordat het vlammetje langs de mouw het met benzine doordrenkte deel van de stof had bereikt. De vlammen schoten de tank in, waarop deze door de ontbrandende dampen met een reusachtige klap uiteenspatte.

Maar het was de plasticbom die op de benzinetank lag, die nog geen seconde later de echte schade aanrichtte. Zelfs Giordino was verrast door de kracht van de explosie waarbij de vrachtwagen volledig van de grond werd getild en de hele achterkant in vlammen opging.

Pitt had zijn inbraak zo goed mogelijk met het kabaal van de explosie laten samenvallen. Terwijl hij op de ladder voor een van de donkere ramen van de bovenverdieping stond, had hij de ruit met zijn hamer ingeslagen op het moment dat het huis door de klap onder zijn ladder trilde. Hij was snel naar binnen geklommen, waar hij in de logeerkamer van de redelijk comfortabel ingerichte woonetage terechtkwam. Vervolgens was hij de trap af geslopen tot hij Zeibigs hijgerige worsteling hoorde en hem te hulp was gesprongen door Celik en de bewaker met zijn hamer buiten westen te slaan.

Weer enigszins op krachten gekomen strekte Zeibig zijn rug en keek neer op de roerloze Celik, die een enorme buil op de zijkant van zijn hoofd had.

'Is hij dood?'

'Nee, hij doet een tukje,' antwoordde Pitt, die weer wat leven in het uitgestrekte lichaam zag terugkeren. 'Ik stel voor dat we 'm smeren voordat ze wakker worden.'

Pitt greep Zeibig bij zijn arm en trok hem met zich mee naar de voordeur, maar plotseling bleef de archeoloog stokstijf staan.

'Wacht... de stèle,' zei hij, terwijl hij op Gunns stenen plaat afliep.

Pitt staarde naar de opgegraven steen, die meer dan een meter lang was.

'Te groot om als souvenir mee te nemen, Rod,' zei hij Zeibig tot haast manend.

'Laat me dan alleen even naar de inscriptie kijken,' smeekte Zeibig.

Terwijl hij met zijn vingers het oppervlak schoonwreef, las hij de Latijnse tekst een paar keer over in een poging hem goed in zijn hoofd te prenten. Zodra hij het gevoel had dat hem dat was gelukt, keek hij Pitt flauwtjes glimlachend aan.

'Oké, ik heb 't.'

Pitt ging hem voor naar de voordeur, die net op dat moment openzwaaide. Hij stond plotseling oog in oog met een mooie, donkerharige vrouw die naar binnen wilde. Pitt wist dat hij haar eerder had gezien, maar door de kleding die ze droeg, wist hij niet precies meer waar. Maria daarentegen herkende Pitt meteen.

'Waar komt u vandaan?' vroeg ze.

Door de bitse manier waarop ze dat zei, begreep Pitt onmiddellijk dat dit dezelfde stem was die hem in de cisterne van Yerebatan Sarnici in Istanbul had bedreigd. Hij schrok dat hij haar hier zo opeens voor zich zag, maar tegelijkertijd begreep hij hoe het in elkaar stak. De Topkapi-dieven hadden ook in Ruppés kantoor ingebroken en dat had hen op het spoor van het wrak gezet.

'Ik ben van de Topkapi-zedenpolitie,' antwoordde Pitt laconiek.

'Dan sterft u samen met uw vriend,' reageerde ze venijnig.

Terwijl ze langs hen heen keek, zag ze nog net haar broer en de bewaker in de vergaderkamer op de grond liggen. Er trok een trilling van angst en woede over haar gezicht en ze deinsde een paar passen terug in het voorportaal, waarna ze zich opzij draaide om naar de loods om hulp te schreeuwen. Maar die woorden sprak ze niet meer uit.

Uit de duisternis schoot een gespierde arm op haar af die haar om haar middel greep, onmiddellijk gevolgd door een hand die haar vakkundig de mond snoerde. De vrouw trapte en sloeg driftig van zich af, maar ze zat als een pop vast in de stevige greep van Al Giordino.

Hij droeg haar terug door het portaal de hal in, waar hij olijk naar Zeibig knikte.

'Waar had je deze gehad willen hebben?' vroeg hij zich tot Pitt wendend.

'In een stinkende Turkse gevangeniscel,' antwoordde Pitt. 'Maar voorlopig zullen we het met een wc of zoiets moeten doen, denk ik.'

Pitt vond onder de trap een kleine bezemkast. Hij trok de deur open, waarop Giordino Maria erin plantte. Zeibig kwam met een bureaustoel aanzetten, die Pitt als een wig onder de deurknop klemde, nadat Giordino de deur met een klap had dichtgeslagen. Uit het hok klonk het gedempte geluid van furieus gescheld en harde trappen.

'Wat een duivel, zeg,' zei Giordino.

'Nog meer dan je denkt,' reageerde Pitt. 'Ze mag echt geen tweede kans krijgen.'

De drie mannen snelden het gebouw uit naar de steiger. De brandende vrachtwagen trok nog alle aandacht, hoewel de eerste havenarbeiders alweer naar het laden van het vrachtschip terugkeerden. De gewapende bewakers speurden zenuwachtig het terrein rond de ontploffing af en het trio vervolgde haastig zijn weg over de steiger. Pitt vond een rondslingerende jutezak, die hij over Zeibigs handen drapeerde om te voorkomen dat men zag dat hij nog geboeid was.

Bij de kraan gekomen stapten ze in een poging niet op te vallen zo stevig mogelijk door als ze durfden. Ze liepen dicht langs het vrachtschip met hun hoofden van het jacht en het werkschip afgekeerd, waarbij Pitt en Giordino Zeibig zo goed mogelijk afschermden. Ze ontspanden zich enigszins toen ze uit het verlichte deel van de steiger wegliepen en zagen dat er niemand achter hen aankwam. Langs de kustlijn bleef alles rustig en Pitt haalde opgelucht adem toen ze de achtersteven van het vrachtschip bereikten.

'Volgende halte, de Aegean Explorer,' mompelde Giordino zachtjes.

Maar die hoop vervloog toen ze aan het einde van de steiger kwamen. Pitt en Giordino liepen tot aan de rand door en keken omlaag naar het water, waarna ze ongelovig de omgeving afspeurden.

De Bullet was nergens te bekennen.

37

Celik kwam langzaam bij, met een bonzende hoofdpijn en een harde dreun in zijn oren. Nadat hij wankelend overeind was gekrabbeld en onvast op zijn benen stond, schudde hij de dufheid van zich af en merkte dat de harde dreun niet in zijn oren zelf zat. Hij herkende de gedempt klinkende stem van zijn zus, waarop hij naar de kast liep en de stoel wegtrapte. Maria kwam er met een rood gezicht van woede haast letterlijk uitgevlogen.

Een vluchtige blik op haar nog half versufte broer kalmeerde haar enigszins.

'Ozden, alles goed met jou?'

Met een pijnlijk trekje om zijn mond wreef hij over de buil op zijn hoofd.

'Ja,' antwoordde hij schor. 'Wat is er gebeurd?'

'Het was weer die Amerikaan van het onderzoeksschip. Met nog een andere vent hebben ze een van de vrachtwagens opgeblazen, waarna ze de archeoloog hebben bevrijd. Ze hebben kennelijk het jacht tot hier gevolgd.'

'Waar zijn mijn janitsaren?' vroeg hij licht heen en weer zwalkend.

Maria wees op de bewaker die onder de vergadertafel lag.

'Zo te zien is hij samen met jou overweldigd. De anderen zijn op zoek naar de oorzaak van de explosie.'

Ze nam Celik bij de arm en leidde hem naar een leren stoel, waarna ze een glas water voor hem inschonk.

'Rust jij maar even uit. Dan ga ik de anderen waarschuwen. Ze kunnen nog niet ver weg zijn.'

'Ik wil hun hoofden,' bracht hij moeizaam uit, waarna hij in de stoel achteroverleunde en zijn ogen sloot.

Maria liep naar het voorportaal toen daar twee bewakers opdoken.

'Het vuur is geblust,' meldde een van de twee.

'We zijn door indringers aangevallen en die hebben de gevangene meegenomen. Zoek de kade en de pier af, nu meteen,' beval ze. 'En neem het jacht voor de rest van de inham. Ze moeten hier een boot hebben.'

Terwijl de mannen wegrenden, staarde Maria over het donkere water van de inham en voelde dat de indringers nog in de buurt waren. Er krulde een glimlachje om haar lippen en haar boosheid verdween bij de gedachte aan hoe zoet haar wraak zou zijn.

38

Op datzelfde moment hadden de mannen van het NUMA geen duikboot of ander schip waar ze mee weg konden.

Giordino tuurde in het water of hij kon zien of de Bullet misschien aan haar meertouw was gezonken. Vervolgens liep hij naar de zwarte ijzeren bolder waaraan hij de duikboot had vastgelegd. Maar de tros was verdwenen.

'Ik heb die lijn toch stevig vastgemaakt,' zei hij.

'Dan heeft iemand haar tot zinken gebracht of weggehaald,' reageerde Pitt. In gedachten verzonken tuurde hij de steiger af.

'Dat werkbootje. Lag dat niet voor het jacht toen we aan land kwamen?'

'Ja, je hebt gelijk. Ze ligt nu met draaiende motor achter het jacht. Door de generator hebben we haar op de terugweg niet goed kunnen zien. Misschien heeft zij de Bullet weggesleept.'

Plotseling hoorden ze vanaf de kade een vrouwenstem schreeuwen, gevolgd door luid geroep van mannenstemmen. Pitt tuurde langs de achtersteven van het vrachtschip en zag een aantal bewakers naar de steiger rennen.

'De voorstelling is afgelopen zo te zien,' zei hij met zijn blik op het water gericht. 'Ik geloof dat we een nat pak moeten riskeren.'

Zeibig hield zijn geboeide handen op.

'Op zich ben ik daar niet zo bang voor,' zei hij met een scheve grijns. 'Maar om daar nou per se bij te moeten verdrinken.'

Giordino legde een hand op zijn schouder.

'Kom maar mee, dan heb ik een droge patio voor je.'

Giordino liep met Zeibig naar de lege oliedrums die als een muur langs de steigerrand opgestapeld stonden. Snel rolde hij een paar tonnen opzij en verschoof ze alsof het bierblikjes waren tot er een kleine omsloten ruimte ontstond.

'Steigerplaats voor één persoon,' zei hij met een uitnodigende armzwaai.

Zeibig liet zich op de grond zakken en trok zijn benen op.

'Mag ik een Manhattan voor onder het wachten?' vroeg hij.

'Na de voorstelling,' antwoordde Giordino, terwijl hij een ton tegen de archeoloog aanschoof. 'Rustig blijven zitten tot we terugkomen,' zei hij, waarna hij nog een paar oliedrums zodanig om Zeibig opstelde dat hij volledig ingesloten was.

'Dat komt wel goed,' klonk Zeibigs antwoord gedempt van achter de tonnen.

Nadat Giordino nog snel een ton iets had verzet, draaide hij zich om naar Pitt, die de steiger afspeurde. In de verte zag hij een tweetal bewakers over de kade op de pier afkomen.

'We moeten nu toch echt even in het niets verdwijnen,' zei Pitt, terwijl hij naar het uiteinde van de steiger liep, waar een ijzeren ladder tot in het water stak.

'Ik volg je,' fluisterde Giordino, waarop de twee mannen de ladder afklauterden en zich stilletjes in het donkere water lieten zakken.

Zonder ook maar een seconde te verliezen begonnen ze aan de terugtocht naar de kade, waarbij ze veilig uit het zicht van bovenaf tussen de pijlers van de steiger door zwommen. Pitt had al een ontsnappingsplan in zijn hoofd, maar zag zich daarbij voor een dilemma geplaatst. Het stelen van een boot leek het meest voor de hand liggend en dan konden ze kiezen tussen het werkschip en het jacht. Het werkschip was makkelijker in handen te krijgen, maar in dat geval zou men hen met het snellere jacht kunnen inhalen. Hij bereidde zich al voor op de haast ondoenlijke taak om het jacht zonder wapens te overvallen toen Giordino hem op zijn schouder tikte. Hij hield in en draaide zich om naar zijn partner, die watertrappelend naast hem gleed.

'De Bullet,' fluisterde Giordino. Zelfs in het donker zag Pitt de witte tanden in Giordino's glimlach.

Tussen de pijlers door turend zag Pitt haar vlak achter het werkschip en het jacht liggen. Maar net boven de waterspiegel ontwaarde hij achter het werkschip de bovenkant van de duikboot. Toen ze over de steiger terugkeerden, waren ze er vlak langsgelopen. Ze lag verscholen achter de generator, waardoor ze de Bullet toen ze Zeibig achter de oliedrums verstopten, domweg niet hadden gezien.

De twee mannen zwommen er stilletjes naartoe en zagen dat de meertros van de duikboot aan de achtersteven van het werkschip was vastgemaakt. De achterdochtige bewaker op het jacht was, nadat hij Pitt en Giordino met de ladder had zien langskomen, naar het uiteinde van de steiger gewandeld, waar hij de onbekende boot achter het vrachtschip had ontdekt. Hij had de kapitein van het werkschip er bijgehaald en samen hadden ze de duikboot langszij het jacht getrokken om haar in het licht van de schijnwerpers beter te kunnen bekijken.

Pitt en Giordino zwommen nog een stukje door tot ze op gelijke hoogte met de Bullet waren. Vandaar zagen ze de gewapende bewaker op het achterdek van het werkschip staan en een tweede man in de stuurhut.

'Het lijkt me het beste dat we de meertros pakken en haar eerst een eind de inham in trekken,' fluisterde Pitt. Plotseling klonk er luid geschreeuw op de kade, waar de janitsaren de steiger begonnen uit te kammen.

'Spring op de Bullet en bereid haar voor op een duik,' zei Pitt, die geen tijd meer wilde verspillen. 'Dan kijk ik wat ik met het werkschip kan doen.'

'Dat lukt je niet alleen met die gewapende bewaker,' zei Giordino bezorgd.

'Hij krijgt een zoen zodra ik aan boord ben.'

Daarop zoog Pitt zijn longen vol en verdween onder water.

39

De bewaker kon niet zien wat de commotie op het land precies inhield,
maar hij zag nu wel zijn collega-janitsaren over de steiger hollen. Hij
had geprobeerd om via de radio die ontdekking van de duikboot aan zijn
commandant te melden, maar wist niet dat die nog altijd bewusteloos
in het stenen gebouw lag. Hij had overwogen om naar het jacht terug te
gaan, maar was tot de conclusie gekomen dat hij de duikboot vanaf het
werkschip beter in de gaten kon houden. Hij stond naar de kust te turen,
toen hij plotseling opschrok van een stem die hem vanuit het water riep.

'Neem me niet kwalijk, joh, maar is dat de Chattanooga Choo Choo?'
hoorde hij een barse stem roepen.

De bewaker liep naar de achterreling en keek omlaag naar de duikboot.
Een doorweekte Giordino stond op de romp van de Bullet, waar hij zich
met een hand aan de plexiglazen koepel overeind hield, terwijl hij met de
andere vrolijk naar de geschrokken bewaker zwaaide. Hij richtte onmiddellijk zijn wapen en begon terug te schreeuwen, toen hij achter zich het
geluid van soppende voetstappen hoorde naderen.

Maar hij was te laat. In zijn draai zag hij Pitt als een aanvallende voet-
baller op hem afstormen. Met opgeheven elleboog raakte Pitt hem vlak
onder zijn schouder in de zij. Met zijn benen tegen de reling gedrukt verloor de man zijn evenwicht en klapte over de verschansing met een luide
plons het water in.

'Vriendendienst,' riep Giordino naar Pitt, terwijl hij het luik ontgrendelde en zich snel in de duikboot liet zakken.

Pitt draaide zich om en zag twee mannen op de steiger lopen die hem
ontsteld aanstaarden. Hij negeerde hen en richtte zijn aandacht op de kleine
stuurhut van het schip. Door de plons gealarmeerd stommelde er een man
van middelbare leeftijd met een rond gezicht en een zongebruinde huid
naar buiten, die verstijfde toen hij Pitt op het dek zag staan.

'Arouk?' riep hij, maar de bewaker kwam net weer proestend boven water.

Pitts ogen speurden het achterdek af tot hij aan het dolboord een twee
meter lange hijshaak ontdekte. Hij sprong er meteen op af, greep hem bij

het uiteinde beet en priemde de gemeen scherpe ijzeren haak naar de kapitein van het werkschip.

'Over boord jij,' brulde Pitt met de haak naar het water gebarend.

De kapitein, die de vastberaden blik in Pitts ogen zag, aarzelde geen moment. Met zijn handen omhoog stapte hij kalm naar de reling, zwaaide zijn benen eroverheen en liet zich in het water zakken. Aan de andere kant van het schip begon de bewaker die Arouk heette, naar zijn kameraden op de steiger te schreeuwen.

Pitt gunde zich geen tijd om te achterhalen wat er werd gezegd. Hij liet de haak vallen en rende naar de stuurhut, waar hij de gashendel helemaal openschoof. Het schip sprong vooruit en schokte vrijwel meteen terug toen ze de meertros van de duikboot straktrok. Maar geleidelijk kreeg het schip meer vaart en versnelde tot wat voor Pitt een slakkengang leek. Hij keek net op tijd naar de pier om te zien dat er twee bewakers naar de rand liepen en hun wapens op hem richtten. In een flitsende reflex dook hij naar de grond voordat de bewakers het vuur openden.

De stuurhut werd in een explosie van versplinterend hout en verbrijzelend glas doorzeefd, terwijl twee lange salvo's de hele bovenbouw bestreken. Een dikke laag splinters en scherven van zich afschuddend kroop Pitt naar het stuurrad, dat hij een driekwart slag naar stuurboord rukte.

De paar meter tussenruimte met het ervoor afgemeerde jacht waren snel overbrugd. Hoewel hij met een scherpe bocht de inham in had kunnen sturen, begreep Pitt dat hij dan Giordino en de Bullet aan het aanhoudende geweervuur blootstelde. In alle hectiek had hij geen idee of Giordino zich nog voor het schieten begon in de duikboot had kunnen verschansen. Hij kon alleen maar proberen de aandacht af te leiden tot ze een veiligere plek in de inham hadden bereikt.

Hij greep het kussen dat hij op de stoel van de stuurman zag liggen en kroop ermee naar de restanten van het kapotgeschoten raam aan bakboordzijde. Door het daar omhoog te steken wist hij nogmaals de aandacht van de schutters te trekken. Nadat ze hun wapens hadden herladen, werd de stuurhut voor een tweede keer door allesvernietigende salvo's doorboord. In de stuurhut lag Pitt plat op de grond met het kussen tegen zijn hoofd ter bescherming tegen het rondvliegende glas. De kogelregen hield aan tot de schutters hun magazijn weer hadden leeggeschoten.

Zodra het schieten ophield, hief Pitt zijn hoofd op en zag dat het werkschip langs het jacht schoof. Hij kroop naar het stuurrad, dat hij iets naar stuurboord trok en in die stand hield. Toen het schip de boeg van het jacht naderde, zakte hij op zijn knieën en gaf een harde ruk aan het stuurrad.

Het oude schip, dat inmiddels met een snelheid van zo'n acht knopen voer, zwenkte scherp weg van het jacht en de steiger. Pitt hoorde opnieuw luid geschreeuw, maar zijn manoeuvre had hem een paar kostbare seconden dekking opgeleverd, nu het jacht het zicht van de schutters op het schip ontnam. Ze moesten nu ofwel aan boord van het jacht gaan ofwel de steiger verder aflopen om hen weer in het vizier te krijgen, waarmee Pitt, zo hoopte hij, de kans kreeg ver genoeg weg te varen.

Hij gunde zich een moment rust en keek door het achterraam van de stuurhut. De Bullet volgde vrolijk schommelend in het kielzog. Uit het matte schijnsel van de elektronica op het bedieningspaneel leidde hij af dat Giordino erin zat en de duikboot startklaar maakte. Pitt tuurde eroverheen naar het jacht, waar hij bij de achtersteven net boven de waterlijn een zwarte wolk uitlaatgassen zag opstijgen. Pitt had gehoopt al in de Bullet terug te zijn voordat het jacht de achtervolging inzette, maar zijn tegenstanders treuzelden niet. Tot overmaat van ramp zag hij de twee schutters met hun wapens in de aanslag over het achterdek van het jacht rennen.

Pitt dook weg en gaf het stuurrad een ruk, waarop het werkschip naar het midden van de inham draaide en zo de Bullet uit de vuurlijn trok. Het geratel van machinegeweren ging met een kogelregen gepaard die voor het grootste deel in de achtersteven van het schip sloeg. Pitt wou dat het schip sneller ging, maar de oude schuit had met de duikboot op sleeptouw het maximum van haar kunnen bereikt.

Toen Pitt schatte dat ze zich op zo'n honderd meter van de steiger bevonden, rukte hij het stuurrad naar bakboord en nam gas terug. Hij hield het stuurrad in die stand tot het schip een volledig draai had gemaakt en het jacht nu voor de boeg oprees. Terwijl het schip met stationair draaiende motor in de inham dobberde, liep Pitt naar de achtersteven, waar hij snel het meertouw van de Bullet losmaakte. Nadat hij de lijn naar de duikboot had gegooid, leunde hij over de reling.

'Wacht hier op me,' schreeuwde hij naar Giordino, terwijl hij ook met zijn handen gebaarde dat hij daar moest blijven liggen.

Giordino knikte en stak onder de plexiglazen koepel zijn duim naar Pitt op. Pitt draaide zich om en rende terug naar de stuurhut, terwijl vanaf de kust het vuur weer werd geopend, dat nu op de boeg van het werkschip was gericht. In de stuurhut ramde Pitt de gashendel weer op volle kracht vooruit en draaide het stuurrad tot hij recht op het uiteinde van de steiger afkoerste.

'Blijf waar je bent, grote meid,' mompelde hij hardop met zijn ogen strak op het jacht gericht.

Verlost van de duikboot wist het werkschip er nog een paar knopen meer uit te persen. Pitt hield de boeg angstvallig op het uiteinde van de steiger gericht om niet meteen te verraden wat hij van plan was. Voor de schutters op het jacht leek het alsof het schip nog altijd een wijde boog tegen de klok in maakte. Pitt hield deze schijnmanoeuvre vol tot hij op zo'n vijftig meter afstand langs het jacht leek te sturen. Op dat moment gaf hij nogmaals een stevige ruk aan het stuurrad.

Zodra het jacht midscheeps voor de boeg lag, legde hij het schip recht en zette het stuurrad vast door een zwemvest in de onderste spaken te klemmen. Hij negeerde het nieuwe salvo waarmee de schutters de boeg bestookten en sprintte de stuurhut uit naar het achterdek, waar hij met een snoekduik over de reling sprong.

De kapitein van het jacht was de eerste die zag dat het werkschip op ramkoers lag, en begon luid te gillen dat ze de meertouwen moesten losgooien. Er verscheen een bemanningslid aan dek, die op de steiger sprong en pijlsnel de boegtrossen van de bolders rukte. Een van de schutters wierp zijn wapen weg en rende over het dek om de hektros los te gooien. In plaats van op de steiger te springen en daar de korte lijn los te maken, probeerde hij dat aan de scheepskant, waar de tros veel te strak aan de bolder vastzat.

De kapitein zag dat de trossen bij de boeg en midscheeps werden losgegooid, waarop hij zich omdraaide en tot zijn grote schrik het werkschip op nog geen twintig meter afstand op zich af zag komen. Uit pure paniek om lijfsbehoud sprong hij naar de besturingsconsole, waar hij de beide gashendels openduwde in de hoop dat ook de hektros inmiddels los was.

Maar nee.

De krachtige dieselmotoren sloegen bulderend aan, waarop de twee schroeven door het water maalden en de boot voorwaarts stuwden. Maar hij bewoog maar een halve meter tot de hektros strak stond en het jacht aan de steiger gekluisterd hield. De bewaker viel met een gil achterover en verloor bijna een paar vingers toen het touw om de bolder werd aangetrokken.

Aan de achtersteven spatte het water bruisend op, terwijl het jacht zich trachtte los te rukken. Tot de lijn losschoot. Het bemanningslid op de steiger dook weg nadat hij de tros daar had doorgekapt. Het jacht sprong in een wolk van opspattend schuim als een rodeopaard naar voren. De kapitein wierp een snelle blik naar buiten, waarop zijn handen om het stuurrad verkrampten en het tot hem doordrong dat zijn vluchtmanoeuvre was mislukt.

Het onbemande werkschip boorde zich aan stuurboordzijde net voor de achtersteven in het jacht. De stompe, oersterke boeg van het schip verbrijzelde de polyester romp van het jacht en plette de andere zijde met een verwoestende klap tegen de pijlers van de steiger. Met het ijzingwekkende geluid van schurend metaal braken brandstof- en hydraulische leidingen van de op volle toeren draaiende motoren. Door de kracht van de aanvaring sloeg de achtersteven van het jacht tegen de steiger, waar de bakboordschroef tegen een pijler sloeg en van de as brak. Het jacht sprong als een aangeschoten dier nog één keer op en schoot tussen het werkschip en de steiger uit, waarna de motoren stilvielen en het jacht stuurloos naar de kade dreef.

Pitt had de afloop van de aanvaring niet afgewacht en zwom onder water weg, waarbij hij alleen om adem te halen af en toe even aan de oppervlakte kwam. Hij dwong zichzelf door te gaan tot zijn longen pijn deden en hij uit het aantal getelde slagen opmaakte dat hij in de buurt moest zijn van waar hij de Bullet had losgemaakt. Weer boven water gluurde hij, ondertussen op adem komend, naar de steiger. De aanval had zijn doel duidelijk niet gemist. Hij zag het jacht stuurloos naar de wal drijven, terwijl het werkschip met een nog altijd op volle toeren draaiende motor tegen de steiger op bonkte, waarbij de gedeukte boeg geleidelijk dieper in het water wegzakte. Op de steiger verdrongen zich tientallen mensen die opgewonden schreeuwend probeerden te zien wat er was gebeurd. Pitt glimlachte onwillekeurig toen hij te midden van het gekrakeel een vrouwenstem hoorde gillen.

Nu hij zich tijdelijk veilig wist, draaide hij zich om en zwom, onderwijl het wateroppervlak afspeurend, van de steiger weg. Nadat hij snel aan de kust een oriëntatiepunt had gezocht om er zeker van te zijn dat hij de goede richting opging, tastte hij met zijn ogen ingespannen de waterspiegel af. In alle richtingen zag hij slechts witte kopjes op de golven en plotseling overviel hem een gevoel van diepe eenzaamheid.

Voor de tweede keer die avond was de Bullet zonder hem vertrokken.

40

Rod Zeibig kromp ineen toen hij het eerste salvo mitrailleurvuur hoorde. Elke hoop op een heimelijke aftocht leek met het metaalachtige getik van op de steiger kletterende patroonhulzen vervlogen. Maar hij maakte zich meer zorgen om Pitt en Giordino, die duidelijk het doelwit van het schieten waren.

Tot zijn verbazing bleef het geweervuur verscheidene minuten onafgebroken doorgaan. Uiteindelijk bleek zijn nieuwsgierigheid sterker dan zijn angst en boog hij voorzichtig over de rand van de steiger om langs de olievaten te gluren of hij kon zien wat er gebeurde. Aan de andere kant van de steiger zag hij nog net de bovenbouw van het jacht en een aantal mannen die naar de kade schreeuwden. Op de steiger zag hij een bemanningslid als een waanzinnige de trossen losgooien.

Zeibig dook terug in zijn schuilplaats toen er weer salvo's losbarstten. Na een paar seconden hield het schieten op en klonk er een enorme dreun, waarop er zo'n heftige trilling door de steiger trok dat de oliedrums om hem heen rammelend tegen elkaar sloegen. Opnieuw klonk er geschreeuw op, maar er werd niet meer geschoten. Door een naargeestig gevoel overmand vreesde de archeoloog dat Pitt en Giordino deze laatste aanval niet hadden overleefd.

Terwijl hij zijn ogen, in gedachten over zijn eigen lot verzonken, over het water van de inham liet gaan, zag hij aan het oppervlak voor hem opeens iets bewegen. In de diepte eronder schemerde een mat groen schijnsel dat geleidelijk helderder werd. In stomme verwondering bleef hij ernaar kijken tot hij de doorzichtige koepel van de Bullet vlak voor zich uit het water zag oprijzen. Achter het bedieningspaneel zat de forse gestalte van Al Giordino met een onaangestoken sigaar tussen zijn lippen.

De archeoloog wachtte een officiële uitnodiging om aan boord te komen niet af, maar liet zich nog voordat de duikboot goed en wel boven water was, haastig langs een met mosselen bedekte pijler in het water zakken. Zeibig zwom naar de achtersteven, waar hij op een van de ballasttanks klom en naar het achterste luik kroop. Op hetzelfde moment opende Giordino het luik en hielp Zeibig naar binnen, waarna hij het luik onmiddellijk weer sloot.

'Man, wat ben ik blij je te zien,' zei Zeibig, terwijl hij zich voorzichtig, om geen water over de elektronische apparatuur te morsen, op de stoel van de tweede stuurman liet zakken.

'Ik was niet van plan om alleen naar huis te zwemmen, hoor,' reageerde Giordino, die de ballasttanks vol liet lopen om de duikboot weer zo snel mogelijk onder water te krijgen. Met een uitgestrekte nek speurde hij de omgeving van de olievaten af om te kijken of ze door iemand waren opgemerkt.

'Aan dit stuk van de steiger heeft niemand veel aandacht besteed,' meldde Zeibig, terwijl hij zag hoe het water steeg en over de plexiglazen koepel heen kolkte. Vervolgens wendde hij zich met een licht trillende stem tot Giordino.

'Ik hoorde een geweldige dreun, waarna het schieten ophield. Dirk?'

Giordino knikte. 'Hij had het werkschip gekaapt waarmee ze de Bullet naar de andere kant van de steiger hadden gesleept. Nadat hij me had losgesneden, is hij op het afgemeerde jacht afgegaan.'

'Dat is geloof ik wel gelukt,' reageerde Zeibig op een sombere toon.

Toen Giordino op de dieptemeter zag dat ze negen meter onder water voeren, sloot hij de toevoer van de ballasttanks en draaide de duikboot langzaam weg van de steiger. Iets meer gas gevend stuurde hij naar het midden van de inham en keek Zeibig met een geruststellende glimlach aan.

'Dirk kennende denk ik niet dat hij tot het eind toe op het schip is gebleven. Eigenlijk durf ik er mijn maandsalaris om te verwedden dat hij nu op ditzelfde moment ergens midden in de inham kringetjes zwemt.'

Zeibigs ogen lichtten op. 'Maar hoe vinden we hem daar in hemelsnaam?'

Giordino klopte liefdevol op het bedieningspaneel. 'We hebben alle vertrouwen in de voelhoorns van de Bullet,' antwoordde hij.

Met zijn ogen strak op het navigatiescherm gericht, stuurde Giordino de duikboot langs de kronkelende koers die hij vanaf het punt waarop Pitt hem van het werkschip had losgesneden, in het computergeheugen had opgeslagen. Deze op gegist bestek functionerende apparatuur zou hen niet met dezelfde exactheid van een gps-systeem naar de uitgangspositie terugleiden, maar wel zo goed als.

Giordino hield een diepte van zo'n negen meter aan tot hij in de buurt van het startpunt gekomen langzaam naar drie meter onder de waterspiegel steeg. Vervolgens nam hij gas terug tot ze stil in het water hingen.

'Zijn we nu buiten bereik van de schutters?' vroeg Zeibig.

Giordino schudde zijn hoofd. 'We mogen blij zijn dat ze ons nog niet onder schot hebben genomen. Ze waren allemaal op het stoppen van het werkschip gefocust. Maar ik zou ze niet graag een tweede kans geven.'

Hij deed zijn arm omhoog en haalde een paar schakelaars naast een boven hen bevestigde monitor over. 'Hopelijk is de baas niet al te dicht onder de kust blijven hangen.'

Op de monitor verscheen het korrelige beeld van de sonarapparatuur. Giordino stelde de frequentie iets bij waardoor het beeld scherper werd, maar wel een kleiner gebied bestreek. De beide mannen tuurden gespannen naar het scherm, waarop ze slechts een platte compositie van grijsgevlekte schaduwen zagen. Vervolgens zette Giordino een zijwaarts gerichte stuwschroef aan, waarop de duikboot een trage draai met de wijzers van de klok mee maakte. Er was een kleine verandering in het beeld toen de naar voren gerichte sensor het midden van de inham aftastte. Tot Giordino boven in het scherm een stipje ontwaarde.

'Daar op een meter of dertig voor ons is iets kleins,' zei hij.

'Is dat Dirk?' vroeg Zeibig.

'Als het geen schildpad, kajak of een andersoortig drijvend voorwerp is,' antwoordde hij.

Hij stelde de stuwschroeven bij en stuurde de duikboot op het bewuste object af dat snel groter werd naarmate ze dichterbij kwamen. Toen de schaduw boven uit het sonarbeeld wegschoof, wist Giordino dat ze zich nu vrijwel recht onder het voorwerp bevonden.

'Laten we maar eens gaan kijken,' zei hij, waarna hij de pomp van de ballasttanks activeerde.

Pitt dreef op zijn rug om nieuwe energie op te doen, nadat hij van het werkschip was weggezwommen en een aantal minuten watertrappelend had gewacht, toen hij een lichte beweging van het water onder hem voelde. Hij draaide op zijn buik en zag de vage binnenverlichting van de Bullet op nauwelijks een halve meter naast hem omhoogkomen. Hij zwom ernaartoe en positioneerde zich recht boven de plexiglazen koepel toen die door de waterspiegel brak. Onmiddellijk remde Giordino de opwaartse beweging af en hield de Bullet in een stand waarbij hij slechts enkele centimeters boven water uitstak.

Pitt lag languit op de koepel en spreidde op zoek naar houvast zijn armen uit. Onder hem zag hij dat Giordino opgelucht glimlachend naar hem omhoogkeek, en hij gebaarde dat hij oké was. Pitt drukte zijn duim en wijsvinger op elkaar en hield zijn hand zo tegen de plexiglazen koepel, waarna hij naar het midden van de inham wees. Giordino knikte dat hij het begrepen had en gebaarde dat hij nog even moest volhouden.

Met zijn armen en benen om de koepel geklemd hield Pitt zich zo goed mogelijk vast, terwijl de duikboot geleidelijk vaart maakte. Giordino gaf net voldoende gas voor een slakkengangetje van een paar knopen. Voor Pitt voelde het alsof hij op zijn buik aan het waterskiën was. De golfjes klotsten tegen zijn gezicht en hij moest om de paar tellen zijn nek haast verrekken om wat lucht te kunnen happen. Toen de kadeverlichting ver genoeg achter hen lag, klopte Pitt met zijn knokkels zo hard mogelijk op het plexiglas. De voorwaartse beweging stopte onmiddellijk en een paar seconden later rees de duikboot in een wolk van opborrelende luchtbelletjes volledig uit het water op.

Pitt liet zich van de plexiglazen koepel op de romp van de Bullet zakken en liep naar het achterluik. Hij bleef nog even staan en wierp een laatste blik naar de kust. In de verte zag hij nog net het werkschip met een diep in het water weggezakte boeg langs de pier liggen. Er vlakbij probeerden een stel mannen in een Zodiac om een lijn van de steiger aan het jacht te bevestigen om te voorkomen dat het aan de grond liep. Tot zijn niet onaanzienlijke opluchting zag Pitt dat een eventuele achtervolging van de duikboot kennelijk geen hoge plaats op de prioriteitenlijst van mensen aan wal had. Naast hem klapte het luik open en nodigde Giordino hem uit in te stappen.

'Bedankt dat je speciaal voor mij bent teruggekomen,' zei Pitt met een scheve grijns.

'Koning Al laat niemand in de steek,' reageerde Giordino met een zucht. 'Onze vrienden aan wal heb je voorlopig voldoende werk bezorgd?'

'Hun jacht heeft een lelijke kras opgelopen waardoor ze nu wel even uit roulatie zijn,' antwoordde hij. 'Desondanks zie ik, aangezien jij doctor Zeibig inmiddels al hebt opgepikt, geen enkele reden om te blijven treuzelen.'

Hij volgde Giordino naar de stoelen achter de besturingsconsole, waarop ze snel de duikboot lieten zakken. Stilletjes gleden ze op een veilige diepte de inham uit tot ze op een kleine kilometer buiten de kust weer opdoken. Giordino stelde de Bullet in om op de oppervlakte te varen, waarna ze tot Zeibigs stomme verwondering spoedig met een vaart van ruim dertig knopen over het zwarte water schoten.

Toen ze radiocontact met de Aegean Explorer opnamen, bleek dat het schip bij de zuidoostpunt van Gökçeada voor anker lag. Dertig minuten later doemden de lichten van het onderzoeksschip duidelijk zichtbaar aan de horizon op. Dichterbij gekomen zagen Pitt en Giordino dat er een tweede, groter schip langszij de Explorer lag. Giordino nam gas terug en stuurde de Bullet aan stuurboordzijde van het NUMA-schip naar een plek onder de overhangende arm van een kraan. Het andere schip, dat aan bakboordzijde op enige afstand parallel aan de Explorer lag, herkende Pitt als een fregat van de Turkse kustwacht.

'Zo te zien is de cavalerie eindelijk gearriveerd,' zei Pitt.

'Ik wijs ze graag de weg naar de boeven,' reageerde Zeibig.

Er kwamen twee duikers in een Zodiac op hen af, die een hijskabel aan de Bullet bevestigden, waarna de slanke duikboot aan boord werd gehesen. Rudi Gunn stond op het achterdek en hielp bij het verankeren van de duikboot, alvorens hij naar het achterluik liep. Zijn omlaag kijkende gezicht klaarde op toen hij Zeibig als eerste naar buiten zag komen.

'Rod, alles goed met jou?' vroeg hij, terwijl hij de archeoloog bij het uitstappen hielp.

'Ja, dankzij Dirk en Al. Maar ik zou het prettig vinden als jullie me hier ook nog even van verlossen,' vervolgde Zeibig, die daarbij ter verduidelijking zijn geboeide handen opstak.

'Dat is in de machinewerkplaats zo verholpen,' reageerde Gunn.

'Al heeft de locatiegegevens van het jacht en de bemanning,' zei Pitt. 'Een kleine uitvalbasis aan de kust. We kunnen de coördinaten aan de Turkse kustwacht geven of er met de Explorer samen met hen naartoe varen.'

'Ik ben bang dat dat er niet in zit,' antwoordde Gunn hoofdschuddend. 'Wij hebben bevel gekregen om zodra jullie aan boord zijn naar Çanakkale te varen, een havenstad aan de Dardanellen.'

Hij gebaarde naar het Turkse fregat, dat na de aankomst van de duikboot dichterbij was gekomen. Pitt bekeek het schip iets beter en zag nu voor het eerst dat er een rij gewapende matrozen langs de reling stond, die hun wapens op het NUMA-onderzoeksschip gericht hielden.

'Wat is dat voor een dreigend gedrag?' vroeg hij. 'Bij ons zijn twee bemanningsleden vermoord en een derde ontvoerd. Had je de kustwacht niet meteen gewaarschuwd?'

'Jawel,' antwoordde Gunn geïrriteerd. 'Maar dat is niet de reden waarom ze hier zijn. Ze waren kennelijk al eerder door iemand anders op ons afgestuurd.'

'Maar waarom dat dreigen met wapens?'

'Omdat,' antwoordde Gunn met van woede fonkelende ogen, 'we gearresteerd zijn wegens het stelen van cultureel erfgoed.'

41

Met de invallende schemering verscheen er een roze gloed aan de avondhemel boven het oostelijk deel van de Middellandse Zee toen de Ottomaanse Ster de haven van Beirut invoer, die zich iets ten noorden van de Libanese hoofdstad bevond. Het oude fregat had haast gemaakt en had de afstand vanuit de Egeïsche Zee in nog geen achtenveertig uur overbrugd. Voorbij een moderne containerterminal draaide het vrachtschip naar het westen en voer langzaam door het havencomplex naar een steiger aan een oudere laad- en loskade.

Ondanks het late uur onderbraken veel van de aanwezige havenarbeiders hun werkzaamheden en bekeken glimlachend het merkwaardige tafereel aan dek van het vrachtschip. Langs het voorste luikgat lag op een haastig geïmproviseerde houten stellage het zwaar beschadigde Italiaanse jacht. Een stel arbeiders in overalls was druk bezig met het provisorisch dichtmaken van het enorme gat in de romp dat door de aanvaring met het inmiddels gezonken werkschip was ontstaan.

Maria zat in een hoek van de brug zwijgend naar de kapitein te kijken die een hele parade van haven-, douane- en handelsvertegenwoordigers te woord stond die zich verlustigend aan papierwerk en op jacht naar geld aan boord hadden gemeld. Pas toen de plaatselijke textielimporteur zich over de onvolledige lading beklaagde, kwam ze tussenbeide.

'We moesten eerder vertrekken dan gepland,' zei ze kortaf. 'U krijgt de rest bij de volgende levering.'

De geïntimideerde importeur knikte en maakte zich haastig uit de voeten, want een confrontatie met de opvliegende eigenaresse van het schip ging hij liever uit de weg.

Op de kade kwamen de havenkranen al in beweging en binnen de kortste keren werden in hoog tempo de zeecontainers met Turks textiel en andere producten uit het ruim gehesen. Maria bleef op de brug, vanwaar ze de ontscheping ongeïnteresseerd bekeek. Pas toen ze een aftandse Toyota vrachtwagen aan zag komen, die vervolgens bij de loopplank stopte, schoot ze overeind en verstijfde. Ze richtte zich tot een van de janitsaren die haar broer haar op haar reis had meegegeven.

'Op de kade is zojuist iemand aangekomen die ik moet spreken. Fouilleer hem alsjeblieft goed en breng hem dan naar mijn hut,' beval ze.

De janitsaar knikte en liep met grote passen de brug uit. Met enige verbazing stelde hij vast dat de chauffeur van de vrachtwagen een nogal sjofel geklede Arabier was met een versleten keffiyeh om zijn hoofd. Maar in zijn ogen lag een energieke glans die de aandacht afleidde van het lange litteken op zijn rechterkaak, dat hij als tiener bij een messengevecht had opgelopen. De bewaker fouilleerde hem grondig, zei hem aan boord te gaan en begeleidde hem naar Maria's grote en stijlvol ingerichte hut.

De Turkse vrouw nam hem vluchtig op, terwijl ze hem een stoel aanbood, waarna ze de janitsaar zei dat hij kon gaan.

'Bedankt dat u gekomen bent, Zakkar. Want zo heet u toch?'

De Arabier glimlachte zuinigjes. 'U kunt me Zakkar noemen, of wat u maar wilt.'

'U hebt talenten die me ten zeerste zijn aanbevolen.'

'Waarschijnlijk is dat ook de reden waarom maar weinigen zich mijn hulp kunnen veroorloven,' reageerde hij, terwijl hij de viezige keffiyeh van zijn hoofd wikkelde en de sjaal op een stoel naast hem gooide. Nu ze zag westerse stijl was geknipt, begreep Maria dat zijn sjofele uiterlijk een pure vermomming was. Na een scheerbeurt en in een pak zou hij zo voor een geslaagde zakenman kunnen doorgaan, dacht ze, niet wetende dat dat ook vaak het geval was.

'U hebt een aanbetaling voor mij?' vroeg hij.

Maria stond op en pakte een leren tas uit een kast.

'Vijfentwintig procent van het totaal, zoals afgesproken. In euro's. De rest wordt zoals door u aangegeven overgemaakt op een bankrekening in Libanon.'

Ze stelde zich vlak voor Zakkar op, maar hield de tas angstvallig vast.

'Over de geheimhouding van deze operatie mag geen enkele twijfel bestaan,' zei ze. 'Er mag niemand bij betrokken zijn die niet voor de volle honderd procent betrouwbaar is.'

'Ik zou al lang niet meer leven als dat niet zo is,' reageerde hij kil. Hij wees op de tas. 'Als ze maar goed worden betaald, zijn mijn mannen bereid om te sterven.'

'Dat zal niet nodig zijn,' zei ze en gaf hem de tas.

Terwijl hij de inhoud controleerde, liep Maria naar een bureau, waaruit ze een aantal opgerolde kaarten tevoorschijn haalde.

'Kent u Jeruzalem?' vroeg ze, terwijl ze de kaarten op een salontafel legde.

'Ik werk een groot deel van mijn tijd in Israël. Moet ik de explosieven naar Jeruzalem brengen?'

'Ja. Vijfentwintig kilo HMX.'

Zakkar trok een wenkbrauw op bij het horen van de hoeveelheid springstof die hij moest vervoeren. 'Indrukwekkend,' mompelde hij.

'Ik vraag ook uw hulp bij het plaatsen van de kneedbommen,' zei ze. 'Er komt waarschijnlijk wat graafwerk bij kijken.'

'Natuurlijk. Geen probleem.'

Ze rolde de eerste kaart open, een oude plattegrond met bijschriften in het Turks: ONDERGRONDSE WATERWEGEN IN HET OUDE JERUZALEM. Ze schoof hem opzij en legde er een uitvergrote satellietfoto van Jeruzalems ommuurde oude stad naast. Met haar vinger volgde ze een route van de oostkant van de muur naar het heuvelachtige gebied rond de vallei van Kidron. Haar vinger stopte bij een grote islamitische begraafplaats op een helling, waarvan de afzonderlijke witte grafstenen op de foto herkenbaar waren.

'Hier bij deze begraafplaats ontmoeten we elkaar, over twee dagen om elf uur 's avonds,' zei ze.

Zakkar bestudeerde de foto en prentte het omringende wegennet dat in de foto extra was aangezet, in zijn hoofd. Hierna keek hij Maria vragend aan.

'Wilt u dat we daar afspreken?' vroeg hij.

'Ja. Het schip vaart van hier naar Haifa.' Ze zweeg even en vervolgde met nadruk: 'Ik leid de operatie!'

De Arabier hield een spottend lachje nauwelijks in bij het idee dat een vrouw hem bij de uitvoering van zijn werk zou leiden, maar besefte tegelijkertijd terdege dat er een vorstelijke betaling tegenover stond.

'Ik zal er zijn met de explosieven,' verzekerde hij.

Ze liep naar haar kooi en trok er een tweetal houten kistjes onder vandaan. Er zaten metalen handvatten aan beide zijden van de kistjes en op allebei stond in het Hebreeuws het woord GENEESMIDDELEN gedrukt.

'Dit is de HMX. Mijn bewakers zullen het aan wal brengen.'

Ze stelde zich weer voor de huurling op en keek hem strak aan.

'Nog één ding. Ik wens geen gemekker over wat wij van plan zijn.'

Zakkar glimlachte. 'Zolang het in Israël is, kan 't me niet schelen wie of wat u ermee wilt mollen.'

Hij draaide zich om en opende de deur. 'Op naar Jeruzalem. Allah zij met u.'

'En ook met u,' mompelde Maria, maar de Arabier was de gang al ingeglipt met de janitsaar op zijn hielen.

Nadat de explosieven naar de vrachtwagen van de Arabier waren gebracht, ging Maria zitten en bestudeerde de foto nog eens aandachtig. Van de oude begraafplaats ging haar blik naar het glinsterende doelwit iets hoger op de heuvel.

Hier gaat de wereld van opkijken, dacht ze bij zichzelf, waarna ze de foto en kaarten weer zorgvuldig in de afgesloten kast wegborg.

42

Rudi Gunn liep als een nerveuze kat op de brug heen en weer. Hoewel de buil op zijn hoofd zo goed als verdwenen was, sierde nog altijd een diepblauwe plek zijn slaap. Na een paar passen bleef hij staan en tuurde de vervallen kade van Çanakkale af op enig teken van beweging. Maar er was geen mens te bekennen en hoofdschuddend begon hij weer te ijsberen.

'Dit is krankzinnig. Het is alweer de derde dag dat we hier aan de ketting liggen. Wanneer mogen we nu eindelijk weg?'

Pitt keek op van de kaartentafel, waar hij met kapitein Kenfield een kaart van de Turkse kust bekeek.

'Ons consulaat in Istanbul heeft me verzekerd dat dat niet lang meer duurt. De noodzakelijke formaliteiten worden op dit moment afgehandeld, als het goed is.'

'De hele situatie is te gek om los te lopen,' klaagde Gunn. 'Wij liggen aan de ketting terwijl de moordenaars van Tang en Iverson vrij rondlopen.'

Pitt kon hem geen ongelijk geven, maar hij begreep het probleem wel. Lang voordat de Aegean Explorer de Turkse kustwacht had ingelicht, waren er bij de Turkse marine via de radio twee meldingen binnengekomen. De eerste was dat het NUMA-schip illegaal een oud Turks scheepswrak aan het bergen was dat onder bescherming van het ministerie van Cultuur viel. En in tweede instantie werd er gemeld dat er twee duikers bij de bergingswerkzaamheden waren omgekomen. De Turken weigerden de bron van de meldingen te noemen, maar moesten ze wel nagaan voordat ze op het verzoek van de Aegean Explorer konden ingaan.

Zodra het NUMA-schip naar de haven van Çanakkale was geëscorteerd en daar aan de ketting was gelegd, werd de hele zaak aan de plaatselijke politie overgegeven, wat de verwarring alleen maar verergerde. Pitt had meteen dr. Ruppé in Istanbul gebeld en hem om een officiële bevestiging gevraagd van de toestemming voor hun aanwezigheid op de plaats van het wrak. Daarna had hij zijn vrouw Loren gebeld. Ze had er direct bij het ministerie van Buitenlandse Zaken op aangedrongen dat ze onmiddellijke invrijheidstelling zouden eisen nu zelfs de politie, nadat ze het hele schip zonder artefacten te vinden grondig hadden doorzocht, langzaam begon in te zien dat er geen enkele reden voor aanhouding bestond.

Rod Zeibig stak zijn hoofd om de deur en verbrak de sfeer van algehele ergernis en moedeloosheid.

'Hebben jullie een momentje?'

'Tuurlijk,' antwoordde Gunn. 'We zitten hier toch maar een voor een alle haren uit ons hoofd te trekken.'

Zeibig kwam binnen met een map in zijn hand en stevende recht op de kaartentafel af.

'Misschien vrolijkt dit je een beetje op. Ik heb wat informatie over jouw stenen monoliet.'

'Nou, die is duidelijk niet meer van mij, hoor,' mokte Gunn.

'Heb je die Latijnse inscriptie nog kunnen reproduceren?' vroeg Pitt, terwijl hij opzijschoof om voor Gunn en Zeibig plaats te maken.

'Ja. Ik had de tekst meteen opgeschreven toen we op het schip terug waren en hem daarna met al die toestanden even opzijgelegd. Vanochtend heb ik hem eindelijk bestudeerd en letterlijk vertaald.'

'Je gaat me toch niet vertellen dat het de grafsteen van Alexander de Grote is, hè?' zei Gunn hoopvol.

'Dat zou om twee redenen niet juist zijn, vrees ik. Het stenen tablet is niet per se een grafteken, maar een gedenkteken. En Alexander wordt nergens genoemd.'

Hij sloeg de map open en haalde er een vel papier met een handgeschreven Latijnse tekst uit, die hij na het zien van de monoliet had neergekrabbeld. Op een tweede blad stond een getypte vertaling, die hij aan Gunn gaf. Hij las de tekst eerst stilletjes door en vervolgens hardop.

```
'Ter Herinnering aan centurio Plautius.
Scholae palatinae en trouwe beschermer van Helena.
Gesneuveld in de zeeslag hier voor de kust.
In trouw, eer en geweten.

Cornicularius Traianus'
```

'Centurio Plautius,' herhaalde Gunn. 'Is het een gedenkteken voor een Romeinse soldaat?'

'Ja,' antwoordde Zeibig, 'wat de veronderstelling dat de kroon van Al van Romeinse oorsprong is geloofwaardiger maakt, een geschenk van keizer Constantijn.'

'Een scholae palatinae trouw aan Helena,' zei Pitt. 'De scholae palatinae was de elite-eenheid van de latere Romeinse keizers, voor zover ik me herinner, net zoiets als de pretoriaanse lijfwacht. En die Helena moet dan Helena Augustus zijn.'

'Dat klopt,' bevestigde Zeibig. 'De moeder van Constantijn I, die in het begin van de vierde eeuw regeerde. Helena leefde van 248 tot 330 na Christus, dus stammen de steen en de kroon vermoedelijk uit die tijd.'

'Enig idee wie die Traianus is?' vroeg Gunn.

'Een *cornicularius* is een legerofficier, meestal in de functie van adjudant. Ik heb diverse Romeinse databestanden erop nagekeken, maar een Traianus heb ik niet gevonden.'

'Het grote mysterie is volgens mij nog steeds: waar komen die kroon en monoliet vandaan en wat deden ze in dat Ottomaanse wrak?'

Hij keek langs Zeibig en sprong op bij het zien van twee mannen in blauwe uniformen die over de kade naar hen toe liepen.

'Nou, nou, de plaatselijke veldwachters zijn eindelijk terug,' zei hij. 'Nu maar hopen dat het onze vrijlatingspapieren zijn die ze daar onder hun arm hebben.'

Kapitein Kenfield liep de agenten op de kade tegemoet en begeleidde hen aan boord, waar Pitt en Gunn zich in de officierskajuit bij hen voegden.

'Hier heb ik het vrijlatingsbewijs van de inbeslagname,' verklaarde de oudere van de beide agenten in helder Engels. Hij had een rond gezicht met flaporen en een forse zwarte snor.

'Uw regering heeft zich bijzonder voor u ingezet,' voegde hij er met een zuinig glimlachje aan toe. 'U bent vrij om te gaan.'

'Hoe staat het met het onderzoek naar de moord op mijn bemanningsleden?' informeerde Kenfield.

'We hebben de zaak heropend als een mogelijke kwestie van doodslag. Maar tot op heden hebben we nog geen verdachten.'

'En het jacht, de Sultana?' vroeg Pitt.

'Ja, we hebben zelf gezien hoe die boot Dirk bijna aan flarden voer,' drong Gunn aan.

'We hebben kunnen achterhalen wie de eigenaar van die boot is en hij zegt dat u zich moet hebben vergist,' antwoordde de agent. 'De Sultana is verhuurd en maakt een tocht voor de kust van Libanon. We hebben vanochtend via e-mail foto's ontvangen waarop duidelijk te zien is dat de boot in de haven van Beiroet ligt.'

'De Sultana was zwaar beschadigd,' zei Pitt. 'Het is uitgesloten dat ze naar Libanon is gevaren.'

De assistent van de agent sloeg een aktetas open en haalde er diverse uitgeprinte foto's uit die hij aan Pitt gaf. Op de foto's waren de boeg en bakboordzijde van het blauwe jacht te zien dat aan een stoffige kade lag afgemeerd. Het ontging Pitt niet dat op geen van de foto's de stuurboordzijde zichtbaar was en dat was de kant waar hij het jacht had geramd. Op de laatste foto stond een close-up van een Libanese krant van die dag met op de achtergrond het jacht. Ook Gunn bestudeerde over Pitts schouder meekijkend de foto.

'Dat lijkt inderdaad dezelfde boot,' zei hij aarzelend. Hij kon alleen maar knikken toen Pitt hem de foto van een reddingsboei liet zien waarop duidelijk de naam van het jacht stond. Pitt knikte, want ook hij zag nergens een aanwijzing dat de foto's gemanipuleerd waren.

'Maar het feit dat een van onze wetenschappers met dit schip is ontvoerd en naar de thuishaven van het jacht is gebracht, is hiermee nog niet ontkracht,' zei Pitt.

'Jawel, ons bureau heeft contact opgenomen met de politiecommandant in Kirte en die heeft een van zijn mannen voor een onderzoek naar de door u beschreven haven gestuurd.' Hij draaide zich om en knikte naar zijn assistent, die een dik pakket uit de aktetas tevoorschijn haalde en het aan zijn superieur overhandigde.

'Deze kopie van het verslag dat in Kirte is opgemaakt, is voor u. Ik ben zo vrij geweest om het voor u in het Engels te laten vertalen,' zei de agent, terwijl hij het pakket met een verontschuldigend gezicht aan Pitt doorgaf. 'De rechercheur meldt hierin dat niet alleen de door u beschreven schepen niet in de haven aanwezig waren, maar dat er in de haven helemaal geen schepen lagen.'

'Ze hebben hun sporen grondig gewist,' merkte Gunn op.

'Volgens de havenpapieren lag er eerder die dag inderdaad een groot vrachtschip, zoals door u beschreven, aan de kade voor de inscheping van een lading textiel. Maar volgens de papieren was het schip al minstens acht uur vóór uw zogenaamde aankomst aldaar uit de haven vertrokken.'

De agent keek Pitt vriendelijk aan.

'Het spijt me dat we momenteel verder weinig voor u kunnen doen, tenzij er nog nieuwe bewijzen opduiken,' vervolgde hij.

'Ik begrijp dat dit zo wel een heel verwarrende toestand is geworden,' zei Pitt met moeite zijn ergernis onderdrukkend. 'Maar misschien zou u mij toch kunnen vertellen wie de eigenaar is van die werf bij Kirte?'

'Dat is een particuliere onderneming, Anatolia Exports. Alle adresgegevens staan in het verslag.' Hij keek Pitt peinzend aan. 'Als ik verder nog iets voor u kan doen, laat u mij dat dan alstublieft weten.'

'Dank u voor uw hulp,' reageerde Pitt afgemeten.

Nadat de agenten het schip hadden verlaten, schudde Gunn zijn hoofd.

'Onvoorstelbaar. Een dubbele moord en een ontvoering en niemand doet iets behalve wij.'

'Hier wordt inderdaad vuil spel gespeeld,' zei kapitein Kenfield.

'En met valse kaarten,' vulde Pitt aan. 'Anatolia Exports heeft de politie van Kirte duidelijk omgekocht. Volgens mij had onze veldwachter hier dat ook wel door.'

'Ik geloof dat hij met de situatie nogal in zijn maag zat en dat ze gewoon geen gezichtsverlies wilden lijden,' reageerde Kenfield.

'Ze moeten gewoon hun werk doen,' mokte Gunn.

'Ik had gedacht dat ze het vuur wel uit hun sloffen zouden lopen nadat jij hun had verteld dat je de vrouw van de Topkapi-roof had gezien,' zei Kenfield tegen Pitt.

Pitt schudde zijn hoofd. 'Ik heb ze niets over haar verteld.'

'Waarom niet?' vroeg Gunn ongelovig.

'Ik wilde het schip niet nog meer in gevaar brengen zolang we in Turkse wateren zijn. We hebben met eigen ogen gezien waartoe ze in staat zijn, wie die "ze" dan ook mogen zijn. Bovendien heb ik zo mijn vraagtekens bij de mate waarin de plaatselijke politie ons van dienst kan zijn.'

'Daar heb je waarschijnlijk gelijk in,' reageerde Kenfield.

'Maar we kunnen toch niet toelaten dat ze vrijuit gaan?' protesteerde Gunn.

'Nee,' was Pitt het met hem eens. Hij schudde vastberaden zijn hoofd. 'Maar dat gebeurt ook niet.'

De trossen waren losgegooid en juist toen de Aegean Explorer van de kade weggleed, kwam er een aftandse gele taxi aangescheurd. De roestige auto kwam met doorslippende banden vlak voor de kaderand tot stilstand, waarop het achterportier openzwaaide en er een lange slanke vrouw uitsprong.

Pitt stond op de brug toen hij zijn dochter over de kade zag rennen.

'Dat is Summer,' riep hij tegen de kapitein. 'Niet wegvaren!'

Pitt rende over het hoofddek en dook weg toen er een grote plunjezak door de lucht vloog en vlak voor zijn voeten neerplofte. Een seconde later verscheen er een stel handen om de bovenrand van de verschansing, gevolgd door een woeste rode haardos. Het volgende moment slingerde Summer haar lijf over de reling en landde keurig op haar voeten op het voordek. Pitt liep met haar plunjezak op haar af en sloot haar in een stevige omhelzing.

'We waren heus wel teruggekomen om je op te pikken, hoor,' zei hij lachend.

Ze merkte dat het schip achteruit voer en langzaam naar de kade teruggleed, waarop ze haar vader schaapachtig aankeek.

'Sorry,' zei ze nog uithijgend. 'Toen ik vanuit Londen met het schip belde, zei Rudi dat jullie hier nog wel een dag of twee zouden liggen. Maar toen de taxi de kade opreed, zag ik jullie wegvaren en raakte in paniek. Ik wilde de boot nu echt niet missen.'

Pitt draaide zich om en zwaaide naar de brug ten teken dat ze konden vertrekken. Vervolgens begeleidde hij Summer op zijn gemak naar haar hut.

'Ik had je pas over een paar dagen verwacht,' zei hij.

'Ik heb een eerdere vlucht uit Londen genomen en dacht dat het makkelijker was als ik vanuit Istanbul hiernaartoe kwam.' Haar gezicht versomberde, terwijl ze vervolgde: 'Ik heb over dat wrak van jullie gehoord... en wat er met Tang en Iverson is gebeurd.'

'We hebben onze portie spanning en ellende wel gehad, ja,' reageerde hij, waarna ze haar hut binnengingen en hij haar plunjezak op de kooi legde. 'Laten we in de officiersmess een kop koffie gaan drinken, dan vertel ik het hele verhaal.'

'Goed idee, pa. Dan vertel ik jou wat ik in Engeland heb gedaan.'

'Je gaat me toch niet vertellen dat jij ook nog eens met een mysterie komt?' vroeg hij glimlachend.

Summer keek haar vader met een ernstige blik in haar ogen aan. 'Jazeker, en zo groot dat je echt niet weet wat je hoort.'

DEEL III

DE SCHADUW VAN DE HALVEMAAN

43

'Sophie, ik geloof dat ik een belangrijke tip voor je heb.'
Sam Levine struikelde haast over zijn eigen benen toen hij het kantoor van het hoofd van de Oudheidkundige Dienst binnenstormde. De snijwonden en blauwe plekken in zijn gezicht, die hij bij het incident in Caesarea had opgelopen, waren vrijwel geheeld, maar er zat nog een groot litteken op zijn wang van de confrontatie met de Arabische dieven. Sophie zat achter haar bureau een rapport van de politie van Tel Aviv over een grafplundering te lezen, maar keek meteen geïnteresseerd op.

'Goed, ik luister.'

'Een van onze informanten, Tyron, een Arabische jongen, meldt dat ze waarschijnlijk vanavond op de islamitische begraafplaats bij Kidron gaan graven.'

'Kidron? Dat is vlak achter de muur van de oude stad. Nu worden ze wel erg brutaal.'

'Als het waar is tenminste. Tyron is niet altijd even betrouwbaar wat tips betreft.'

'En wie zouden er dan gaan graven?'

'Ik heb maar één naam uit hem losgekregen, een zekere Hassan Akais, geen grote jongen,' antwoordde Sam, terwijl hij zich op een stoel tegenover Sophie's bureau liet zakken.

'Zegt me niets,' reageerde Sophie nadat ze even over de naam had nagedacht. 'Moet ik hem kennen?'

'We hebben hem een paar jaar geleden bij een inval in Jaffa opgepakt. Maar we hadden onvoldoende bewijs om een aanklacht tegen hem in te kunnen dienen, dus hebben we hem moeten laten gaan. Sindsdien heeft hij zich kennelijk gedeisd gehouden. Hij betaalt onze informant voor het hoeden van wat schapen en die jongen heeft hem over hun plannen voor vanavond horen praten.'

'Voor mij geen grote vis, zo te horen.'

'Dat leek mij ook. Maar er is nog iets,' vervolgde Sam, terwijl hij Sophie een computeruitdraai overhandigde. 'Ik heb alle bestanden op zijn naam doorzocht en de Mossad verdenkt hem van contacten met de Muildieren.'

Sophie boog voorover en bestudeerde het vel papier met hernieuwde belangstelling.

'Die contacten zijn wel een beetje vaag, op z'n zachtst gezegd,' vervolgde Sam, 'maar ik dacht dat je het wel moest weten.'

Sophie knikte nadat ze het rapport had doorgelezen, dat ze echter niet aan Sam teruggaf.

'Ik zou die Hassan wel eens willen spreken,' zei ze ten slotte op een afgemeten toon.

'We zijn met te weinig om vanavond iets te kunnen doen. Lou en de jongens zijn tot morgen in Haifa en Robert ligt met griep op bed.'

'Dan zullen we 't samen moeten doen, Sammy. Bezwaar?'

Sam schudde zijn hoofd. 'Als die gast iets met Caesarea te maken heeft, wil ik hem hebben ook.'

Ze spraken af waar ze elkaar die avond zouden ontmoeten, waarna Sam opstond en het kantoor uitliep. Sophie was weer in het politierapport verdiept toen ze opeens het gevoel had dat er iemand naar haar keek. Ze keek op en zag tot haar stomme verbazing Dirk in de deuropening staan, met een enorm boeket lelies in zijn hand.

'Pardon, maar ik ben op zoek naar de revolverheld die hier zou rondlopen,' zei hij met een stralende glimlach.

Sophie sprong van haar stoel op.

'Dirk, ik dacht dat je pas volgende week vrij had,' zei ze, terwijl ze op hem afstormde en hem een zoen op zijn wang gaf.

'De universiteit heeft de opgraving van Caesarea voor de rest van het seizoen uitgesteld, dus neem ik aan dat ik voorlopig even niets te doen heb,' zei hij, terwijl hij de bloemen op haar bureau legde. Vervolgens nam hij haar stevig in zijn armen en zoende haar. 'Ik heb je gemist,' fluisterde hij.

Sophie voelde dat ze bloosde en realiseerde zich dat de deur openstond.

'Ik kan even pauze nemen,' stamelde ze. 'Zullen we samen gaan lunchen?'

Meteen nadat hij had geknikt, voerde ze hem weg van de loerende ogen in het kantoor naar de rust van een nabijgelegen binnenplaats.

'In de oude stad weet ik een mooi plekje om te picknicken. En dan halen we onderweg iets te eten,' stelde ze voor.

'Klinkt perfect,' zei hij. 'Ik heb nog niet veel van Jeruzalem gezien. Een wandeling door het centrum is altijd de beste manier om iets van de sfeer van een interessante stad te proeven.'

Sophie greep zijn hand en leidde hem naar de uitgang van het keurig onderhouden terrein van het Rockefeller Museum. De Herodes-poort, een van de doorgangen naar de oude stad, was daar niet ver vandaan. Met een oppervlakte van zo'n anderhalve vierkante kilometer is de oude stad het religieuze hart van Jeruzalem, waarin zich de Heilige Grafkerk, de Klaagmuur en de Rotskoepel bevinden. Dit historische centrum wordt volledig omgeven door een imposante, vierhonderd jaar geleden door de Ottomaanse Turken gebouwde muur.

In de islamitische wijk direct achter de poort bewonderde Dirk de oude schoonheid van het bewerkte kalksteen dat de basis is van vrijwel alle monumenten, kantoorgebouwen en woningen in de stad, hoe verwaarloosd en slecht onderhouden ze soms ook zijn. Maar leuker nog vond hij de diversiteit van de mensen die zich door de smalle straatjes en stegen een weg zochten. Toen hij een Armeense Jood naast een Ethiopiër in een wit gewaad en een Palestijn met een keffiyeh om zijn hoofd voor een stoplicht zag staan, besefte hij dat hij zich hier op een voor de hele wereld uniek stukje grond bevond.

Sophie voerde hem door een donker stoffig steegje dat uitkwam op een drukke openluchtmarkt, die in het Arabisch soek wordt genoemd. Ze zocht zich behendig een weg tussen de verkopers door tot ze bij kraampjes bleef staan waar ze achtereenvolgens falafel, lamskebab, zoete koekjes en ten slotte bij diverse straatventers een zak vol verschillende vruchten insloeg.

'Je zei dat je wat van de plaatselijke sfeer wilde proeven. Nou, hier is 't,' zei Sophie plagerig, terwijl ze hem de tas met hun lunch liet dragen.

Ze leidde hem door nog een aantal straatjes tot ze op het plein van de St.-Anna kerk kwamen. Dit gracieuze, door de kruisvaarders gebouwde stenen godshuis dat midden in de islamitische wijk stond, was een markant voorbeeld van hoe de diverse godsdiensten hier in deze beperkte omgeving van de oude stad samengingen.

'Dit mooie Jodinnetje neemt me mee naar een christelijke kerk?' vroeg Dirk zachtjes grinnikend.

'We gaan naar het terrein achter de kerk. Ik dacht dat een onderwateronderzoeker het daar misschien wel interessant zou vinden. En daarbij,' vervolgde ze met een knipoog, 'is 't een schitterende plek voor een picknick.'

Nadat ze het grondstuk van de kerk waren overgestoken, kwamen ze op een open plek omringd door hoge, schaduwrijke platanen. Over een pad liepen ze naar een afrastering, waarachter als een soort mijningang een diepe kloof gaapte. Op de bodem van de kuil zagen ze de overblijfselen van bakstenen muren, zuilen en bogen.

'Dit was ooit het bad van Bethesda,' vertelde Sophie, terwijl ze in de drooggevallen, stoffige diepte staarden. 'Oorspronkelijk was het een reservoir voor de Eerste en Tweede Tempel, die later tot baden zijn omgebouwd. Uiteraard is dit vooral bekend als de plek waar Jezus volgens de geschriften een invalide vrouw zou hebben genezen. Er is weinig water van over, vrees ik.'

'Misschien maar goed ook,' reageerde Dirk. 'Anders zou het hier wemelen van de toeristen die er een bad zouden willen nemen.'

Op een beschut plekje onder een hoge plataan vonden ze een bankje waarop ze gingen zitten om hun lunch te nuttigen, waarbij ze elkaar steeds lekkere hapjes aangaven.

'Vertel eens, hoe is 't met dr. Haasis?' vroeg ze.

'Heel goed, eigenlijk. Ik heb hem vanochtend, voor mijn vertrek naar Jeruzalem, nog bezocht. Hij is met ziekteverlof thuis, maar hij staat te trappelen om weer aan het werk te gaan. De wond aan zijn been bleek mee te vallen en binnen een week of twee is hij van zijn krukken af.'

'De arme man. Ik heb echt medelijden met hem.'

'Hij vertelde dat hij het zo vervelend voor jou vindt. Hij ziet 't als zijn fout dat jouw mensen in zo'n gevaarlijke situatie terechtkwamen.'

Sophie schudde haar hoofd. 'Dat is belachelijk. Hij kon net zomin als wij weten dat we door zo'n agressieve bende bewapende schurken zouden worden overvallen.'

'Hij heeft het hart op de juiste plek,' zei Dirk, terwijl hij een verse vijg uit de zak met fruit opviste. 'Tussen twee haakjes, de Israëlische geheime dienst heeft me de afgelopen dagen behoorlijk aan de tand gevoeld. Hopelijk kun jij me vertellen dat die schurken nu gauw worden ingerekend.'

'Sjien Beet, zoals ze hier heten, heeft de leiding over het onderzoek overgenomen, maar ik ben bang dat vrijwel alle sporen inmiddels zijn uitgewist. De vrachtwagen van de overvallers bleek gestolen te zijn. Hij is in de zee bij Nahariyya teruggevonden. Sjien Beet vermoedt dat de dieven direct na hun vertrek uit Caesarea de Libanese grens zijn overgestoken. Men denkt dat ze deel uitmaakten van een smokkelorganisatie waarvan bekend is dat ze banden met Hezbollah hebben. Ik vrees dat ze niet meer te traceren zijn, laat staan dat we ze kunnen oppakken.'

'Enig idee wie de opdrachtgever kan zijn geweest?'

'Niet echt. Ik heb overal geïnformeerd en ik heb zo mijn vermoedens, maar totaal geen harde bewijzen. Sam en ik doen wat we kunnen,' zei ze zachtjes, waarbij haar gedachten naar de gedode agent Holder afdwaalden.

Dirk boog zich naar haar toe en nam haar hand in een stevige, koesterende greep.

'Ik had niet gedacht dat ik ooit met zoiets heftigs te maken zou krijgen,' vervolgde ze en er welden tranen in haar ogen op.

Ze keek Dirk aan en kneep in zijn hand terug. 'Ik ben echt blij dat je er bent,' zei ze, waarna ze naar hem toe boog en hem kuste.

Zo zaten ze lange tijd dicht tegen elkaar aan en Sophie voelde zich weer helemaal veilig in zijn armen. Terwijl ze op de lege baden van Bethesda neerkeek, hervond ze de kracht om weer aan het werk te gaan. Na een diepe zucht keek ze hem glimlachend met vochtige ogen aan.

'Ruik je de jasmijn?' vroeg ze. 'Ik ben dol op die geur. Hij doet me denken aan mijn jeugd toen elke dag weer een feest was.'

'Dat komt terug,' beloofde Dirk.

'Ik moet naar m'n werk,' fluisterde ze ten slotte, hoewel ze Dirk stevig in haar armen omsloten hield.

'Ik wacht wel op je,' reageerde hij.

Opeens herinnerde ze zich dat ze die avond met Sam had afgesproken.

'We kunnen samen gaan eten, maar vanavond moet ik werken. Patrouilledienst. We zijn getipt over een artefactendief die mogelijk met de Libanese smokkelaars in verbinding staat.'

'Mag ik mee?'

Sophie wilde nee schudden, maar aarzelde. 'We zijn onderbezet. Sam en ik zijn met z'n tweetjes, dus we kunnen best wat extra hulp gebruiken. Maar nu geen heldendaden alsjeblieft.'

'Ik kijk zwijgend toe, dat beloof ik,' zei hij glimlachend.

Ze stonden tegelijk op en wierpen nog een laatste blik op de droge baden. Sophie voelde opeens een aarzeling om daar weg te gaan, maar ze wist niet waarom. Ze pakte Dirk bij de hand en trok hem langzaam weg bij de baden, worstelend met een unheimisch gevoel dat ze niet goed kon duiden.

44

De Ottomaanse Ster voer traag de haven van Haifa in, waar het haveloze vrachtschip een ligplaats opzocht aan het uiteinde van de rustige terminal West. Omdat er alleen de bescheiden overgebleven lading textiel moest worden gelost, had de Turkse bemanning het scheepsruim binnen een paar uur leeg kunnen hebben. Maar ze hadden de strikte opdracht om het lossen zodanig te vertragen dat ze pas laat in de avond klaar zouden zijn.

Nadat ze op het douanekantoor hun valse paspoorten hadden laten zien, huurden Maria en een van de janitsaren een auto, waarin ze uit Haifa wegreden. Omdat ze zich als een getrouwd stel op vakantie voordeden, konden ze zonder veel beperkingen door het hele land reizen. Maar onderweg naar Jeruzalem namen ze geen enkel risico. Maria vermeed de Westelijke Jordaanoever en de vele controleposten die ze daar zouden tegenkomen en die dan mogelijk het onder haar stoel verborgen pakket met een geweer, contant geld en een nachtkijker vonden.

Maria wist heel goed dat het vervoer van de HMX-springstof naar en door het land van een geheel andere orde was. Zakkar en zijn handlagers bij de Muildieren durfden dat risico wel aan, zeker gezien de prijs die er tegenover stond. De Arabische smokkelaar had Maria uitgebreid uit de doeken gedaan hoe de explosieven eerst met een vrachtwagen, daarna te voet en op een bepaald punt zelfs onder de buik van een kudde schapen gebonden, uiteindelijk hun bestemming zouden bereiken – mits de Israëlische geheime dienst ze niet zou ontdekken, natuurlijk.

Maar dat was nog maar de helft van de uitdaging. De Turkse vrouw had ook persoonlijk nog iets te doen, wat minstens even belangrijk was. Met behulp van een toeristische plattegrond zochten ze hun weg door de drukke straten van Jeruzalem. Ze reden om de oude stad heen naar een van de nieuwere wijken aan de westkant van de stedelijke bebouwing. Nadat ze het recentelijk geopende Waldorf Astoria Hotel hadden gevonden, parkeerden ze hun auto in de straat en liepen in zuidelijke richting naar het eerstvolgende huizenblok. Verstopt tussen een rij moderne toeristenwinkels vonden ze een piepklein theehuisje met kralengordijnen voor de ramen, waar ze naar binnen gingen.

Aan een tafeltje in een van de hoeken van het schaars verlichte café zag Maria een man met een baard opstaan, die haar aankeek en met een brede glimlach waarin een rij gouden tanden blikkerde, toelachte. Maria liep met de janitsaar in haar kielzog op hem af.

'Al-Khatib?' vroeg ze.

'Tot uw dienst,' antwoordde de Palestijn, terwijl hij haar met een buiginkje begroette. 'Wilt u niet gaan zitten?'

Maria knikte en nam met de janitsaar aan haar zijde plaats op een van de stoelen aan het tafeltje. Al-Khatib ging tegenover hen zitten en schonk voor hen beiden een kop thee in. Het viel Maria op dat hij een zongebruinde huid had en de eeltige handen van een oude artefactenrover, wat hij dan ook was.

'Welkom in Jeruzalem,' zei hij bij wijze van toost.

'Bedankt,' reageerde Maria, terwijl ze om zich heen keek of er geen meeluisterende oren in de buurt waren.

'Is het gelukt, waarvoor ik u heb ingehuurd?' vroeg ze zachtjes.

'Ja, heel eenvoudig,' antwoordde de Palestijn weer met diezelfde glimlach. 'Het aquaduct was exact waar u had aangegeven dat het zou zijn. Het is een opmerkelijke historische vondst. Mag ik u vragen hoe u dit hebt gevonden?'

Nu was het Maria's beurt om te glimlachen.

'Zoals u weet is de huidige muur om de oude stad in het begin van de vijftiende eeuw onder Süleyman de Grote gebouwd. Zijn bouwheren hebben de route tot in de details opgetekend, inclusief de locaties van reeds bestaande obstakels. De kaarten, die ik in Turkije op de kop heb getikt, staan vol met afgedankte aquaducten en andere bouwwerken die teruggaan tot in de tijd van Herodes en in de vergetelheid zijn geraakt.'

'Een waanzinnige ontdekking en daar zou ik dolgraag eens een kijkje gaan nemen,' zei Al-Khatib begerig.

'Helaas heb ik de betreffende documenten nu niet bij me,' loog ze. 'Mijn familie bezit een uitgebreide collectie Ottomaanse artefacten en de kaarten waren onderdeel van een grotere aanwinst.' Ze vermeldde er niet bij dat die aanwinst in zijn geheel uit een museum in Ankara was gestolen.

'Documenten van een ongekend historische waarde, lijkt me. Mag ik vragen wat u daar denkt op te graven?'

Maria ging hier niet op in. 'U hebt de vrije ruimte rond het aquaduct kunnen vergroten?' luidde haar tegenvraag.

'Ja, ik heb gedaan wat u had gevraagd. Ik heb de ruimte eromheen verder uitgegraven en ben daarbij tot zo'n twee meter diep in de helling doorgegaan. De ingang ligt goed verborgen achter dicht struikgewas.'

'Heel goed,' reageerde Maria, waarop ze uit haar tas een envelop met Israëlische bankbiljetten opdiepte. Al-Khatibs ogen verwijdden zich bij het zien van de dikke envelop die ze over tafel naar hem toeschoof.

'Dit is een bonus omdat u zo punctueel bent,' zei ze.

'Dat is heel vriendelijk van u,' zei hij dweperig, waarop hij de envelop haastig in zijn binnenzak wegstopte.

Maria dronk haar thee op en zei: 'Brengt u ons er dan nu naartoe?'

Al-Khatib keek met een pijnlijk gezicht op zijn horloge. 'Het is nu snel donker, maar er staat een heldere maan vanavond.'

Maar toen hij de kille, vastberaden blik in Maria's ogen zag, koos hij onmiddellijk eieren voor zijn geld.

'Natuurlijk, als u dat wilt,' stamelde hij. 'Hebt u een auto?'

Hij rekende af, waarna het drietal het theehuis verliet en naar de gehuurde auto liep. Op aanwijzingen van Al-Khatib reed Maria onderlangs de zuidkant van de oude stad en vervolgens in noordelijke richting naar het Kidron-dal. De Palestijn dirigeerde haar naar de rand van een oude islamitische begraafplaats, waar Maria de auto achter een stenen opslagplaats parkeerde die langs alle randen afbrokkelde.

Hun silhouetten verdwenen in de invallende duisternis, terwijl de janitsaar een pikhouweel en een tas met elektrische lampen uit de kofferbak van de auto tilde. Samen met Maria volgde hij de Palestijn, die over een laag stenen muurtje sprong en haastig langs een kronkelige route de stoffige begraafplaats doorkruiste. Op dit late uur was er haast niemand meer, maar het trio bleef in het westelijke deel op veilige afstand van de centraal gelegen moskee en een zijweg naar het oosten. De janitsaar probeerde het houweel zo goed mogelijk te verbergen en hield hem onder het lopen met de haak omhoog onder zijn arm.

In het oosten lag de Olijfberg, gedomineerd door een grote Joodse begraafplaats en diverse kerken en parken. Op een heuvelhelling in het westen was de hoge stenen muur van de oude stad nog duidelijk zichtbaar, met direct erachter de oude Tempelberg met de Haram esh-Sharif ofwel het Nobele Heiligdom. Op deze heilige grond stond de Rotskoepel, waarin de steen ligt waarop Abraham zijn zoon wilde offeren. Volgens de islamitische traditie is die steen eveneens het vertrekpunt voor Mohammeds bezoek aan de hemel gedurende zijn Nachtreis, waarvan zijn voetafdruk in de steen getuigt. Maria zag in de late avondschemering nog net het geelbruin glanzende topje van de enorme gouden koepel.

Toen ze bij de eenvoudige grafsteen van een in de zestiende eeuw over-leden islamitische emir aangekomen waren, sloeg Al-Khatib rechts af. Na-dat hij een onregelmatige rij graven was gepasseerd begon hij aan de beklimming van de rotsachtige helling die vrij steil naar de oude stad om-hoogliep. Maria diepte uit haar tas een zaklamp op, maar gebruikte hem niet, terwijl ze over stenen en takken struikelend doorliepen tot ze een klein plateau bereikten, waarop Al-Khatib bleef staan.

'We zijn er bijna,' fluisterde hij.

Hij deed nu een eigen zaklampje aan en leidde hen nog een stukje hoger de helling op tot hij uiteindelijk bij een paar hoge woestijnplanten halt hield. Licht hijgend viel het Maria op dat beide struiken dood waren en met de wortels in bergjes stenen waren vastgezet. Achter de dode struiken stonden blokken kalksteen keurig opgestapeld.

'Het is hierachter,' zei Al-Khatib, terwijl hij het licht van zijn zaklamp over de struiken liet gaan. Hij draaide zich om en speurde nerveus de hel-ling boven en onder hen af om er zeker van te zijn dat ze door niemand werden gezien.

'Er wordt hier af en toe gepatrouilleerd,' waarschuwde hij.

Maria haalde de nachtkijker tevoorschijn en tuurde nog eens de omge-ving af. De geluiden van de nabijgelegen stad drongen tot in het dal door en op de omringende heuvels glinsterde een tapijt van lichtjes. Maar de be-graafplaats beneden lag er nu verlaten bij.

'Geen mens te zien,' bevestigde ze.

Al-Khatib knikte, waarna hij op zijn knieën zakte en de stenen begon weg te halen. Zodra er een kleine opening was ontstaan, zei Maria dat de janitsaar moest helpen. Samen hadden de twee mannen al snel een ver-borgen ingang vrijgemaakt, waarachter een smalle gang van zo'n ander-halve meter hoog zichtbaar was. Nadat ze alle obstakels hadden verwij-derd kwam de Palestijn overeind en strekte zijn rug.

'Het aquaduct was eigenlijk heel smal,' zei hij tegen Maria, waarbij hij met zijn handen een vrij kleine cirkel vormde. 'Het was flink wat graaf-werk om 't te vergroten.'

Terugdenkend aan de historische functie van de constructie voelde Maria geen medelijden met de man. Ze wist dat deze aquaductopening slechts een afvoerkanaal was van een veel omvangrijker staaltje technische bouwkunst. Bijna tweeduizend jaar geleden hadden Romeinse bouw-meesters onder Herodes, vanuit de verderop gelegen heuvels van Hebron, een heel stelsel van aquaducten aangelegd waardoor drinkwater naar de stad en de vesting Antonia op de Tempelberg werd geleid. Al die aquaducten waren met de hand gebouwd door arbeiders die heel wat fitter waren dan de vadsige Palestijn die hier voor haar stond, dacht Maria.

Ze richtte haar zaklamp op de ingang en klikte hem aan. In het licht zag ze een smalle gang die ongeveer anderhalve meter de heuvel inliep. Achterin ontdekte ze op vloerhoogte de kleine aquaductopening, die dieper de grond inging. De gang was netjes afgewerkt en Maria zag dat Al-Khatib het graafwerk met enig vakmanschap had uitgevoerd.

'Dat hebt u keurig gedaan,' zei ze, terwijl ze haar lamp uitdeed. Vervolgens pakte ze de pikhouweel van de janitsaar over en gaf hem aan de Palestijn.

'Het moet nog zeker een halve meter dieper,' commandeerde ze.

De goedbetaalde artefactenjager knikte meteen, in de hoop op een extra bonus en nieuwsgierig naar wat er zou volgen. Van de janitsaar pakte hij een lamp aan, perste zich de gang in en begon in de rotsachtige achterwand te hakken. De janitsaar kroop achter hem aan om met zijn in handschoenen gestoken handen het losgekomen puin te verwijderen dat zich rond de voeten van Al-Khatib verzamelde.

Terwijl Maria bij de ingang stond toe te kijken, werkte Al-Khatib stevig door. Na bijna twintig minuten hard zwoegen met het houweel had hij de gang een kleine meter verder uitgediept. Zwaar ademend ramde hij het houweel weer met volle kracht in de rotswand, maar voelde ditmaal dat de steel op een merkwaardige manier meegaf. Na het terugtrekken van het houweel zag hij dat hij een gat had geslagen naar een open ruimte achter de rotswand. Geschrokken stopte de Palestijn met hakken en hield de lamp op. Hij zag slechts een donkere holte door het smalle gat, maar verbaasde zich over de koele lucht die hem tegemoetkwam.

Met hernieuwde energie stortte hij zich op de barrière en had het gat al snel zodanig vergroot dat er een mens doorheen kon. Nadat hij nog wat losse brokken had weggeschoven, kroop hij met de lamp door de opening en kwam zo in een grote, hoge grot terecht.

'Allah zij geprezen,' riep hij uit. Hij liet het houweel uit zijn handen vallen en keek met opengesperde ogen om zich heen.

In het licht van de elektrische lamp lag er over de wanden een albastachtige witte glans, waarin zelfs beitelsporen zichtbaar waren. Met zijn geoefende oog zag Al-Khatib dat het kalksteen was en dat er door mensenhand grote brokken waren uitgehakt.

'Een steengroeve, net als de Grot van Zedekiah,' riep hij naar Maria en de janitsaar die met extra lampen de grot binnenkwamen.

'Ja,' reageerde Maria. 'Alleen is deze nadat de Tweede Tempel was vernietigd in de vergetelheid geraakt.'

Onder de muren van de oude stad lag op nog geen anderhalve kilometer afstand nog zo'n grote groeve, uitgegraven door slaven die blokken kalksteen hakten voor de vele bouwprojecten van Herodes de Grote. De grot werd zo genoemd naar de laatste koning van Juda, Zedekia, die zich er naar verluidt had schuilgehouden voor de legers van Nebukadnessar.

In het schijnsel van de andere lampen zag het drietal dat er vanuit de groeve diverse gangen als de vingers van een hand in verschillende richtingen de duisternis instaken. Al-Khatib zag een grotere hoofdgang die zich zover als hij kon zien in oostelijke richting uitstrekte.

'Die loopt misschien wel door tot onder de Haram esh-Sharif,' zei hij weifelend.

Maria knikte.

'En ook de Rotskoepel?' vroeg hij met een van spanning trillende stem.

'De heilige steen in de Koepel ligt op hard gesteente, maar de hoofdgang loopt tot onder het gebouw door. Een andere gang komt bij de Al-Aqsa moskee in de buurt. Dat wil zeggen, als de kaarten van Süleyman correct zijn en tot nu toe is dat wel zo.'

Het gezicht van de Palestijn trok wit weg, nu de aanvankelijke opwinding in een ongerust gevoel overging.

'Ik wil me niet onder de heilige rots begeven,' stelde hij plechtig.

'Dat is ook niet nodig,' reageerde Maria. 'U bent klaar met uw werk.'

Terwijl ze dit zei, stak ze haar hand in haar tas en pakte er een compact Beretta pistool uit, dat ze op de geschrokken Palestijn richtte.

In tegenstelling tot haar broer kreeg Maria geen kick wanneer ze een ander van het leven beroofde. In feite voelde ze er helemaal niets bij. Het plegen van een moord was voor haar emotioneel niets anders dan het aantrekken van kousen of het nuttigen van een kom soep. Ze waren tegengestelde polen op de sociopathische schaal, maar als producten van eenzelfde slechte opvoeding en hetzelfde genetische materiaal beiden opgegroeid tot gewetenloze moordenaars.

Het pistool ging twee keer af en twee kogels troffen Al-Khatib in zijn borst, terwijl de echo van de schoten met bulderend geraas door de ruimte schalde. De relikwieënjager zakte op zijn knieën. Nog heel even keek hij met een blik vol ongeloof in zijn ogen op, waarna hij morsdood voorover viel. Maria liep kalm op hem af, haalde de envelop met bankbiljetten uit zijn zak en stopte die terug in haar tas. Hierna keek ze op haar horloge.

'We hebben nog een uur voordat de explosieven worden afgeleverd,' zei ze tegen de janitsaar. 'Laten we de groeve aflopen en kijken waar we ze zullen plaatsen.'

Daarop stapte ze over het lichaam van de dode man om zijn lamp te pakken en liep met driftige passen de duisternis in.

45

Het liep al tegen tienen toen Sophie een klein zanderige veldje langs de buitenkant van de noordoostmuur van de oude stad opreed en haar auto achter een gesloten kledingwinkel parkeerde. Aan de overkant van de straat, iets lager op de helling, lag de noordpunt van de islamitische begraafplaats, die vanaf daar in een kronkelende, steeds breder wordende geul het Kidron-dal inliep. Nadat ze de motor had afgezet, wendde ze zich tot Dirk, die haar vanaf de passagiersstoel olijk aankeek.

'Weet je zeker dat je mee wilt?' vroeg ze. 'De meeste nachtelijke patrouilles blijken uiteindelijk een oersaaie oefening in het nietsdoen.'

Dirk knikte glimlachend. 'Dat laat ik toch niet voorbijgaan, een wandeling in de maneschijn met zo'n mooie meid als jij?'

Sophie kon haar lachen nauwelijks inhouden. 'Jij bent echt de enige die ik ken die van een patrouille iets romantisch weet te maken.'

Maar ze moest toegeven dat het voor haar ook zo voelde. Ze hadden heerlijk gegeten in een rustig Armeens restaurantje in de Jaffa-poort en naarmate de avond vorderde had ze een steeds sterker verlangen gevoeld de surveillancedienst af te zeggen en hem naar haar flatje mee te tronen. Ze zette dat idee uit haar hoofd, omdat ze maar al te goed wist dat de kans om meer over de moordenaars van agent Holder te weten te komen absoluut veel belangrijker was.

'Het is niets voor Sam om te laat te komen,' zei ze, terwijl ze op haar horloge keek en vervolgens door het raam of ze zijn auto zag.

Een minuut later ging haar mobieltje over en nadat ze had opgenomen voerde ze een gesprek in rap Hebreeuws.

'Dat was Sam,' zei ze, nadat ze had opgehangen. 'Hij heeft een ongeluk gehad.'

'Is hij oké?'

'Ja. Een bestelbusje met christelijke pelgrims vloog uit de bocht en is recht op hem ingereden. Hij is ongedeerd, maar zijn auto is total loss. Volgens hem zijn er een paar oudere toeristen bij gewond geraakt, dus dat gaat nog wel even duren. Hij verwacht dat hij op zijn vroegst pas over een uur hier kan zijn.'

'Laten we dan maar alvast zonder hem beginnen,' opperde Dirk, terwijl hij het portier opende en de auto uitstapte. Sophie volgde zijn voorbeeld, waarna ze uit de kofferbak een nachtkijker pakte, die ze om haar nek hing. Vervolgens boog ze voorover en opende een grote leren foedraal die plat in de kofferbak lag. Er zat een verweerd, in staatsopdracht vervaardigd Tavor TAR-21 aanvalsgeweer in. Sophie schoof er een vol magazijn in en ontgrendelde een eerste patroon, waarna ze het wapen over haar schouder hing.

'Op alles voorbereid deze keer, zie ik,' merkte Dirk op.

'Na Caesarea zorg ik dat ik beter bewapend ben,' zei ze zelfbewust.

'Waarom laat je Sjien Beet deze patrouille niet doen als je vermoedt dat de Libanese smokkelaars hier weer zullen toeslaan?'

'Dat heb ik overwogen,' antwoordde ze, 'maar de tip was nogal vaag. Het gaat hoogstwaarschijnlijk gewoon weer om een stelletje opgeschoten tieners op schervenjacht die misschien niet eens komen opdagen.'

'Dat zou ik niet erg vinden,' zei Dirk met een knipoog, terwijl hij haar hand greep.

Ze staken de weg over en liepen de berm in die tot in de begraafplaats doorliep. Daar bleef Sophie staan en speurde door haar kijker de omgeving af.

'We moeten nog een stukje verder naar beneden,' zei ze zachtjes.

Ze liepen nog een meter of tien de heuvel af en bleven staan bij een kleine verhoging, vanwaar ze een vrij uitzicht over de hele begraafplaats hadden. Om hen heen lagen de islamitische platte grafstenen als een op een zandkleurige doek uitgespreide verzameling getrokken tanden, witglanzend in het maanlicht. Sophie ging op een stenen rand zitten en zocht geconcentreerd door haar nachtkijker het onder hen gelegen gebied af. Op het veldje bij de Westelijke Muur zag ze een paar kinderen voetballen, maar op de begraafplaats zelf was niemand te zien. Toen ze naar het oosten tuurde, voelde ze dat Dirk tegen haar aan schoof en een arm om haar middel sloeg. Langzaam liet ze de kijker zakken.

'Je leidt me af van mijn werk,' stribbelde ze zwakjes tegen, maar legde vervolgens een hand in zijn nek en zoende hem hartstochtelijk.

Zo zaten ze een paar minuten in een vurige omstrengeling tot een zacht schuifelend geluid hun intieme samenzijn verstoorde. Sophie tuurde onmiddellijk weer de heuvel af.

'Drie mannen met grote rugzakken,' fluisterde ze. 'Twee van hen hebben een schep of misschien een wapen in hun hand, dat kan ik niet goed zien.'

Ze legde de kijker neer en keek langs de helling omhoog. 'We hebben Sam nodig,' zei ze geïrriteerd.

'Die komt pas over een halfuur,' zei Dirk op zijn horloge kijkend.

Het geluid van de voetstappen van de drie mannen verplaatste zich naar het midden van de begraafplaats. Sophie trok haar Glock pistool uit de holster en gaf hem aan Dirk.

'We arresteren ze,' fluisterde ze. 'Daarna bel ik de politie van Jeruzalem om ze op te halen.'

Dirk knikte. Hij pakte het pistool aan en controleerde of het geladen was. Ze verlieten hun uitkijkpost en slopen behoedzaam de helling af. Achter grotere grafstenen dekking zoekend kwamen ze uiteindelijk rechts van de mannen uit. Achterlangs een hoge tombe die betere dekking bood, slopen ze nog iets dichterbij tot ze neerhurkten en afwachtten.

De minuten tikten tergend langzaam voorbij, terwijl de drie vermeende grafrovers geleidelijk dichterbij kwamen. Zachtjes klikte Sophie haar zaklamp op de loop van de Tavor, waarna ze doodstil toekeek hoe de mannen haar op een paar meter afstand passeerden. Ze knikte naar Dirk en sprong plotseling op. Achter de mannen opduikend, klikte ze de zaklamp aan en schreeuwde in het Arabisch: 'Stop! Handen omhoog!'

De drie mannen draaiden zich om en tuurden verrast door deze onverwachte hinderlaag in de lichtbundel waarmee Sophie hun gezichten bescheen. Twee van de mannen, ieder met een naar de grond wijzende AK-74 om de schouder, keken haar dreigend aan. Een van hen, een kleine, sjofel geklede man met wallen onder de ogen, herkende Sophie als Hassan Akais, over wie ze was getipt. De tweede, die er net zo onverzorgd uitzag, onderscheidde zich door een opvallend gebogen neus. Maar het was de derde man die Sophie zo'n angst inboezemde dat de rillingen haar over de rug liepen. Hij was duidelijk de leider van het drietal en staarde haar onbewogen met priemende ogen aan. Er liep een scherp litteken over zijn rechterkaak. Dit was hetzelfde gezicht dat haar in Caesarea had aangestaard tijdens de overval waarbij agent Holder was omgekomen.

Sophie's handen trilden van schrik, waardoor het licht van haar lamp over het terroristengezicht heen en weer schoot. Haar aarzeling aanvoelend hief Akais met een flitsende beweging zijn wapen op en richtte het zwijgend op Sophie. Op het moment dat zijn vinger naar de trekker ging, klonk er een galmend schot over de begraafplaats. De pols van de man met het vuurwapen kleurde rood door de 9 mm kogel die zich in zijn onderarm boorde.

De man gilde van pijn, liet de trekker los en tastte met zijn vrije hand

287

naar zijn bloedende arm. Hij keek met een holle blik op naar Sophie en zag toen pas Dirk op een paar passen afstand naast haar staan, die met gestrekte armen een automatisch pistool op hem gericht hield.

'Laat onmiddellijk die wapens vallen, de volgende keer richt ik iets hoger,' beval Dirk.

De andere Arabier, die een lange woeste baard had, liet zijn AK-74 meteen los, maar de gewonde man verroerde zich niet. Hij keek Dirk met een van haat vervulde blik in zijn ogen aan. Maar opeens ontspande zijn gezicht en verwrong zijn mond zich tot een akelige grijns, terwijl zijn blik zich over Dirks schouder naar iets achter hem verschoof.

'Ik vrees dat u nu uw wapens zult moeten laten vallen,' snauwde een bitse vrouwenstem vanuit de duisternis. 'Uw handen in de lucht graag, zodat ik ze kan zien.'

Dirk draaide zich om naar de stem en zag hoe een vrouw met kort haar een pistool tegen het achterhoofd van Sophie hield. Ze was in het zwart en onopvallend gekleed en had een nachtkijker op haar voorhoofd. Dirk voelde dat er nog iemand moest zijn en toen hij zijn hoofd iets draaide, zag hij in het donker een gestalte staan die een wapen op zijn hoofd gericht hield.

Sophie wierp hem een verontschuldigende blik toe, terwijl ze haar Tavor langzaam naar de grond liet zakken. Omdat Dirk weinig keus had, glimlachte hij onschuldig naar de Turkse vrouw en gooide zijn pistool op een nabijgelegen graf.

46

Dirk en Sophie werden onder bedreiging van de vuurwapens gedwongen de helling op te lopen naar een smalle doorgang. Net als de Arabische boeven keken ze verrast op van de enorme groeve waar ze onverwachts in uitkwamen en die nu door het vale schijnsel van meerdere lampen was verlicht. Sophie was een aantal keren in de Grot van Zedekiah geweest en was stomverbaasd dat er een minstens net zo grote groeve aan de voet van de Tempelberg lag. Haar verwondering veranderde in pure angst toen ze het met bloed bevlekte lichaam van Al-Khatib naast een van de lampen zag liggen. Haar angst werd nog versterkt door het feit dat ze de Arabische bendeleider had herkend.

'Die grote… die leidde de overval in Caesarea,' fluisterde ze tegen Dirk.

Dirk knikte. Ook hij was zich er inmiddels van bewust dat deze goed bewapende groep op iets belangrijkers uit was dan het plunderen van een paar graven. De janitsaar porde hen naar een lage stenen richel, waarop ze moesten gaan zitten. Daar vlak naast de dode Palestijn hield hij hen vervolgens onder schot. Maria negeerde hen, terwijl ze de zware rugzakken van de drie Arabieren in ontvangst nam.

'Is dit de hele voorraad?' vroeg ze aan Zakkar.

'Ja, de complete vijfentwintig kilo, inclusief lonten en ontstekers,' antwoordde de Arabier. Hij keek omhoog naar het plafond. 'Wou u de Rotskoepel opblazen?'

Maria staarde hem kil aan. 'Ja, en de Al-Aqsa moskee. Hebt u daar problemen mee?'

De Arabier schudde zijn hoofd. 'Daarmee wekt u enorme woede op in onze landen. Maar misschien zal dat Allah uiteindelijk ten goede komen.'

'Het dient een nog veel groter goed,' vulde Maria scherp aan.

Ze knielde en inspecteerde snel de explosieven, waarna ze weer overeind kwam. Toen ze zag dat Sophie en Dirk haar bewegingen aandachtig volgden, verscheen er een verbeten trek op haar gezicht.

'U had m'n missie bijna verraden,' siste ze tegen Zakkar.

De Arabier schudde zijn hoofd. 'Ze zijn van de archeologische politie op jacht naar grafrovers,' zei hij zonder erbij te vermelden dat hij Sophie en Dirk al eerder had gezien. 'Het was een routinesurveillance. Waarom doodden we ze niet meteen?' vroeg hij met een knikje in hun richting.

'Israëlische archeologen, zei je?' Maria overdacht peinzend haar eigen woorden. 'Nee, we doodden ze niet. Dat gebeurt wel "per ongeluk" bij de explosie,' zei ze met een gemeen glimlachje. 'Zij zijn de perfecte zondebokken.'

Ze wenkte de janitsaar dichterbij te komen en wendde zich weer tot Zakkar. 'Zet die twee mannen van jou op wacht,' zei ze terwijl ze op haar horloge keek. 'Het is tijd om de explosieven te gaan plaatsen, want ze moeten om één uur afgaan.'

Ze pakte een lamp op, terwijl de janitsaar twee rugzakken op zijn schouders hees. Zakkar instrueerde zijn beide mannen, waarna hij de derde rugzak en een lamp oppakte en Maria volgde die een van de donkere gangen was ingelopen.

'Als ze de Koepel opblazen zal dat tot onvoorstelbaar bloedvergieten leiden,' fluisterde Sophie tegen Dirk.

'Stilte!' blafte de Arabier met de baard, waarbij hij zijn wapen dreigend in Sophie's richting stak.

Zijn compagnon, de gewonde Akais, zat op een rotsblok over zijn arm te wrijven. Het schot had geen belangrijke ader geraakt en hij had het bloeden met zijn keffiyeh, die hij strak om zijn arm had gebonden, kunnen stelpen. Hoewel hij zonder problemen de heuvel was opgelopen en op eigen kracht de groeve had bereikt, ondervond hij nu de gevolgen van een lichte shock door bloedverlies. Af en toe wierp hij een woedende blik op Dirk, waarna zijn ogen weer in een peilloze leegte leken te staren.

Dirk nam systematisch de hele groeve in zich op, waarbij hij naar een vluchtmogelijkheid zocht zonder dat ze daarbij een kogel in de rug riskeerden. Maar dat leek uitzichtloos. Nadat hij de dode Palestijn nog eens vluchtig had bekeken, viel zijn oog op de twee overgebleven lampen. Een lag naast de dode man, op zo'n drie meter van hem vandaan. De bebaarde man liep langzaam in een kringetje om de andere lamp, die aan de overkant van de grot op een steen stond.

Dirk zocht oogcontact met Sophie en gebaarde onopvallend naar de bebaarde bewaker. Vervolgens wreef hij met de rug van zijn hand over zijn mond en fluisterde erachter: 'Die lamp... kun jij die uitdoen?'

Sophie keek naar de lamp en de bewaker die erbij stond, waarna ze met een vastberaden blik in haar ogen knikte. Vervolgens speurde ze aandachtig de wanden van de grot af en bestudeerde alle gleuven en richels die ze in het schaarse licht kon zien. Op de wand achter de bewaker vond ze wat ze zocht: een onregelmatigheid die voor het doel geschikt leek.

Ze staarde zo overdreven gefascineerd naar de plek dat het de bewaker opviel en hij zich omdraaide om te zien waar ze naar keek. Met haar ogen strak op de wand gericht, kwam ze zachtjes overeind en deed een stap naar voren.

'Zitten blijven,' siste de Arabier, terwijl hij zich naar haar omdraaide.

Sophie deed haar best hem te negeren zonder hem direct aanleiding te geven te gaan schieten.

'Deze groeve is tweeduizend jaar oud, recht onder de Rotskoepel,' mompelde ze. 'Dat daar zou wel eens een teken van de Profeet kunnen zijn.'

De bewaker keek haar en vervolgens Dirk wantrouwend aan. De technicus van het NUMA staarde zo leeg en ongeïnteresseerd voor zich uit als hij maar kon. Nadat hij de lamp had opgepakt, liep hij met zijn machinegeweer op het stel gericht langzaam achteruit naar de muur. Daar aangekomen wierp hij een paar vluchtige blikken op de in het kalksteen uitgehakte vormen. Er liepen op ooghoogte twee evenwijdige beitelgroeven over de wand, waartussen met houtskool een merkteken was aangebracht. De bewaker bekeek het met een blik vol onbegrip, die hij vervolgens op Sophie richtte.

'Ja, dat is het,' zei ze, terwijl ze opnieuw een voorzichtig stapje naar voren deed. Toen de bewaker daar niet op reageerde, liep ze voortdurend op haar hoede naar hem toe.

'Geen geintjes, hè, want dan is je vriend er als eerste geweest,' snauwde de Arabier, terwijl hij zijn wapen op Dirk gericht hield. Vervolgens draaide hij zich om en gilde naar zijn compagnon: 'Hassan, hou ze in de gaten!'

De gewonde bewaker antwoordde met een sloom hoofdknikje.

'Goed, laat maar zien dan,' zei de man tegen Sophie, waarbij hij van de muur weg stapte.

Sophie liep naar de wand en legde een hand op een plek naast de groeven en het teken. Dergelijke merktekens had ze ook in de muren van de grot van Zedekiah gezien en ze wist dat het tekens waren waarmee de omvang van een uit te hakken steen werd aangegeven en dat was in dit geval om een onbekende reden nooit gebeurd. Het verbleekte houtskool was waarschijnlijk een nummer of ander merkteken van de niet uitgehakte steen. Maar zij maakte er iets veel groters van.

'Net als de voetafdruk in de heilige rots hierboven in de Koepel zou dit wel eens het vertrekteken van Mohammeds Nachtreis kunnen zijn,' zei ze, waarmee ze naar zijn bezoek aan de hemel op een gevleugelde hengst verwees. 'Maar ik kan het in dit licht zo niet goed zien. Mag ik uw lamp even lenen?'

Ze keek de bewaker daarbij niet aan, maar deed alsof ze met al haar aandacht de tekens op de wand bestudeerde, terwijl ze achteloos een arm naar hem uitstak. Hij reageerde instinctief door haar voorzichtig de lamp aan te reiken, waarbij hij ook de loop van zijn geweer in haar richting draaide. Nadat ze de lamp had aangepakt, hield ze hem met haar ogen nog steeds op het merkteken gefixeerd voor de muur omhoog.

'Kijk, hier,' zei ze zachtjes, terwijl ze met haar vrije hand naar de plek wees. Vervolgens liet ze haar hand onopvallend naar de onderkant van de lamp zakken, waar haar vingers naar de lichtschakelaar zochten. Zodra ze die met haar wijsvinger had gevonden, klikte ze de lamp uit en bleef roerloos staan.

In het gele schijnsel van de lamp aan de andere kant van de grot was ze voor de Arabier nog goed zichtbaar. Hij wilde haar iets toegrommen, maar zag vanuit zijn ooghoeken opeens iets bewegen.

Dirk had dit moment rustig afgewacht. Op hetzelfde moment dat Sophie's lamp uitging, sprong hij van de richel op. Hij wist dat hij onmiddellijk kogels kon verwachten, dus dook hij na twee snelle passen boven op de lamp.

Hij werd niet teleurgesteld. De bebaarde bewaker gaf een zwaai aan zijn geweer en vuurde ogenblikkelijk. Maar Dirk lag al plat op de grond en de kogels vlogen hoog over. Bij het neerkomen strekte hij zijn arm uit en greep de lamp beet. Zonder naar de lichtknop te zoeken sloeg hij met één welgemikte klap het glas en het lampje tegen de grond aan diggelen.

De grot was op slag in een diepe duisternis gehuld, waarin alleen nog flitsen uit de loop van het aanvalsgeweer van de Arabier oplichtten. De uitzinnige schutter vuurde diverse langdurige salvo's op Dirk af, die als donderslagen door de groeve schalden, gevolgd door het geratel van de tegen de kalkstenen wanden afketsende kogels.

De salvo's waren op de plek gericht waar hij Dirk het laatst had gezien, maar die was vliegensvlug van de lamp weggerold en kroop nu als een krab over de grond naar de opengehakte doorgang. Na een meter of zes hield hij in en tastte met zijn handen de grond in een wijde cirkel om hem heen af. Het schieten hield op toen hij vond wat hij zocht: het lichaam van de dode Palestijn. Of, om precies te zijn, het houweel dat daar bij zijn voeten lag.

Er viel een griezelige stilte in de grot, waarin het nu sterk naar kruitdamp rook. De Arabische schutter draaide zich in de overtuiging dat hij Dirk had gedood om en vuurde in de richting waar hij Sophie een paar ogenblikken daarvoor had zien staan. Maar in het schijnsel van de flitsen uit de loop zag hij dat ze daar niet meer was.

Terwijl ze haar hand op de muur hield, was Sophie zo slim geweest om achter de schutter langs weg te glippen toen hij nog op Dirk schoot. Zodra het schieten stopte, bleef ze met de lamp nog in haar hand stokstijf staan en hoopte dat het luide bonzen van haar hart haar niet verraadde.

'Hassan, heb jij een aansteker?' riep de Arabier.

De gewonde bewaker kwam geleidelijk tot zijn positieven en drukte zich wankelend overeind.

'Ik ben hier, bij de ingang. Niet schieten alsjeblieft,' smeekte hij zwakjes.

'De aansteker?' snauwde zijn compagnon.

'In mijn rugzak, maar die vind ik hier niet,' antwoordde Akais inmiddels op zijn knieën rondkruipend.

'Die hebben de anderen meegenomen,' reageerde zijn maat kwaad.

Dirk benutte dit afleidende gesprek om dichterbij te komen zodat hij hen kon uitschakelen. Met het houweel over zijn schouder kroop hij naar de doorgang op de stem van de gewonde bewaker af. In de instabiele staat waarin de man zich bevond, was hij het makkelijkst uit te schakelen. Met een beetje geluk kon Dirk vervolgens zijn houweel voor een machinegeweer verruilen en de andere man neerschieten voor hij goed en wel doorhad wat er gebeurde.

Toen het gesprek stilviel, stond Dirk vlak bij de gewonde man. Hij moest blindelings naar hem uithalen, want hij mocht niet verraden dat hij daar stond. Nadat hij heel even had gewacht schoof hij zachtjes een voet naar voren en daarna nog een klein stukje verder. Maar zelfs in zijn halve roes voelde Akais dat er iemand in zijn buurt was.

'Salaam?' vroeg hij onverwachts.

De stem klonk heel dichtbij, hoorde Dirk, dichtbij genoeg om toe te kunnen slaan. Zachtjes deed hij nog een stapje naar voren en hief de houweel op om uit te halen, toen er opeens een lamp de grot inkwam. Op zijn hakken omdraaiend zag hij dat het Maria was met een lamp in haar ene en een pistool in haar andere hand. Terwijl ze Dirk aanstaarde, bewoog ze het pistool naar links tot het recht op het hart van Sophie wees, die op slechts een paar meter afstand ineengekrompen tegen de muur stond.

'Laat dat houweel vallen, anders is ze er geweest,' zei de Turkse vrouw.

Sophie keek hem wanhopig aan, terwijl hij het pikhouweel schoorvoetend op de grond liet zakken. Haar van angst opengesperde ogen was het laatste wat hij zich herinnerde. Op dat moment ramde Hassan de kolf van zijn geweer tegen Dirks achterhoofd, waarop hij in een duizelingwekkende duisternis wegzakte.

47

Een tamelijk uitgewoonde witte taxi draaide het zanderige veldje op en stopte naast de auto van Sophie. Sam Levine betaalde haastig de chauffeur en stapte uit. Terwijl de auto in de donkere nacht verdween, probeerde Sam Sophie te bellen. Dat ze niet opnam, verbaasde hem niet en hij stuurde haar een sms'je om te laten weten waar hij was. Toen ook daar geen reactie op kwam, besloot hij naar de begraafplaats te lopen, want hij realiseerde zich dat ze tijdens patrouilles meestal haar mobiel uitzette.

Bij het oversteken van de straat trok hij licht met zijn been. Zijn zij en heup deden nog pijn van het auto-ongeluk. In alle opwinding had hij zijn nachtkijker in de kofferbak van zijn zwaar beschadigde auto laten liggen, maar dat gold niet voor zijn dienstwapen, een automatisch pistool in de holster op zijn heup. Hij ging ervan uit dat Sophie hem, als hij maar langzaam en rustig liep, zou opmerken zonder dat hij daarbij de surveillance zou verstoren.

Terwijl hij de berm afliep, besefte hij dat langzaam lopen geen probleem zou zijn. Hij kreunde toen er bij een hoog afstapje een stekende pijn door zijn been schoot en gedurende de rest van de steile helling naar de begraafplaats beperkte hij zich tot kleine, aarzelende stapjes.

Op de begraafplaats was, terwijl hij langs de oude stenen sloop, geen levende ziel te bekennen. Om de paar meter bleef hij luisterend en om zich heen spiedend staan in de verwachting dat Sophie stilletjes uit de duisternis opdoemde en hem op zijn schouder tikte. Maar dat gebeurde niet.

Nadat hij opnieuw een stuk was doorgelopen, bleef hij staan, maar nu omdat hij in de verte iets dacht te horen. Het was het klikkende geluid van stenen die op elkaar werden gestapeld en het kwam vanuit het midden van de begraafplaats. Sam liep op zijn tenen een stukje in die richting tot hij achter een laag afscheidingsmuurtje inhield. De tikgeluiden kwamen van een plek lager op de helling. Voorzichtig over het muurtje turend zag hij in het schijnsel van de halvemaan vaag een paar gestalten bij een plat graf, naast een lage stenen lamphouder die al in geen eeuwen meer had gebrand.

De agent van de Oudheidkundige Dienst trok zijn pistool, ging zitten en wachtte af. Na een paar minuten begon hij zich af te vragen waar Sophie was en waarom ze niet tot arrestatie overging. Misschien had zij de surveillance al beëindigd, dacht hij, maar dat zou hem er niet van weerhouden zijn plicht te doen.

Nadat hij met een van pijn vertrokken gezicht over het muurtje was geklauterd, liep hij hinkend op de grafrovers af. Het geluid van het stenen stapelen stopte en hij zag dat een paar van de gestalten wegliepen naar het zuidelijke uiteinde van de begraafplaats. Hij probeerde te rennen, maar de stekende pijn in zijn gewrichten dwong hem tot een schuifelgang. In uiterste wanhoop hield hij in en schreeuwde: 'Staan blijven!'

Zijn bevel werkte echter averechts. Het zette de indringers juist aan tot een nog snellere aftocht. Sam hoorde dat ze hun passen versnelden en aan de zuidkant van de begraafplaats wegrenden. Even later hoorde hij het starten van niet één, maar twee auto's in de nachtelijke duisternis, gevolgd door het snerpende geluid van doorslippende banden.

Hoofdschuddend van ergernis keek hij de snel kleiner wordende achterlichten na. Tot hij opeens weer aan Sophie dacht.

'Sophie, waar ben je?' riep hij.

Maar daarop hoorde hij niets dan de stilte van een verlaten begraafplaats.

Nadat hij naar de lamphouder terug was gestrompeld, leverde een inspectie van het ernaast gelegen graf niet de te verwachten, haastig gegraven kuil op. In plaats daarvan zag hij dat het graf door netjes gestapelde stenen was afgedekt. Hij wist dat plunderaars hun sloopwerk gewoonlijk niet verhulden. Nieuwsgierig haalde hij de bovenste stenen van de stapel weg. Van schrik viel hij haast achterover toen hij in het maanlicht een menselijke hand tussen de stenen ontwaarde.

Ditmaal iets terughoudender, verwijderde hij meer stenen van de stapel tot hij ten slotte het bebloede bovenlichaam en het hoofd van de vermoorde Palestijn had blootgelegd. Walgend bekeek Sam het lijk, waarbij hij zich afvroeg hoe ziek je moest zijn om zoiets te doen.

48

Er leek een vaag schijnsel tot Dirks ogen door te dringen, hoewel ze toch stijf gesloten waren. Daarentegen was er niets vaags aan de bonkende pijn die door zijn hoofd dreunde.

Met een herculische inspanning slaagde hij erin een oog te openen en het krimpend van de pijn geleidelijk te focussen op een brandende lamp die zich op een paar decimeter afstand voor zijn gezicht bevond. Langzaam bijkomend voelde hij de harde, koude, kalkstenen vloer in zijn rug steken. Zijn armen verkrampten terwijl zijn handen op zoek naar steun de ondergrond aftastten.

Hij haalde diep adem, drukte met zijn armen zijn bovenlichaam omhoog en trok zijn benen op tot hij enigszins rechtop zat. Voor zijn ogen spatte een fontein van sterretjes uiteen en hij verloor haast het bewustzijn weer, wat hij nog net door diep in te ademen wist te voorkomen. Nadat hij zo een paar minuten had gezeten tot de ergste duizeligheid en misselijkheid waren weggetrokken, voelde hij iets nattigs in zijn hals. Voorzichtig zijn achterhoofd betastend voelde hij een stekende, met bloedkorsten bedekte buil.

Naarmate hij meer van zijn omgeving herkende, kwamen ook zijn hersenen weer enigszins op gang. Zodra hij besefte dat hij alleen was in de grot, begon hij zwakjes naar Sophie te roepen. In zijn suizende oren klonken geen geluiden van buiten door. Hij greep de lamp en krabbelde moeizaam overeind. Het bonzen in zijn schedel verergerde nog, terwijl hij wankelend als een dronkaard een eerste paar passen deed.

Geleidelijk voelde hij zijn krachten terugkeren en op steeds vastere benen doorzocht hij de grot, waarna hij door de uitgehakte gang naar buiten kroop. De begraafplaats lag er donker en stil bij, dus ging hij snel de groeve weer in.

Hij riep haar opnieuw. Nu met een veel krachtigere stem die door de ruimte schalde. Vanuit de duisternis in een van de gangen dacht hij bij wijze van antwoord een zachte tik te horen. Hoewel zijn gehoor nog verre van optimaal was, leek het geluid uit de grote gang rechts van hem te komen. Dezelfde gang die Maria en haar mannen met de explosieven in waren gelopen.

Met licht gebogen hoofd holde Dirk zo snel als zijn bonkende hoofd het toeliet de één meter tachtig hoge gang in. Hij wist niet dat de gang zich tot ruim tweehonderd meter diep in de heuvel uitstrekte en met vertakkingen dezelfde oppervlakte besloeg als het slechts een paar meter erboven gelegen Haram esh-Sharif. Voor de bommenleggers was het vooral van belang dat de gang onder de Rotskoepel doorliep, tot op een paar meter van de heilige rots zelf.

De gang kronkelde en kwam zo nu en dan door grotere ruimtes waar ooit langs rechte lijnen blokken kalksteen waren weggehakt. Nadat Dirk een scherpe bocht was omgegaan, zag hij een vaag schijnsel in de gang voor hem. Terwijl de schrik hem om zijn hart sloeg, dwong hij zich nog harder te lopen, waarbij hij de pijn verbeet van de steken die bij iedere moeizame stap door zijn hoofd schoten.

Het licht in de verte werd feller nadat hij een rechthoekige ruimte was gepasseerd en een kaarsrecht gedeelte van de gang in rende. Aangelokt door het licht kwam hij aan het einde van de gang strompelend in een grote komvormige ruimte uit. In het midden stond een van de elektrische lampen. Rechts van hem zag Dirk een klomp van een kleiachtige stof op de wand geplakt, waaruit een aantal draadontstekers bungelden. Links van hem lag Sophie, kermend en kronkelend, met een prop in haar mond en haar voeten en polsen bijeengebonden met de riemen van een rugzak. Tussen haar knieën was een rotsblok zo neergelegd dat ze niet op kon staan. Toen ze Dirk zag, verdween de angst uit haar glinsterende ogen.

'Wilde jij dit knalfeest zonder mij gaan vieren?' zei hij met een vermoeid lachje.

Maar hij gaf haar niet de gelegenheid hierop te antwoorden. Nadat hij het rotsblok tussen haar benen had verwijderd, tilde hij haar over zijn schouder en graaide met zijn vrije hand de beide lampen mee. Met hernieuwde kracht schuifelde hij snel de gang in, terwijl hij er zorgvuldig op lette dat ze haar hoofd niet tegen het plafond stootte.

Zo droeg hij haar over meer dan de halve afstand terug naar de hoofdgrot alvorens de duizeligheid weer in volle hevigheid toesloeg. In een van kleinere ruimtes legde hij haar voorzichtig op de grond en verwijderde nog nahijgend de prop uit haar mond.

'Wat zie jij er vreselijk uit!' zei ze. 'Doet 't erge pijn?'

'Ik ben oké,' gromde hij. 'Ik heb me meer zorgen om jou gemaakt.'

'Hoe laat is 't?' vroeg ze opeens gehaast.

'Vijf voor één,' antwoordde Dirk op zijn horloge kijkend.

'De explosieven. De vrouw zei dat ze om één uur zouden afgaan.'

'Laat maar gaan dan. Wij moeten weg hier.'

'Nee.'

Dirk schrok van de toon waarop ze dat zei. Het klonk als een bevel, niet als een verzoek.

'Als de Koepel en de moskee worden vernietigd, is dat een ramp voor mijn land. Dan komt 't tot een oorlog, dat wil je niet weten.'

Dirk keek Sophie in haar donkere ogen en zag vastberadenheid, hoop, liefde en wanhoop. Terwijl de seconden wegtikten begreep hij dat een discussie hierover geen zin had.

'Ik denk dat ik de ontsteker wel loskrijg,' zei hij, terwijl hij haar handen losmaakte. 'Maar jij moet maken dat je hier wegkomt. Neem deze lamp, maak je voeten los en ren naar de uitgang.

Hij wendde zich af om de gang weer in te lopen, maar ze greep hem bij zijn hemd, trok hem naar zich toe en gaf hem een snelle, maar hartstochtelijke zoen.

'Wees voorzichtig,' zei ze. 'Ik hou van je.'

In een merkwaardige roes zette Dirk het op een rennen. Haar woorden leken alle pijn te verdrijven en hij merkte dat hij haast op volle snelheid door de gang sprintte. Al na enkele seconden stormde hij de achterste ruimte in en liep op de kneedbom af.

Als marien technicus had hij een rudimentaire kennis van explosieven, omdat hij aan bergingen had meegewerkt waarbij onder water obstakels moesten worden opgeblazen. Hoewel hij daarbij nooit met HMX-explosieven had gewerkt, zag de ontstekingstechnologie die hij hier voor zich had er niet anders uit dan hij gewend was. Een enkele elektronische tijdklok was via draden aan een reeks ontstekingsdopjes verbonden die op hun beurt in de kneedbare stof waren gestoken.

Hij keek op zijn horloge en zag dat het drie minuten voor één was.

'Niet te vroeg afgaan alsjeblieft,' mompelde hij terwijl hij nog nahijgend de lamp over de muur liet schijnen.

Zonder te beseffen dat de hoeveelheid HMX voldoende was om een wolkenkrabber de lucht in te jagen, zocht hij snel de kneedbommen af of er niet nog ergens een tijdontsteker zat. Toen hij die niet vond, greep hij die ene beet en rukte hem van de muur. De ontsteker schoot met de eraan verbonden ontstekingsdopjes uit de HMX los. Met het ontstekingsmechanisme in zijn hand bungelend snelde Dirk de gang weer in.

Terug in de nu donkere en verlaten rechthoekige ruimte besefte hij tot zijn geruststelling dat Sophie zijn aanwijzingen om te vluchten had opgevolgd. Hij bleef even staan en slingerde het ontstekingsmechanisme in de verste hoek van de ruimte, waarna hij zijn weg door de gang vervolgde. Met een gevoel van opluchting en wegebbende adrenaline bereikte hij de hoofdruimte, waar de bonzende pijn in zijn hoofd weer opkwam. Hij liep door de donkere grot en zag nu voor het eerst dat het lijk van de Palestijn er niet meer lag.

Nadat hij zich door de uitgehakte doorgang had geperst, genoot hij van de frisse lucht die hij met volle teugen zijn longen inzoog, waarna hij zoekend naar Sophie om zich heen keek. Toen hij haar noch haar lamp zag, deed hij zijn eigen lamp uit en riep haar naam. Maar er kwam geen reactie.

Opeens welde er een misselijkmakend gevoel in zijn maag op. De moskee. Sophie had gezegd dat ze de Koepel en de moskee wilden opblazen. Ergens was een tweede lading voor de moskee geplaatst en Sophie was nog binnen om ook die te demonteren.

Dirk schoot als een pijl de doorgang weer in. Vanuit de hoofdgrot liepen links van de gang naar de Koepel nog drie kleinere gangen dieper de heuvel in. Dirk rende eropaf en schreeuwde luidkeels Sophie's naam in alle drie de gangen. Bij de ingang van de laatste gang hoorde hij een onverstaanbaar antwoord en herkende hij haar zijdeachtige stem. Hij stormde onmiddellijk de gang in en stoof op sprintsnelheid door de uitgehakte tunnel.

Hij was nog niet ver gevorderd toen hij in de verte een paar knallen hoorde, alsof er een sliert rotjes werd afgestoken. Het waren de ontstekers die hij onder de Koepel had weggehaald en die nu in de rechthoekige ruimte zonder schade aan te richten afgingen.

Dirks hart ging als een voorhamer tekeer toen het tot hem doordrong dat nu ook de tweede lading ieder ogenblik kon afgaan.

'Sophie… weg daar… nu meteen!' brulde hij zwaar ademend.

Verderop in de gang zag hij een vaag schijnsel en hij wist dat hij in de buurt kwam. Toen hoorde hij een nieuwe reeks knallen, waarop hij zich met een beklemmend gevoel van angst plat op de grond liet vallen.

De explosie trok met een oorverdovend kabaal als een aardschok door de heuvel. Een paar seconden later werd deze gevolgd door de exploderende gassen, die met een toenemende kracht en een bulderende windvlaag door de gangen raasden en een douche van stof en stenen voor zich uit stuwden. Dirk voelde hoe zijn lichaam van de grond werd getild en tegen de wand smakte, waarbij de lucht uit zijn longen klapte. In een regen van stenen en begraven onder een deken van verstikkend stof werd het hem voor de tweede keer die dag zwart voor de ogen.

49

Sam stond met zijn rug naar de helling over de dode Palestijn gebogen op het moment dat Dirk, terwijl hij op zoek was naar Sophie, kortstondig door de uitgehakte doorgang naar buiten kwam. Toen hij iemand Sophie's naam hoorde roepen, had de agent van de Oudheidkundige Dienst zich bliksemsnel omgedraaid en nog net een glimp van Dirks lamp opgevangen die in de doorgang verdween. Sam had daarop nog maar eens zijn mobiel gepakt om Sophie te bellen, waarna hij langzaam de heuvel was opgelopen.

Hij was de ingang van de groeve tot op een paar meter genaderd toen de tweede lading ontplofte. Vanwaar hij zich bevond, was het niet meer dan een doffe knal gevolgd door wat gedempt gerommel diep onder zijn voeten. Een paar seconden later walmde er een wolk van stof en rook door de smalle gang naar buiten.

Hij liep naar de opening en vond daar, terwijl hij wachtte tot de stofwolk was opgetrokken, een achtergelaten lamp in de struiken. Hij deed de lamp aan en kroop behoedzaam de gang in. In de hoofdgroeve gekomen keek hij verbluft om zich heen, verbijsterd over het feit dat er onder de Tempelberg nog zo'n grote, onbekende groeve bestond.

De lucht was nog vol rook en stof, en Sam hield een mouw voor zijn neus terwijl hij de grot doorzocht. Hij stak zijn hoofd in alle vier de zijgangen en aarzelde bij de laatste, waar de dichtste wolk uit walmde, tot hij opeens vaag het gekletter van op elkaar vallende stenen hoorde.

Terwijl hij behoedzaam de gang inliep, ontwaarde hij in de verte het schijnsel van een lamp. Hij versnelde, maar stuitte op een barricade van puin dat door de ontploffing van de wanden was gebrokkeld. Nadat hij zich er moeizaam langs had gewurmd, vervolgde hij zijn weg dieper de heuvel in. In een gedeelte van de gang dat rechtuit liep, zag Sam opeens duidelijk de brandende lamp staan. Nadat hij zich langs een groot rotsblok had geperst, kwam hij in een grotere ruimte die werd verlicht door de op een gevallen kei neergezette lamp. De ruimte leek een ondergrondse grindgroeve, waarin over de hele vloer verspreid bergjes stenen opgehoopt lagen. In het plafond recht boven de hoogste stapel puin was een groot on-regelmatig gat geslagen, het onmiskenbare gevolg van de explosie. Alles lag onder een dikke witte laag stof, dat ook nog als een dichte, het zicht belemmerend waas in de ruimte hing.

Aan de andere kant van de grot zag Sam vagelijk iets bewegen.

'Sophie?' riep hij, terwijl hij ongerust naar de kolf van zijn wapen tastte.

Als een spookverschijning doemde er een gestalte uit het witte waas op. Tot zijn opluchting bleek het Dirk te zijn, maar die opluchting verdween onmiddellijk toen hij zag dat hij het slappe lichaam van Sophie in zijn armen hield.

'Hoe is ze er aan toe?' vroeg hij zachtjes.

Pas toen Sam onzeker naar hen toeliep, viel het hem op dat Dirk haar hoofd en bovenlichaam met een jasje had bedekt. Ook zag hij dat Sophie's benen er misvormd en bedekt met een dikke laag bloed en stof bijhingen.

Hij keek vragend op naar Dirk voor een verklaring, en huiverde. Dirks aangeslagen uiterlijk sloeg alle hoop over Sophie's toestand definitief de bodem in. Dirk staarde hem met holle, zielloze ogen en een bevlekt en bloederig gezicht aan. Het leven leek uit hem weggeblazen en als een ha-merslag drong het tot Sam door dat Sophie dood was.

50

De ontploffing onder de Haram esh-Sharif was voordat de rook was opgetrokken al bijna weer vergeten. De Rotskoepel was Maria's belangrijkste doelwit en daarom had ze daar de grootste lading explosieven geplaatst. Maar die was doordat Dirk de ontstekingsdopjes tijdig had verwijderd, niet afgegaan. Het was de tweede, geringere lading die onder de Al-Aqsa moskee lag, die wel was ontploft, maar uiteindelijk met minimaal effect.

De grond onder de achttiende-eeuwse moskee schokte en de ruiten rammelden in de sponningen, maar er schoot geen allesvernietigende vuurbal uit de aarde omhoog. Een paar seconden voordat de explosieven ontploften, had Sophie een groot gedeelte ervan verwijderd en de gang in gegooid alvorens ze probeerde de ontstekers uit het restant van de plasticbom te trekken. De sterk verzwakte explosie veroorzaakte niet meer dan een scheur in het fundament van een fontein achter de moskee. De Palestijnse bewakers van de Haram besteedden er aanvankelijk ook nauwelijks aandacht aan omdat ze dachten dat de explosie uit een ander deel van Jeruzalem kwam.

In de groeve was Sam Levine onmiddellijk in actie gekomen. Binnen de kortste keren waren politie en andere hulpverleners ter plaatse, die Dirk behandelden en Sophie's lichaam naar het mortuarium overbrachten. De veiligheidsagenten van Sjien Beet lieten evenmin lang op zich wachten. De groeve werd minutieus doorzocht en de overgebleven explosieven werden onschadelijk gemaakt en weggevoerd. Het gehele complex werd vervolgens zorgvuldig afgegrendeld voordat de eigenaren van de Haram esh-Sharif ook maar iets hadden gemerkt van wat er was gebeurd.

Het nieuws over de mislukte aanslag verspreidde zich al snel door heel Jeruzalem en zorgde voor de nodige beroering. De plaatselijke moslims keurden de aanslag openlijk af, terwijl de Joden in de stad woedend reageerden op de poging tot ontheiliging van de Tempelberg. De beide partijen gaven elkaar de schuld en de gemoederen hierover liepen hoog op. De Israëlische regering, die in het openbaar terughoudend reageerde, maar ondertussen wel de veiligheidsmaatregelen rond de stad versterkte, nodig-de de moslimleiders in Jeruzalem uit voor een rondleiding door de groeve. Daar spraken ze eensgezind af het gehele complex grondig af te sluiten ter voorkoming van verdere insluiping.

De volkswoede was groot, maar tot uitbarstingen kwam het nauwelijks en uitingen van geweld werden afgewend. Binnen enkele dagen ebden de spanningen weg, aangezien niemand de verantwoordelijkheid voor de aanslagen opeiste en de daadwerkelijke bommenleggers zich uit de voeten hadden gemaakt zonder sporen na te laten.

51

Generaal Braxton las zonder een woord te zeggen het CIA-rapport door. Slechts een sporadisch trekje van zijn snor verraadde iets van de emoties bij de directeur van de gezamenlijke inlichtingendiensten. Tegenover zijn bureau zaten geheim agent O'Quinn en een Israël-specialist van de CIA zwijgend naar hun schoenen te staren. Ze schoten schielijk overeind toen ze merkten dat Braxton zijn ouderwets ogende leesbril van het puntje van zijn neus nam.

'Kortom,' zei de generaal op zijn plechtige toon. 'Een stel gekken heeft bijna half Jeruzalem opgeblazen en zowel de Mossad als Sjien Beet heeft niet het geringste benul wie hier achter zit? Is dat waar of is dat wat de Israëliërs ons willen doen geloven?'

'De Israëliërs hebben duidelijk geen vertrouwen in het onderzoek,' antwoordde de CIA-man. 'Zij denken dat een Libanese bende van wapen- en drugssmokkelaars, die als de Muildieren bekendstaat, hier op z'n minst deels verantwoordelijk voor is. Van de Muildieren is bekend dat ze contacten met Hezbollah onderhouden, dus is het mogelijk dat zij het op Jeruzalem hebben voorzien als vergelding voor de aanhoudende Israëlische blokkades van de Gazastrook. De bij het incident betrokken Amerikaan heeft een van de bommenleggers geïdentificeerd als iemand die ook bij een gewelddadige roofoverval op een archeologische opgraving in Caesarea betrokken was.'

'Is die Amerikaan een agent van ons?' vroeg Braxton.

'Nee, een marien ingenieur van het NUMA. Hij ligt met lichte verwondingen in het legerhospitaal in Haifa.'

'Een marien ingenieur? Wat deed die in hemelsnaam in Jeruzalem?'

'Hij was kennelijk intiem bevriend met de agente van de Oudheidkundige Dienst die bij de explosie is omgekomen. Volkomen toevallig vergezelde hij haar tijdens een routine surveillance en raakte zo bij de zaak betrokken. En dat was maar goed ook, zo bleek later, want hij was degene die heeft voorkomen dat de zwaarste lading explosieven onder de Rotskoepel is ontploft.'

'Sir, we zijn echt door het oog van de naald gekropen,' merkte O'Quinn op. 'De hoeveelheid explosieven die daar lag was ruim voldoende om het hele Koepelgebouw de lucht in te jagen, inclusief een flink deel van de oude stad. Dat had tot ongeregeldheden geleid van een absoluut ongekende omvang en heftigheid. Ik ben ervan overtuigd dat er nu kruisraketten over Israël zouden vliegen als dat heiligdom was opgeblazen.'

Braxton gromde en keek O'Quinn met een borende blik aan. 'Nu we het toch over explosieven hebben, ik zie dat u hier nog wat weinig verheffende connecties uit eigen tuin aan toe te voegen hebt.'

'Van de Israëliërs hebben we een monster van de niet-ontplofte substantie ontvangen en uit laboratoriumproeven blijkt dat het om HMX gaat. Het is geproduceerd door een binnenlandse fabrikant die contractueel aan het Amerikaanse leger is verbonden,' meldde O'Quinn nuchter.

'Het is dus verdomme ons eigen spul?' bulderde de generaal.

'Ik vrees van wel. We zijn wat dieper gaan spitten en daaruit kwam naar voren dat het monster uit Jeruzalem overeenkomt met een scheepslading hoogwaardige HMX, die in het begin van de jaren negentig in het geheim aan Pakistan is verkocht ter ondersteuning van hun kernwapenprogramma. De Pakistani hebben toen al vrij snel de vermissing van een container met HMX gemeld. Men gaat ervan uit dat corrupte militairen het op de zwarte markt hebben verkocht aan buitenlandse kopers, maar tot nu toe zijn er nooit bewijzen geweest dat er gebruik van is gemaakt.'

'Een hele container met HMX. Onvoorstelbaar,' reageerde Braxton.

'De container zou een kleine vierduizend kilo van deze hoogst explosieve stof hebben bevat. De destructieve kracht daarvan is aanzienlijk.'

De generaal sloot zijn ogen en schudde zijn hoofd. 'Ik neem aan dat de aanslag in verband is gebracht met de andere recente aanslagen op moskeeën?' vroeg hij zonder zijn ogen op te slaan.

'We weten dat voor de aanslagen op de Al-Azhar moskee in Caïro en de Yeşil moskee in Bursa HMX is gebruikt. In beide gevallen heeft niemand de verantwoordelijkheid voor de aanslagen opgeëist. En er is geen bewijs gevonden voor betrokkenheid van plaatselijke groeperingen. Het lijkt erop dat de omstandigheden in Jeruzalem hiermee overeenkomen.'

'En de dode Palestijn die op de begraafplaats is gevonden?'

'Dat was een kleine artefactenjager die voor zover bekend geen banden met terroristische organisaties had,' antwoordde de CIA-man. 'Hij was waarschijnlijk betrokken bij de ontdekking van de groeve, maar men denkt niet dat hij bij de aanslag zelf een rol heeft gespeeld.'

'Wat ons bij de nog onbeantwoorde vragen brengt: wie en waarom.'

O'Quinn keek de generaal met een pijnlijke blik in zijn ogen aan. 'Niemand heeft de verantwoordelijkheid van de aanslagen opgeëist en ik vrees dat we gewoon geen tastbaar spoor hebben,' zei hij. 'Zoals Joe kan bevestigen, zoeken de inlichtingendiensten over het hele spectrum naar verdachten, van marginale christelijke en joodse sekten tot Al Qaeda en andere islamitische fundamentalistische groeperingen. Wij hebben alle vertrouwen in de buitenlandse inlichtingendiensten en ook zij hebben op dit punt geen enkel houvast.'

De CIA-man knikte. 'Generaal, het doelwit was in alle gevallen een object van theologisch belang voor de soennitische moslims. Wij denken dat het goed mogelijk is dat de aanslagen uit sjiitische hoek afkomstig zijn. De mogelijke betrokkenheid van Hezbollah in Jeruzalem bevestigt deze theorie. Ik moet u zeggen dat er een groeiende groep mensen binnen de organisatie denkt dat Iran hier achter zit, in een poging om de aandacht van hun wapenprogramma af te leiden.'

'Dat is een plausibele motivatie,' vond ook Braxton, 'maar dan spelen ze wel met vuur, want daar moeten ze niet bij betrapt worden.'

O'Quinn schudde bedachtzaam zijn hoofd.

'Daar ben ik het niet mee eens, sir,' zei hij. 'Deze bomaanslagen zijn in geen enkel opzicht kenmerkend voor Iraniërs. Dat zou beslist een geheel nieuw niveau van extern extremisme zijn dat we nog niet eerder zijn tegengekomen.'

'Maar u geeft me weinig aanknopingspunten voor een andere theorie, O'Quinn,' bromde de generaal. 'En hoe zit 't met die Turk, die moefti Battal, waar u zo opgewonden over deed?'

'Hij doet mee aan de presidentsverkiezingen, zoals we al vreesden. Hij en zijn partij zouden beslist baat hebben bij de woede die door deze aanslagen onder de extremisten zou ontstaan. Hieruit zou je kunnen concluderen dat deze aanslagen een veel specifiekere, politieke achtergrond hebben dan de meer algemene terroristische tactiek. Wat Battal betreft, we houden al zijn activiteiten nauwlettend in de gaten, maar tot nu toe hebben we geen enkel patroon kunnen ontdekken dat op repressieve methoden wijst. En harde bewijzen van mogelijke betrokkenheid al helemaal niet.'

'Dus ook van daaruit hebt u niets. Misschien zouden jullie eens moeten gaan nadenken over waar ze een volgende keer zouden kunnen toeslaan.'

'Het doelwit is duidelijk van een steeds grotere importantie,' merkte O'Quinn op.

'En hun laatste aanslag is verijdeld, wat ons ernstig aan het denken moet zetten over wat hun volgende stap zal zijn.'

'De Kaäba in Mekka zou een mogelijk doelwit kunnen zijn. Ik zal er-voor zorgen dat de Saoedi's worden gewaarschuwd, zodat ze hun beveiliging versterken,' zei O'Quinn.

'Onze analisten maken momenteel overuren,' vulde de CIA-man aan, waarop hij de klassieke Washingtonse platitude voor machteloosheid liet volgen: 'We doen wat we kunnen.'

Braxton beantwoordde de opmerking met een dreigende blik. 'Ik zal u zeggen wat ons te doen staat,' zei hij, waarbij hij de beide veiligheidsagenten terwijl hij over zijn bureau naar voren leunde met een woedende blik strak aankeek. 'Het is echt niet zo moeilijk om hier een eind aan te maken. Het enige wat u moet doen,' zei hij met een iets te hoge, haast trillende stem, 'is de rest van die explosieven opsporen!'

52

De Ottomaanse Ster voer aan het eind van de middag de inham ten noorden van de Dardanellen in en meerde af aan de lange steiger die nu verlaten was. Onder de rimpelige waterspiegel langs de steiger lag het gezonken werkschip nog op de zandbodem te wachten tot de havenkraan en een ploeg duikers het zouden optakelen.

Op de brug van de Ottomaanse Ster zag Maria tot haar verbazing dat de Jaguar van haar broer op de kade stond. Celik keek toe hoe het schip de steiger naderde en opende het achterportier toen de meertrossen werden uitgegooid. Nadat hij was uitgestapt, liep hij met stevige passen en een aktetas onder zijn arm geklemd over de kade en ging aan boord van het schip.

'Ik had je hier niet verwacht, Ozden,' zei Maria bij wijze van begroeting.

'We hebben nog maar weinig tijd,' antwoordde hij, terwijl hij met een geagiteerde blik de brug rondkeek. De kapitein en stuurman begrepen zijn hint en verlieten haastig de brug, zodat Celik met zijn zus alleen was.

'Ik heb gehoord dat de politie na ons vertrek de werf heeft doorzocht,' zei Maria. 'Is het voor jou niet gevaarlijk om hier te zijn?'

Celik glimlachte zelfgenoegzaam. 'De plaatselijke politie heeft een behoorlijke vergoeding ontvangen om ons niet lastig te vallen. Het was een routineonderzoekje en ze zijn niet in de buurt van de loodsen geweest.' Nu het politieonderzoek ter sprake kwam, moest hij aan de overrompeling door de mannen van het NUMA denken en onbewust wreef hij over de plek op zijn hoofd waar Pitt hem had geraakt.

'Die Amerikanen zullen zwaar voor hun inmenging boeten,' zei hij met een schraperige stem. 'Maar eerst hebben we belangrijkere dingen te doen.'

Maria zette zich schrap voor een scheldkanonnade over de mislukking in Jeruzalem, maar de verwachte uitbarsting kwam niet. Celik staarde kalm door de voorruit over de lege steiger.

'Waar is de Sultana?'

'Die heb ik in Beirut achtergelaten voor het afronden van de herstelwerkzaamheden. De bemanning brengt haar over een paar dagen naar Istanbul.'

Celik knikte en stelde zich dichter voor zijn zus op.

'Vertel nou eens, Maria, waar is 't fout gegaan?'

'Dat begrijp ik zelf niet zo goed,' antwoordde ze kalm. 'De eerste lading is niet afgegaan. Die was met meerdere ontstekers geplaatst en ik weet zeker dat het goed is gebeurd. Er moet een ingreep van buitenaf zijn geweest. Ook de tweede lading had meer schade moeten aanrichten. Ik vermoed dat de Israëlische archeologe die erbij is omgekomen, op de een of andere manier de bommen deels onschadelijk heeft gemaakt.'

'Het resultaat is ronduit teleurstellend,' reageerde Celik terwijl hij met moeite zijn gewoonlijke gifspuiterij onderdrukte, 'maar ik ben blij dat je veilig terug bent.'

'Op de terugweg hebben we de Libanese smokkelaars in Tripoli afgezet, dus de Israëliërs hebben geen enkel aanknopingspunt om achteraan te gaan.'

'Je hebt je sporen altijd al grondig gewist, Maria.'

Ondanks zijn ongebruikelijk kalme optreden zag ze de ergernis in zijn gezicht.

'Hoe doet de moefti het?' vroeg ze.

'Hij voert als een waar politicus campagne en heeft de openlijke steun van een aantal belangrijke leden van het parlement. Maar in de peilingen loopt hij nog steeds minstens vijf procent achter en het is nog maar een paar dagen tot de verkiezingen.' Hij keek haar vermanend aan. 'Door de mislukte aanslag in Jeruzalem missen we net dat laatste zetje om te kunnen winnen.'

'We hebben het, denk ik, niet meer in eigen hand,' zei ze.

Door deze woorden kwam opeens alle woede los die Celik had opgepot.

'Niks daarvan!' schreeuwde hij. 'We zijn er te dicht bij. We mogen deze kans niet voorbij laten gaan. De restauratie van ons familierijk staat op het spel,' zei hij, waarbij hij de macht van zijn eigen ingecalculeerde troonsbestijging al haast proefde. Opeens lag er een waanzinnige fonkeling in zijn ogen en zijn gezicht liep vuurrood aan van razernij. 'We mogen deze kans niet door onze vingers laten glippen.'

'De Gouden Hoorn?'

'Ja,' antwoordde hij, terwijl hij zijn aktetas opende en er een map uithaalde. 'Het onderscheppen is voor morgennacht gepland,' zei hij, waarbij hij haar de map overhandigde. 'Hierin zitten het tijdschema en de vaarroute van het bewuste schip. Denk je dat 't je lukt?'

Maria keek haar broer enigszins angstig aan.

'Ja, ik denk 't wel,' antwoordde ze zachtjes.

'Mooi. Er staat een ploeg janitsaren klaar om aan boord te gaan die ons bij de operatie zullen assisteren. Ik reken op je.'

'Ozden, weet je zeker dat je dit zo wilt doorzetten?' vroeg ze. 'De risico's zijn groot. Er zal een groot aantal van onze eigen landslieden bij omkomen. En ik ben bang voor de gevolgen als het mislukt.'

Celik keek zijn zus met een ronduit waanzinnige blik aan en knikte heftig.

'Het is de enige manier.'

53

Abel Hammet bekeek hoe de stralen van de ondergaande zon als glinsterende vuurballen op de zacht deinende golven van de Middellandse Zee schitterden. Op de open brugvleugel zag de Israëlische scheepskapitein de zon achter de horizon zakken als een voorbode van het zo welkome avondbriesje dat weldra zou opsteken. De koele lucht met flinke teugen opsnuivend zou hij zweren dat hij de geur van de Turkse dennen rook op de kust die voor hem lag. Over de boeg van zijn schip turend ontwaarde hij op de Turkse zuidkust de eerste glinsterende lichtjes. Weer enigszins opgefrist liep hij terug naar de brug van de Dayan voor de laatste uurtjes van zijn wacht.

Met een lengte van nog geen honderd meter was de Dayan een relatief kleine tanker en zelfs minuscuul in vergelijking tot de supertankers die olie uit de Perzische Golf vervoerden. Hoewel het schip alle uiterlijke kenmerken van een olietanker bezat, was het in feite voor het vervoer van een heel andere lading gebouwd: zoet water. Als vervolg op een recentelijk afgesloten handelsovereenkomst had de Israëlische regering drie identieke schepen laten bouwen voor het vervoer van water naar de droge, stoffige kustgebieden van het land.

Het op zo'n 240 kilometer afstand van Israël gelegen Turkije was in deze droge regio een van de weinige landen met een overschot aan zoet water. In het bezit van de brongebieden van zowel de Tigris als de Eufraat, plus een aantal andere waterrijke bergrivieren, beschikte het over een strategisch belangrijke natuurlijke hulpbron die de komende decennia alleen maar aan belang zou winnen. Gezien de potentie van water als een nieuw exportproduct had het land besloten een klein deel van het water gedurende een proefperiode aan Israël te verkopen.

De Dayan vervoerde een kleine vier miljoen liter en Hammet wist dat deze bijdrage aan Israëls watervoorraad slechts een druppel op een gloeiende plaat was, maar het tweewekelijkse transport over de Middellandse Zee zette uiteindelijk toch enige zoden aan de dijk. Voor hem was het een makkelijke taak en hij en zijn negenkoppige bemanning deden het werk met plezier.

Hij stond in het midden van de stuurhut en bestudeerde de vorderingen van het schip op een navigatiemonitor.

'Motor twee derde terugnemen,' instrueerde hij de stuurman. 'We zijn op vijfenzestig kilometer van Manavgat. Het heeft geen zin om daar voor zonsopgang aan te komen, want dan is er nog niemand bij de pompinstallatie.'

De stuurman herhaalde de instructie, waarop de stuwkracht van de enkele motor van het schip omlaag werd gebracht. De snelheid van het door de lege ruimen hoog op het water liggende schip zakte geleidelijk van twaalf naar acht knopen. Toen het een paar uur later bijna middernacht was, verscheen de eerste stuurman aan dek om de kapitein af te lossen. Hammet wierp nog een laatste blik op het radarscherm voordat hij de wacht overgaf.

'Aan bakboordzijde komt een schip achterlangs, maar verder is alles vrij,' meldde hij aan de eerste stuurman. 'Hou ons uit de buurt van het strand, Zev.'

'Ja, kapitein,' reageerde de man. 'Geen nachtelijke zwempartij.'

Hammet trok zich terug in zijn benedendeks gelegen hut en viel onmiddellijk in slaap. Maar al vrij snel werd hij weer wakker met het gevoel dat er iets niet in de haak was. De slaap van zich afschuddend drong het tot hem door dat hij het gebruikelijke dreunen en trillen van de motor miste. Dat was vreemd, want als er problemen met de navigatie of in de machinekamer waren, hadden ze hem wel gewekt.

Nadat hij vlug een badjas had aangetrokken, liep hij zijn hut uit en snelde de trap naar de brug op. In de donkere stuurhut aangekomen verstijfde Hammet van schrik. Een paar meter voor hem lag de eerste stuurman languit op de grond met zijn gezicht in een plas bloed.

'Wat is hier aan de hand?' brulde hij tegen de roerganger.

De roerganger staarde hem zwijgend, met wijd opengesperde ogen aan. In het gedempte licht van de brug zag Hammet dat er een lelijke snee over de zijkant van zijn gezicht liep. Plotseling verschoof de aandacht van de kapitein naar iets wat zich achter de voorruit bewoog en hij ontwaarde de lichten van een schip dat gevaarlijk dicht langs de bakboordromp van de tanker voer.

'Roer volle slag naar links!' schreeuwde hij naar de roerganger zonder dat hij het ruisende geluid achter zich waarnam.

Vanaf de achterwand doemde een lange, in het zwart geklede gestalte op met een donkerbruin skimasker voor zijn gezicht. In zijn handen hield hij een aanvalsgeweer dat hij tot schouderhoogte ophief. De roerganger negeerde Hammets bevel en staarde strak voor zich uit, terwijl de schutter dichterbij kwam. Hammet draaide zich om en zag nog net het geweer op zijn gezicht afkomen. Een fractie van een seconde voordat er een stekende pijn door hem heen schoot, hoorde hij de krakende klap waarmee de kolf van het wapen zijn kaak trof. Hij voelde zijn knieën knikken en de pijn verdween, terwijl het hem zwart voor de ogen werd en hij languit naast zijn eerste stuurman tegen de vloer smakte.

54

'Ridley, mijn vriend, kom binnen, kom binnen.'
De stem van de Dikke Man klonk raspend als zand in een mixer, terwijl hij Bannister voor de tweede keer in evenveel weken in zijn appartement in Tel Aviv begroette.

'Bedankt, Oscar,' reageerde de archeoloog, die bij binnenkomst een zelfverzekerdheid uitstraalde waarvan bij zijn vorige bezoek geen sprake was geweest.

Gutzman ging hem voor naar een zithoek, waar een magere, goed geklede Arabier bij een bureau in een stapel documenten zat te lezen. Hij keek omhoog en nam Bannister met een wantrouwige blik op.

'Dit is Alfar, een van mijn conservators,' zei Gutzman met een afwimpelend handgebaar. Bij het zien van de bedenkelijke blik in Bannisters ogen, voegde hij eraan toe: 'Maak je geen zorgen. Zijn oren zijn verzegeld.'

Gutzman kwam bij zijn favoriete fauteuil en liet zich er weinig gracieus in vallen.

'Goed. Wat is er zo belangrijk dat je me zo snel alweer nodig hebt?' vroeg hij.

Bannister sprak zachtjes, om zijn slachtoffer te zalven alvorens toe te slaan.

'Oscar, je weet net zo goed als ik dat het graven in de geschiedenis op z'n best een nogal speculatieve kwestie is. We zijn soms dagen, weken en zelfs jaren op zoek naar die ene grootse ontdekking en staan dan uiteindelijk nog met lege handen. Natuurlijk, ook onderweg zijn er belangrijke vondsten en af en toe een opwindend stuk dat alle voorstelling tart. Maar het grootste deel van de inspanningen blijkt achteraf voor niets geweest. Maar er bestaat altijd de kans op dat zeldzame moment waarop de sterren opeens in de juiste stand staan en je het ultieme geluk ervaart, dat je dat ene grote geschenk uit de hemel ten deel valt.'

Hij leunde theatraal naar voren in zijn stoel en keek de Dikke Man recht in de ogen.

'Oscar, ik geloof dat ik op het punt sta om zo'n vondst te doen.'

'Zo vriend, wat mag dat dan wel niet zijn?' vroeg hij puffend.

'Ik ben net terug van een kort bezoek aan Londen en kwam daar toevallig een antiquiteitenhandelaar tegen die ik al een aantal jaren ken. Hij heeft onlangs een verzameling spullen verworven die jaren geleden uit de archieven van de anglicaanse Kerk zijn gestolen,' loog hij, waarna hij opnieuw een theatrale pauze inlaste.

'Ga verder.'

'Een deel van die spullen bestond uit authentieke kunst, sieraden en artefacten die tijdens de kruistochten uit het Heilige Land zijn meegenomen.' Bannister keek aandachtig het vertrek rond en vervolgde op fluistertoon: 'Tussen die spullen zat een authentiek exemplaar van het Manifest.'

Gutzmans ogen puilden als ballonnen uit hun kassen.

'Is dat... is dat waar?' vroeg hij schor. Hij probeerde zijn opwinding te verbergen, maar zijn gezicht bloosde van verrukking.

'Ja,' antwoordde Bannister, waarop hij een bewust slechte fotokopie van het papyrusdocument tevoorschijn haalde. 'Zelf heb ik het origineel nog niet gezien, maar men heeft me verzekerd dat het authentiek is.'

Gutzman bestudeerde het vel een paar minuten zonder iets te zeggen. Alleen het geritsel van het papier in zijn bevende vingers verbrak de stilte in de kamer.

'Het bestaat,' zei hij ten slotte fluisterend. 'Ik kan het bij God haast niet geloven dat het er nu echt is.' Waarna de oude man Bannister opeens streng aankeek. 'Die handelaar, is die bereid het aan mij te verkopen?'

Bannister knikte. 'Gezien de aard van zijn aanwinst moet hij die wel onderhands verkopen. Dat is ook de reden waarom hij er maar vijf miljoen Engelse pond voor vraagt.'

'Vijf miljoen pond!' riep Gutzman zo heftig dat hij in een hoestbui uitbarstte. Toen hij daar enigszins van was bijgekomen, keek hij Bannister strak aan. 'Dat betaal ik van m'n leven niet,' zei hij met een hervonden vaste stem.

Bannister verbleekte lichtjes, omdat hij deze reactie niet had verwacht. 'Ik denk dat er over die prijs nog wel te praten valt, Oscar,' stamelde hij. 'En de handelaar heeft aangegeven dat hij de koolstofdatering van het document voor zijn rekening neemt.'

Na alle artefacten die hij van een heel scala aan grafrovers tot en met politici had gekocht, wist Gutzman altijd gehaaid de prijs te drukken. Sterker nog, hij wist precies wanneer hij werd genaaid en de aarzeling in Bannisters stem was hem niet ontgaan.

316

'Wacht,' zei de Dikke Man, waarna hij onvast van zijn stoel opstond en de kamer uitliep.

Even later kwam hij terug met een dikke ringband. Nadat hij was gaan zitten, sloeg hij het boek open dat uit een verzameling in plastic hoezen gestoken foto's bleek te bestaan. Het waren foto's van oude voorwerpen, kleine en grote, en verschillend van ouderdom en stijl. Bannister herkende beeldjes, houtsnijwerk en aardewerk waarvan hij wist dat ze honderdduizenden dollars waard waren. Gutzman bladerde de hele ringband door, waarna hij er een paar foto's uithaalde die hij aan Bannister overhandigde.

'Bekijk deze nu eens,' zei de Dikke Man snuivend.

'Deel van je collectie?'

'Ja, uit mijn magazijn in Portugal.'

Bannister bekeek de foto's aandachtig. Op de eerste was een kleine collectie roestige zwaarden en pijlpunten te zien. Op de tweede stond een ijzeren legerhelm, die Bannister als een Romeinse helm van het Heddernheim type herkende. Op de volgende foto zag hij een dunne bronzen plaat met de afbeeldingen van een arend, schorpioen en diverse kronen. De laatste foto was van een object dat Bannister niet thuis kon brengen. Het leek een grote, hoekige klomp metaal die aan één kant was verwrongen en vervormd.

'Een zeldzame collectie Romeins wapentuig,' zei Bannister. 'Heb ik 't goed als ik denk dat het reliëf met de adelaar en de schorpioen een deel van een strijdstandaard is?'

'Heel goed, Ridley. Maar het is niet zomaar een standaard. Het is het embleem van de scholae palatinae, het Romeinse elitekorps van Constantijn de Grote. En, vriend, wat denk je dat dat laatste object is?'

'Ik vrees dat ik 't niet herken.'

Gutzman glimlachte triomfantelijk. 'Dat is de bronzen ramsteven van een keizerlijke galei. Gezien de omvang waarschijnlijk van een Liburnische bireem.'

'O ja, nu zie ik 't. De punt is geplet omdat hij is gebruikt. Waar heb je die nou weer vandaan?'

'Het lag in de romp van een ander schip, een vierde-eeuws Cypriotisch kaperschip, als je het verhaal moet geloven. Het beschadigde schip was in beschutte wateren op een bank van zacht slik aan de grond gelopen. Veel artefacten waren opmerkelijk goed geconserveerd. Het wrak werd al vrij snel door plaatselijke duikers ontdekt en daarna waren de archeologen er als de kippen bij. Maar een steenrijke verzamelaar had toen al de meeste voorwerpen weggesnaaid voordat de autoriteiten konden vaststellen of er iets was weggehaald.'

'Mag ik raden wie die verzamelaar was,' zei Bannister met een scheve grijns.

Gutzman schoot in een rochelende lach. 'Het was een gelukkige tip die me op het juiste moment bereikte,' zei hij grinnikend.

'Het zijn bijzonder fraaie stukken, Oscar. Maar waarom laat je me ze zien?'

'Ik heb die artefacten jaren geleden gekocht. En die geruchten over het Manifest houden me al jarenlang bezig. Is het waar? Zou die lading echt bestaan? Tot ik op een nacht een droom had. Ik droomde dat ik het Manifest in mijn handen had, net zoals nu deze kopie. En in mijn hoofd zie ik daar allemaal Romeinse wapens en artefacten bij. Maar dat zijn geen willekeurige voorwerpen. Ik zie deze artefacten,' zei hij op de foto's wijzend.

'We dromen wel vaker over de dingen waar we naar op zoek zijn,' reageerde Bannister. 'Denk je echt dat er een verband is tussen het Manifest en deze Romeinse relikwieën? Ze kunnen toch van elk willekeurig zeegevecht afkomstig zijn?'

'De scholae palatinae waren niet zomaar bij een zeegevecht betrokken. Je moet weten, dat waren de opvolgers van de pretoriaanse garde, die door Constantijn in de pan werden gehakt tijdens de slag bij de Pons Milvius, waarbij hij Maxentius versloeg en zijn greep op het rijk verstevigde. Nee, voor mij is het zo klaar als een klontje dat het Cypriotische schip slaags is geraakt met een galei op een keizerlijke missie.'

'Stamt het schip zelf ook uit die periode?'

Weer glimlachte Gutzman. 'Het schip, net als het wapentuig en de artefacten, komen allemaal uit ongeveer diezelfde tijd, zo rond 330 na Christus. En dan dit nog,' zei hij, waarbij hij op de foto van een verweerd Romeins schild wees.

Bannister had het in eerste instantie over het hoofd gezien, maar bekeek het schild naast de speerpunten nu aandachtiger en ontdekte in het midden een vervaagd Christus-monogram.

'Het kruis van Constantijn,' mompelde Bannister.

'Dat niet alleen, maar het papyrusvel uit Caesarea past keurig in de theorie,' zei Gutzman. 'De droom is waar, Ridley. Als jouw Manifest echt is, dan heb ik de stem van Helena al via m'n eigen artefacten gehoord.'

Bannisters ogen lichtten op bij de gedachte dat dit mogelijk zou kunnen zijn.

'Vertel eens, Oscar,' vroeg hij zakelijk, 'waar is dat wrak ontdekt?'

'Het schip is in de buurt van Pissouri gevonden, een dorpje aan de zuid-kust van Cyprus. Dus is het helemaal niet onmogelijk dat de feitelijke lading van het Manifest daar ergens begraven ligt, ja toch?' speculeerde hij met opgetrokken wenkbrauwen. 'En dát is pas een echt geschenk uit de hemel, dacht je niet, Ridley?'

'Zeker,' antwoordde de archeoloog op volle toeren nadenkend. 'Dat zou de ontdekking van de eeuw zijn.'

'Maar helaas, we lopen op de zaken vooruit. Ik moet eerst dat Manifest onderzoeken en uitvinden of het inderdaad authentiek is. Zeg tegen die Londense vriend van jou dat ik bereid ben er honderdduizend pond voor te betalen. Maar dan wil ik wel die koolstofdatering en dat ik het ook eerst zelf mag onderzoeken,' zei hij, terwijl hij opstond.

'Honderdduizend pond?' reageerde Bannister. Nu was hij degene met een schorre stem.

'Ja, en geen cent meer.'

De oude verzamelaar klopte Bannister op zijn schouder. 'Bedankt dat je eerst naar mij bent gekomen, Ridley. Ik geloof dat we grootse dingen op het spoor zijn.'

Bij Bannister kon er nog net een teleurgesteld knikje vanaf terwijl hij naar de deur liep. Nadat Gutzman hem naar de lift had gebracht, liep hij terug naar de zithoek en richtte zich tot Alfar.

'Hebt u het gesprek gevolgd?' vroeg de Dikke Man.

'Ja, meneer Oscar. Elk woord,' antwoordde de Arabier met een zwaar accent. 'Maar ik begrijp niet waarom u dat Manifest niet wilt kopen.'

'Heel eenvoudig, Alfar. Ik ben er vast van overtuigd dat Bannister het Manifest zelf bezit en niet een of andere Londense handelaar. Hij pro-beert me een behoorlijke poot uit te draaien en dat gaat 'm misschien nog lukken ook.'

'Waarom liet u hem dan die Romeinse artefacten zien?'

'Om hem nieuwsgierig te maken. Kijk, hij heeft het talent om dingen te ontdekken. Hij is hier nu gedesillusioneerd weggegaan, maar hij is ook, net als ik, gebiologeerd door de mogelijkheid dat die artefacten echt be-staan. Ik weet zeker dat zijn ego hem daar nu linea recta heen voert. Het is misschien een dwaze gok, maar 't is toch het proberen waard? Bannis-ter heeft de middelen en vaak geluk. Als ze bestaan, is hij de man die ze kan vinden. Dus waarom zouden we hem het werk niet laten doen?'

'U bent een slimme man, meneer Oscar. Maar hoe houdt u Bannister onder controle?'

'Ik wil dat u contact met Zakkar opneemt. Zeg hem dat ik een eenvoudig surveillancekarweitje voor hem heb, en dat het goed betaalt.'

'Hij heeft laten weten dat hij een aantal maanden geen voet in Israël zal zetten, als het enigszins mogelijk is.'

'Hij voelt de hete adem in zijn nek, hè?' zei Gutzman grinnikend. 'Maakt niet uit. Hij hoeft zich geen zorgen te maken, deze klus is niet in Israël. Ditmaal gaat hij zijn geld op Cyprus verdienen.'

55

Hammet kromp ineen onder de schittering van het felle fluorescerende licht dat hij bij zijn eerste pogingen om zijn ogen te openen te verwerken kreeg. Maar het was niets in vergelijking met de snijdende pijn die uit zijn achterhoofd kwam. Opnieuw dwong hij zich zijn ogen te openen in een poging om te zien waar hij zich bevond. Een eerste antwoord luidde: plat op zijn rug met een felle lichtbak boven zijn hoofd.

'Kapitein, hoe voel je je?' klonk nogmaals de vertrouwde stem van de eerste stuurman van de Dayan.

'Alsof ik door een locomotief ben overreden,' antwoordde Hammet, die daarbij zijn hoofd optilde en om zich heen keek.

Nu zijn ogen aan het licht gewend raakten, zag hij dat hij in de scheepskantine op een eettafel lag met een stapel linnen servetten bij wijze van kussen onder zijn hoofd. Een deel van de bemanning stond met angstige en bezorgde gezichten om hem heen. Toen het opeens tot hem doordrong in wat voor rare positie hij daar lag, richtte hij zich op zijn ellebogen op en gleed van de tafel af, waarna de eerste stuurman hem op een stoel manoeuvreerde. Een opkomende misselijkheid onderdrukkend keek hij naar de stuurman op en bedankte hem met een hoofdknikje.

Pas nu viel het hem op dat de eerste officier een bloederig verband om zijn hoofd had en dat hij twee keer zo bleek was als normaal.

'Ik was bang dat je dood was,' zei Hammet.

'Een beetje bloed verloren, maar verder gaat 't wel. Jij hebt ons meer schrik bezorgd, je hebt de hele nacht geslapen.'

De tankerkapitein keek naar een patrijspoort en zag de eerste stralen van de zon naar binnen schijnen. En opeens merkte hij dat de motor van het schip uit was en ze kennelijk voor anker lagen. Op een paar meter voor de scheidingswand zag hij tot zijn schrik aan beide zijden van de deur een in het zwart geklede man zitten. Ze hadden allebei een automatisch geweer op hun schoot en keken dreigend in zijn richting.

'Hoe zijn die aan boord gekomen?' vroeg Hammet zachtjes.

'Weten we niet,' antwoordde de eerste stuurman. 'Waarschijnlijk met een bootje van dat vrachtschip. Voor we doorhadden wat er aan de hand was, stormde er een stel gewapende mannen de brug binnen.'

'Heb je nog een noodsignaal kunnen uitzenden?'

De eerste stuurman schudde mismoedig zijn hoofd. 'Geen tijd meer.'

Hammet telde de mannen die om hem heen zaten en zag dat de derde stuurman ontbrak.'

'Waar is Cook?'

'Ze hebben hem meegenomen naar de brug. Ik neem aan dat ze hem het schip hebben laten besturen.'

Even later werd de deur van de kantine opengerukt en duwde een gewapende man de derde stuurman met een agressieve stoot de kantine in. Met een enorme blauwe plek op zijn wang liep de jonge scheepsofficier door naar de tafel, waar hij zich tot Hammet richtte.

'Blij om te zien dat u oké bent, kapitein,' zei hij.

'Wat kunt u melden?' vroeg Hammet.

'Sir, ze hebben me onder bedreiging van vuurwapens gedwongen het schip te besturen. We zijn de hele nacht op volle kracht naar het noorden gevaren achter een zwart vrachtschip aan dat de Ottomaanse Ster heet. Bij zonsopkomst zijn we in een kleine, beschutte inham langszij dat schip afgemeerd. We zijn nog in de Turkse wateren, zo'n vijftien kilometer ten noorden van de Dardanellen.'

'Enig idee wat dit voor lieden zijn?'

'Nee, sir. Ze spraken Turks maar hebben geen eisen gesteld of zo. Ik heb geen idee waarom iemand een lege watertanker zou willen kapen.'

Hammet knikte begrijpend, dat vroeg hij zich ook al af.

De bemanning van de Israëlische tanker werd nog ruim vierentwintig uur aan boord gevangen gehouden, waarbij ze wel naar de kombuis mochten, maar daar bleef het bij. Diverse keren sprak Hammet de bewakers aan met een vraag of een verzoek, maar hij werd steeds zonder dat er een woord werd gezegd met de loop van een geweer tot zwijgen gemaand. Die hele dag en nacht hoorden ze dat er op het voordek met man en macht werd gewerkt. Bij een onopvallende blik door de patrijspoort ving Hammet een glimp op van een kraan die kratten van het vrachtschip naar de tanker hees.

Ten slotte werden ze aan het einde van de dag, nadat er extra bewakers waren gearriveerd, gedwongen om bij het laden te helpen. Terwijl hij over de steiger liep, schrok Hammet van wat er met zijn schip was gebeurd. De overvallers hadden een tweetal reusachtige gaten in het voordek gesneden.

De beide opslagtanks in het voorschip, die ieder een half miljoen liter water konden bevatten, lagen erbij als een stel half opengerukte sardineblikjes. De kapitein zag dat de kratten die hij uit het vrachtschip had zien komen, nu langs de wanden van de opengesneden tanks opgestapeld stonden.

'De idioten hebben onze tanker tot een vrachtschip omgebouwd,' zei hij in zichzelf vloekend toen ze aan wal werden gebracht.

Zijn afschuw nam alleen nog maar toe toen de bemanning naar de loods aan de zuidkant werd gedirigeerd, waar ze de kistjes met explosieven uit de legercontainer moesten pakken. Vervolgens werden ze naar de tanker teruggeleid, waar hen werd bevolen de explosieven in het midden van de beide open tanks neer te zetten. Hammet gunde zich een seconde de tijd om de kratten die al aan boord stonden beter te bekijken en zag dat ze gevuld waren met vijftigpondszakken met het opschrift AMMONIUMNITRAAT BRANDSTOF.

'Ze willen het schip opblazen,' fluisterde hij tegen zijn eerste officier, toen ze terugliepen om een tweede lading HMX op te halen.

'Met ons erbij, kan ik me zo voorstellen,' antwoordde de eerste stuurman.

'Een van ons moet proberen weg te glippen. We moeten iemand waarschuwen om deze waanzin te stoppen.'

'Als kapitein bent u de eerste die ze missen.'

'Met die bebloede tulband geldt dat voor jou niet minder,' reageerde Hammet.

'Ik probeer 't,' klonk een stem achter hen. Het was Green, de roerganger van het schip en een tamelijk onopvallende verschijning.

'In de loods is het donker, Green,' zei Hammet. 'Kijk of je daar ongezien weg kunt komen.'

Maar de bewakers waren gespitst op eventuele vluchtpogingen en stuurden Green iedere keer dat hij ook maar het kleinste stapje opzij deed, terug de rij in. Met tegenzin voegde hij zich weer bij de overige explosievendragers.

De bemanning vervolgde hun dwangarbeid tot de container leeg raakte. Hammet volgde nieuwsgierig een vrouw met donkere ogen in een jumpsuit die hun vorderingen vanaf het dek van de tanker bekeek alvorens ze zich op de brug posteerde. Toen ze naar de loods terugliepen om er de laatste lading op te halen, wendde Hammet zich tot zijn roerganger.

'Kijk of je in de container achter kunt blijven,' fluisterde hij.

De kapitein gaf vervolgens aan zijn hele bemanning door dat ze zich allemaal tegelijk in de container moesten dringen, waarop een bewaker

gilde dat ze het rustig aan moesten doen. Maar het gaf Green de gelegenheid om naar de achterwand van de container weg te glippen, waar hij
vliegensvlug naar de bovenste plank klom en daar zijn minilijf plat uitstrekte, zodat hij van beneden af nauwelijks zichtbaar was. Hammet liet
de overige bemanningsleden de laatste explosieven naar buiten dragen,
waarna hij met opgeheven handpalmen de container uitstapte.

'Het is op,' zei hij tegen de dichtstbij staande bewaker en liep snel achter de anderen aan de loods door.

Vlug doorlopend kon hij de verleiding om over zijn schouder te kijken
niet weerstaan. Hij zag dat de bewaker naar voren stapte en in de container keek. Toen hij zag dat die leeg was, draaide de bewaker zich om en
knalde de deur dicht. Hammet wendde zich af en bad met ingehouden
adem dat het stil zou blijven. Maar zijn hoop vervloog met het geluid van
de dichtschuivende grendel, een akelig geknars dat Hammet tot in zijn
tenen voelde tintelen.

56

De banden van het lijntoestel wierpen wolken stoffig zand op bij de landing op de droge start- en landingsbaan van het vliegveld van Çanakkale, niet ver ten zuidoosten van de Dardanellen. Het vliegtuig taxiede naar de terminal, waar het langzaam tot stilstand kwam en de propellers stilvielen. Achter een hek zag Summer hoe haar broer als een van de laatste passagiers het toestel uitkwam. Hij liep licht hinkend en had op een paar plekken een verband, maar leek verder gezond. Toen hij dichterbij kwam, zag ze echter dat hij de ergste verwondingen dieper in zich meedroeg.

'Nog steeds in één stuk, zie ik,' zei ze terwijl ze hem omhelsde. 'Welkom in Turkije.'

'Bedankt,' reageerde hij gelaten.

Van zijn normale positieve energie en opgewekte uitstraling was niets meer over. Zelfs zijn ogen leken donkerder, dacht Summer. Hij was niet zozeer verdrietig, zoals ze had verwacht, maar koud en bijna boos. Zo had ze haar broer nog niet eerder meegemaakt. Zachtjes nam ze hem bij de arm en liep met hem naar de bagageband.

'Toen we de berichten lazen over de aanslag op de Rotskoepel, hadden we geen idee dat jij daarbij betrokken was,' zei ze kalm. 'Tot pa langs offi- cieuze weg te horen kreeg dat je erbij was en de aanslag hebt verhinderd.'

'Ik heb maar één van de bommen kunnen uitschakelen,' zei hij verbit- terd. 'De Israëlische inlichtingendiensten hebben me uit het nieuws ge- houden terwijl ik in een legerhospitaal werd opgelapt. Ik neem aan dat ze niet wilden dat de aanwezigheid van een Amerikaan de plaatselijke poli- tiek nog chaotischer maakt dan die al is.'

'Godzijdank ben je niet al te zwaar gewond.' Ze zweeg even en keek hem bezorgd aan. 'Maar je Israëlische vriendin, wat is dat verschrikkelijk.'

Dirk knikte, maar zei niets. Ze waren inmiddels bij de bagageband, waar ze zijn spullen vonden. Onderweg naar een kleine geleende bestel- wagen op het parkeerterrein zei Summer: 'We moeten nog iets ophalen.'

Nadat ze naar de andere kant van het vliegveld waren gereden, stopte

Summer voor een vervallen loods waar met grote letters AIR CARGO op stond. Binnen vroeg ze om de vracht die de afgelopen nacht voor het NUMA aangekomen moest zijn, waarop ze twee pakketjes aangereikt kreeg en twee mannen een krat naar buiten reden, dat ze vervolgens in de laadruimte van de bestelwagen tilden.

'Wat zit daar in?' vroeg Dirk, nadat ze waren weggereden.

'Een nieuwe opblaasboot. De Aegean Explorer is twee van die dingen kwijtgeraakt bij een schermutseling over een scheepswrak.'

Summer vertelde Dirk wat ze wist over de ontdekking van het Ottomaanse wrak, de dood van de beide NUMA-wetenschappers en de ontvoering van Zeibig.

'En de Turken hebben de gasten in dat jacht niet opgepakt?' vroeg Dirk. Summer schudde haar hoofd. 'Pa is des duivels over de reactie van de plaatselijke autoriteiten. De Explorer is een paar dagen aan de ketting gelegd en ze zijn zelf verantwoordelijk gesteld voor de dood van Tang en Iverson.'

'Gerechtigheid geldt alleen voor de machtigen. Dat is slecht nieuws over Tang en Iverson. Ik heb bij andere projecten met hen gewerkt. Prima kerels allebei,' zei hij met een zachter wordende stem omdat het praten over hun dood hem weer aan Sophie deed denken.

'Bovendien is hierdoor het hele algengroeionderzoek in duigen gevallen. De vertegenwoordiger van het Turkse ministerie van Milieu, die aan boord moet zijn, is vanwege familieomstandigheden vertrokken. En in de tussentijd hadden Rudi en Al ook nog problemen met de nieuwe AOV.' Ze wilde hieraan toevoegen dat Dirks komst de stemming van de anderen weer een beetje zou verbeteren, maar ze begreep dat dat er gezien de toestand waarin hij nu verkeerde niet inzat.

Summer reed naar het industriële gedeelte van de haven van Çanakkale en zag dat de Aegean Explorer naast een stel forse vissersschepen lag afgemeerd. Ze ging met haar broer aan boord en begeleidde hem naar de officierskajuit, waar Pitt, Gunn en Giordino met kapitein Kenfield het vaarschema bespraken. De jonge Pitt werd hartelijke begroet toen hij met zijn zus binnenkwam.

'Heeft je vader je nooit geleerd dat je niet met vuur moet spelen?' grapte Giordino, terwijl hij Dirk met een ferme greep de hand schudde.

Dirk glimlachte geforceerd en omhelsde zijn vader alvorens hij aan tafel plaatsnam. 'Summer vertelde dat jullie een Ottomaans wrak hebben gevonden,' zei hij. De toon waarop hij dat zei, maakte duidelijk dat hij er niet echt bij was.

'Ja, en dat heeft ons een hoop ellende bezorgd,' reageerde Pitt. 'Ze stamt uit ongeveer 1570 en had een aantal ongebruikelijke Romeinse artefacten aan boord.'

'Helaas hebben we van al die artefacten alleen nog wat foto's over,' vulde Gunn meesmuilend aan.

'Uiteraard verbleekt dat alles bij wat Summer heeft ontdekt,' zei Pitt.

Dirk wendde zich tot zijn zus. 'Wat dan?' vroeg hij.

'Heeft ze je dat nog niet verteld?' vroeg Giordino.

Summer keek Dirk schaapachtig aan. 'Geen tijd voor gehad, denk ik.'

'Hoe bescheiden kun je zijn,' zei Gunn, terwijl hij door een stapel papieren op tafel bladerde. 'Hier, ik heb een kopie van Summers origineel gemaakt,' zei hij, waarbij hij Dirk een vel papier overhandigde.

Hij hield het blad op en bekeek het aandachtig.

'Universiteit van Cambridge
Faculteit archeologie

Vertaling (Koptisch Grieks)
Keizerlijk Schip Argon
Speciaal Manifest voor Levering aan Keizer Constantijn
Byzantium

Manifest:
Persoonlijke voorwerpen van Christus, inclusief een kleine garderobe met:
Mantel
Haarlok
Brief aan Petrus
Persoonlijke bezittingen
Grote grafsteen
Altaar uit de kerk van Nazareth
Contemporaine portretten van Jezus
Ossuarium van J.

Overgedragen aan het 14e Legioen te Caesarea
Septarius, Gouverneur van Juda'

'Is dit echt?' vroeg Dirk.

'Het origineel is geschreven op papyrus. Ik heb het heel even gezien,' antwoordde Summer met een knikje van haar hoofd, 'dus ik weet dat het bestaat. Dit is een vertaling uit 1915 door een gerenommeerde archeoloog en etymoloog uit Cambridge.'

'Ongelooflijk,' zei Dirk, nu volledig in de ban van het document. 'Al deze spullen zijn dus van Jezus geweest. Waarschijnlijk zijn ze na zijn dood door de Romeinen verzameld en vernietigd.'

'Nee, allesbehalve,' reageerde Summer. 'Helena heeft ze gekregen, de moeder van Constantijn de Grote, in 327 na Christus. De in het Manifest vermelde voorwerpen waren heilig en werden vermoedelijk ter ere van de bekering van het Romeinse Rijk tot het christendom aan Constantijn gezonden.'

'Ik kan maar niet geloven dat jij dit in Engeland hebt gevonden,' zei Gunn ten slotte.

'En dat allemaal dankzij het duiken naar de HMS Hampshire,' verklaarde Summer. 'Veldmaarschalk Kitchener heeft het papyrusdocument waarschijnlijk verworven tijdens een inspectiereis door Palestina rond 1870. Wat het precies betekende, wisten ze kennelijk niet totdat de tekst decennia later werd vertaald. Julie Goodyear, de Kitchener-kenner met wie ik het Manifest op het spoor ben gekomen, denkt dat de anglicaanse Kerk Kitchener misschien zelfs vanwege het Manifest heeft vermoord.'

'Hun angst is wel begrijpelijk, lijkt me,' stelde Giordino. 'De vondst van een kistje met de beenderen van Jezus zou een aantal gevoelige zaken behoorlijk overhoophalen.'

'Er is een interessant verband met de Romeinse artefacten die we bij het Ottomaanse wrak hebben gevonden, dat eveneens uit de tijd van Constantijn en Helena stamt,' merkte Gunn op.

'Dus die spullen van Jezus bevonden zich op een Romeins schip dat uit Caesarea vertrok?' vroeg Dirk.

Summer knikte. 'Van Helena weten we dat ze een pelgrimstocht naar Jeruzalem heeft gemaakt, waar ze naar eigen zeggen het Ware Kruis heeft ontdekt. Stukken van het kruis zijn tegenwoordig in allerlei kerken verspreid over heel Europa te vinden. Een bekend verhaal is dat de spijkers van het kruis zijn omgesmolten en gebruikt bij het maken van een helm en paardenhoofdstel voor Constantijn. Dus Helena is kennelijk heelhuids met het kruis in Byzantium teruggekeerd. Maar deze voorwerpen worden nooit ergens genoemd,' vervolgde ze op de lijst wijzend. 'Ze werden waarschijnlijk apart verscheept en zijn kennelijk al heel lang geleden in de vergetelheid geraakt. Kunnen jullie je voorstellen wat het voor gevolgen heeft als we opeens een contemporaine afbeelding van Jezus te zien krijgen?'

Er viel een lange stilte waarin alle aanwezigen zich een voorstelling probeerden te maken van hoe de naamgever van het christendom eruit zou hebben gezien. Allemaal, dat wil zeggen, behalve Dirk. Zijn ogen bleven op de onderste regels van het Manifest gericht.

'Caesarea,' zei hij. 'Dat betekent dat het schip daar onder de hoede van Romeinse legionairs is uitgevaren.'

'Dat is precies waar jij aan het werk was, ja toch?' vroeg zijn vader.

Dirk knikte.

'Ze hebben daar toch niet toevallig per ongeluk een in steen gebeitelde vaarroute achtergelaten, hè?' vroeg Giordino.

'Nee, maar we hebben er in de buurt wel een aantal papyrusdocumenten gevonden. De interessantste daarvan was een beschrijving van de gevangenneming en executie van een groep Cypriotische piraten. Het interessante was dat de piraten enige tijd voordat ze zelf opgepakt werden, op zee een contingent legionairs hadden verslagen. Dr. Haasis, met wie ik in Caesarea samenwerkte, zei dat die Romeinse legionairs deel uitmaakten van een eenheid die de scholae palatinae heette, onder aanvoering van een zekere centurio Platus, als ik me goed herinner.'

Gunn viel haast uit zijn stoel van verbijstering.

'Hoe... hoe zei je dat hij heette?' stamelde hij.

'Platus, of Platius, dat kan ook.'

'Plautius?' vroeg Gunn.

'Ja, dat was 't. Hoe weet je dat?'

'Dat was de naam op mijn gedenksteen... eh... de gedenksteen die bij het wrak is gevonden. Het was een gedenkteken aan Plautius, die kennelijk tijdens een zeeslag is omgekomen.'

'Maar je hebt geen idee waar die steen vandaan kwam?' vroeg Dirk.

Gunn schudde zijn hoofd, terwijl het gezicht van Zeibig opeens oplichtte.

'Dirk, je zei toch dat die piraten uit Cyprus kwamen?' vroeg hij.

'Dat is wat er op de papyrusrol stond.'

Zeibig bladerde een stapeltje papieren door en trok er een blad met onderzoeksgegevens tussenuit.

'De Romeinse senator die in de inscriptie op de gouden kroon wordt genoemd, dat was toch Artrius? Dr. Ruppé heeft wat historisch materiaal opgestuurd, waaruit blijkt dat hij korte tijd gouverneur van Cyprus was.'

Er krulde een flauw glimlachje om Pitts mond. 'Cyprus, dat is het puzzelstukje dat we nog misten. Als de Cypriotische historische archieven nog volledig zijn, durf ik te wedden dat je daar kunt vinden dat Traianus, de naam op de monoliet, ook op Cyprus was. Misschien heeft hij zich daar zelfs bij gouverneur Artrius gemeld.'

'Beslist,' bevestigde Giordino. 'Traianus heeft waarschijnlijk, nadat de gouden kroon per post was afgeleverd, van de gouverneur opdracht gekregen een gedenkteken op te richten.'

'Maar wat deden die Romeinse kroon en gedenksteen op een Ottomaans wrak?' vroeg Dirk.

'Ik geloof dat ik daar wel een theorie over heb,' reageerde Zeibig. 'Voor zover ik me herinner bleef Cyprus nog lang na de val van het Romeinse Rijk onder heerschappij van het Vaticaan. Tot de Ottomanen opdoken en het eiland rond 1570 veroverden, wat toevallig ook de tijd is waaruit ons wrak stamt. Ik zou zeggen dat de gouden kroon en het stenen tablet gewoon antieke oorlogsbuit waren die per schip terug werden gebracht naar de zittende sultan in Constantinopel.'

'Uit het Manifest kunnen we afleiden dat Plautius de opdracht had om de religieuze relikwieën naar Helena te brengen,' zei Gunn. 'De stèle uit het wrak bevestigt, samen met de papyrusvondst van Dirk, dat hij is omgekomen bij een gevecht met piraten voor de kust van Cyprus. Zou het kunnen dat dit allemaal gedurende dezelfde reis is gebeurd?'

'Ik durf te wedden dat leden van de scholae palatinae, net als de pretoriaanse garde, zich nooit ver van de keizerlijke machtszetel begaven, tenzij daar uitzonderlijke redenen voor waren,' zei Pitt.

'Zoals het escorteren van zijn moeder op haar reis naar Jeruzalem,' reageerde Summer.

'Wat de gouden kroon zou verklaren,' zei Giordino. 'Het kan heel goed een beloning voor Artrius geweest zijn toen hij gouverneur van Cyprus was, afkomstig van Constantijn als dank voor het vangen van de piraten die Plautius hadden gedood.'

'Dezelfde piraten die de relikwieën hadden gestolen?' vroeg Gunn. 'Want daar gaat het om. Wie had uiteindelijk de relikwieën?'

'Ik heb een vluchtig historisch onderzoek gedaan naar de in het Manifest genoemde objecten,' zei Summer. 'Hoewel tientallen kerken door heel Europa beweren dat ze stukken van het Ware Kruis bezitten, heb ik geen enkele feitelijke aanwijzing kunnen vinden dat een van de objecten uit het Manifest op dit moment tentoongesteld wordt, of in het verleden is tentoongesteld.'

'Dus ze zijn met Plautius verdwenen,' concludeerde Gunn.

'In het verslag uit Caesarea staat dat de piraten gevangen waren genomen en op hun eigen schip naar de haven werden gebracht,' stelde Dirk. 'De dekken van het schip waren met bloed besmeurd en er werden een aantal Romeinse wapens aan boord aangetroffen. Hoewel er kennelijk een confrontatie met Plautius was geweest, is het onduidelijk wat er met zijn schip is gebeurd. En dan dus ook met de relikwieën.'

'Wat waarschijnlijk toch betekent dat de Romeinse galei van Plautius is gezonken,' zei Pitt.

De overige aanwezigen in het vertrek reageerden zichtbaar geïntrigeerd op deze mogelijkheid, want ze begrepen dat als er iemand was die een belangwekkend scheepswrak op kon sporen, dat de slanke man met de groene ogen was die ze hier voor zich hadden.

'Pa, kunnen we niet gaan kijken of we het kunnen vinden als we met het Turkse project klaar zijn?' vroeg Summer.

'Dat zou wel eens sneller kunnen zijn dan je denkt,' zei Gunn.

Summer draaide zich opzij en keek hem vragend aan.

'Het Turkse ministerie van Milieu heeft ons laten weten dat ze hebben ontdekt dat een grote chemische fabriek in Çiftlik, een stad in de buurt van Chios, een aanzienlijke hoeveelheid verontreinigde afvalstoffen in zee heeft gedumpt,' verklaarde Pitt. 'Rudi heeft de stromingen bestudeerd en daaruit blijkt dat er een duidelijk verband is met de dode zone die wij in de omgeving van het Ottomaanse wrak onderzochten.'

'Een waarschijnlijkheid van meer dan vijfennegentig procent,' bevestigde Gunn. 'De Turken hebben ons vriendelijk gevraagd of we over een jaar terug willen komen om nog een paar proefmonsters te nemen, maar voorlopig is het weinig zinvol om ons onderzoek voort te zetten.'

'Betekent dat dat we teruggaan naar het Ottomaanse wrak?' vroeg Summer.

'Dr. Ruppé organiseert een officiële berging onder auspiciën van het Archeologisch Museum van Istanbul,' antwoordde Pitt. 'Zolang hij de noodzakelijke vergunningen van het ministerie van Cultuur nog niet binnen heeft, stelt hij voor dat wij verdere werkzaamheden bij het wrak voorlopig uitstellen.'

'Dus dan kunnen we meteen die Romeinse galei gaan zoeken?' vroeg Summer enthousiast.

'We kunnen op eigen initiatief in een klein gebied iets ten zuiden van hier gaan zoeken,' zei Pitt. 'Dat zou in een dag of twee, misschien drie moeten lukken. Op voorwaarde uiteraard dat onze AOV weer operationeel is,' vervolgde hij met een zijdelingse blik naar Gunn.

'Nu je het zegt,' zei Summer. 'Ik heb hier de reserveonderdelen.'

Ze wierp de twee door haar opgehaalde pakjes naar Gunn, die er één haastig openscheurde en de inhoud bekeek.

'Onze nieuwe printplaat,' reageerde hij opgewekt. 'Daarmee kunnen we het water weer in.'

Hij bekeek het andere pakje, waarna hij het naar Pitt doorschoof. 'Deze is voor jou, chef.'

Pitt knikte en keek de kring rond. 'Als de AOV weer inzetbaar is, laten we dan ons Turkse onderzoeksproject maar officieel afronden,' zei hij met een spottend lachje, 'want het is nog een flink eind naar Cyprus.'

Een uur later gleed de Aegean Explorer langzaam weg van de kade van Çanakkale. Pitt en Giordino keken vanaf de brug toe hoe kapitein Kenfield het schip de monding van de Dardanellen uit dirigeerde en vervolgens in zuidelijke richting de Turkse kust volgde. Zodra de Explorer veilig het drukke vaarwater van de nauwe straat achter zich had gelaten, ging Pitt zitten en maakte het die nacht bezorgde pakje open.

'Koekjes van thuis?' vroeg Giordino, die naast hem kwam zitten.

'Niet echt. Ik had Hiram gevraagd om te kijken of hij wat info over de Ottomaanse Ster en de Sultana kon vinden.'

Met Hiram bedoelde hij Hiram Yaeger, het hoofd van de computerafdeling van het NUMA. Vanuit het NUMA-hoofdkwartier in Washington bestuurde hij een ultramodern computercentrum waarmee hij toegang had tot alle oceanografische gegevens ter wereld en de weersomstandigheden op welke plek dan ook. Yaeger was een ervaren hacker met een neus voor het ontrafelen van geheimen, die er niet voor terugschrok om zich daarbij als dat nodig mocht zijn ook buiten de officiële kanalen te begeven.

'Twee schepen die ik graag op de bodem van de zee zie liggen,' reageerde Giordino. 'Maar heeft Yaeger wat kunnen vinden?'

'Kennelijk wel, ja,' antwoordde Pitt, terwijl hij het stapeltje papieren doorbladerde. 'Beide schepen staan geregistreerd in de Republiek Liberia onder de naam van een lege vennootschap. Yaeger heeft daar de eigenaar van kunnen achterhalen: een particuliere Turkse onderneming met de naam Anatolia Exports, waar ook de politie het over had. Het bedrijf heeft een lange geschiedenis als vervoerder van textiel en andere goederen naar handelspartners overal in het Middellandse Zeegebied. Het bezit een pakhuis en kantoorgebouw in Istanbul, plus een werf aan de kust in de buurt van de stad Kirte.'

'O ja, die werf die kennen we,' zei Giordino grijnzend. 'En wie zit erachter?'

'In de eigendomspapieren is sprake van Ozden Celik en Maria Celik.'

'Hou maar op... Ze rijden in een Jaguar en varen graag met boten op mensen in.'

Pitt gaf hem een foto van Celik, die Yaeger in het jaarverslag van een Turkse handelsvereniging had gevonden. Vervolgens bekeken ze samen een aantal satellietfoto's van Celiks onroerendgoedbezit.

'Dit is 'm,' zei Giordino, die de eerste foto nog eens goed bekeek. 'Wat weten we verder nog van hem en zijn vrouw?'

'Dat Maria zijn zus is. En dat er weinig over hen bekend is. Yaeger wijst erop dat de Celiks nogal geheimzinnige types zijn die niet veel van zichzelf blootgeven. Hij zegt dat hij echt diep heeft moeten spitten om nog iets te vinden.'

'En is dat gelukt?'

'Moet je horen. Uit een genealogische analyse blijkt dat de beide Celiks achterkleinkinderen van Mehmet VI zijn.'

Giordino schudde zijn hoofd. 'Die naam zegt me niet, vrees ik.'

'Mehmet VI was de laatste sultan van de Ottomaanse Rijk. Hij en zijn clan werden van de troon gestoten en het land uitgezet toen Atatürk in 1923 aan de macht kwam.'

'En nu heeft de arme man alleen nog een armzalig oud vrachtschip om mee te pronken. Geen wonder dat hij niet zo best gehumeurd is.'

'Kennelijk heeft hij wel iets meer dan dat,' zei Pitt. 'Yaeger denkt dat je het stel rustig tot de rijkste mensen van het land kunt rekenen.'

'Dat verklaart al enigszins hun fanatisme voor het Ottomaanse wrak.'

'En die brutale roofoverval op het Topkapi. Hoewel daar ook een andere reden voor geweest kan zijn.'

'En die is?'

'Yaeger heeft een mogelijke financiële relatie met een reclamefirma gevonden. Dat bedrijf doet de promotiecampagne voor de kandidatuur van moefti Battal in de komende presidentsverkiezing.'

Pitt legde het vel neer dat hij aan het lezen was. 'Rey Ruppé heeft ons in Istanbul over die moefti verteld. Hij heeft een grote fundamentalistische aanhang en wordt in sommige kringen als een gevaar voor de democratie beschouwd.'

'Dan kan 't geen kwaad als je vrienden hebt die goed in de slappe was zitten. Ik vraag me af wat die Celik eigenlijk wil.'

'Een vraag waarop het antwoord wel eens heel verhelderend zou kunnen zijn,' reageerde Pitt.

Hij legde ook de rest van het rapport neer en dacht na over de rijke Turk en diens onstuimige zus, terwijl Giordino de satellietfoto's bestudeerde.

'Ik zie dat de Ottomaanse Ster naar haar thuishaven is teruggekeerd,' merkte Giordino op. 'Maar wat doet die Griekse tanker daar, die langszij ligt?'

Hij schoof de foto's over de tafel naar Pitt, die de luchtfoto van de inmiddels vertrouwde inham bekeek en het vrachtschip aan de steiger zag liggen. Aan de andere kant van de steiger lag een kleine tanker. Een blauw-witte vlag was nog net zichtbaar aan de mast. Die vlag viel hem op en Pitt tuurde er een moment aandachtig naar, waarna hij een vergrootglas van-achter de kaartentafel pakte.

'Dat is niet de Griekse vlag,' zei hij. 'Die tanker komt uit Israël.'

'Ik wist niet dat Israël een eigen tankervloot had,' zei Giordino.

'Hebben jullie het over een Israëlische tanker?' vroeg kapitein Kenfield, die aan de andere kant van de brug meeluisterde.

'Al heeft er een in de inham van onze Turkse vrienden ontdekt,' antwoordde Pitt.

Kenfields gezicht trok lijkbleek weg. 'Toen we in de haven lagen, kwam er een waarschuwing binnen dat er voor de kust van Manavgat een Israëlische tanker wordt vermist. Het is een tanker voor het vervoer van water.'

'Ik herinner me dat ik er een paar weken geleden een heb gezien,' merkte Pitt op. 'Hoe groot is het vermiste schip?'

'Het schip heet de Dayan, geloof ik,' zei hij, waarop hij naar een computer liep en met een zoekmachine aan de slag ging. 'Achthonderd Engelse ton zwaar en vijfennegentig meter lang.'

Hij draaide de monitor naar Pitt en Giordino zodat ze een foto van het schip konden zien. Het was hetzelfde schip.

'Deze foto's zijn nog geen vierentwintig uur oud,' zei Giordino, die een datumstempel op de foto zag staan.

'Kapitein, doet je beveiligde satelliettelefoon het?' vroeg Pitt.

'Jazeker. Wil je bellen?'

'Ja,' antwoordde Pitt. 'Ik geloof dat het tijd wordt om Washington in te lichten.'

57

'O'Quinn, wat goed dat u langskomt. Kom binnen, alstublieft, en pak een stoel.'

De agent van de inlichtingendienst was onder de indruk van het feit dat de vicepresident van de Verenigde Staten hem in de foyer op de tweede etage van het Eisenhower Executive Office Building tegemoetkwam en hem persoonlijk naar zijn kantoor begeleidde. In Washington schreef de etiquette eigenlijk voor dat een secretaris of andere naaste medewerker een lager geplaatste naar de heilige vertrekken van de Nummer Twee escorteerde. Maar James Sandecker was van het zeldzame soort dat weinig ophad met dergelijke praalvertoningen.

Als gepensioneerd admiraal had Sandecker enkele tientallen jaren geleden de National Underwater and Marine Agency opgericht en tot een machtige oceanografische eenheid uitgebouwd. Het was een voor iedereen even verrassende stap geweest toen hij de teugels aan Pitt doorgaf om zelf het vicepresidentschap op zich te nemen, een functie waarin hij zijn inzet voor de bescherming van de wereldzeeën nog hoopte te kunnen intensiveren. Sandecker, een kleine maar vitale man met felrood haar en een even rode sik, stond in de hoofdstad bekend als een barse man die onomwonden zijn mening verkondigde, maar desondanks veel respect genoot. O'Quinn had bij de briefings van de inlichtingendiensten vaak heimelijk gelachen om de snelheid waarmee de vicepresident kwesties of personen fileerde om aan de kern van de zaak te geraken.

Na binnenkomst in het grote kantoor wierp O'Quinn een bewonderende blik op de verzameling olieverfschilderijen van oude schepen en wedstrijdjachten die aan de gelambriseerde muren hingen. Hij volgde Sandecker naar diens bureau, waar hij tegenover hem plaatsnam.

'U mist de zee zeker verschrikkelijk?'

'De dagen dat ik liever op zee zou zitten dan hier achter een bureau zijn niet te tellen,' antwoordde Sandecker, terwijl hij in een la rommelde en een enorme sigaar tussen zijn tanden stak. 'Volgt u de gebeurtenissen in Turkije?' vroeg hij zakelijk.

'Jawel. Dat is een deel van mijn observatiegebied.'

'Wat weet u over een zekere Ozden Celik? Dat moet een volslagen gek zijn.'

O'Quinn moest een ogenblik nadenken. 'Dat is een Turkse zakenman die banden heeft met leden van het Saoedische koningshuis. We denken dat hij mogelijk financiële steun verleent aan de Gelukzaligheidspartij van de moefti Battal. Waarom vraagt u dat?'

'Hij is kennelijk nog het een en ander van plan. Wist u dat er sinds twee dagen een Israëlisch tankschip wordt vermist?'

O'Quinn knikte, want hij herinnerde zich dat hij er in een briefingsrapport over had gelezen.

'Het schip is waargenomen in een haventje van deze meneer Celik een paar kilometer ten noorden van de Dardanellen. Volgens een betrouwbare bron zit deze Celik ook achter de recente diefstal van islamitische artefacten uit het Topkapi.' Sandecker schoof een satellietfoto van de tanker over zijn bureau.

'Topkapi?' herhaalde O'Quinn, waarbij zijn wenkbrauwen als een ophaalbrug uiteenbogen. 'Wij denken dat er een relatie bestaat tussen de diefstal uit het Topkapi en de recente aanslagen op de Al-Azhar-moskee in Caïro en de Rotskoepel in Jeruzalem.'

'De president is van die mogelijkheid op de hoogte.'

O'Quinn bestudeerde de satellietfoto.

'Als ik vragen mag, sir, hoe komt u aan deze informatie?'

'Van Dirk Pitt van het NUMA. Twee van zijn wetenschappelijk medewerkers zijn door mensen van Celik vermoord en een derde is door hen ontvoerd en naar diezelfde haven gebracht,' antwoordde Sandecker op de foto wijzend. 'Pitt heeft de man daar weggehaald en er tevens een container met plasticbommen ontdekt. Een voorraad HMX van het Amerikaanse leger, om precies te zijn.'

'De explosieven die bij de bomaanslag op de moskee zijn gebruikt, zijn als HMX geïdentificeerd,' reageerde O'Quinn opgewonden.

'Ja, dat herinner ik me van uw briefing bij de president.'

'Celik doet dit waarschijnlijk voor moefti Battal. Voor mij is het duidelijk dat de anonieme aanslagen op moskeeën met onze explosieven tot doel hebben in het hele Midden-Oosten fundamentalistische woede-uitbarstingen te provoceren en met name in Turkije. Ze willen de publieke opinie zodanig beïnvloeden dat Battal de verkiezingen wint.'

'Dat klinkt logisch. En daarom is die gekaapte Israëlische tanker een reden tot bezorgdheid.'

'Hebben we hier contact over met de Turkse regering?'

'Nee,' antwoordde Sandecker en hij schudde beslist zijn hoofd. 'De president is bang dat actie van onze kant kan worden gezien als Amerikaanse inmenging in de presidentsverkiezing. Eerlijk gezegd weten we ook niet hoe ver Battals tentakels in de huidige regering reiken. Er staat gewoon te veel op het spel en de race is te spannend. We kunnen het niet riskeren dat er commotie ontstaat waardoor de verkiezing ten gunste van zijn partij kan omslaan.'

'Maar volgens onze analisten is de kans dat de moefti wint toch al vijftig procent.'

'Daarvan is de president zich bewust, maar toch heeft hij besloten dat Amerikaanse inmenging tot na de verkiezing absoluut taboe is.'

'Er is altijd wel een achterdeur waardoor we iets kunnen doen,' protesteerde O'Quinn.

'Ook dat is al te riskant.'

Sandecker nam de sigaar uit zijn mond en bekeek het afgekloven uiteinde. 'Het is een mandaat van de president, O'Quinn, niet van mij.'

'Maar we kunnen niet zomaar de andere kant op kijken.'

'Daarom heb ik je laten komen. Je hebt contacten binnen de Mossad, neem ik aan?' vroeg hij.

'Ja, natuurlijk,' antwoordde O'Quinn, heftig knikkend.

Sandecker leunde over zijn bureau en keek de agent van de inlichtingendienst met zijn lichtblauwe ogen strak aan.

'Dan stel ik voor dat je de mogelijkheid overweegt hen op de hoogte te stellen van waar hun vermiste tanker zich bevindt.'

58

Rudi Gunn was tegen het invallen van de schemering en net voordat de Aegean Explorer het zoekgebied op ruim dertig kilometer ten zuidoosten van Çanakkale bereikte, klaar met het vervangen van de kapotte sensoren van de AOV. Ter plekke aangekomen werd de AOV te water gelaten en nam de bemanning het vierentwintiguursschema weer op. Toen rond middernacht de nachtploeg de taken overnam, werd de brug alleen nog door de tweede stuurman en een roerganger bemand.

Het schip voer op halve kracht in noordelijke richting toen de roerganger plotseling met open mond naar het radarscherm staarde.

'Sir, aan bakboordzijde is opeens een schip opgedoken, op nog geen halve kilometer afstand,' stamelde hij geschrokken. 'Een halve minuut geleden was het er nog niet, dat zweer ik je.'

De brugofficier bekeek het radarbeeld en zag een klein, geel amoebeachtig stipje haast versmelten met het middelpunt, dat de positie van de Aegean Explorer aangaf.

'Waar komt die in hemelsnaam vandaan?' bracht hij geschrokken uit. 'Roer, twintig graden rechts,' riep hij uit angst dat het onbekende vaartuig op ramkoers op hen afstevende.

Terwijl de roerganger een hengst aan het stuurrad gaf, liep de officier naar het bakboordraam van de brug en tuurde naar buiten. De maan en de sterren lagen verscholen achter een laaghangende bewolking die de zee in een diepe duisternis hulde. In plaats van de lichten van het naderende schip die hij verwachtte te zien, was ook daar alles donker.

'De idioot heeft niet eens vaarlichten aan,' zei hij terwijl hij tevergeefs de zee naar iets van een schaduw afspeurde. 'Ik probeer 't via de radio.'

'Dat raad ik u niet aan,' snauwde een scherpe stem met een licht Hebreeuws accent.

De officier draaide zich geschrokken om en zag twee mannen in donkere camouflagekleding vanaf de rechterbrugvleugel binnenkomen. De langste van de twee stapte naar voren. Hij had een slank gezicht met lange ingevallen kaken. De indringer bleef op een halve meter voor de officier staan en richtte een lichte mitrailleur op zijn borst.

'Laat uw roerganger de oude koers weer opnemen,' zei de overvaller, die zijn woorden met een strenge blik in zijn donkere ogen kracht bijzette. 'Uw schip loopt geen gevaar.'

De officier knikte aarzelend naar de roerganger. 'Terug naar de oorspronkelijke koers,' zei hij. Zich tot de overvaller wendend, stamelde hij: 'Wat doet u hier op ons schip?'

'Ik ben op zoek naar iemand die Pitt heet. Laat hem naar de brug komen.'

'Er is niemand aan boord die zo heet,' loog de officier.

De overvaller kwam een stap dichterbij.

'Dan trek ik mijn mannen weer terug en breng uw schip tot zinken,' dreigde hij met een zachte stem.

De officier vroeg zich af of hij het dreigement serieus moest nemen. Maar één blik in de staalharde ogen van de overvaller liet er geen twijfel over bestaan dat die mogelijkheid wel degelijk bestond. Gelaten knikkend nam de officier het stuurrad van de roerganger over zodat deze Pitt kon gaan halen. De tweede overvaller volgde de roerganger op de hielen toen die via een trap aan de achterkant de brug verliet.

Een paar minuten later werd Pitt op de brug afgeleverd. In zijn slaperige ogen sluimerde een onderdrukte woede.

'Meneer Pitt? Ik ben luitenant Lazlo, speciale eenheid van het Israëlische korps mariniers.'

'Neemt u me niet kwalijk dat ik u niet aan boord hebt begroet, luitenant,' reageerde Pitt droogjes.

'Mijn excuses voor de overval, maar we hebben uw hulp nodig bij een gevoelige missie. Men heeft mij verzekerd dat er vanuit de allerhoogste kringen van uw regering toestemming is voor uw medewerking.'

'Ja, ja. Maar als dat zo is, waarom dan dit theatrale machtsvertoon zo midden in de nacht?'

'We zijn hier zonder toestemming in Turkse wateren. Het is van cruciaal belang dat we dit geheimhouden.'

'Goed, luitenant, doe dat wapen weg en vertel maar wat de bedoeling is.'

De commando liet aarzelend zijn wapen zakken en gebaarde zijn partner hetzelfde te doen.

'We hebben de opdracht om de bemanning van de Israëlische tanker Dayan te evacueren. Er is ons gemeld dat u bekend bent met de haven waar het schip wordt vastgehouden.'

'Ja, een inham ten noorden van de Dardanellen. Ligt het daar nog?'

'Informatie van nog geen tien uur geleden bevestigt dat dat het geval is.'

'Waarom wordt er niet via diplomatieke weg om hun vrijlating gevraagd?' vroeg Pitt pesterig.

'Uw regering heeft informatie die erop wijst dat er een relatie bestaat tussen deze kapers en de recente aanslag op de Rotskoepel in Jeruzalem. De rapportage van de aanwezigheid van een voorraad explosieven in het havengebouw maakt dat de deskundigen van onze inlichtingendienst een nieuwe aanslag verwachten.'

Pitt knikte. Hij begreep dat een vervolging van Celik via de officiële kanalen tot een gevaarlijke vertraging zou leiden. De Turk was duidelijk weinig goeds van plan en Pitt zag hem het liefst zo snel mogelijk buiten gevecht gesteld.

'Uitstekend, luitenant, ik help u graag.' Hij draaide zich om naar de tweede stuurman. 'Rogers, informeer de kapitein dat ik het schip heb verlaten. Tussen twee haakjes, luitenant, hoe bent u aan boord gekomen?'

'Aan stuurboordzijde ligt een rubberboot van ons afgemeerd. Uw vertrek zal eenvoudiger zijn wanneer uw schip tijdelijk vaart mindert.'

Rogers voldeed aan het verzoek, waarna hij de brugvleugel op liep en toekeek hoe Pitt met enkele donkere gestalten over de reling klom en geruisloos in de nacht verdween. Een paar minuten later vroeg de roerganger hem naar het radarscherm te komen kijken.

'Ze is verdwenen,' zei de man naar het scherm starend.

Rogers zag het lege blauwe radarbeeld en knikte. Ergens midden op zee was Pitt op een geheimzinnig schip zomaar uit beeld verdwenen. Hopelijk, zo dacht hij, was het slechts een tijdelijke verdwijntruc.

59

De Tekumah liet geen tijd verloren gaan en zakte zonder uitstel terug naar een diepte waarop ze niet meer waarneembaar was. De op de HDW-werf in het Duitse Kiel gebouwde onderzeeër van de Dolfijn-klasse was een van de weinige duikboten van de Israëlische marine. Deze door dieselmotoren voortgedreven, relatief kleine onderzeeër was niettemin volgestouwd met een hypermoderne uitrusting qua elektronica en bewapening, wat haar onder water tot een geduchte tegenstander maakte.

Nog voordat de rubberboot goed en wel langszij haar romp lag, waren Pitt en de commando's door wachtende bemanningsleden aan dek gehesen en door een luik naar binnen gewerkt, terwijl de opblaasboot in een waterdicht compartiment werd opgeborgen. Pitt had net een zitplaats gevonden in de krappe officiersmess toen het duikcommando door het schip schalde.

Lazlo zekerde zijn wapens, waarna hij twee koppen koffie op tafel zette en tegenover Pitt ging zitten. Uit een map die naast hem lag, pakte hij eenzelfde soort satellietfoto van Celiks werf als Pitt van Yaeger had ontvangen.

'We gaan er met twee kleine ploegen op af,' legde de Israëliër uit. 'De ene doorzoekt de tanker en de andere de gebouwen aan de wal. Kunt u me daar iets meer over vertellen?'

'Op voorwaarde ik met u mee mag,' antwoordde Pitt.

'Dat kan ik niet toestaan. Die bevoegdheid heb ik niet.'

'Kijk, luitenant,' zei Pitt, terwijl hij de commando koel aankeek. 'Ik ben niet met u meegekomen voor een pleziertochtje met een duikboot. Celiks mensen hebben twee van mijn wetenschappers gedood en een derde ontvoerd. Zijn zus heeft mijn vrouw onder bedreiging met een wapen ontvoerd. En op dat terrein van hem bevindt zich een hoeveelheid explosieven die groot genoeg is om een Derde Wereldoorlog op te starten. Ik begrijp dat u de bemanning van de Dayan terug wilt, maar er staat mogelijk heel wat meer op het spel.'

Lazlo zweeg een ogenblik. Pitt was niet het soort man dat hij op een onderzoeksschip had verwacht aan te treffen. Pitt was allesbehalve een schlemielige kamergeleerde, maar een man met pit.

'Goed,' reageerde de commando kalm.

Pitt nam de foto aan en gaf gedetailleerde informatie over de platte-grond en inrichting van de beide loodsen en het stenen kantoorgebouw.

'Kunt u me iets over de beveiliging vertellen?' vroeg Lazlo.

'In eerste instantie is het een normaal functionerende haven, maar we zijn er gewapend personeel tegengekomen. Ik vermoed dat dat voorname-lijk mensen van Celiks persoonlijke lijfwacht waren, maar een aantal was waarschijnlijk in de haven gestationeerd. Ik zou rekening houden met een kleine, maar zwaarbewapende beveiligingsploeg. Luitenant, zijn uw man-nen getraind in de omgang met explosieven?'

De commando glimlachte. 'Wij zijn Shayetet 13. Het werken met ex-plosieven is een belangrijk onderdeel van onze opleiding.'

Pitt had wel eens gehoord van deze Israëlische speciale eenheid, die on-geveer dezelfde functie had als de Amerikaanse Navy SEALs. Ze werden ook wel de Bat Men, ofwel vleermuismannen genoemd naar het insigne met vleermuisvleugels dat ze op hun uniform droegen.

'Mensen van onze regering maken zich grote zorgen over een container met HMX-plasticbommen, die we in deze loods hebben aangetroffen,' zei Pitt op de foto wijzend.

Lazlo knikte. 'Deze missie is uitsluitend bedoeld als een bevrijdings-actie, maar het elimineren van die explosieven is in ons beider belang. Als ze er nog zijn, zullen wij er ons over ontfermen,' beloofde hij.

Er stapte een kleine man in een officiersuniform de mess binnen die de twee mannen met een weinig opwekkend gezicht opnam.

'Lazlo, over veertig minuten zijn we in het actiegebied.'

'Bedankt, kapitein. Tussen twee haakjes, dit is Dirk Pitt van het Ameri-kaanse onderzoeksschip.'

'Welkom aan boord, meneer Pitt,' reageerde de kapitein emotieloos. Hij richtte zijn aandacht onmiddellijk weer op Lazlo. 'Het is nog ongeveer twee uur donker, dat is alle tijd die u hebt voor het uitvoeren van uw mis-sie. Pas op: voordat het licht wordt, wil ik hier weg zijn.'

'Kapitein, ik kan u dit beloven,' reageerde de commando met een haast arrogante zelfverzekerdheid, 'als we niet binnen negentig minuten terug zijn, kunt u zonder ons vertrekken.'

60

Lazlo zat er wat de duur van de missie betreft goed naast, maar op een andere manier dan hij verwachtte.

Nadat de Tekumah op drie kilometer ten noordwesten van de inham aan de oppervlakte was gekomen, werd voor de tweede keer die nacht het commandoteam afgezet. Gekleed in onopvallende zwarte kleren voegde Pitt zich bij het acht man sterke team dat in een tweetal opblaasboten klom en van de duikboot wegscheurde. Voor de ingang van de inham gekomen minderden ze vaart en zette de stuurman in beide boten de buitenboordmotor uit en ging op een stille elektrische motor over.

Terwijl ze stilletjes de inham invoeren, wierp Pitt een speurende blik op de pier en fluisterde teleurgesteld tegen Lazlo: 'Ze is weg.'

De Israëlische commando vloekte zachtjes toen hij zag dat Pitt gelijk had. Niet alleen de tanker was weg, maar de hele steiger was leeg. De gebouwen aan wal stonden er eveneens donker en verlaten bij.

'Alfa team, opzet gewijzigd, nu gezamenlijke walverkenning,' gaf hij via de radio door aan de andere boot. 'Aangewezen doel is de oostelijke loods.'

De mogelijkheid bestond dat de tankerbemanning aan wal gevangen werd gehouden, maar hij wist dat dat slechts valse hoop was. Het succes van iedere geheime operatie was, zo had een jarenlange ervaring hem geleerd, altijd afhankelijk van de kwaliteit van de informatie. En deze keer leek die niet voldoende.

De twee boten bereikten de kaderand tegelijkertijd op een paar meter van de steiger, waarna de inzittenden als stille spoken aan wal klauterden. Pitt volgde de groep van Lazlo die op het stenen gebouw afrende en er als een razende horde naar binnen stormde. Pitt, die de actie vanaf het voorterrein volgde, leidde uit wat hij hoorde af dat het gebouw leeg was, net als de rest van de haven. Hij liep naar de westelijk gelegen loods en hoorde de lichte voetstappen van Lazlo naderen toen hij bij de deur kwam.

'We hebben dit gebouw nog niet vrijgegeven,' fluisterde de Israëliër op een bitse toon.

'Het is net zo leeg als de andere,' reageerde Pitt, waarna hij de deur opentrok en naar binnen stapte.

Lazlo zag dat Pitt gelijk had toen hij de binnenverlichting aandeed. De enorme gewelfde hal was volkomen leeg op een stalen container aan het andere uiteinde na.

'Uw explosieven?' vroeg de commando.

Pitt knikte. 'Laten we hopen dat hij nog vol is.'

Ze holden door de hal naar de container, waar Pitt de grendel open-schoof. Terwijl hij aan de hendel trok, zag hij plotseling een met een afge-broken stuk hout meppende figuur op zich afkomen. Pitt wist de uithaal te ontwijken en stapte opzij om zelf in de aanval te gaan. Maar voordat hij kon toeslaan, dook de neus van Lazlo's laars uit het niets op die zich in de maag van de aanvaller boorde. De geschrokken aanvaller hapte naar adem, terwijl hij overeind werd gehesen en met zijn rug tegen de zijkant van de container werd gekwakt. Gedwee liet hij zijn geïmproviseerde wapen vallen toen hij de loop van Lazlo's aanvalsgeweer in zijn wang voelde prikken.

'Wie bent u?' snauwde Lazlo.

'Mijn naam is Levi Green. Ik ben opvarende van de tanker Dayan. Niet schieten, alstublieft,' smeekte hij.

'Idioot,' mompelde Lazlo, terwijl hij zijn wapen liet zakken. 'We zijn hier om je te redden.'

'Het… het spijt me,' zei hij zich tot Pitt richtend. 'Ik dacht dat u een van de havenarbeiders was.'

'Wat deed u in die container?' vroeg Pitt.

'We werden gedwongen om de inhoud, kistjes met explosieven, aan boord van de Dayan te brengen. Ik heb me hier verstopt in de hoop te kunnen ontsnappen, maar ze deden de deur dicht en toen zat ik opgesloten.'

'Waar is de rest van de bemanning?' vroeg Lazlo.

'Dat weet ik niet. Terug op het schip, neem ik aan.'

'De tanker is weg.'

'Ze hebben het schip omgebouwd,' vertelde Green met nog steeds van angst opengesperde ogen. 'Ze hebben de voorste tanks opengesneden en volgestapeld met zakken stookolie. Wij moesten de ingepakte explosieven er tussenin zetten.'

'Wat bedoelt u met "zakken" stookolie?' vroeg Pitt.

'Er stonden tientallen kratten met dat spul in zakken van vijftig pond. Er stond op dat het een soort stookoliemix was. Ammonium of zoiets.'

'Ammoniumnitraat?' vroeg Pitt.

'Ja, dat was het.'

Pitt wendde zich tot Lazlo. 'Ammoniumnitraat fuel oil, ofwel ANFO. Dat is een goedkoop, maar hoogst effectief explosief,' zei hij, waarbij hij zich het vernietigende effect herinnerde dat een vrachtwagenlading van dit spul had gehad bij de aanslag op het Murrah Federal Building in Oklahoma in 1995.

'Hoelang hebt u in die container gezeten?' vroeg Lazlo.

Green keek op zijn horloge. 'Iets meer dan acht uur.'

'Wat betekent dat ze mogelijk al zo'n honderdvijftig kilometer voorsprong hebben,' had Pitt snel uitgerekend.

Lazlo bukte zich en greep Green bij zijn kraag waaraan hij hem overeind trok.

'U komt met ons mee. We gaan.'

Drie kilometer buiten de kust zag de kapitein van de Tekumah tot zijn opluchting dat de Bat Men al binnen een uur na hun vertrek op het afgesproken punt terugkeerden. Maar zijn stemming sloeg om toen Lazlo en Pitt hem over de verdwijning van de Dayan inlichtten. Haastig werden de radaropnamen van de onderzeeër nagekeken en het signaal van het Automatische Identificatie Systeem van de Dayan werd gepeild, maar geen van beide leverde een indicatie op over de locatie van de tanker. De drie mannen namen plaats rond de tafel en bestudeerden een kaart van het oostelijk deel van de Middellandse Zee.

'Ik zal een algemene waarschuwing uitzenden,' zei de kapitein. 'Ze kunnen nu al op enkele uren van Haifa of Tel Aviv zijn.'

'Ik denk dat dat een foute veronderstelling is,' reageerde Pitt. 'Als de geschiedenis zich herhaalt, zijn ze eropuit om dat schip bij een heilige moslimplaats tot ontploffing te brengen opdat het lijkt alsof Israël achter de aanslag zit.'

'Als ze het op een dichtbevolkt gebied hebben voorzien, dan is Athene het dichtstbij,' merkte Lazlo op.

'Nee, dan is Istanbul net iets dichterbij,' zei Pitt op de kaart kijkend. 'En dat is een islamitische stad.'

'Maar ze gaan toch geen aanslag op hun eigen mensen plegen?' zei de kapitein licht spottend.

'Celik heeft wat dat betreft tot nu toe van weinig clementie blijk gegeven,' bracht Pitt hiertegen in. 'Aangezien hij al niet terugschrok voor aanslagen op moskeeën in eigen land en de hele regio, is er geen reden om aan te nemen dat hij niet nog eens de dood van een paar duizend landgenoten op de koop toe zal nemen.'

'Is die tanker zo gevaarlijk?' vroeg de kapitein.

'In 1917 is in de haven van Halifax een Frans vrachtschip vol met oorlogsmunitie in brand gevlogen en ontploft. Daarbij zijn meer dan tweeduizend omwonenden omgekomen. De Dayan heeft een lading explosieven aan boord die zo'n tien keer krachtiger is dan die van dat Franse vrachtschip. En als ze inderdaad naar Istanbul op weg is dan vaart ze het centrum in van een stad met twaalf miljoen inwoners.'

Pitt wees op de kaart het havengebied van Istanbul aan. 'Bij een snelheid van twaalf knopen is ze nog altijd een uur of twee, drie van de stad verwijderd.'

'Dat is te ver weg om haar nog met onze boten in te halen,' zei de kapitein, 'en de Dardanellen vaar ik overigens al helemaal niet in. Het beste wat we kunnen doen is de Griekse en Turkse autoriteiten waarschuwen, terwijl wij zorgen dat we uit hun territoriale wateren wegkomen. Ondertussen kunnen we het aan de spionagesatellieten overlaten om uit te zoeken waar ze nu precies naartoe vaart.'

'En de bemanning dan?' vroeg Lazlo.

'Luitenant, ik ben bang dat we verder niets kunnen doen,' antwoordde de kapitein.

'Drie uur,' mompelde Pitt zachtjes, terwijl hij de route naar Istanbul bestudeerde. 'Kapitein, als ik nog een kans wil hebben om haar in te halen, moet ik nu onmiddellijk naar m'n schip terug.'

'Inhalen?' vroeg Lazlo. 'Hoe dan? Ik heb op uw schip geen helikopter gezien.'

'Geen helikopter,' antwoordde Pitt op een vastberaden toon. 'Maar wel iets wat qua snelheid nauwelijks onderdoet voor een kogel.'

61

De Bullet spoot als een opgevoerde draagvleugelboot over het water. Met twee brullende, op volle toeren draaiende dieselmotoren achter hem en een stevige greep om de stuurknuppel wierp Pitt een vluchtige blik opzij naar Giordino.

'Met de topsnelheid had je geen gelijk,' zei hij haast schreeuwend om verstaanbaar te zijn.

Giordino draaide zijn hoofd naar het navigatiescherm, waarop in een klein venster te zien was dat ze met drieënveertig knopen voeren.

'Je kunt beter te laag schatten dan te hoog,' antwoordde hij glimlachend.

Op de passagiersplaats achter hen zag luitenant Lazlo de lol er niet van in. De gespierde commando voelde zich alsof hij in een mixer zat, zoals de Bullet ketsend met enorme klappen over de golven raasde. Nadat hij herhaaldelijk de grootste moeite had gedaan niet uit zijn stoel te vliegen, ontdekte hij ten slotte de riemen van een veiligheidsgordel waarin hij zich ijlings vastsnoerde in de hoop zo een aanval van zeeziekte te voorkomen.

Pitt had even rust gehad toen de Tekumah hem naar de Aegean Explorer terugbracht. De Bullet was in de tussentijd volgetankt en voor vertrek gereedgemaakt. Nadat Giordino was gewekt, waren ze snel de duikboot ingestapt. Toen Lazlo doorkreeg dat Pitt inderdaad een kans had de tanker nog in te halen, had hij erop gestaan met hen mee te gaan.

Al spoedig daarna scheurden ze in een wanhopige race tegen de klok door de nachtelijke duisternis, de smalle zeestraat van de druk bevaren Dardanellen in. Het kostte Pitt al zijn aandacht en energie om de Bullet tussen tankers en koopvaardijschepen door laverend recht op het wateroppervlak te houden. Een tweetal felle xenonlampen zorgden voor een redelijk zicht, terwijl ook Giordino zijn ogen goed de kost gaf en de golven naar kleinere schepen en wrakgoed afspeurde.

Dit was niet bepaald de manier waarop Pitt graag door de historische zeestraat was gevaren. Door zijn belangstelling voor geschiedenis wist hij dat zowel Xerxes als Alexander de Grote de zeestraat, die vroeger de Hellespont werd genoemd, met hun legers in tegengestelde richting was overgestoken. Aan de zuidwestkust lag niet ver van Çanakkale ooit het oude Troje, het strijdtoneel van de Trojaanse Oorlog. En verder naar het noorden aan de tegenover liggende kust lagen de stranden waar in de Eerste Wereldoorlog de slag om Gallipoli plaatsvond en de Dardanellen-campagne van de geallieerden tot mislukken gedoemd bleek. De stranden en kale heuvels waren niet meer dan een waas voor Pitt, die zijn ogen strak gericht hield op afwisselend het navigatiescherm en de zwarte golven die steeds weer onder de voortrazende boeg uit het zicht verdwenen.

Van het smalle gedeelte van de Dardanellen kwamen ze al snel in de veel bredere Zee van Marmara. Pitt ontspande iets omdat hij nu meer ruimte had voor zijn manoeuvres tussen de eindeloze stroom schepen door en hij was blij dat het weidse wateroppervlak er hier vrij kalm bij lag. Nadat ze de noordpunt van het eiland Marmara waren gepasseerd, werd hij afgeleid door de rustige stem van Rudi Gunn die hem via de radio opriep.

'Aegean Explorer voor de Bullet,' zei Gunn.

'Hier de Bullet. Heb je nieuws voor me, Rudi?' reageerde Pitt via zijn headset.

'Ik heb een voorzichtige bevestiging voor je. Hiram heeft een redelijk recente satellietfoto gelokaliseerd waarop te zien is dat het bewuste vaartuig de Dardanellen invaart.'

'Weet je hoe laat dat was?'

'Zo te zien rond drieëntwintig uur plaatselijke tijd,' antwoordde Gunn.

'Misschien kun je Sandecker even terugbellen.'

'Heb ik al gedaan. Hij zei dat hij wat mensen hier in de regio uit hun bed zou bellen.'

'Beter van wel, ja. Het zou wel eens kantje boord kunnen worden. Bedankt, Rudi.'

'Doe voorzichtig en hou je haaks. Explorer uit.'

'En nu maar hopen dat Celik niet ook de Turkse marine en de kustwacht bezit,' mompelde Giordino.

Pitt vroeg zich af hoe ver Celiks corrupte invloed daadwerkelijk reikte, maar daar kon hij nu toch weinig aan veranderen. Hij keek op het navigatiescherm en zag dat ze inmiddels met een snelheid van zevenenveertig knopen voeren, omdat de Bullet sneller werd naarmate de brandstoftanks leger raakten.

'Krijgen we ze nog te pakken als het moet?' vroeg Lazlo.

Pitt keek op zijn horloge. Hij was vier uur. Even snel uit het hoofd berekend concludeerde hij dat beide schepen met de huidige topsnelheden over ongeveer een uur Istanbul zouden bereiken.

'Ja,' antwoordde hij.

Maar hij wist dat het nipt zou zijn, heel erg nipt.

62

Dit zou beslist geen herhaling van Jeruzalem worden, dacht Maria bij zichzelf. In het schijnsel van de deklampen van de tanker stak ze voorzichtig een tiental aparte ontstekingsdoppen in afzonderlijke hompjes van de HMX-springstof. Vervolgens verbond ze alle doppen met draden aan losse elektronische tijdklokken. Na een korte blik op haar horloge stond ze op en tuurde langs de boeg naar voren. Aan de horizon lag een deken van glinsterende witte stipjes onder een nevelige donkere lucht. Nauwelijks vijftien kilometer scheidde haar nog van de lichten van Istanbul. Op het dek geknield stelde ze de tijdklokken in op twee uur later en activeerde de ontstekers.

Nadat ze de bommen in een kleine doos had gelegd, daalde ze langs een ladder af naar de bodem van de opengesneden watertank aan bakboordzijde. De tank stond vol met kratten ammoniumnitraat brandstof en ze moest zich een weg tussen de kratten door banen om in het midden te komen. In een verborgen hoekje vond ze een stapel houten kistjes met een totale inhoud van zó'n drieduizend pond HMX. Zonder te aarzelen prikte ze een van de ontstekers diep in het middelste kistje, waarna ze nog vier ontstekers in de dichtstbij staande kratten met ANFO stak. Vervolgens begaf ze zich naar de tank aan stuurboordzijde, waar ze die handelingen bij de overgebleven ontstekers herhaalde en er daarbij goed op lette dat ze allemaal stevig vastzaten.

Ten slotte klauterde ze terug naar de brug, waar haar mobiel overging. Het verbaasde haar niet dat het haar broer was die belde.

'Ozden, je bent vroeg op vandaag,' reageerde ze.

'Ik ben onderweg naar het kantoor, want ik wil het met eigen ogen zien.'

'Kom niet te dicht bij het raam, het is moeilijk te zeggen hoe hard de klap zal zijn.'

Maria hoorde haar broer grinniken. 'Ik weet zeker dat het nu goed gaat. Lig jij op schema?'

'Ja, alles verloopt volgens plan. Ik kan de lichten van Istanbul al zien. Ik heb de boel ingesteld op net iets minder dan twee uur vanaf nu.'

'Uitstekend. Het jacht is onderweg. Het kan al heel snel bij jullie zijn. Kom je naar mij toe?'

'Nee,' antwoordde Maria. 'Ik denk dat het beter is dat de bemanning en ik met de Sultana een tijdje uit beeld verdwijnen. Voor de zekerheid varen wij naar Griekenland, maar ik ben op tijd terug voor de verkiezing.'

'We hebben het bijna voor elkaar, Maria. We gaan nu heel gauw de vruchten van al ons werk plukken. Vaarwel, zusje.'

'Tot ziens, Ozden.'

Terwijl ze de verbinding verbrak, dacht ze even na over de merkwaardige relatie die ze hadden. Ze waren samen op een afgelegen Grieks eiland opgegroeid en hadden van nature een hechte band met elkaar, die alleen maar sterker werd nadat hun moeder op vrij jonge leeftijd overleed. Hun veeleisende vader had hoge verwachtingen van hen allebei, maar Ozden had hij altijd als kroonprins behandeld. Vandaar waarschijnlijk dat zij de hardste van de twee was geworden, omdat zij zich met blote vuisten een weg door haar jeugd had geknokt, meer als een tweede zoon van haar vader dan als een dochter. Zelfs nu, terwijl haar broer prinsheerlijk in zijn gouden kantoor zat, was zij degene die het gezag over het schip voerde en de missie leidde. Zij had altijd in de schaduw het zware werk gedaan, terwijl haar broer het applaus in ontvangst nam. Maar daar had ze vrede mee, want ze wist dat Ozden nergens was zonder haar. Terwijl ze vanaf de brug over de brede boeg van de tanker tuurde, voelde ze dat zij nu alle macht in handen had en dat ze daar iedere seconde ten volle van zou genieten.

Maar dat harde pantser van haar kreeg een gevoelige tik te verwerken toen er plotseling een luide stem door de scheepsradio schalde.

'Istanbul kustwacht voor tanker Dayan. Istanbul kustwacht voor tanker Dayan. Melden alstublieft.'

Er verscheen een stuurse trek van ergernis op haar gezicht. Ze draaide zich om en snauwde tegen de stuurman: 'Roep de janitsaren bijeen.'

Terwijl ze de oproep van de radio negeerde, draaide ze zich weer om en bestudeerde kalm het radarscherm van de tanker, waarbij ze zich geestelijk voorbereidde op de komende confrontatie.

De dringende waarschuwingen die langs diplomatieke weg van Israël en de VS binnenkwamen, werden uiteindelijk doorgeleid naar de Turkse kustwacht, die vanuit de commandopost Istanbul liet weten dat alle naderende tankers op enige afstand van de stad zouden worden aangehouden en zorgvuldig doorzocht. Een ter plaatse gestationeerd snel patrouillevaartuig werd ingezet om samen met een boot van de politie van Istanbul de zuidkant van de Bosporus te controleren.

De spanning liep op toen er op het radarscherm een groot onbekend schip werd waargenomen dat in noordelijke richting voer. Het werd nog verdachter toen bleek dat het Automatische Identificatie Systeem van het schip was uitgeschakeld. Toen op de herhaalde radio-oproepen geen reactie kwam, kreeg de kleinere en snellere politieboot de opdracht om een kijkje te gaan nemen.

Terwijl ze op het schip afstoven, leidde de politie al snel uit het silhouet en de vaarlichten af dat het om een tanker van het formaat van de Dayan ging. De politieboot schoot langs de hoge romp van de tanker en maakte een draai rond de achtersteven. De politiecommandant zag de Israëlische vlag aan de hekmast wapperen en las de naam van het schip die in witte letters op de achterplecht stond.

'Het is de Dayan,' meldde hij via de radio aan de patrouilleboot van de kustwacht.

Het zouden zijn laatste woorden zijn.

63

De deklampen en boordlichten van de Dayan doofden op vrijwel hetzelfde moment dat het salvo losbarstte. Een rij gewapende janitsaren
dook boven de hekverschansing op en vuurde zonder waarschuwing als
één man op de kleine politieboot. De kapitein was de eerste die stierf, getroffen door een salvo dat dwars door de voorruit van de brug sloeg. Het
volgende moment werd een tweede agent die aan dek stond, voordat hij
goed en wel besefte wat er gebeurde, met een schot in de rug neergeknald.
Een ervaren politieadjudant die zich eveneens aan dek bevond, reageerde
sneller en dook achter het dolboord weg, vanwaar hij met zijn automatisch dienstwapen terugschoot. Maar hij werd gedood toen de boot zijwaarts wegdreef, waardoor hij zijn dekking verloor en de janitsaren al hun
vuurkracht op hem concentreerden.

Het schieten viel een ogenblik stil, waarop de vierde en laatste man aan
boord van de politieboot uit het lagere stuk van de boot naar boven klom.
Toen hij zijn dode collega's zag liggen, liep hij met zijn handen in de lucht
het achterdek op. Hij was een jonkie, een groentje bij het korps, en zijn
stem trilde toen hij de schutters smeekte hem te sparen. Maar zijn smeek-
bede werd beantwoord met een kort salvo, waarop hij tegen het dek sloeg
en zijn collega's in de dood volgde.

De ontzielde politieboot dobberde nog een paar minuten als een ver-
dwaald hondje achter de tanker aan. In de stuurhut klonken de herhaalde
krakende oproepen van het schip van de kustwacht, maar het was aan
dovemansoren gericht. De hekgolf van de tanker drukte de boeg ten slotte
opzij, waarna het drijvende mortuarium stuurloos op de westelijke horizon afstevende.

Het geluid van geweervuur was voor Hammet het teken om in actie te
komen. De Israëlische tankerkapitein verkeerde, sinds hij en zijn bemanning na de inscheping van de explosieven en het vertrek van het schip weer
in de messroom waren opgesloten, al urenlang in een toestand van angstige
verwarring. Hij begreep dat de gewapende Turken, wie het ook waren, zijn

schip tot een varende zelfmoordbom hadden gemaakt en dat de Israëlische bemanning daarbij zelf ook de lucht in zou gaan.

De kapitein had met zijn eerste stuurman kalm over eventuele ontsnappingsmogelijkheden gesproken, maar die waren er eigenlijk niet. De twee bewakers bij de deur leken nu een stuk waakzamer dan daarvoor en werden om de twee uur door een fris stel vervangen. De weg naar het eten in de kombuis was voor de gevangenen versperd en het was hun ook niet meer toegestaan naar een van de patrijspoorten te lopen om naar buiten te kijken.

Op dit late tijdstip had het merendeel van de bemanning een plekje op de grond gezocht waar ze probeerden te slapen. Hammet lag tussen hen in, hoewel de gedachte om te gaan slapen geen moment in hem opkwam. Maar toen de deur openging en een man opgewonden fluisterend met de bewakers sprak, deed hij alsof ook hij was ingedommeld. De beide bewakers stonden onmiddellijk op en glipten het vertrek uit, de Israëlische bemanning zo tijdelijk onbewaakt achterlatend.

Hammet sprong meteen overeind.

'Allemaal opstaan,' zei hij zachtjes, waarbij hij zijn eerste stuurman en de mannen eromheen wakker schudde. Nadat de slaperige mannen overeind waren gekrabbeld, verzamelde Hammet hen bij de deur om zich heen en legde hen zachtjes uit wat hij had bedacht.

'Zev, neem jij de mannen mee en kijk of jullie ongezien met het reddingsvlot op het achterdek weg kunnen komen,' zei hij tegen zijn eerste stuurman. 'Ik ga naar de machinekamer en kijk of ik daar het schip onklaar kan maken. Jij hebt het uitdrukkelijke bevel om zonder mij te vertrekken als ik niet binnen tien minuten bij jullie ben.'

Op het moment dat de eerste stuurman zijn mond opende om te protesteren, klonk van het achterschip het geluid van schoten op.

'Dat kunnen we dus vergeten,' reageerde de kapitein ad rem. 'Ga met de mannen naar het hoofddek en probeer de opblaasboot aan bakboordzijde. Omdat we op volle snelheid varen, hoef je hem alleen maar over boord te zetten.'

'Dat wordt dan een linke sprong in zee voor een aantal van de mannen.'

'Neem touwen en reddingsvesten uit de dekkast mee zodat ze zich aan een touw kunnen laten zakken. Wegwezen nu!'

Hammet wist dat ze hoogstens een paar minuten hadden, als het geen seconden waren, en ongeduldig duwde hij zijn mannen de messroom uit. Nadat de laatste man langs hem was geglipt, stapte ook hij het dek op en sloot de deur achter zich. Ze stonden onder aan de hoge bovenbouw op het achterschip voor de reling aan stuurboordzijde. De eerste stuurman leidde de bemanning voorlangs de bovenbouw, waarbij ze allemaal gebukt liepen zodat ze niet vanaf de brug hoog boven hen werden gezien. Hammet draaide zich om en liep de andere kant op naar een trap in het achterschip die naar de machinekamer leidde.

Nogmaals klonk het ratelen van mitrailleurvuur door de nachtelijke stilte en bij de achterkant van de bovenbouw gekomen zag hij een zestal gewapende mannen over de hekverschansing op het water schieten. Diep bukkend sprintte hij naar de zijdeur die toegang gaf tot een trap. Met een bonzend hart snelde hij de trap af tot hij drie dekken lager in een brede gang kwam. Daar vlakbij was een deur naar de machinekamer, waar hij voorzichtig op afliep om hem vervolgens zachtjes te openen. Er walmde hem een golf warme lucht tegemoet toen hij de ruimte, waarin een lage mechanische dreun klonk, binnenstapte en voorzichtig om zich heen keek.

Hammet had gehoopt dat de kapers daar voor deze laatste reis van het schip geen onderhoudsmonteur hadden gestationeerd en dat was gelukkig ook zo. De machinekamer was onbemand. Haastig beklom hij een open stalen ladder waarna hij bij de reusachtige dieselmotor van de tanker bleef staan en nadacht wat hij het beste kon doen. Er waren verschillende mogelijkheden om de motor tot zwijgen te brengen, maar het plotseling wegvallen van de stuwkracht zou onmiddellijk worden gemerkt. Het moest met enige vertraging gebeuren, zodat de bemanning voldoende tijd had om veilig weg te komen.

Terwijl hij langs de motor staarde, viel zijn oog op de grote brandstoftanks die er als twee bolle, horizontaal geplaatste graansilo's naast stonden.

'Natuurlijk,' mompelde hij in zichzelf, terwijl hij snel met een glinstering in zijn ogen naar voren liep.

64

In nog geen tien minuten stond Hammet weer boven aan de trap en tuurde over het achterdek. Het schieten was al enige tijd geleden gestopt en Hammet zag geen janitsaren meer rondlopen, wat hem verontrustte. Achter de hekreling ontwaarde hij het silhouet van een kleine boot die van de tanker wegdraaide en die zoals hij terecht vermoedde het doelwit van de schietpartij was geweest.

Met haastige passen liep hij langs de achterwand van de bovenbouw naar het dek aan bakboordzijde. Om de hoek glurend bleek dat tot zijn opluchting verlaten. De twee aan de reling vastgebonden touwen die langs de romp bungelden, gaven hem even de hoop dat zijn mannen waren ontsnapt. Maar de moed zonk hem in de schoenen toen hij zag dat de opblaasbare reddingsboot nog keurig ingepakt in het rek langs de wand hing. Voorzichtig sloop hij dichterbij en tuurde over de reling om te zien of er iemand aan de touwen hing, maar hij zag slechts donker golvend water.

Het schot klonk voordat hij het voelde, één knal uit een pistool vlakbij. Er sijpelde een warm straaltje bloed over zijn been onmiddellijk gevolgd door een brandende pijn die door zijn dij schoot. Het been begon te trillen en hij viel op zijn andere knie, terwijl er een gestalte uit de duisternis opdoemde.

Maria liep rustig op hem af en hield haar pistool op Hammets borst gericht, terwijl ze zich vlak voor hem posteerde.

'Een beetje laat voor een avondwandelingetje, kapitein,' zei ze ijzig. 'Misschien maar beter als u zich weer bij uw maatjes voegt.'

Hammet staarde haar diep teleurgesteld aan.

'Waarom doet u dit?' schreeuwde hij.

Ze negeerde zijn uitroep, terwijl er een tweetal door het schot gealarmeerde janitsaren kwam aangerend. Op haar aanwijzingen grepen ze Hammet beet, waarna ze hem over het dek sleurden en weer in de messroom deponeerden. Daar trof hij zijn wanhopige bemanning aan, die met lange gezichten op de grond zaten en door een ongedurig ijsberende bewaker onder schot werden gehouden.

De janitsaren dumpten hem met een smak op de vloer en namen hun positie aan beide kanten van de deur weer in. De eerste stuurman van de Dayan snelde toe en hielp Hammet zover overeind dat hij rechtop zat en de scheepsarts de wond aan zijn been kon behandelen.

'Ik hoopte nog zo dat ik jullie hier niet meer zou zien,' zei Hammet krimpend van de pijn.

'Sorry, kapitein. Die mannen op het achterschip stopten met schieten toen wij net de touwen over de reling gooiden. Ze zagen ons voordat we de opblaasboot konden pakken.'

Hoewel het bloeden van zijn beenwond was gestelpt, voelde Hammet dat zijn lichaam in shock raakte. Hij ademde een paar keer diep in en probeerde te ontspannen.

'Heb jij van jouw kant iets kunnen doen?' vroeg de eerste stuurman.

De kapitein keek omlaag naar zijn gewonde been en knikte met een van pijn verwrongen gezicht.

'Ik geloof dat je dat wel kunt zeggen, ja,' antwoordde hij met een beverige stem en een steeds glaziger wordende blik in zijn ogen. 'Deze reis is, hoe dan ook, nu gauw voorbij, denk ik.'

65

Een kleine vijf kilometer verder naar het noorden richtte het patrouille-schip van de Turkse kustwacht herhaalde oproepen tot zowel de Dayan als de politieboot zonder dat er ook maar enige reactie kwam. Toen er van de brug werd gemeld dat er in de verte flitsen van geweervuur waren ge-zien, besloot de kapitein van de patrouilleboot nu onmiddellijk tot onder-schepping van de tanker over te gaan.

Terwijl de boot van de kustwacht op het grote schip afkoerste, namen de schutters hun plaats in achter het in een beschermende koepel op de boeg gemonteerde 30 mm dekkanon, en maakte een kleine enterploeg zich gereed voor actie. De boot voer in een snelle boog om de tanker heen en stuurde toen ze de politieboot nergens zagen, op de stuurboordzijde van de tanker af. Door een megafoon richtte de kapitein zich nogmaals tot de Dayan.

'Hier Kustwacht SG-301. Onmiddellijk bijdraaien, wij komen aan boord,' riep hij.

Terwijl de kustwachtkapitein wachtte of de Dayan vaart zou minderen, werd hij door de tweede stuurman geroepen.

'Sir, aan stuurboord nadert een ander schip.'

De kapitein keek om en zag hoe een donker gekleurd plezierjacht even-wijdig met de patrouilleboot opvoer, waarna het jacht zich langzaam weer liet zakken.

'Zeg dat ze moeten oprotten als ze niet overhoopgeschoten willen wor-den,' beval de kapitein vloekend. Zijn aandacht was meteen terug bij de tanker, waar opeens een gestalte aan de reling boven hen opdook.

De kapitein zag tot zijn verbazing dat het een vrouw was die naar de boot zwaaiend en luid schreeuwend de aandacht probeerde te trekken. De kapitein liep de brugvleugel op en riep over zijn schouder naar de roer-ganger: 'Stuur wat dichterbij, ik versta haar niet.'

Maria glimlachte stiletjes toen de boot van de kustwacht tot op een paar meter van de tanker langszij kwam. Aan de reling staand torende ze hoog boven het kleinere schip uit, maar kon vandaar toch goed de brug overzien.

'Ik heb uw hulp nodig,' riep ze tegen de twee officieren die nu allebei op de brugvleugel stonden.

Zonder een antwoord af te wachten greep ze een kleine plunjezak die aan haar voeten lag en gooide die over de reling. Het was een vrijwel perfecte worp. De zak vloog in een boog recht op een van de officieren af die hem moeiteloos uit de lucht plukte. Ze wachtte een seconde om te zien of de officier de zak openmaakte, waarna ze zich vliegensvlug liet zakken en met haar armen haar hoofd beschermde.

De hierop volgende explosie lichtte fel op in de nachtelijke duisternis: een enorme steekvlam gevolgd door een donderende klap. Maria wachtte tot er geen wrakstukken meer rondvlogen alvorens ze over de reling gluurde. De brug van de patrouilleboot lag volledig in puin. Door de ontploffing was de gehele bovenbouw weggebrand, inclusief alle aanwezigen. Van een tiental brandhaarden in de elektronische apparatuur van het schip walmde een dichte rookzuil hoog de lucht in. Rond de restanten van de boot kwamen overrompelde en deels verbrande opvarenden langzaam bij, nadat ze door de klap tegen het dek waren gesmakt.

Maria kroop op haar eigen schip een gang in en stak haar hoofd door een deuropening.

'Nu!' gilde ze.

Haar kleine ploeg gewapende schutters stormde het vertrek uit en spurtte naar de reling, waar ze onmiddellijk het vuur openden op de verdwaasde mannen op het gehavende patrouilleschip onder hen. Het vuurgevecht duurde niet lang. De mannen achter het 30 mm dekkanon waren snel uitgeschakeld, meteen gevolgd door de voltallige enterploeg. Een paar van hen overwonnen de eerste schrik en schoten terug. Maar de hoek waaronder dat moest gebeuren was lastig, waardoor ze hun dekking vrijgaven. Binnen enkele minuten waren ook zij overweldigd en lag het dek van de patrouilleboot bezaaid met dode en zwaargewonde mannen.

Maria riep tegen haar schutters dat ze konden stoppen, waarna ze in een walkietalkie sprak. Een paar seconden later dook het blauwe jacht langszij de patrouilleboot op, minderde vaart en voer behoedzaam manoeuvrerend tot tegen de boeg van het schip van de kustwacht aan. Al na een paar duwtjes schuurde de patrouilleboot met luid bonkende halen langs de romp van de tanker. Hierdoor verloor het patrouilleschip vaart en gleed geleidelijk langs de tanker naar achteren.

Ook het jacht remde af en manoeuvreerde zich voor de patrouilleboot, er tegelijkertijd voor zorgend dat ze tegen de Dayan aangedrukt bleef tot de achtersteven van de Dayan opdoemde. Het jacht wachtte tot de punt van de boeg van het patrouilleschip de achterplecht was gepasseerd, waarop het jacht de stuurschroeven in de boeg aanzette. De patrouilleboot werd zo naar links gedrukt en zwenkte het vlakke water direct achter de spiegel van de tanker in. Er klonk een doffe dreun onder het wateroppervlak toen de gigantische bronzen schroef van de tanker zich in de romp van de patrouilleboot boorde.

Het schip van de kustwacht, met de gedode en gewonde mannen verspreid over de met bloed besmeurde dekken en de opengescheurde, rook spuwende stuurhut, schoot uit het water op en viel sterk naar stuurboord overhellend terug. Nog slechts een kortstondig gegil verscheurde de nachtelijke stilte, terwijl de boeg omhoog priemde, het hele schip naar achteren kantelde en in de golven verdween alsof het er nooit was geweest.

66

Nadat Pitt twee uur lang op volle snelheid door de nacht was geraasd, sloeg zowel lichamelijk als geestelijk de vermoeidheid toe. Ze waren voorbij het midden van de Zee van Marmara, waar de Bullet door de hogere golven om de paar seconden uit het water werd getild. Op de achterstoel had Lazlo zijn maag eindelijk enigszins onder controle, maar was wel beurs gebeukt door de onophoudelijke klappen waarmee de duikboot tegen de golven sloeg.

Hun hoop vlamde op toen ze op de internationale noodfrequentie het radioverkeer van de kustwacht oppikten.

'Ik geloof dat ik ze de Dayan hoorde oproepen,' zei Giordino, terwijl hij het volume van de VHF-radio omhoog draaide zodat de stemmen boven het gebulder van de motoren van de Bullet verstaanbaar waren.

Ze luisterden een paar minuten aandachtig en hoorden dat de herhaalde oproepen aan de Dayan onbeantwoord bleven. Tot het signaal uiteindelijk helemaal wegviel. Weer een paar minuten later zag Giordino een lichtflits aan de horizon.

'Zag je dat?' vroeg hij aan Pitt.

'Recht voor ons zag ik heel even iets opflitsen.'

'Het leek wel een vuurbal.'

'Een explosie?' vroeg Lazlo zijn hals naar voren uitrekkend. 'Was dat de tanker?'

'Nee, dat denk ik niet,' antwoordde Pitt. 'Zo heftig leek het ook weer niet. Maar we zijn te ver weg om er zeker van te kunnen zijn.'

'Het was waarschijnlijk op ruim vijftien kilometer voor ons,' vulde Giordino aan. Hij keek op het navigatiescherm en concentreerde zich op de ingang van de Bosporus aan de bovenrand van de digitale kaart. 'Dan zijn ze al behoorlijk dicht bij Istanbul.'

'Wat betekent dat we nog ongeveer een kwartier achterliggen,' zei Pitt.

Hierna heerste er in de cabine eenzelfde stilzwijgen als op de radio. Pitt kon, net als de anderen, alleen maar concluderen dat de Turkse autoriteiten er niet in geslaagd waren de tanker te stoppen. Mogelijk lag het verhinderen van een ramp die tienduizenden mensen het leven zou kunnen kosten, nu volledig in hun handen. Maar hoe kregen drie mannen in een duikboot dat in godsnaam voor elkaar?

Pitt schudde die gedachte van zich af en drukte nog eens extra tegen de gashendels om er zeker van te zijn dat ze helemaal openstonden, terwijl hij via een zo recht mogelijke koers op de lichtjes van Istanbul afstuurde.

67

Op de brug van de tanker liep Maria met een van woede verkrampt gezicht ongedurig heen en weer.

'Ik had geen moeilijkheden van de kustwacht verwacht,' zei ze. 'Hoe wisten zij dat wij eraan komen?'

De kleine man die de tanker bestuurde met een asgrauw gezicht schudde zijn hoofd.

'Het is bekend dat de Dayan wordt vermist. Misschien heeft een passerend schip ons herkend en de kustwacht ingelicht. En misschien is dat ook niet zo erg. Voor de autoriteiten is het nu in één keer duidelijk dat er Israëliërs achter deze aanslag zitten.'

'Dat is misschien wel zo. Toch mag er nu verder niks meer tussenkomen.'

'De radio is stil. Ik geloof niet dat ze nog iemand hebben kunnen waarschuwen,' zei de kapitein. 'Bovendien zijn er op de radar geen schepen voor ons te zien.'

Hij keek door het zijraam, waar hij de lichten van het blauwe jacht op slechts een paar meter van de zijkant van de tanker zag.

'De Sultana heeft na het contact met de patrouilleboot van de kustwacht lichte schade gemeld,' zei hij, 'maar ze liggen nu klaar om ons aan boord te nemen.'

'Hoelang nog voordat we kunnen overstappen?'

'Ik minder vaart zodra de ingang van de Bosporus ten oosten van ons ligt. U kunt zich opmaken voor de overstap als ik het schip op de Gouden Hoorn richt en de besturing op de automatische piloot instel. Ik schat dat het over ongeveer vijftien minuten zover is.'

Maria keek op haar horloge. De elektronische ontsteking was ingesteld op een tijdstip dat nog net iets meer dan een uur voor hen lag.

'Heel goed,' zei ze kalm. 'Dan geen getreuzel meer.'

68

An de oostelijke horizon kondigden vaalrode vegen in de donkergrijze lucht de opkomst van de zon aan. Overal in Istanbul stonden moslims in alle vroegte op om nog voor het aanbreken van de dageraad een flinke maaltijd te nuttigen. Over niet al te lange tijd zou het gezang van de muezzins opklinken, die de gelovigen tot het ochtendgebed in de moskee opriepen. De moskeeën zouden drukker bezocht zijn dan normaal, omdat volgens de islamitische kalender de laatste week van de ramadan was ingegaan.

De naam ramadan verwijst naar de negende maand van de islamitische kalender, waarin volgens de overlevering de eerste verzen van de Koran aan Mohammed werden geopenbaard. Zijn aanhangers concentreren zich gedurende deze maand op een versteviging van de band met God, wat gepaard gaat met een strikte onthouding van voedsel in de uren van zonsopgang tot zonsondergang. Deze manier van zelfreiniging blijft niet alleen tot vasten beperkt, maar kenmerkt zich ook door de nadruk die op goed doen voor anderen wordt gelegd. Speciale lekkernijen en geschenken worden aan vrienden en kennissen gegeven, en er worden goede doelen ten behoeve van de armen gesteund. Maar op slechts een paar kilometer afstand van de historische moskeeën bereidde Maria Celik een geheel eigen vorm van liefdadigheid voor.

De Israëlische tanker voer dicht langs de Aziatische oever de monding van de Bosporus in. Toen aan de overkant van de zeestraat de Gouden Hoorn in zicht kwam, minderde de stuurman vaart.

'Het is zover,' zei hij tegen Maria.

De sterke stroming die hen vanuit de Zwarte Zee door de Bosporus tegemoetkwam, maakte dat het grote schip al snel vrijwel stillag. Maria verzamelde een stel mannen aan stuurboordzijde die een stalen valreepstrap over de reling lieten zakken. Het jacht manoeuvreerde er onmiddellijk naartoe en hield een stabiele positie onder aan de ladder.

'Sluit de gevangenen op en haal daarna iedereen van ons van boord,' zei ze tegen een van de janitsaren, waarna ze de neergelaten valreepstrap afliep.

Ze daalde de metalen treden af en werd onderaan door een wachtend bemanningslid aan boord van het jacht geholpen. Daar liep ze meteen door naar de stuurhut, waar ze door haar twee Iraakse huurlingen werd begroet. Zelfs in de nog vrij duistere ochtendschemering droeg de man die Farzad heette, zijn onafscheidelijke zonnebril.

'U hebt alles in Griekenland voorbereid?' vroeg ze.

'Ja,' antwoordde Farzad. 'We komen er ongemerkt binnen via Thios. Daar is een goed verborgen ligplaats gereserveerd voor de Sultana en voor u is vandaar vervoer naar Athene geregeld. Uw terugvlucht naar Istanbul is voor over drie dagen geboekt.'

Maria knikte, terwijl ze toekeek hoe de overige janitsaren de valreepstrap afdaalden en op het jacht sprongen. De mannen die de tankerbemanning bewaakten, hadden zich rustig teruggetrokken en de deur van de messroom stevig achter zich vergrendeld.

Op de brug van de Dayan wachtte de stuurman tot de laatste janitsaar was overgestapt, waarna hij het jacht een teken gaf dat hij van koers veranderde. Terwijl de Sultana zich kortstondig van de tanker verwijderde, zette de stuurman de motor op halve kracht vooruit en draaide de voorsteven naar het westen. Met de Süleymaniye moskee als richtpunt programmeerde hij de automatische piloot, die hij daarna aanzette.

Net toen hij de brug wilde verlaten, zag hij een lampje op de console knipperen. Na nog een vluchtige blik op het waarschuwingslampje, schudde hij zijn hoofd.

'Daar kan ik nu toch niets meer aan doen,' mompelde hij, waarna hij de trap afspurtte, met een stevige afzet op het wachtende jacht sprong en de enorme Dayan aan haar lot overliet.

69

Met een pauwenstaart van witbruisend, opspattend water raasde de Bullet de Bosporus in. Een stel vroege vissers staarden vol ontzag naar de hybride duikboot, die in het nevelige licht van de ochtendschemering langs spoot en zo meer leek op een speedboot.

Pitt speurde de horizon voor hem af en ontdekte een schip dat hen op hoge snelheid tegemoetkwam.

'Ergens komt het me bekend voor,' zei hij tegen Giordino.

Omdat het Italiaanse jacht in zuidelijke richting voer, waren de beide in vliegende vaart voortrazende vaartuigen elkaar in mum van tijd al dicht genaderd en passeerden elkaar op niet al te grote afstand.

'Dat was Celiks jacht, zeker weten,' bevestigde Giordino.

'Snel weg van de plaats delict waarschijnlijk.'

'Lijkt mij een aanwijzing dat we niet veel tijd meer hebben,' reageerde Giordino, waarbij hij Pitt bezorgd aankeek.

Pitt zweeg, terwijl hij de gedachte dat het pure zelfmoord was om op die varende tijdbom af te gaan, van zich afzette en een plan bedacht hoe het nog te stoppen was.

'Dat schip daar, dat moet het zijn.'

Dit zei Lazlo, die zijn arm uitstrekte en langs bakboordzijde naar voren wees. Zo'n drie kilometer voor hen zagen ze de achtersteven van een grote tanker achter een bocht van de westelijke oever verdwijnen.

'Ze sturen haar op de Gouden Hoorn af,' zei Pitt, daarmee de laatste twijfels over de missie van de tanker definitief wegnemend.

Het waterrijke hart van Istanbul, de beroemde, ruim tweeduizend jaar oude haven, wordt omringd door de dichtstbevolkte wijken van de stad. Met de op slechts twee blokken van de waterkant gelegen Süleymaniye moskee als mikpunt zou bij het exploderen van de tanker niet alleen het historische gebouw volledig aan gruzelementen gaan, maar zou dat tevens minstens een half miljoen mensen die daar in de directe omgeving woonden, het leven kosten.

De Dayan was daar echter nog niet. Ze had net op een haar na een aanvaring met een vroege veerboot gemist, toen de Bullet uit de achtergrond opdook. Pitt zag dat de kapitein zijn vuist opstak en kwaad met de scheepshoorn naar de tanker toeterde, zich niet bewust van het feit dat zich daar niemand in de stuurhut bevond.

'Geen teken dat er mensen aan boord zijn,' zei Giordino, die met uitgestrekte nek het hoge dek en de bovenbouw van de tanker afspeurde.

Op zoek naar een mogelijkheid om aan boord te komen voer Pitt langs de bakboordzijde van de Dayan, waarna hij voor de boeg langs draaide naar de stuurboordzijde. Giordino wees naar de trap die daar ter hoogte van het achterdek hing.

'Dat is beter dan touwklimmen,' merkte Giordino op.

Pitt manoeuvreerde de duikboot tot vlak naast de neergelaten valreepstrap.

'Het roer is aan jou, Al,' zei hij. 'Blijf in de buurt… maar niet te dicht.'

'Je weet zeker dat je aan boord wilt gaan?'

Pitt knikte zelfverzekerd.

'Lazlo,' zei hij, terwijl hij zich naar de commando omdraaide. 'Met jouw kennis gaan we een poging doen de explosieven onschadelijk te maken. Als dat niet lukt, kijken we of we haar in de richting van de Zee van Marmara kunnen draaien, waarna we maken dat we wegkomen.'

'En geen onnodige toeristische uitstapjes alsjeblieft,' zei Giordino, toen ze zich naar het achterste luik begaven.

'Ik bel je op kanaal zesentachtig als ik je nodig heb,' zei Pitt voordat hij uitstapte.

'Ik blijf aan de lijn,' antwoordde Giordino.

Pitt liep over de bakboorddrijver naar de neergelaten trap, waar hij makkelijk bij de reling kon en zich erop hees. Lazlo volgde hem. Pitt snelde de trap op, sprong op de tanker en speurde aandachtig het reusachtige voordek af. Meteen vielen hem de beide grote, in het staal opengesneden gaten op die Green had beschreven en waaronder zich de gemengde voorraad explosieven moest bevinden.

'Geef ons nog even de tijd,' zei hij tegen zichzelf, terwijl hij met Lazlo op zijn hielen naar de opslagtanks sprintte. 'Geef ons nog even.'

70

De janitsaar liep enigszins terughoudend op Maria af, aarzelend omdat hij haar niet in haar gesprek met de kapitein van het jacht wilde storen. Toen ze hem langzaam steeds verder haar blikveld in zag komen, wendde ze zich ten slotte tot hem en snauwde:

'Wat is er?'

'Mevrouw Celik, de boot die ons zojuist tegemoetkwam... ik... eh... Volgens mij was dat hetzelfde schip als van de indringers in de haven van Kirte.'

Maria's mond zakte open, maar niet voor lang. Ze draaide zich op haar hakken om en tuurde uit het achterraam, waar ze nog net een glimp van de Bullet opving, voordat die achter de hoge oever van de Gouden Hoorn verdween.

Met van pure razernij fonkelende ogen wendde ze zich weer tot de kapitein.

'Omkeren,' brulde ze. 'We gaan terug.'

Pitt wist niet goed waar te beginnen. Het voorste bakboordruim leek op ooghoogte een onoverzichtelijk labyrint. Overal stonden de kennelijk haastig ingescheepte en tot één meter tachtig hoog opgestapelde kratten vol met zware zakken ANFO. Ergens in het midden was de krachtige lading HMX verstopt. En daaraan waren goed zichtbaar, zo hoopte Pitt althans, het ontstekingsmechanisme en de tijdklok verbonden.

Pitt had Lazlo verteld dat ze vijf minuten hadden om de explosieven te vinden en onschadelijk te maken. Lazlo doorzocht op datzelfde moment het stuurboordruim, nadat Pitt hem onder het rennen had uitgelegd waar hij naar moest zoeken. De helft van de beschikbare tijd was al verstreken toen Pitt zich een weg naar het midden van het ruim had gebaand en daar de tientallen in een aantal houten bakken gepropte kneedbommen ontdekte. Terwijl de seconden haast hoorbaar in zijn hoofd wegtikten, opende Pitt vliegensvlug een voor een de bakken, waaruit hij de springstof wegwierp zonder dat hij er een zichtbare ontsteker in aantrof. Pas in de laatste bak vond hij een elektrische tijdklok die via een draad met een in een brok springstof gestoken ontstekingsdop was verbonden. Met een hoopvol hoofdknikje rukte hij het ontstekingsmechanisme uit de HMX en rende onmiddellijk terug door het labyrint.

De vijf minuten waren al verstreken toen hij langs de ladder het ruim uitklom en het dek op stapte. Ook Lazlo dook net uit het stuurboordruim op en kwam met een stel tijdklokken in zijn hand op Pitt afgesneld. Pitt hield zijn tijdklok en ontstekingsdop op en gaf ze aan Lazlo.

'Die heb ik in de grootste lading HMX gevonden,' zei Pitt.

'Dat is niet voldoende,' reageerde Lazlo krachtig zijn hoofd schuddend. 'Ze hebben meerdere ladingen verspreid door het hele ruim verstopt. Deze zag ik toevallig in een krat met ANFO zitten,' zei hij, terwijl hij een van de tijdklokken ophield. 'Ik weet zeker dat er meer zijn.'

Hij bekeek Pitts tijdklok en vergeleek die met de twee die hij had.

'Over veertien minuten gaan ze af,' zei hij, terwijl hij zich omdraaide en de tijdklokken over de reling slingerde. 'We vinden ze nooit allemaal.'

Pitt liet de woorden op zich inwerken.

'Kijk of je de bemanning kunt vinden,' zei hij. 'Dan zorg ik dat we omdraaien.'

Pitt wachtte een antwoord niet af en sprintte naar de brug. Het dek schudde en trilde onder zijn voeten en opeens voelde hij een schok door het hele schip gaan. Bij een zijgang gekomen, keek hij vluchtig achterom en wou dat het niet waar was wat hij daar zag.

Vanuit het westen kwam het blauwe jacht van Ozden Celik recht op de tanker af.

71

Giordino, die dicht onder de achtersteven met de tanker meevoer, had het op hoge snelheid recht op de tanker afkoersende jacht al eerder opgemerkt. Hij stelde de radio in op kanaal zesentachtig en richtte een waarschuwingsoproep tot Pitt, maar er kwam geen antwoord van de brug van de Dayan. Terwijl hij de snelheid van de duikboot opvoerde, zwenkte hij van de tanker weg en stuurde naar het midden van de vaarroute, waar hij op gelijke hoogte bleef met de bovenbouw van de Dayan. Hij lag te laag op het water om in de brug te kunnen kijken, maar hij zag Lazlo over het dek lopen.

Achter hem langs turend zag hij tot zijn verbazing dat het jacht van koers was veranderd en nu snel recht op de Bullet afkwam. Hij besefte dat ze niet per se hadden gezien dat hij Pitt en Lazlo op de tanker had afgezet. Ondanks de nog vage ochtendschemering zag hij twee gestalten naar de reling op de boeg van het jacht lopen. In hun handen hielden ze, zo begreep hij, ieder een automatisch wapen op hem gericht.

Giordino draaide onmiddellijk de gashendels van de duikboot open, waarop de Bullet door de plotselinge versnelling haast uit het water opsprong. Giordino raasde voor de boeg van de tanker langs en koerste onderlangs de noordelijke oever. Het was niet ver meer naar de Galatabrug, die misschien enige dekking zou bieden. Maar een snelle blik over zijn schouder leerde dat het snelle jacht al op minder dan vijftig meter achter hem voer en de achterstand in de tijd dat de Bullet vaart maakte, snel had ingehaald. Giordino vloekte luid toen hij een gele flits van de boeg van het jacht zag oplichten.

Het salvo sloeg op slechts centimeters achter de duikboot in het water, hoewel Giordino de inslag niet zag of hoorde. Niettemin trok hij de stuurknuppel naar links, meteen gevolgd door een scherpe bocht naar rechts. De wendbare duikboot reageerde onmiddellijk en spoot zigzaggend over het water. Deze manoeuvre was voldoende om de trefzekerheid van de schutters te verstoren.

Plotseling doemde de Galatabrug op en Giordino schoot er in een flits onderdoor. Na nog een scherpe zigzagmanoeuvre keek hij om en zag ook het jacht op korte afstand onder de brug door schieten. De snellere en aanzienlijk wendbaardere Bullet won nu eindelijk terrein en de afstand tussen de beide boten werd geleidelijk weer groter. Maar dat maakte dat het geweervuur vanaf het jacht verhevigde. Giordino hield zijn zigzag-koers aan tot hij op nog geen kilometer voor hem een volgende brug, de Atatürk, ontwaarde. Na een plotselinge knal vlak boven zijn hoofd dook hij onwillekeurig ineen en zag, toen hij omhoogkeek, drie kogelgaten in de plexiglazen koepel van de duikboot. Het plan om achter een obstakel weg te schieten en dan onder water te verdwijnen was hier meteen mee van de baan, dus richtte hij zich weer op de brug.

Uit het water staken diverse brede dragers van de Atatürk, waar Giordino op zoek naar dekking recht op afvoer. Hij wist dat hij het jacht tussen de dragers door laverend af kon leiden zonder dat hij daarbij zelf in een rechte vuurlijn lag. Maar de zorg om zijn eigen veiligheid verdween in het niets, als hij aan Pitt op de met explosieven volgeladen tanker dacht.

Op nog geen anderhalve kilometer achter hen koerste de Dayan inmiddels op haar fatale einddoel af. Daar moest hij beschikbaar zijn om de beide mannen van de tanker af te halen en dat waarschijnlijk al heel snel. Op dit moment had hij geen flauw idee of Pitt en Lazlo daar nog iets hadden kunnen doen.

Toen hij zich omdraaide en achter zich keek, zag hij dat het achtervolgende jacht opeens was verdwenen.

72

Lazlo had alleen zijn gehoor maar hoeven volgen om de opgesloten bemanning van de tanker te vinden. Ondanks de verzwakte toestand waarin hij door de schotwond verkeerde, had kapitein Hammet zijn mannen direct nadat de bewakers uit de messroom waren vertrokken, naar een vluchtmogelijkheid laten zoeken. De dikke ketting waarmee de deur was vergrendeld, werd al snel als onbreekbaar beoordeeld, dus moesten de mannen zich op iets anders richten. Ze waren omringd door stalen wanden, dus was er in feite maar één uitweg en die was naar boven toe.

Met vleesmessen uit de kleine kombuis gingen de mannen de plafondplaten te lijf tot ze een holle ruimte bereikten, vanwaar ze door het erboven gelegen dek hoopten te breken. Lazlo hoorde het schurende geluid toen hij een voorraadkamer in een aangrenzend vertrek doorzocht, waarop hij onmiddellijk naar de deur van de messroom snelde. Nadat hij de ketting had losgerukt, die met een vrij simpele knoop was vastgemaakt, trapte hij de deur open. De bemanningsleden die met messen in hun handen op de tafels stonden, onderbraken hun werkzaamheden en keken hem verwonderd aan.

'Wie heeft hier de leiding?' brulde Lazlo.

'Ik ben de kapitein van de Dayan,' antwoordde Hammet. Hij zat vlak bij de deur op een stoel met zijn been uitgestrekt op een krukje.

'Kapitein, we hebben nog maar een paar minuten voordat het schip de lucht in gaat. Wat is de snelste manier waarop we u en uw bemanning van boord krijgen?'

'De reddingsboot op het achterschip,' antwoordde Hammet, terwijl hij met een van pijn vertrokken gezicht overeind kwam. 'Kunt u de explosieven niet onschadelijk maken?'

Lazlo schudde zijn hoofd.

'Allemaal naar de reddingsboot,' beval Hammet. 'Opschieten.'

De bemanningsleden snelden de deur door, waarna Lazlo en de eerste officier Hammet als laatste het vertrek uit hielpen. Op het dek gekomen voelde Hammet een ongewone trilling onder zijn voeten, waarna hij over de reling keek. Tot zijn schrik zag de Israëlische kapitein vlak voor zijn neus de minaretten van de Süleymaniye moskee oprijzen.

'We zijn midden in Istanbul?' stamelde hij.

'Ja,' antwoordde Lazlo. 'Kom, we hebben niet veel tijd.'

'Maar we moeten de tanker wenden en hier weghalen,' stribbelde hij tegen.

'Er is al iemand op de brug die dat probeert.'

Hammet volgde de anderen naar de achterplecht, maar bleef aarzelend staan toen het dek opnieuw schudde.

'O nee,' zei hij kreunend met een somber gezicht. 'Ik heb de brandstoftoevoer afgesloten.'

73

Pitt had dat op vrijwel hetzelfde moment ook ontdekt. Toen hij de brug oprende, had hij een paar knipperende rode lampjes op het belangrijkste bedieningspaneel genegeerd, terwijl hij in allerijl de knoppen zocht en vond waarmee hij de automatische piloot kon uitschakelen. De tanker naderde de Galatabrug en stevende op de centrale doorgang af, toen Pitt de besturing onder controle kreeg. Met het oog op een van de brugpijlers die schuin voor zijn bakboordboeg oprees, besefte hij dat er onvoldoende ruimte was om het enorme schip hier te keren. Hij moest eerst onder de brug door varen, dan wenden en vervolgens weer onder de brug door, en daarna maken dat hij uit de Gouden Hoorn wegkwam.

Op het moment dat de boeg onder de brug gleed, zag Pitt dat de onderkant van de overspanning ongeveer op ooghoogte lag en hij vroeg zich af of de hoge bovenbouw van de tanker er wel onderdoor kon. Terwijl hij dit afwachtte, keek hij omlaag naar de knipperende rode lampjes. Tot zijn schrik zag hij dat het de indicatielampjes voor het peil in zowel de hoofd- als reservebrandstoftank waren. Toen Hammet heimelijk de machinekamer was ingegaan, had hij de afloopventielen van de tanks opengedraaid, waardoor de brandstof in het onderruim wegliep, vanwaar die vervolgens automatisch in zee werd geloosd. De tanks waren nu leeg, begreep Pitt, wat werd bevestigd door de stotterende motor die nog op het laatste restje brandstof liep.

Tegelijkertijd besefte Pitt dat hiermee alle kans verkeken was om de tanker terug naar de Zee van Marmara te varen, waar een ontploffing het minste kwaad kon. Alle hoop om veilig en wel van de stad weg te kunnen varen was vervlogen. In deze situatie, op de brug van een tikkende tijdbom waarvan de motor elk moment kon stilvallen, zouden de meeste mensen in paniek zijn geraakt. Ze hadden een allesoverheersende neiging gevoeld om weg te vluchten, weg van het levensgevaarlijke schip, en hadden alleen nog geprobeerd zelf het vege lijf te redden.

Maar Pitt was niet als de meeste mensen. Met een hartslag die nauwelijks boven normaal lag, bekeek hij met een ijzige blik de omringende oevers. Terwijl hij zijn zenuwen onder controle had, werkten zijn hersenen op volle toeren, naarstig op zoek naar mogelijkheden de ophanden zijnde catastrofe alsnog te voorkomen. Tot hij opeens een mogelijke oplossing in de haven voor zich zag. Het leek riskant en roekeloos, bedacht hij, maar het was tenminste een mogelijkheid. Nadat hij de brugradio op kanaal zesentachtig had ingesteld, nam hij de microfoon in zijn hand.

'Al, waar ben je?' riep hij.

Onmiddellijk klonk de krakend vervormde stem van Giordino door de luidspreker.

'Ik ben ongeveer anderhalve kilometer voor je. Speel kat-en-muis met het jacht, maar ik geloof dat ze het spelletje inmiddels zat zijn. Let op, want ze komen nu jouw richting op geraasd. Ben jij met Lazlo zover dat ik jullie kan komen oppikken?'

'Nee, ik heb je ergens anders nodig,' antwoordde Pitt. 'Bij een grote baggerschuit die in de zuidoosthoek van de brug ligt.'

'Ik kom eraan. Over.'

De bovenbouw van de tanker was net rakelings onder de overspanning van de brug door gegleden, toen de motor weer schokte. In het vroege ochtendlicht zag Pitt het blauwe jacht op nauwelijks honderd meter afstand op de tanker afkomen. Het jacht negerend, gaf hij het stuurrad een ruk naar links, waarna hij naar het achterraam liep om te zien hoe het luitenant Lazlo was vergaan.

74

De Israëlische commando hielp kapitein Hammet juist in de reddingsboot, toen vlakbij het geratel van mitrailleurvuur losbarstte. Het volgende ogenblik kletterde er een regen van glasscherven op het dek. Lazlo keek omhoog en zag dat het salvo op de ramen van de brug was gericht. Hij ontwaarde nog net de zendmasten van het jacht dat aan stuurboordzijde onderlangs de romp van de tanker gleed.

'Snel, de boot in, nu!' spoorde hij de zeelieden aan.

Zes bemanningsleden waren al in de overdekte polyester reddingsboot geklommen. De boot lag op een schuine stellage vlak boven de hekreling met de boeg naar het water eronder gericht. De eerste officier en nog een bemanningslid ondersteunden Hammet terwijl hij door de boot naar achteren strompelde. Hij frommelde aan zijn veiligheidsgordel en beval ook zijn bemanning de veiligheidsriemen vast te maken. Vervolgens keek hij omhoog naar het achterluik dat Lazlo net van buitenaf wilde dichtdoen.

'Komt u niet met ons mee?' vroeg Hammet met een van schrik vertrokken gezicht.

'Ik ben hier nog niet klaar,' antwoordde Lazlo. 'Laat uzelf te water en zoek de wal op. Succes.'

Hammet wilde de commando bedanken, maar Lazlo had het luik al dichtgeslagen en was terug aan dek gesprongen. Toen hij zag dat al zijn mannen vastgesnoerd op hun stoelen zaten, wendde de kapitein zich tot zijn eerste stuurman.

'Gooi ons maar los, Zev.'

De eerste officier haalde een hendel over, waardoor er een klem in de stellage openschoof en de reddingsboot losschoot. De boot gleed uit de stellage en plonsde het ruim tien meter lager gelegen water in, waarbij de voorsteven tot minstens een meter onder water doorschoot. De boot lag nog niet goed en wel recht op het water of het blauwe jacht dook er vlakbij op en klonk er weer luid ratelend mitrailleurvuur op. Alleen kwamen de salvo's deze keer niet van het jacht.

Verscholen op het achterdek vuurde Lazlo met zijn M-4 aanvalsgeweer twee korte salvo's op de beide gewapende mannen af, die op de boeg van het jacht gehurkt zaten. Het salvo doodde een van de mannen en zijn levenloze lichaam klapte over de reling. De tweede schutter kwam er ongeschonden vanaf en trok zich razendsnel terug in de kajuit.

Op de brug zag Maria het met nauwelijks ingehouden woede gebeuren. Na een blik op haar horloge richtte ze zich haast gillend tot de kapitein van het jacht.

'Er is nog tijd! Vaar naar de trap!'

'En de reddingsboot?' vroeg hij.

'Laat maar gaan. Die krijgen we later nog wel.'

Het jacht spoot naar voren en verdween uit Lazlo's blikveld terwijl het naar de neergelaten valreepstrap voer. Maria stuurde meteen twee van haar janitsaren de trap op.

'Ik veeg de brug wel schoon,' bood de Irakees Farzad aan. Hij haalde een Glock pistool uit een verborgen schouderholster tevoorschijn en snelde de kajuit uit.

Maria knikte. 'Zorg dat de tanker op de wal afkoerst,' riep ze hem na.

Lazlo was het achterdek overgestoken en gluurde over de reling op het moment dat het jacht van de valreepstrap wegzwenkte. Op hetzelfde moment kletterde er een regen van kogels tegen de verschansing. Dit salvo van een schutter op het jacht dwong Lazlo om dekking te zoeken. Toen hij weer opkeek, moest hij luid vloekend toezien hoe de twee janitsaren van de valreepstrap op het schip sprongen en dekking zochten achter een tussenschot bij de bovenbouw.

Zich zo dicht mogelijk tegen het dek persend kroop hij langs de reling, waarna hij zich achterwaarts terugtrok naar een spuigat in de verschansing, waardoor overgespoeld zeewater kon wegstromen. Hij wrong zich erdoorheen, waarna hij enige dekking vond achter het dichte gedeelte van de reling. Het was allesbehalve een optimaal beschermde positie, maar Lazlo had het idee dat niemand hem daar had gezien en dat hij vandaar de mannen die aan boord waren gegaan misschien kon verrassen.

Hij had gelijk. De getrainde commando wachtte geduldig tot de twee janitsaren in ganzenmars naar het achterschip wilden weglopen. Zodra ze zich allebei op het dek blootgaven, hief Lazlo zijn geweer op en vuurde.

Zijn oorspronkelijke doelwit was raak en vier kogels uit zijn geweer boorden zich in de borstkas van de voorste man, die op slag dood tegen het dek sloeg. De tweede man liet zich onmiddellijk vallen en rolde weg achter een berkoen, voordat Lazlo de kans kreeg ook op hem te richten.

Beide schutters bevonden zich nu in hun beschutte positie in een patstelling. Ze schoten afwisselend op elkaar in de hoop de ander met een toevalstreffer uit te schakelen.

Op de brug probeerde Pitt het schieten te negeren en zich op de besturing van de tanker te concentreren. Toch hield hij ook het jacht bezorgd in de gaten en volgde zijn voortdurend veranderende positie. Terwijl hij weer een snelle blik door het achterraam wierp, zag hij dat er na de beide janitsaren nog een derde man aan boord sprong en in de richting van het voordek uit het zicht verdween, vlak voordat Lazlo begon te schieten.

Terwijl beneden het vuurgevecht losbarstte, ging Pitt op de brug op zoek naar een mogelijk wapen voor zichzelf en doorzocht daarbij een EHBO-kist die boven de kaartentafel hing. Heel even stak hij zijn hoofd door het openstaande zijraam en zag dat de overlevende janitsaar die met Lazlo schoten wisselde, zich vrijwel recht onder hem bevond. Hij snelde terug naar de kist en kwam terug met een grote brandblusser. Vervolgens boog hij zich door het raam, mikte en liet het ding vallen.

Het geïmproviseerde rode projectiel miste het hoofd van janitsaar en knalde op de achterkant van zijn schouder. De schutter slaakte een gil, meer van de schrik dan van pijn, en draaide zich instinctief omhoogkijkend om in een poging om te zien waar die verrassingsaanval vandaan kwam.

Twintig meter verderop legde Lazlo zijn aanvalsgeweer aan op de man en haalde de trekker over. Het korte salvo leidde niet tot een schrille kreet of opspattend bloed. De janitsaar sloeg simpelweg morsdood voorover, waarna het plotseling akelig stil was op het schip.

75

De brug van de tanker leek verlaten toen Farzad er behoedzaam via de achtertrap binnenkwam. Omdat hij de oever van Sultanahmet voor de boeg langs zag glijden, stapte hij naar de besturingsconsole om deze wegdraaiende beweging te stoppen. Daar aangekomen liet hij zijn pistool zakken om de joysticks te pakken.

'Laten we daar nu maar even van afblijven,' zei Pitt.

Pitt stapte vanuit zijn ineengedoken positie achter een console bij de zijwand aan bakboordzijde tevoorschijn. In zijn hand hield hij een koperen seinpistool dat hij in de EHBO-kist had aangetroffen.

Farzad keek Pitt aan met een blik van verbaasde herkenning die onmiddellijk in woede omsloeg. Maar die woede veranderde in leedvermaak toen hij Pitts wapen zag.

'Ik had me al op een hernieuwde kennismaking verheugd,' zei Farzad met een zwaar accent.

Op de allereerste aanzet van Farzad om zijn wapen te heffen haalde Pitt de trekker van het seinpistool over. De ontbrandende lichtkogel flitste door de brug en trof Farzad in een uitwaaierende wolk van vonken in de borst. Zijn kleding vatte meteen vlam, terwijl de lichtkogel op de grond viel en vandaar als een brandende rat in een hoek wegspoot. Het volgende moment ontbrandde het seinvuur en hulde de brug in een walmend waas van vlammen en rook.

Pitt was al naar de grond gedoken en beschermde zijn hoofd tegen de rondvliegende vonken. Farzad, druk in de weer met het afkloppen van zijn brandende kleren, reageerde niet zo snel toen het ontbrandende seinvuur hem met een tweede vonkenregen bestookte. Hij stond midden in de walmende vonkengloed alvorens hij er hoestend en happend naar lucht uit weg stapte. Pitt sprong ogenblikkelijk overeind en snelde op hem af in de hoop hem onderuit te halen, voordat hij weer voldoende zag om te kunnen schieten. Maar de huurling hoorde Pitt aankomen en draaide de Glock in zijn richting.

Er klonk een donderend schot, maar Pitt begreep dat het niet Farzad was die had geschoten. Het lichaam van de schutter sloeg achterover tegen de besturingsconsole, waarna het naar de grond gleed en een bloederig spoor op de console achterliet.

Lazlo kwam de brug binnen met de nog rokende loop van zijn geweer op het uitgestrekte en smeulende lichaam van Farzad gericht.

'Alles oké?' vroeg Lazlo met een vluchtige blik op Pitt naast hem.

'Ja, ik stond net van een leuke lichtshow te genieten,' antwoordde Pitt kuchend door de verstikkende rook die er hing. 'Bedankt voor je perfect getimede opkomst.'

Lazlo gaf hem de gedeukte brandblusser aan die hij onder zijn arm geklemd had meegenomen.

'Hier, ik dacht dat je die misschien terug wilde hebben. Ik was heel blij met je luchtsteun van zo-even.'

'Dat had je hiermee alweer goedgemaakt,' reageerde Pitt, waarna hij de brandblusser op de verspreide vuurtjes richtte die door het ontbranden van de lichtkogel waren ontstaan.

'Ik had deze niet aan boord zien gaan,' zei Lazlo, terwijl hij controleerde of Farzad daadwerkelijk dood was.

'Hij kwam direct na de eerste twee.'

'Ik kan me voorstellen dat ze 't nog eens proberen.'

'Er is niet veel tijd meer,' zei Pitt. 'Maar haal anders voor de zekerheid die valreepstrap even op.'

'Goed idee. En wat doen we dan?'

'Voor ons gaat 't krap worden. Ik neem aan dat je kunt zwemmen?'

Lazlo rolde met zijn ogen en knikte. 'Ik zie je beneden,' zei hij, waarna hij de trap afsnelde.

De rook van de lichtkogel was vrij snel door de gebroken ramen van de brug weggetrokken, waarna Pitt naar de besturingsconsole liep en hun positie peilde. De Dayan was al door de helft van de honderdtachtig gradendraai en de voorsteven schoof geleidelijk naar de zuidelijke overspanning van de Galatabrug. Met de joystick stuurde Pitt de grote tanker gevaarlijk dicht langs de oever tot het schip de draai had afgemaakt, waarna hij het toerental van de motor opvoerde. Het stotteren en schudden onder in het schip waren heviger dan daarvoor en Pitt perste met de moed der wanhoop alle snelheid uit de stotterende motor die er nog in zat.

Met een snelle blik speurde hij het water langs de oevers af of hij de Bullet ergens zag, maar die was nergens te bekennen. Na Pitts radio-oproep was Giordino op topsnelheid naar de baggerschuit gevaren en was inmiddels de Galatabrug al gepasseerd. Alsof hij aanvoelde dat Pitt hem zocht, riep Giordino via de radio de tanker op.

'Bullet hier. Ik ben onder de brug door en kom nu langszij het groene baggerschip.'

Pitt vertelde hem zijn plan, wat Giordino een zacht bewonderend fluitje ontlokte.

'Hopelijk heb je vandaag je portie Brinta gegeten,' zei hij. 'Hoeveel tijd heb je nog?'

Pitt keek op zijn horloge. 'Zes minuten ongeveer. Over drie minuten moeten we zover zijn.'

'Bedankt dat je die kruitschuit naar me toe brengt. Kom niet te laat,' voegde hij er nog aan toe, waarna hij de verbinding verbrak.

Inmiddels was de Dayan volledig gekeerd en doemde de zuidelijke over-spanning van de Galatabrug op zo'n vierhonderd meter voor het schip op. Machteloos spoorde Pitt het schip aan harder te gaan en de seconden tik-ten voorbij terwijl de brug maar niet dichterbij leek te komen. Het zou kantje boord worden, dat wist hij, maar daar kon hij nu niets meer aan doen.

Tot de gevreesde stilte opeens vanuit het binnenste van de tanker op-steeg. Het trillen en schudden onder zijn voeten vielen weg, terwijl de con-sole voor hem als een kerstboom oplichtte. Uit puur brandstofgebrek had de motor van de Dayan nu definitief de geest gegeven.

76

Op het jacht, dat aan stuurboordzijde op zo'n dertig meter afstand gelijk met de Dayan opvoer, tuurde Maria door een verrekijker. Tot haar teleurstelling zwenkte de grote tanker weer van de oever weg en koerste terug voor een tweede passage onder de Galatabrug door. Ze besefte hoe dat kwam, toen ze de brug van de tanker afspeurde en een glimp van Pitt achter de besturingsconsole opving.

'Ze hebben gefaald,' zei ze met een stem die haast schor was van kwaadheid. 'Zet onmiddellijk mijn laatste mannen daar af.'

De kapitein van het jacht keek haar zenuwachtig aan.

'Kunnen we niet beter zorgen dat we wegkomen?' drong hij aan.

Maria ging zo dicht bij hem staan dat de overige aanwezigen op de brug haar niet konden verstaan.

'We vertrekken meteen zodra we de mannen hebben afgezet,' fluisterde ze ijzig.

Haar laatste drie janitsaren verzamelden zich op het dek, terwijl het jacht naar de zijkant van de Dayan raasde. Toen het jacht de neergelaten valreepstrap naderde om er de schutters op af te zetten, rees de trap opeens uit het water op. Boven aan de trap stond Lazlo aan de knoppen van het hydraulische ophaalmechanisme.

'Schiet hem neer!' gilde Maria toen ze de commando zag.

De geschrokken janitsaren richtten onmiddellijk hun wapen op Lazlo en drukten af. De Israëlische commando had die reactie van de mannen verwacht en stapte weg van de reling. Toch aarzelde hij nog een seconde bij de knoppen omdat hij de valreepstrap nog tot buiten hun bereik wilde ophalen. Die aarzeling kwam hem duur te staan, want een kogel uit een van de wapens trof hem in de schouder.

Hij verloor zijn evenwicht en viel voorover op de knoppen alvorens hij zich bliksemsnel zijdelings op het dek liet vallen. Zijn linkerarm was verlamd en hij voelde een stekende pijn in zijn schouder, maar hij was nog volledig bij bewustzijn toen hij ergens beneden een harde dreun hoorde. Met zijn geweer in één hand kroop hij als een slang kronkelend naar de verschansing, waaraan hij zich overeind hees voor een snelle blik over de rand.

Tot zijn teleurstelling zag hij dat het uiteinde van de valreepstrap nog buiten de tanker uitstak tot precies boven het jacht. Toen hij nog een keer goed keek, besefte hij dat de trap tot in het jacht zelf hing. Toen hij op de knoppen viel, had hij per ongeluk de knop voor het laten zakken van de valreepstrap weer ingedrukt. Het zware stalen gevaarte was als een pijl omlaag gestort. Alleen was het niet in het water terechtgekomen, maar op het voordek van het jacht, waar het minstens een meter diep dwars door-heen was geslagen.

Ondanks die schade en het feit dat de valreepstrap veel te steil hing, waren er al twee janitsaren opgesprongen, die er nu snel tegenop klauter-den. Lazlo legde zijn wapen op de reling en vuurde een aangehouden salvo af, waarop de beide mannen achterover klapten en in het water stortten.

Door het bloedverlies voelde Lazlo zich zo duizelig dat hij zich terug op het dek liet zakken en in zijn gevechtstas naar zijn EHBO-doos wroette. De sterke drang om te gaan liggen verdreef hij door zichzelf voor te houden dat hij het jacht per se nog een paar minuten op afstand moest zien te hou-den. Hij keek omhoog naar de brug en vroeg zich af hoeveel tijd Pitt nog nodig had.

Tijd was voor Pitt nu allesbehalve een bondgenoot. De laatste keer dat hij op de klok had gekeken, resteerden er nauwelijks zes minuten tot de bom-men zouden afgaan, maar daar probeerde hij niet meer aan te denken. Zijn concentratie was volledig op het sturen van de tanker naar een plek vlak onder de brug gericht.

Sinds de motor was uitgevallen, koerste de tanker puur op de vaart die ze nog had. Meerdere scheepsgeneratoren produceerden de voor de be-sturing benodigde elektriciteit, maar de enkele reusachtige voortstuwings-schroef had zijn laatste slag geslagen. De zwakke stroming in de Gouden Hoorn oefende een lichte druk uit op de achtersteven en Pitt hoopte dat het voldoende was om het schip nog een paar minuten te laten doorvaren. Zonder die tijdsdruk was de stroming waarschijnlijk sterk genoeg om de tanker veilig de Zee van Marmara op te laten drijven. Maar net als de brandstof raakte nu ook de tijd op.

Tergend langzaam groeide de zuidelijke overspanning van de Galata-brug in de vooruit van de brug en Pitt merkte tot zijn opluchting dat de Dayan nog steeds met een snelheid van zo'n zeven knopen voer. Een paar losse mitrailleursalvo's trokken zijn aandacht en hij waagde een snelle blik door het zijraam. Het jacht lag nu zo dicht tegen de zijkant van de tanker dat hij het niet meer goed kon zien. Hij zag Lazlo boven aan de valreeps-trap liggen en was gerustgesteld dat de tanker voorlopig tegen indringers was beschermd.

De onderkant van de brug doemde op en wierp een schaduw over het dek en de stuurhut. Pitt nam de besturing weer op en hanteerde met licht nerveuze vingers de joysticks. De rest was aan Giordino, dacht hij kalm.

'Ik hoop alleen dat jij je ook aan jouw deel van de afspraak kunt hou-den, makker,' mompelde hij hardop, waarna hij de schaduw van de brug geleidelijk weg zag glijden.

77

Met een lengte van bijna honderdveertig meter was de Ibn Battuta een van de grootste baggerschepen die Giordino ooit had gezien. Het gevaarte van de Belgische firma Jan de Nul was een zelfvarende cutterzuiger, een type baggerschip waarvan er maar enkele zijn gebouwd. In tegenstelling tot de reguliere baggerzuigers, die modder en slib van de zeebodem opzuigen met behulp van een lange holle buis, beschikt de cutterzuiger ook over een graafmechanisme, de zogenaamde cutter ofwel snijkop. In het geval van de Ibn Battuta was die snijkop een opengewerkte bol met een doorsnede van één meter tachtig en een daaromheen roterende krans van tanden van wolfraamcarbide die zich door het hardste gesteente kon boren. De snijkop, bevestigd aan een op de romp gemonteerde, zogenaamde cutterladder, die tot op de zeebodem kon worden neergelaten, had wel iets weg van de opengesperde kaken van een reuzenhaai.

De cutterzuiger had op zo'n vijftien meter van de oever gewerkt en was afgemeerd aan een tweetal enorme studpalen, die aan de voorkant van het vaartuig door de romp staken. Het schip lag loodrecht op de oever, met de achtersteven naar het kanaal gericht, wat Pitt nu juist goed uitkwam.

Giordino, die het schip aan de achterkant naderde, zag aan stuurboordzijde van het baggerschip een lange stevige ketting over de reling hangen. Hij stuurde de Bullet ernaartoe en nam gas terug. Nadat hij haastig naar buiten was geklommen, greep hij de ketting beet om de Bullet eraan te bevestigen voordat die kon wegdrijven. Zich aan de ketting optrekkend klom hij naar de reling van de cutterzuiger en hees zich aan dek.

Omdat het baggerschip als een gevaarlijk obstakel in de waterweg lag, was de naar een veertiende-eeuwse Marokkaanse ontdekkingsreiziger vernoemde Ibn Battuta door tientallen schijnwerpers fel verlicht. Giordino speurde het hele dek af en zag dat het volkomen verlaten was. Waarschijnlijk lag de bemanning in hun kooien nog op één oor. Op de brug stond alleen de vroege ochtendwacht en hij had Giordino's komst niet opgemerkt.

Giordino snelde naar het achterschip, waar hij naar de besturingsconsole van de zuiger zocht, die zich, hoopte hij vurig, niet in de stuurhut bevond. Midden op het achterdek vlak voor een grote A-vormige stellage en op enige afstand van het snijkopmechaniek zag hij op een verhoging een dekhuis met grote ramen. Nadat hij de ladder op was gesneld, stapte hij er naar binnen en ging zitten op de naar achteren gerichte stoel van de machinedrijver. Tot zijn genoegen stelde hij vast dat de zuiger door één man kon worden bediend, maar hij schrok toen hij zag dat alle tekst op het controlepaneel in het Nederlands was.

'Nou ja, 't is in elk geval geen Turks,' mompelde hij met een snelle blik op het paneel.

Hij vond een schakelaar met de vermelding DYNAMO en zette die aan. Er trok een dreunende trilling door het dek als gevolg van het aanslaan van een zware generator. Op de brug snelde de man die daar op wacht stond naar het achterraam en ontwaarde Giordino's gestalte in het dekhuis. Even later schalde zijn stem door de radiospeaker die in het hok aan de muur hing. Giordino hief doodkalm zijn arm op en zette de radio uit, alvorens hij over zijn linkerschouder keek.

De hoge boeg van de tanker schoof net op nog geen honderd meter afstand onder de Galatabrug uit. Giordino gaf zijn pogingen om de Nederlandse teksten op het bedieningspaneel te ontcijferen op en begon als een bezetene knoppen in te drukken. Vóór hem klonk een knarsend geluid, waarop hij tot zijn vreugde zag dat de zaagtanden van de cutter met een angstaanjagend gegier begonnen te draaien. De giek met de snijkop stak horizontaal boven de achtersteven uit, waarbij de snijkop zich zo'n zes meter boven de waterspiegel bevond. Dat was veel te hoog voor wat Pitt van plan was.

'Wat doe jij hier?' gromde een lage stem opeens tegen Giordino.

Giordino draaide zich om en zag een gedrongen man met warrige haren de ladder naar het dekhuis op komen. De pompmachinist van de Ibn Battuta, gekleed in een vuile, haastig over zijn pyjama aangeschoten overjas, schoot op hem af en klemde een sterke hand om Giordino's schouder. Giordino stak kalm een vinger op en wees door het raam naar buiten.

'Kijk!' zei hij.

De machinist keek opzij en verstijfde van schrik bij het zien van de Dayan die recht op de cutterzuiger afstevende. Hij wilde iets zeggen terwijl hij zich naar Giordino terugdraaide, en zag nog net de gebalde vuist van Giordino met een rechtse directe op zich afkomen. Giordino's knokkels raakten hem vol op zijn kin en hij zakte als een spaghettisliert in elkaar. Giordino ving de man in zijn armen op en legde hem zachtjes op de grond.

'Sorry, beste man. We hebben nu even geen tijd voor geintjes,' zei hij tegen de bewusteloze machinist, waarna hij weer achter het bedieningspaneel plaatsnam. Hij voelde de schaduw van de hoge tanker op het dekhuis afkomen, terwijl hij snel het paneel afzocht. Opzij zag hij een kleine hendel, die hij overhaalde. Tot zijn onuitsprekelijke opluchting zag hij dat het uiteinde van de giek naar het water zakte. Hij hield de hendel omlaag tot de snijkop bijna geheel onder water stak, waarbij de roterende messen een bruisende schuimlaag op het wateroppervlak veroorzaakten.

Nadat hij de hendel had losgelaten, keek hij op naar de waterweg. De boeg van de enorme tanker was nu tot op nauwelijks zes meter genaderd. Met een gevoel van machteloosheid kwam hij overeind en wachtte af in het besef dat ze nu niets meer konden doen.

78

Pitt wist dat het een uit onmacht geboren gok was, maar alternatieven waren er niet. Het was simpelweg te laat om de tanker veilig naar open zee te krijgen en met de uitgevallen motor was het al helemaal onmogelijk om tijdig van de dichtbevolkte oevers van Istanbul weg te komen. Zelfs als de tanker in het midden van de Gouden Hoorn ontplofte, zou dat nog duizenden mensenlevens kosten. Pitts enige hoop was gericht op het onderdompelen van minstens een deel van de explosieven in een poging zo de destructieve kracht ervan te dempen.

En daarbij kon de Ibn Battuta een rol spelen. Met de gesteente vermalende snijkop moest de cutterzuiger in staat zijn de romp van de tanker als een blikopener te doorboren. Maar daarvoor moest hij de tanker wel heel exact in de juiste positie zien te krijgen. Hoewel de snijkop zich nog boven water bevond, zag hij aan de draaiende messen dat Giordino ermee bezig was. Na een paar subtiele correcties met de joysticks op de besturingsconsole, liep hij naar het openstaande raam aan stuurboordzijde en stak zijn hoofd naar buiten. Omdat de tanker zo hoog op het water lag, kon hij de waterlijn langs de zijkanten van het schip niet goed zien, wat de manoeuvre niet bepaald eenvoudiger maakte. Hij probeerde er niet aan te denken dat hij maar één kans kreeg: één kans die meteen raak moest zijn.

Vlak bij het Belgische baggerschip gekomen zag hij tot zijn opluchting dat de cutterladder boven de achtersteven omlaag ging en zo de snijkop onder water drukte. Een paar seconden later zag hij dat Giordino bij de hekreling stond en naar hem gebaarde de tanker dichter langs de zuiger te sturen. Pitt sprintte terug naar de joysticks en gaf nog een paar graden roer naar stuurboord, waarna hij wachtte tot de boeg reageerde. Terwijl de tanker iets bijdraaide, hief Giordino zijn armen in de lucht en stak zijn duim naar Pitt op.

Pitt liep van de joysticks terug naar het zijraam om het effect van de aanvaring te zien. Achter hem hoorde hij opeens het gieren van een op hoge toeren draaiende motor en daarbovenuit een schril schreeuwende vrouwenstem. Hij keek omlaag naar Lazlo die bij de valreepstrap nog altijd languit op het dek lag. Maar nu zag hij ter hoogte van zijn borst een bloedplas op het dek. Achter Lazlo lag het jacht nog steeds langszij, wild schommelend en zo nu en dan zelfs tegen de romp van de tanker beukend.

Pitt vroeg zich verwonderd af waarom het jacht zich daar eigenlijk nog bevond. Maar het had geen zin zich daar nu druk over te maken, dacht hij, terwijl hij zich omdraaide en de cutterzuiger inclusief het moment van de waarheid op zich af zag komen.

'Maak ons los!' gilde Maria nu al minstens voor de derde keer.

De normaal zo beheerste tiran was panisch van angst terwijl ze steeds weer op haar horloge keek. Ze had nog maar een paar minuten.

Het zweet parelde in de wenkbrauwen van de kapitein, die wild aan het stuurrad rukkend wanhopig van de door het dek geslagen valreepstrap probeerde los te komen. Hij had gewacht tot ze onder de Galatabrug door waren, voordat hij de motoren in de achteruit zette en ze tegen de vaarrichting van de tanker in liet ploegen. Toch behield de valreepstrap zijn greep op het dek als een vishaak met weerhaakjes in de bek van een kwade marlijn.

Met luid gegier van de motoren gaf de kapitein nog eens vol gas achteruit, waarna hij de boot bruusk probeerde weg te draaien. De kapitein wist echter niet dat de wieltjes en de as die onder aan de valreep zaten, in het ankerruim van het jacht om de ankerketting geklemd zaten en door de wrikkende bewegingen van de boot hopeloos met elkaar verstrikt waren geraakt.

De trap zelf was inmiddels een verwrongen bundel staal en alleen het platform onderaan weigerde te breken. Met een door de malende schroeven aan de achtersteven woest bruisende en hoog opspattende waterfontein werd het jacht langszij de tanker meegesleurd als een bokkige jonge hond aan een te korte lijn. De kapitein keek voor zich uit naar het baggerschip en wachtte op het moment dat de Dayan van het Belgische schip zou wegdraaien. Maar naarmate ze dichterbij kwamen, drong geleidelijk het akelige besef tot hem door dat dat niet zou gebeuren.

Met de moed der wanhoop slingerde hij het jacht hard heen en weer, daarbij steeds tegen de zijkant van de tanker beukend en dan weer weg zwenkend. Maar het hardnekkige platform schoot niet los. De boeg van de Dayan was ter hoogte van de cutterzuiger, maar hij zag dat er een smalle geul tussen de schepen openbleef, hoewel er een giek laag boven het water hing.

Terwijl Maria hem nog altijd strak aanstaarde, knikte hij naar het baggerschip.

'Die giek breekt het ijzer waaraan we vastzitten,' zei hij. 'We zijn nu zo los.'

79

Pitts manoeuvre was niet helemaal perfect, maar wel zo goed als. De boeg van de Dayan gleed een paar meter langs de snijkop voordat de draaiende tanden de romp van de tanker raakten. Hoewel het geluid door het water enigszins werd gedempt, klonk er een snerpend gekrijs op toen de tanden langs het staal van de romp schraapten. De snijkop drukte een diepe voor, een paar meter in lengte, in de zijkant van de tanker. Totdat de eindeloze rij tanden op een naad tussen de stalen platen stuitte en een gapend gat openscheurde.

Nu er een bres was geslagen, was er geen weg meer terug. De roterende snijkop vrat zich als een hongerige bever door de romp, aangejaagd door de druk van de voorwaartse beweging van het achtduizend ton zware schip. De tanden van wolfraamcarbide knauwden door de romp en de roestvrijstalen tanks waarin de tanker normaal gesproken zoet water vervoerde. Maar in plaats van schoon drinkwater vulden ze zich nu in hoog tempo met het troebele groene water van de Bosporus.

Vanaf zijn hoge standplaats zag Pitt op de bodem van de voorste stuurboordtank water kolken. Hij kon alleen maar hopen dat het water uiteindelijk over de rand ook in de bakboordtank zou lopen en zo de explosieve kracht van beide springstofladingen zou afzwakken.

Het dek van de Ibn Battuta afspeurend ontdekte hij Giordino, die al terug sloop naar de NUMA-duikboot. Zijn plek aan de hekreling was overgenomen door een aantal bemanningsleden van de cutterzuiger. Gewekt door het kabaal staarden ze stomverbaasd naar de materiële schade die hun schip zo vlak voor hun neus bij de reusachtige tanker aanrichtte.

Toen de snijkop ter hoogte van de brug was gekomen, stapte Pitt naar de besturingsconsole en gaf ter afronding nog vijftien graden roer naar bakboord. Pitt schatte dat de tanker, die door het binnenstromende water al veel vaart had verloren, nog een kleine kilometer zou doorvaren voordat ze de lucht invloog en hij wilde er zeker van zijn dat ze dan naar het midden van de waterweg koerste. De snijkop wroette zich nog steeds met een metaalachtig gegier door de romp, toen Pitt de brug verliet en de trap afsnelde om Lazlo op te pikken en samen te zorgen dat ze van het schip afkwamen.

Wat er met het jacht gebeurde, wachtte hij niet af. De kapitein van de Sultana stuurde het jacht, terwijl Maria nog altijd in zijn oor stond te tetteren, tegen de romp van de tanker aan in de hoop zo een directe aanvaring met het baggerschip te voorkomen. Het viel hem meteen op dat de tanker heel subtiel iets naar bakboord wegdraaide en dat gaf hem weer enige hoop. Door het wegdraaien ontweek het jacht nog net de cutterladder op het moment dat de snijkop uit de romp van de Dayan wegschoot. Maar er was niet voldoende ruimte om ook aan de snijkop te ontsnappen.

De knauwende bol raakte de boeg van het jacht en sloeg aan stuurboordzijde tegen de romp. Het jacht dat nog als een lappenpop werd meegesleurd, schoot omhoog en kwam boven op de snijkop terecht. Zonder merkbare tegenstand knauwde de snijkop een twee meter lange scheur in de onderkant van de polyester romp, waarna hij de beide schroeven van de assen sloeg. Doordat de machinekamer van het jacht vol water stroomde, vielen de stampende motoren uit en begon het jacht aan de achterkant weg te zakken.

De kapitein stond in shocktoestand als aan de grond genageld met zijn handen nog om het stuurrad geklemd. Maar bij Maria was van een dergelijke gelatenheid geen sprake. Nadat ze een Beretta pistool uit haar tas had opgediept, stapte ze op de kapitein af, hield de loop tegen zijn oor en drukte af.

Nog voordat zijn lichaam goed en wel op de grond was gezakt, snelde ze naar de boeg van het jacht om hen eens en voor altijd van de tanker te bevrijden.

80

Tegen de tijd dat Pitt het hoofddek had bereikt, maakte de tanker al flink slagzij. De snijkop had een zestig meter lange groef in de romp getrokken en daarbij ook alle opslagtanks aan stuurboordzijde opengescheurd. Zelfs een volledige bemanning aan de pompen had het volstromen niet lang kunnen tegenhouden. Dit was exact het effect waar Pitt op had gehoopt, maar nu moest hij voor Lazlo en zichzelf nog een manier zien te vinden om van boord te komen.

Terwijl de tanker snel naar stuurboord wegzakte, concludeerde Pitt dat het ofwel een sprongetje vanaf de valreepstrap vereiste, of anders een flinke sprong vanaf de reling. Toen hij bij Lazlo kwam, zag hij tot zijn verbazing dat het jacht nog steeds langszij lag. Door het overhellen van de tanker keek hij nu recht op het jacht neer en zag dat het hopeloos aan het verwrongen staal van de valreepstrap vastzat. Belangrijker was de gestalte van Maria die hij zwaaiend met een pistool op het voordek zag staan. Ze vuurde meerdere kogels af op het verwrongen staal van de valreepstrap tot ze Pitt opeens vlak boven haar zag staan.

'Sterf met het schip!' gilde ze, terwijl ze het wapen op Pitt richtte en de trekker overhaalde.

Pitt was net iets sneller en de kogel floot rakelings over zijn hoofd, terwijl hij zich naast Lazlo languit op het dek liet vallen.

'Kom op, luitenant, hoog tijd om een andere uitgang te zoeken,' zei hij tegen de commando.

Lazlo draaide zich moeizaam naar hem toe en keek hem met een glazige blik aan, zijn ogen kon hij maar nauwelijks openhouden. Bij het zien van de bebloede schouder die Lazlo provisorisch had weten te verbinden, besefte Pitt opeens hoe ernstig die verwonding was. Maar elke seconde telde nu en Pitt greep Lazlo vanachteren stevig bij zijn kraag.

'Tanden op elkaar, partner,' zei hij.

Zonder aandacht aan Maria te schenken drukte hij zich op tot hurkzit en kroop, Lazlo met zich meesleurend, achterwaarts tegen het hellende dek op. Maria reageerde ogenblikkelijk en schoot als een bezetene in hun richting. Haar schoten sloegen gevaarlijk dichtbij in, maar beide mannen werden niet geraakt tot Pitt hen uit het zicht in veiligheid had gebracht. Lazlo hervond iets van zijn kracht en Pitt slaagde erin hem overeind te hijsen. De jas van de commando was rood doordrenkt en over het dek liep een spoor van bloed.

Onder hen schudde de tanker, die inmiddels naar stuurboord zo'n dertig graden slagzij maakte. Pitt besefte dat het meest directe gevaar nu niet de dreigende explosie was.

'Kun je met me mee klimmen?' vroeg Pitt aan Lazlo.

De taaie commando knikte en met zijn arm om Pitt steun zoekend deed hij een paar wankele passen over het dek.

Achter hen bleef Maria schieten, maar haar kogels waren nu weer op de vernielde valreepstrap gericht. Een hele reeks goed gemikte schoten op de bevestigingsconstructie verzwakte het metaal dat met de zinkende tanker meeboog. Na een paar harde trappen met haar voet brak het scharnier ten slotte af, waarop het bovendeel van de valreepstrap tegen het schip knalde.

Eindelijk los van de tanker keek ze het schip vanaf de boeg van het zinkende jacht met een spottende blik na. De tanker zou voor de explosie al een heel eind zijn weggedreven en dan was zij inmiddels veilig terug op de brug. En tot haar schrale troost zouden Pitt en Lazlo, zo dacht ze, dan ten minste wel met het schip ten onder gaan.

Daar had ze gelijk in kunnen krijgen, alleen had ze niet op de wraakzucht van de Dayan zelf gerekend.

81

Vanaf de twintigste etage van zijn kantoorflat aan de oostelijke oever
van de Bosporus volgde Ozden Celik met een toenemend gevoel van
onbehagen het verloop van de gebeurtenissen. Hij had het silhouet van de
tanker toen die in het zwakke licht van de vroege ochtendschemering
Istanbul naderde, maar nauwelijks herkend. Maar de geleidelijk optrekkende duisternis had zijn panoramische uitzicht verwijd tot de hoge minaretten van de Süleymaniye moskee aan de overkant van de waterweg
duidelijk zichtbaar waren.

Door een sterk vergrotende en op een driepootstatief gemonteerde verrekijker zoomde hij in op de Dayan net op het moment dat aan de achtersteven de reddingsboot te water werd gelaten. Tot zijn ontsteltenis zag
hij de tanker onder de Galatabrug door varen, terwijl de Sultana langszij
kennelijk in een vuurgevecht was verwikkeld. Celik voelde zijn hart in zijn
keel bonzen toen hij zag hoe de tanker een volledige draai maakte en aan
de andere kant weer van onder de brug tevoorschijn kwam.

'Nee, je moet bij de moskee uitkomen!' riep hij luid vloekend tegen de
trage tanker.

Zijn ergernis werd alleen maar groter toen Maria ondanks zijn herhaalde
pogingen de telefoon niet meer opnam. Hij verloor het jacht uit het oog
nadat de tanker was omgedraaid en de kleinere boot achter de hoge opbouw uit het zicht verdween. Met ingehouden adem hoopte Celik dat
het jacht was weggevaren en de Gouden Hoorn in was gevlucht om aan
de explosie te ontsnappen die nu elk moment kon volgen. Maar met van
schrik uitpuilende ogen volgde hij hoe de Dayan rakelings het baggerschip passeerde en vervolgens naar het midden van de waterweg zwenkte, waardoor hij zag dat het jacht aan stuurboordzijde nog langszij lag.

Nadat hij de verrekijker op het jacht had scherpgesteld, ontdekte hij zijn
zus op het voordek van het jacht, vanwaar ze eerst op de tanker schoot en
vervolgens op de ijzeren valreepstrap. Celik merkte tot zijn schrik dat de
tanker vervaarlijk ver naar haar kant overhelde.

'Weg daar! Weg daar!' schreeuwde Celik op drie kilometer afstand tegen zijn zus.

Het oculair priemde tegen zijn wenkbrauw terwijl hij vol afgrijzen toekeek. Eindelijk slaagde Maria erin het jacht uit de starre greep van de valreepstrap te bevrijden, maar erg veel schoot ze daarmee niet op. Celik wist niet dat het jacht geen schroeven meer had en ook zelf zinkende was. Hij begreep niet waarom het jacht zo dicht bij de steeds sterker slagzij makende tanker bleef.

Vanaf zijn waarnemingspost kon Celik het hemeltergende gekraak niet horen dat uit het inwendige van de tanker opsteeg toen het zwaartepunt van het schip verschoof. Door de watermassa die over de gehele lengte het schip instroomde, maakte de Dayan steeds meer slagzij tot het dek als een steile rotswand omhoogstak. Overal in de tanker klonk het gekletter van serviesgoed, meubilair en gereedschappen die hun strijd met de zwaartekracht verloren en met veel kabaal tegen de stuurboordwanden te pletter sloegen.

Toen de stuurboordreling het water raakte, kantelde de logge tanker volledig op haar zij en bleef een paar seconden in die positie liggen. De Dayan had kunnen breken of simpelweg op haar zij onder water weg kunnen zakken, maar in plaats daarvan vervolgde ze zwierig haar dodelijke buiteling.

Maria, die nog steeds op de voorplecht van het jacht stond, voelde de schaduw van de tanker over zich heen gaan toen het schip doorrolde. Het jacht, dat zich op slechts enkele meters van de grotere Dayan bevond, lag er nog steeds veel te dicht bij. Bij de uiteindelijke val werd het onherroepelijk verpletterd.

Maria keek omhoog en hief een arm op, alsof ze de klap van de omrollende tanker probeerde af te houden. In plaats daarvan werd ze als een insect geplet. De kapseizende Dayan klapte op de waterspiegel, waarbij ze het jacht opslokte en een golf van drie meter hoog opwierp, die naar de oever trok en de Ibn Battuta als een roeiboot op en neer liet dansen. De donkere, met zeepokken aangetaste romp van de tanker vulde de gehele horizon en de reusachtige bronzen schroef stak vruchteloos malend tegen de ochtendlucht af. Het doffe dreunen van ineenklappende wanden gemengd met het bulderen van kolkend water klonk onderlangs de gehele romp, terwijl het omgeslagen schip langzaam bij de boeg begon weg te zakken.

Celik hield zijn verrekijker met trillende vingers omklemd toen hij zijn zus onder het gewicht van de kapseizende tanker verpletterd zag worden. Verstijfd van schrik vertrok hij geen spier tot zijn emoties de overhand kregen. Met een luide schreeuw slingerde hij het statief door zijn kantoor, viel voorover op het tapijt, sloeg zijn handen voor zijn ogen en barstte in jammerlijk snikken uit.

82

Celik was niet de enige die geschrokken toekeek hoe de tanker kapseisde. Giordino liet zich juist in de Bullet zakken toen hij een luid gekraak achter zich hoorde, waarop hij zich omdraaide en zag hoe de Dayan boven op het jacht kantelde. IJlings sloot hij het achterluik voordat de opgeworpen golf op de Ibn Battuta inbeukte en de duikboot optilde en van het baggerschip wegslingerde.

Giordino startte vliegensvlug de dieselmotoren en voer op de tanker af. Hij maakte zich zorgen om Pitt, die hem nog maar een paar minuten geleden vanaf de brug van de tanker had toegezwaaid. De brug lag nu diep onder water en hij zag alleen nog de koude, levenloze onderbuik van de Israëlische tanker.

Zonder acht te slaan op het gevaar dat de tanker elk moment kon exploderen, raasde hij naar de dichtstbijzijnde zijkant. Bij het kapseizen waren er verbazingwekkend weinig wrakstukken overboord geslagen en hij kon op hoge snelheid langs de hele romp varen op zoek naar te water geraakte overlevenden. Hij wist dat Pitt kon zwemmen als een vis. Als hij het kapseizen had overleefd, was de kans aanwezig dat hij tijdig was weggezwommen.

Bij de gezonken voorplecht gekomen, voer Giordino eromheen en koerste terug langs de romp, onwetend van, of zich niet bekommerend om het feit dat de springstof over minder dan twee minuten zou afgaan. Het water voor hem was halverwege de romp en bij nadering van het achterschip nog altijd leeg. Zonder het te willen geloven moest hij haast wel onder ogen zien dat zijn goede vriend het er ditmaal niet levend van af had gebracht.

De gashendels iets verder opendraaiend wilde hij van het schip wegdraaien toen hij een stel touwen langs de romp zag hangen. Vreemd genoeg leek het alsof de touwen van de ondergedompelde bakboordreling tegen de romp omhoog en niet al te ver voor de schroef langs over de kiel heen liepen. Met een glinstering van hoop in zijn ogen gaf Giordino gas en schoot in een krappe bocht om de brede, nu ver omhoogstekende achterplecht van de tanker heen.

Aan de andere kant van de tanker zag hij de touwen over de kiel bungelen, maar verder was de romp leeg. Tot hij op nog geen vijftig meter afstand twee zwarte stippen in het water ontdekte. Met een snelle draai stoof hij eropaf en zag tot zijn vreugde dat het Pitt was die de gewonde Lazlo zo ver mogelijk van het schip wegtrok.

Giordino nam gas terug en stuurde voorzichtig met een behendige manoeuvre langszij, waarop Pitt Lazlo op een van de drijvers hees en zich met een schreeuw tot Giordino richtte, die het luik had geopend.

'Geen tijd,' gilde Pitt. 'Zorg dat we hier wegkomen!'

Giordino knikte en wachtte met gas geven tot ook Pitt op de drijver was geklommen en een arm om Lazlo had geslagen. De beide mannen zaten in het opspattende water op de woest bonkende drijver van de snel optrekkende Bullet, die met harde klappen over het water scheerde. Met een wijde boog koerste Giordino op de Galatabrug af, het dichtstbijzijnde object waar hij dekking hoopte te vinden.

De Bullet was nog zo'n honderd meter van de brug verwijderd, toen er een doffe dreun over het water rolde. Hoewel een deel van de springstof bij het kapseizen van de Dayan naar de zeebodem was gevallen, was toch bijna de helft van de ANFO en het merendeel van de HMX in de twee voorste opslagtanks blijven steken. Maar omdat het schip bij de voorsteven zonk, lagen de volgestroomde tanks al bijna helemaal onder water, waardoor de kracht van de explosie grotendeels werd gesmoord.

Met een snel opeenvolgende reeks van doffe knallen gingen de ontstekers af, vrijwel onmiddellijk gevolgd door een geweldige, de romp van de tanker openscheurende explosie. De klap weerkaatste als een supersone knal tegen de heuvels en bebouwing van Istanbul. Vanuit de onderkant van de tanker spoot een fontein van witbruisend water op, waarbij stukken staal en ander puin minstens dertig meter de lucht in vlogen. In een straal van een halve kilometer kletterde een dodelijke regen van losgescheurde brokken staal uit de hemel neer.

Toch bleek de enorme ontploffing vrij onschuldig. Door de hellingshoek van de zinkende tanker was de meeste kracht van de explosie naar voren, naar het midden van de Bosporus gericht. De koersverandering die Pitt op het allerlaatste moment nog had doorgevoerd, had ervoor gezorgd dat de allesvernietigende kracht van de oever naar een lege open watervlakte was weggedraaid.

Terwijl de stalen wrakstukken in de baai kletterden, klonk er een luid gekraak uit de tanker op. Het opengescheurde deel van de romp brak af, waarop de losse voorplecht meteen onder water verdween, terwijl het resterende gedeelte van de romp nog even op het oppervlak dreef alvorens ook dat begon weg te zakken.

Dobberend onder de overspanning van de Galatabrug klom Giordino de cockpit van de Bullet uit om te zien hoe het met zijn passagiers was gesteld.

'Bedankt voor de lift,' zei Pitt, terwijl hij zich over Lazlo boog.

'Jullie waren er wel iets te dicht bij, hoor,' reageerde Giordino.

'We hadden geluk. Maria Celik wilde ons als doelwit van een schietoefening aan stuurboordzijde en daardoor moesten wij verder het dek op. Daar vonden we toevallig een stel touwen die aan bakboordzijde over de reling hingen, en we lieten ons er net langs zakken toen het schip kantelde. Het lukte om over de kiel te klimmen, zodat we ons daar uit het zicht van het jacht in het water konden laten glijden.'

'Daar hadden jullie je geen zorgen over hoeven maken,' zei Giordino grijnzend. 'Het jacht is als een pannenkoek geplet.'

'Nog overlevenden?'

Giordino schudde zijn hoofd.

'Lazlo heeft medische zorg nodig,' zei Pitt. 'We moeten hem snel naar de wal brengen.'

Samen hielpen ze hem de duikboot in, waarna ze naar de zuidelijke oever voeren.

'Dat was toch nog een behoorlijke klap,' zei Giordino tegen Pitt. 'Dat had heel wat erger kunnen zijn.'

Pitt knikte en staarde zwijgend door de plexiglazen koepel naar buiten.

Voor hen stak het overgebleven deel van de Israëlische tanker met het achterschip hoog boven het water uit. Het schip stond in een haast uitdagende pose vrijwel verticaal overeind tot het met een plotselinge ruk in de golven verdween. En tegelijk verdwenen daar niet ver vandaan, aan de overkant van de waterweg, ook de gestoorde dromen van een herboren Ottomaanse dynastie in een zeemansgraf.

83

De exploderende tanker richtte meer politieke dan materiële schade aan. De bevestiging dat in verband met de aanslag ook een politieboot en een schip van de kustwacht verloren waren gegaan, bracht het leger van het land in de hoogste staat van paraatheid. Nadat de tanker officieel als de Dayan was geïdentificeerd, vlogen op hoog diplomatiek niveau de beschuldigingen tussen Turkije en Israël over en weer. Protesten van de in paniek geraakte inwoners van de stad leidden haast tot militair ingrijpen. Maar de angst voor een Turks-Israëlisch conflict was snel gesust nadat de autoriteiten de geredde bemanning van de Dayan hadden gevonden.

Op een openbare persconferentie vertelden de bemanningsleden uitvoerig over de kaping en hun gevangenschap in handen van de onbekende gewapende gangsters. De stemming onder de Turken veranderde toen de mannen beschreven hoe ze onder bedreiging van vuurwapens de explosieven hadden moeten inschepen en bijna aan boord van het schip waren omgekomen als ze niet op het laatste nippertje waren gered. Geheel buiten de publiciteit hadden Pitt en Giordino, nadat ze Lazlo in een ziekenhuis hadden afgeleverd, de Turkse autoriteiten over hun rol bij de ondergang van de tanker ingelicht.

Nadat de Amerikaanse veiligheidsdienst in het geheim het bewijs had geleverd dat dezelfde HMX-explosieven bij de aanslagen op de moskeeën in Bursa, Caïro en Jeruzalem waren gebruikt, kwam het Turkse leger onmiddellijk in actie. In het geheim vonden invallen plaats in het huis, het kantoor en de werf van Celik, waarna ook de Ottomaanse Ster in de Griekse wateren werd opgespoord en in beslag genomen. Vanwege de toenemende publieke druk om bekend te maken wie er achter de aanslag zat en waarom, kon de uitkomst van het officiële onderzoek onmogelijk lang geheim blijven.

Na het bekend worden van hun namen werden Ozden en Maria Celik algemeen verafschuwd en als een schandvlek voor het land gezien. Toen men er later achter kwam dat ze ook de inbraak in het Topkapi hadden georganiseerd, sloeg de afschuw en algemene woede over in een regelrechte razernij. Zowel rechercheurs als journalisten doken boven op het verborgen verleden van het stel en onthulden hun familieband met de laatste Ottomaanse heersers, maar ook hun contacten met de onderwereldfiguren en drugshandelaren die de Celiks bij de snelle opbouw van hun zakelijke imperium hadden geholpen.

Onvermijdelijk kwamen ook Celiks financiële transacties met het Arabische koningshuis aan het licht, wat tot de onthulling leidde dat er zo miljoenen dollars naar moefti Battal waren doorgesluisd. Het motief achter Celiks aanslagen werd steeds duidelijker, waarop de publieke woede zich op de moefti en zijn Gelukzaligheidspartij richtte. Hoewel er geen bewijzen werden gevonden dat de moefti er persoonlijk bij betrokken was of zelfs ook maar iets van de terroristische aanslagen had geweten, was de schade al aangericht.

Het definitieve bewijs voor de betrokkenheid van de Celiks werd gevonden toen er duikers naar de bodem van de Gouden Hoorn werden gestuurd. Niet ver van de doorgebroken romp van de tanker werden de verwrongen restanten van de Sultana gevonden. Een bergingsploeg bracht het wrak boven water, waar het aan een team forensisch specialisten van de politie werd overgelaten om het verpletterde lichaam van het geplette dek van het jacht te schrapen.

Nu zijn reputatie aan diggelen lag, zijn bezittingen in beslag waren genomen en het lichaam van zijn zus in het stadsmortuarium van Istanbul lag opgebaard, was er van Ozden Celiks imperium niets anders meer over dan de man zelf.

Toch leek het alsof hij in het niets was opgelost.

84

Het vrijdagmiddaggebed, ofwel de *khutba,* was vanouds de drukst bezochte dienst van de week. Het was het tijdstip waarop de imam van de moskee zich met een extra religieuze preek tot de gelovigen richtte alvorens hij hen voorging in het gebed.

Ondanks de oproep tot gebed van de muezzin bleef de gebedshal van de Fatih moskee in Istanbul merkwaardig leeg. Normaal was de khutba drukbezocht en zat de hal tjokvol, terwijl ook buiten de hal en op de binnenplaats tientallen mensen zich verdrongen, in de hoop een glimp op te vangen van moefti Battal bij het uitspreken van zijn woorden vol hoop. Maar dat was vandaag allerminst het geval.

Er stonden nauwelijks vijftig trouwe volgelingen in de grote zaal toen moefti Battal binnenkwam en naar een verhoging bij de mihrab liep. De tot voor kort nog zo machtige moefti leek in één week tijd twintig jaar ouder geworden. Zijn ogen lagen koud en diep verzonken in hun kassen en alle kleur was uit zijn doodsbleke gelaat weggetrokken. Alle grote woorden en ijdele hoogmoed, die zijn greep naar de macht kracht gaven, waren volledig verdwenen. Licht trillend overzag hij de schaarse groep volgelingen en onderdrukte de woede die hem als enige emotie nog restte.

Met gedempte stem begon hij te preken, zijn gewoonlijke tirade tegen de gevaarlijke, ongecontroleerde macht van de gevestigde orde. Geheel tegen zijn gewoonte in verviel hij al snel in onsamenhangend gescheld uitmondend in een litanie van verwensingen en dreigementen. Bij het zien van de sombere gezichten die hem ontgoocheld aanstaarden, bond hij uiteindelijk in. Abrupt beëindigde hij zijn preek, reciteerde een korte passage uit de Koran over de verlossing en ging het groepje aanwezigen voor in het gebed.

Omdat hij zich niet onder zijn broeders wilde voegen, liep hij na afloop haastig naar de zijkant van de gebedshal en verdween daar in een voorvertrek dat hij als kantoortje had ingericht. Tot zijn verbazing zag hij daar een man met een baard op de stoel voor zijn bureau zitten. De man was gekleed in het verbleekte witte hemd met bijpassende broek van een handarbeider. Daarboven droeg hij een breedgerande hoed die een deel van zijn gezicht aan het oog onttrok.

'Wie heeft u hier binnengelaten?' bulderde Battal tegen de man.

De vreemdeling stond op en nam zijn hoed af. Hij keek Battal strak aan en trok aan zijn namaakbaard.

'Ik heb mezelf binnengelaten, Altan,' antwoordde de vermoeid klinkende stem van Ozden Celik.

Onder zijn handwerkersvermomming week zijn uitstraling niet erg af van die van Battal. Hij had hetzelfde uitgemergelde, vale sombermansgezicht. Alleen in zijn ogen lag een iets vurigere, haast waanzinnige glans.

'Je brengt me in gevaar door hiernaartoe te komen,' siste Battal. Haastig liep hij naar de achterdeur, die hij behoedzaam opende, waarna hij voorzichtig zijn hoofd naar buiten stak en angstvallig om zich heen tuurde.

'Goed, kom maar mee,' zei hij tegen Celik, terwijl hij naar buiten glipte.

Hij ging hem voor door een gang naar de achterkant van de moskee, waar ze een zelden gebruikte opslagruimte betraden. In een hoek stond een wasmachine met ervoor een rij oude handdoeken die aan een waslijn te drogen hingen. Battal trok de deur achter hen dicht en draaide hem op slot.

'Wat kom je doen?' vroeg hij ongeduldig.

'Ik heb je hulp nodig om het land uit te komen.'

'Ja, in Turkije is je leven wel voorbij. En dat van mij ook bijna.'

'Ik heb alles voor jou opgeofferd, Altan. Mijn geld, mijn bezittingen. Zelfs mijn zus,' voegde hij er met een trillende stem aan toe. 'Alles met het doel om jou president te maken.'

Battal keek Celik minachtend aan.

'Jij hebt me vernietigd, Ozden,' zei hij met een van woede rood aanlopend gezicht. 'Een verpletterende nederlaag in de verkiezing. Mijn weldoeners zijn verdwenen. Mijn aanhangers hebben me laten vallen. En dat allemaal omdat jij mijn reputatie te grabbel hebt gegooid. En nu kom je hiermee?'

Hij diepte een brief uit zijn zak op en zwaaide ermee naar Celik. De Turk ging hier niet op in en keek alleen hoofdschuddend toe hoe de brief op de grond dwarrelde.

'Die is van de Diyanet. Ik ben ontheven uit mijn functie als moefti van Istanbul.' Battals ogen schoten vuur toen hij Celik vervolgens toebeet: 'Jij hebt me totaal de vernieling in geholpen.'

'Het is allemaal gebeurd om ons grote doel te bereiken,' reageerde Celik bedaard.

Battal had zijn emoties niet meer in de hand. Hij greep Celik bij zijn hemd en slingerde hem door het vertrek. Celik viel achterover tegen het wasgoed, waarbij de waslijn brak en hij omhuld door handdoeken tegen de grond sloeg. Hij probeerde weer overeind te krabbelen, maar Battal had zich al op hem geworpen. Hij greep het losse uiteinde van de waslijn en sloeg die om Celiks keel, waarna hij de lijn hard aantrok. Celik vocht uit alle macht terug, met handen en voeten naar de moefti uithalend. Maar Battal was te groot en te sterk, en te zeer op wraak belust. Gedreven door een opwellende razernij sloeg hij geen acht op Celiks klappen en trok de lijn steeds strakker aan.

De schrik om te worden gewurgd miste zijn uitwerking op Celik niet. Met de moed der wanhoop om lucht worstelend zag hij, terwijl het leven uit zijn stikkende lijf werd geperst, in een flits een stoet van door hem gewurgde slachtoffers aan zich voorbijtrekken. Nadat een laatste wanhopige poging om zich los te wringen vergeefs bleek, keek hij de moefti met een mengeling van angst en een uitdagende trots aan, alvorens zijn ogen wegdraaiden en zijn lichaam slap ineenzakte. Battal hield zijn dodelijke greep om Celiks hals nog zeker vijf minuten vol, niet zozeer voor alle zekerheid maar uit een psychotische woede. Nadat hij ten slotte losliet, stapte hij langzaam van de dode man weg en wankelde met trillende handen en een verwarde geest de opslagruimte uit.

Aan het einde van de volgende ochtend werd het lijk van Celik door een visser op de Bosporus gevonden. Het lijk, dat heimelijk in de haven was gedumpt, was gedurende de nacht over de Gouden Hoorn weggedreven tot het uiteindelijk op de kaap van Seraglio aanspoelde.

Het levenloze lichaam van Ozden Celik, de laatst levende Ottomaan, lag op een paar passen afstand van de muur van het Topkapi, in de schaduw van het glorieuze verleden van zijn legendarische voorouders.

85

Pitt en Giordino vonden Lazlo op de derde etage van het Istanbul Ziekenhuis in een aangename, maar zwaar bewaakte kamer met uitzicht over de Bosporus. De commando lag in bed een drie dagen oud exemplaar van het Israëlische dagblad *Haaretz* te lezen toen de beide mannen werden binnengelaten.

'Je gaat me toch niet vertellen dat je thuis nog steeds voorpaginanieuws bent?' vroeg Pitt, terwijl hij naar hem toeliep en hem de hand schudde.

'Goed om jullie te zien, vrienden,' reageerde Lazlo, waarna hij met een schaapachtige grijns de krant weglegde. 'Ja, in Israël zijn we nog steeds groot nieuws. Maar helaas moet ik daarbij zeggen dat ze mij alle eer geven, terwijl jij uiteindelijk de tanker onschadelijk hebt gemaakt,' vervolgde hij tegen Pitt. 'En zonder de Bullet was het allemaal ook nooit gelukt,' zei hij tegen Giordino.

'Ik denk dat we rustig kunnen stellen dat het een teamprestatie was,' reageerde Pitt.

'Daarbij hebben we met z'n drieën de relatie van mijn land met Turkije met een factor of tien verbeterd,' pochte Lazlo.

'Om maar te zwijgen van het feit dat we de acceptatie van Atatürks ideeën over een seculiere Turkse regering voor de eerstkomende jaren hebben versterkt,' merkte Pitt op.

'Strakjes gaan ze ons nog de Nobelprijs geven,' zei Giordino met een brede grijns.

'Ik hoorde dat ze vanochtend het lijk van Celik hebben gevonden,' zei Lazlo.

'Ja, hij schijnt te zijn gewurgd en daarna in de Gouden Hoorn gegooid,' reageerde Pitt.

'Ben jij me voor geweest?'

Pitt glimlachte. 'Deze keer niet. Een rechercheur van de politie vertelde dat moefti Battal hier vrijwel zeker achter zit. Een undercoveragent in de moskee van Battal meldde dat hij op het tijdstip waarop de dood zou zijn ingetreden, in het gebouw een man had gezien die aan Celiks signalement voldeed.'

'Een duivels duo, als je 't mij vraagt,' concludeerde Lazlo.

Op dat moment kwam er een aantrekkelijke verpleegster de kamer binnen om Lazlo zijn medicijnen te geven, waarna ze nagestaard door Lazlo weer verdween.

'Heimwee, luitenant?' vroeg Giordino.

'Niet echt,' antwoordde Lazlo grijnzend. 'Tussen twee haakjes, vanaf nu is het kapitein-luitenant-ter-zee Lazlo. Ik kreeg bericht dat ik ben bevorderd.'

'Laat mij je dan als eerste feliciteren,' zei Giordino, waarbij hij hem een fles whisky toestopte die hij het ziekenhuis had binnengesmokkeld. 'Misschien vind je hier iemand met wie je een glaasje kunt drinken,' vervolgde hij met een knipoog.

'Jullie Amerikanen zijn oké,' reageerde Lazlo breed glimlachend.

'Wat gaan ze verder met je doen?' vroeg Pitt.

'Volgens de planning word ik over een week in Tel Aviv geopereerd en daarna moet ik een paar weken revalideren. Maar ik herstel volledig en hoop voor het einde van het jaar weer aan het werk te kunnen.'

Ze werden onderbroken door de binnenkomst van een man in een rolstoel met een been in het gips.

'Abel, welkom,' begroette Lazlo de man. 'Hoog tijd dat je de mannen leert kennen die je het leven hebben gered.'

'Abel Hammet, gezagvoerder van de Dayan. Of ex-gezagvoerder, beter gezegd,' zei hij, terwijl hij Pitt en Giordino hartelijk de hand schudde. 'Lazlo heeft me verteld wat u allemaal hebt gedaan. U hebt zich behoorlijk kwetsbaar opgesteld en daar kunnen mijn bemanning en ik u niet genoeg voor bedanken.'

'Het spijt me dat uw tanker het uiteindelijk niet heeft gered,' reageerde Pitt.

'De Dayan was een fijn schip,' zei Hammet weemoedig. 'Maar het goede nieuws is dat we er een spiksplinternieuw schip voor terugkrijgen. De Turkse regering heeft toegezegd een vervanger voor ons te laten bouwen en dat gaan ze kennelijk met de inbeslaggenomen bezittingen van ene Ozden Celik bekostigen.'

'Wie zegt dat er geen gerechtigheid op deze wereld is?' grapte Giordino.

Terwijl ze lachten, keek Pitt op zijn horloge.

'Maar goed, volgens onze planning vertrekt de Aegean Explorer over een uur,' zei hij. 'Ik vrees dat we er hoognodig vandoor moeten.'

Hij gaf Hammet een hand, waarna hij zich tot Lazlo wendde.

'Kapitein-luitenant, ik zou graag nog eens met u in zee gaan,' zei hij.

'Dat is geheel wederzijds,' reageerde Lazlo.

Terwijl Pitt en Giordino naar de deur liepen, riep Lazlo hen na: 'Waar gaan jullie naartoe? Terug naar het wrak?'

'Nee,' antwoordde Pitt. 'We varen naar Cyprus.'

'Cyprus? Wat hebben jullie daar te zoeken?'

Pitt keek de kersverse kapitein-luitenant-ter-zee met een geheimzinnig lachje aan.

'Een goddelijke openbaring, naar ik hoop.'

DEEL IV

HET LOT VAN
HET MANIFEST

86

St.-Julien Perlmutter had zich net in een bovenmaats lederen fauteuil genesteld toen de telefoon ging. Zijn favoriete leesplek was voor hem op maat gebouwd met het oog op het feit dat zijn bijna honderdtachtig kilo zware lijf erin moest passen. Hij keek op de staande klok naast hem en zag dat het bijna middernacht was. Hij greep de hoorn van de telefoon die naast een glas port op een bijzettafeltje stond en noemde zijn naam.

'Julien, hoe gaat 't met je?' hoorde hij een bekende stem zeggen.

'Nou nou, als dat de redder van Constantinopel niet is,' reageerde Perlmutter met een bulderende stem. 'Ik heb met veel genoegen over jullie avonturen op de Gouden Hoorn gelezen, Dirk. Hopelijk ben je er wel heel bij gebleven?'

'Ja hoor, met mij is alles goed,' antwoordde Pitt. 'Overigens, ze noemen het daar wel Istanbul tegenwoordig.'

'Flauwekul. Het is zestien eeuwen Constantinopel geweest. Belachelijk om dat opeens te veranderen.'

Pitt moest lachen om zijn oude vriend die het grootste deel van zijn wakkere uren in het verleden leefde. 'Ik hoop dat ik je niet in bed heb gestoord?' vroeg hij.

'Nee, helemaal niet. Ik had me net in een boek met de verslagen van kapitein Cook verdiept, van zijn eerste reis naar de Stille Oceaan.'

'Een dezer dagen moeten we eens gaan kijken of we iets van de Endeavor terug kunnen vinden,' zei Pitt.

'Inderdaad, dat zou zeker een mooie missie zijn,' reageerde Perlmutter. 'Maar waar hang je uit, Dirk. En vanwaar dit late telefoontje?'

'We zijn net in Limassol aangekomen, op Cyprus, en ik zit met een raadsel waar ik je hulp bij nodig heb.'

De ogen van de forse, bebaarde man glinsterden bij het horen van deze woorden. Als een van de beroemdste geschiedkundigen op het gebied van de zeevaart ter wereld bezat Perlmutter een haast onstilbare honger naar nautische mysteries die zijn voorliefde voor eten en drinken nog oversteeg. Door zijn jarenlange samenwerking met Pitt wist hij dat wanneer zijn vriend zijn hulp inriep het altijd een uiterst aanlokkelijke uitdaging betrof.

'Vertel alsjeblieft,' bromde Perlmutter met zijn zware basstem.

Pitt begon met hem over het Ottomaanse wrak en de artefacten uit de Romeinse tijd te vertellen, waarna hij op het verhaal over het Manifest met de genoteerde opsomming overging.

'Mijn hemel, dat is een epische vondst,' zei Perlmutter. 'Jammer dat er maar weinig, of misschien wel helemaal niets, van over zal zijn na twee-duizend jaar in het water te hebben gelegen.'

'Ja, het ossuarium is eigenlijk het enige waar ik m'n hoop op heb ge-vestigd.'

'Maar je begeeft jezelf hiermee wel in een wespennest,' zei Perlmutter.

'Als er nog iets van over is, verdient het te worden gevonden,' reageerde Pitt.

'Absoluut. Zelfs zonder de lading is een intacte Romeinse galei een ronduit schitterende vondst. Heb je een uitgangspunt met behulp waarvan je kunt gaan zoeken?'

'Daarom bel ik je,' antwoordde Pitt. 'Ik hoopte dat jij iets meer kunt vertellen over niet nader geïdentificeerde wrakken van oude schepen voor de zuidkust van Cyprus. En wat informatie over de historische handels-routes rond het eiland zou ook handig zijn.'

Perlmutter dacht een ogenblik na. 'Ik heb hier wel het een en ander op de plank staan waar we iets aan hebben. Geef me een paar uur, dan kijk ik wat ik voor je kan doen.'

'Bedankt, Julien.'

'Zeg, Dirk,' vervolgde Perlmutter voordat hij ophing. 'Wist jij dat Cyprus bekendstond als het land waar in de Romeinse tijd de beste wijnen van-daan kwamen?'

'Echt waar?'

'Een glas Commandaria, heb ik me laten vertellen, smaakt nog net zo als tweeduizend jaar geleden.'

'Het is al goed, Julien, ik zal een fles voor je meebrengen.'

'Je bent een fijne vent, Dirk. Tot ziens.'

Nadat hij de telefoon had neergelegd, nam Perlmutter een slok van zijn port en genoot van de intense, zoete smaak. Vervolgens drukte hij zijn enorme lijf uit de stoel op en liep naar een tot aan het plafond rei-kende kast vol nautische boeken, waarna hij in zichzelf neuriënd de rug-titels afzocht.

Nog geen twee uur later ging de satelliettelefoon op de Aegean Explorer. Het was Perlmutter die terugbelde.

'Dirk, 't is niet veel wat ik heb gevonden, maar misschien is 't een beginnetje,' zei de historicus.

'Alle kleine beetjes helpen,' reageerde Pitt.

'Het is een scheepswrak uit de vierde eeuw. In de jaren zestig van de vorige eeuw is het door sportduikers ontdekt.'

'Romeins?'

'Dat weet ik niet zeker. Het archeologisch rapport dat ik hier heb is nogal gedateerd, maar er staat dat zich tussen de gevonden artefacten Romeins wapentuig bevond. Zoals je weet was Cyprus nooit van strategisch belang voor de Romeinen, maar meer een centrum voor de handel in koper en graan. En uiteraard wijn. De aanwezigheid van wapens op het wrak is opmerkelijk.'

'Het is misschien vergezocht, maar de moeite waard om een kijkje te nemen. Waar ligt het wrak?'

'Het is ontdekt voor de kust van het stadje Pissouri, dat is bij jullie in de buurt aan de zuidkust. Het is gevonden op ongeveer een halve kilometer voor het openbare strand. Later vond ik nog een verwijzing dat het wrak in de jaren negentig voor een deel is geborgen, waarna de artefacten naar het Regionaal Archeologisch Museum in Limassol zijn overgebracht.'

'Dat is voor ons heel handig,' zei Pitt. 'Ligt de plek een beetje op een Romeinse handelsroute?'

'In feite volgden de koopvaardijschepen die in die tijd van Judea naar Constantinopel voeren, de kust van de Levant. Datzelfde gold voor de Romeinse galeien die over het algemeen dicht onder de kust bleven omdat de zee daar kalmer is. Maar onze kennis over de zeevaart in die tijd is vrij beperkt.'

'Het zou heel goed kunnen dat ze nooit van plan waren om naar Cyprus te varen,' merkte Pitt op. 'Bedankt, Julien, we gaan dat wrak bekijken.'

'Ondertussen blijf ik doorzoeken. Succes in ieder geval.'

Nadat Pitt de verbinding had verbroken, stapten zijn twee kinderen met allebei een kleine reistas over hun schouder de brug binnen.

'Verlaten jullie het schip zo vlak voordat we met het onderzoek beginnen?' vroeg Pitt.

'Heb je al een aanknopingspunt?' vroeg Summer.

'De onvolprezen Perlmutter heeft me zojuist aan een goede uitgangspositie geholpen.'

'Ik heb Dirk zover gekregen dat hij me bij het doorploegen van de plaatselijke archieven helpt,' zei ze. 'Het leek me geen slecht idee om te kijken of we hier geen plaatselijke verwijzingen naar het Manifest kunnen vinden. Of op z'n minst een historisch overzicht van de plaatselijke piraterij. Vind je 't erg dat we er een dag of twee tussenuit zijn?'

'Nee, dit lijkt me een heel goed idee. Waar gaan jullie eerst naartoe?'

Summer keek haar vader recht in de ogen. 'Om eerlijk te zijn hebben we hier nog geen archief gevonden waar we naartoe kunnen. Heb jij toevallig een idee?'

Pitt moest onwillekeurig grinniken om dit verzoek, terwijl hij het vel met aantekeningen bekeek die hij tijdens zijn gesprek met Perlmutter had gemaakt.

'Heel toevallig,' zei hij met knipoog, 'weet ik precies waar jullie naartoe moeten.'

87

Summer en Dirk vonden het Regionaal Archeologisch Museum van Limassol in een modern gebouw ten oosten van het stadscentrum, niet ver van het pittoresk aangelegde stadspark. Verdeeld over de drie vleugels van het gebouw was in eenvoudige glazen vitrines een aanzienlijke verzameling aardewerk en andere artefacten uit de rijke geschiedenis van Cyprus uitgestald. Terwijl ze op de conservator van het museum wachtten, bewonderde Summer een collectie terracotta dierenfiguurtjes uit de tijd van de oude Grieken.

'Ik ben Giorgos Danellis. Waarmee kan ik u van dienst zijn?' vroeg een man met een bol gezicht en een zwaar Grieks accent.

Summer stelde zichzelf en haar broer voor. 'We zijn geïnteresseerd in een scheepswrak uit de vierde eeuw dat bij Pissouri is gevonden?' verklaarde ze.

'O ja, het wrak van Pissouri,' reageerde Danellis knikkend. 'De stukken staan in zaal drie.'

Terwijl hij hen daar via een andere zaal naartoe bracht, vroeg hij: 'Bent u van het British Museum?'

'Nee, wij zijn van het National Underwater and Marine Agency,' antwoordde Dirk.

'O, neem me niet kwalijk,' zei de conservator. 'Een paar dagen geleden was hier iemand die daar ook naar vroeg. Ik dacht dat u elkaar misschien kende.'

Hij liep naar een grote glazen kast die vol stond met tientallen artefacten. Summer zag dat het voornamelijk aardewerken doosjes waren plus een paar halfvergane, in roestig ijzerbeslag gevatte houten voorwerpen.

'Kunt u ons iets over het schip vertellen?' vroeg ze.

'Het stamt uit de eerste helft van de vierde eeuw,' antwoordde hij wijzend op een sterk aangetaste zilveren munt op de onderste plank van de uitstalkast. 'Op deze bij het wrak gevonden Romeinse denarius staat keizer Constantijn met een lauwerkrans, wat erop wijst dat het schip rond 330 na Christus is vergaan.'

'Was het een Romeinse galei?' vroeg Dirk.

'Direct na de ontdekking werd wel in die richting gedacht, ja, maar de meeste deskundigen denken dat het een handelsgalei moet zijn geweest. Uit houtmonsters blijkt dat ze van Libanees vurenhout is gebouwd, wat bij die hypothese zou aansluiten.' Hij wees op de schetsmatige afbeelding van een galei met een hoge voorplecht en twee vierkante zeilen, die aan de muur hing.

'De archeologen denken dat het hoogstwaarschijnlijk om een koopvaardijschip gaat dat graan en olijfolie vervoerde.'

Dirk wees op een door het zeewater aangetast gevest dat achter een aardewerken pot lag.

'Waren er wapens aan boord?' vroeg hij.

De conservator knikte. 'Naar men zegt wel ja. Er zou veel meer geweest zijn, maar helaas is dit onderdeel van een zwaard het enige wat wij hebben gevonden. De archeologen zagen zich gedwongen het opgraven heel snel te doen toen ze ontdekten dat het wrak systematisch door dieven werd leeggeroofd. Ik heb verhalen gehoord dat er voor de komst van de archeologen veel wapens zijn weggehaald.'

'Hoe verklaart u al die wapens op een koopvaardijschip?' vroeg Summer.

De conservator keek haar uitdrukkingsloos aan. 'Dat weet ik echt niet. Misschien was het een deel van hun lading. Of was er een belangrijke figuur aan boord.'

'Er is nog een andere mogelijkheid,' merkte Dirk op.

Danellis en Summer keken hem nieuwsgierig aan.

'Als ik dit zo zie,' zei hij, 'zou dit schip wel eens een piratenschip geweest kunnen zijn. Dit doet me erg denken aan een verslag dat ik in Caesarea heb gelezen over het in beslag genomen Cypriotische piratenschip dat Romeinse wapens aan boord bleek te hebben.'

'Ja, dat zou goed kunnen,' reageerde de conservator. 'Sommige bezittingen van de bemanning waren nogal luxe voor die tijd,' vervolgde hij, waarbij hij op een glazen plaat en een fraai gestileerd aardewerken kopje wees.

'Meneer Danellis, liggen er voor zover bekend meer van dit soort wrakken in de Cypriotische wateren?' vroeg Summer.

'Nee. Voor de noordkust ligt een wrak dat mogelijk uit de bronstijd stamt, maar verder is dit, voor zover ik weet, het oudste wrak. Waar bent u precies naar op zoek?'

'We zijn op zoek naar een Romeinse galei in dienst van Constantijn die in de Cypriotische wateren vergaan zou zijn. In ongeveer dezelfde tijd als het wrak bij Pissouri.'

416

'Daar weet ik niets van,' reageerde hij hoofdschuddend. 'Maar misschien moet u eens in het klooster van Stavrovouni gaan kijken.'

Summer keek hem sceptisch aan. 'Een klooster?'

'Nou ja, afgezien van de schitterende ligging,' antwoordde Danellis, 'was de moeder van Constantijn, Helena, er te gast toen ze met het Ware Kruis terugkwam uit het Heilige Land.'

88

De Aegean Explorer voer traag langs de kust tot ze opeens wegdraaide en in hetzelfde slome gangetje recht de zee op koerste. Aan de achtersteven was een dunne strakgespannen isolatiekabel zichtbaar die tot onder het wateroppervlak doorliep. Aan de vijftig meter lange sleepkabel hing een kleine sigaarvormige sonarvis die op ongeveer een meter hoogte boven de zeebodem gleed. Een tweetal transducers in de sonarvis zonden geluidsgolven naar de bodem en registreerden vervolgens de terugkaatsingstijd. In computers op het schip werden de sonarsignalen op een scherm gevisualiseerd tot een schematische weergave van de zeebodem.

Op de brug van het schip bestudeerde Pitt de sonarbeelden op een monitor en zag de onregelmatige, met rotsformaties bezaaide bodem aan hem voorbijtrekken. Giordino, die naast hem stond en over zijn schouder meekeek, draaide zich om en tuurde door een verrekijker naar het strand aan de kust.

'En? Geniet je van het uitzicht?' vroeg Gunn.

'Kan beter,' antwoordde Giordino. 'Hoewel het aardig wordt verfraaid door een stel verrukkelijke jonge dames die daar in een grot beschutting tegen de felle zon hebben gezocht.'

Het strand van Pissouri was een smalle reep zand aan de voet van hoge klippen met daarop het dorp. Hoewel het populair was bij de Britse soldaten van de nabijgelegen basis Akrotiri, was het een van de stillere stranden aan de Cyprische zuidkust.

'Zo te zien zijn we snel voorbij de laatste huizen van de kustbebouwing,' merkte Giordino op, terwijl het schip loom het rasteronderzoek in oostelijke richting vervolgde.

'Dat kan alleen maar betekenen dat we dichter bij het wrak komen,' reageerde Pitt optimistisch.

En alsof het zo was afgesproken verscheen al na een paar minuten het wrak van Pissouri op het scherm. Giordino en Gunn verdrongen zich achter Pitt om mee te kijken hoe het wrak door het beeld schoof. Het had in feite weinig meer weg van een schip en was niet veel meer dan een verhoging van de zandbodem waar wat wrakstukken van de kiel en de romp-spanten uitstaken. Dat er echter nog zoveel resteerde van een zeventienhonderd jaar oud schip was op zich al een wonder.

'Dit ziet er inderdaad als een oud wrak uit,' zei Gunn.

'Het is het enige wrak dat we voor de kust van Pissouri kunnen vinden, dus moet het wel Perlmutters schip uit de vierde eeuw zijn,' merkte Giordino op. 'Toch vind ik het vreemd dat het niet dichter bij de kust ligt,' vervolgde hij toen hij zag dat ze zich op bijna een kilometer afstand van het strand bevonden.

'Je mag niet vergeten dat de Middellandse Zee tweeduizend jaar geleden wat minder diep was,' zei Gunn.

'Dat zou een verklaring kunnen zijn,' reageerde Giordino. 'Gaan we een kijkje nemen?' vroeg hij aan Pitt.

Pitt schudde zijn hoofd. 'Dat is niet nodig. Ten eerste is het al grondig leeggehaald. En ten tweede is het ons wrak niet.'

'Hoe weet je dat zo zeker?' vroeg Gunn.

'Summer heeft gebeld. Samen met Dirk heeft ze de uitgestalde artefacten in het museum in Limassol gezien. De archeologen die haar hebben uitgegraven, zijn er zeker van dat dit geen Romeinse galei is. Volgens Dirk zou het een tweede piratenschip kunnen zijn dat bij de aanval op de Romeinen betrokken was. Op een later tijdstip is een duik ernaar misschien wel interessant, maar Summer gaf ook aan dat het zelfs voordat de archeologen er kwamen al behoorlijk geplunderd was.'

'Dus wij gebruiken het alleen als uitgangspunt?' vroeg Gunn.

'Het is het beste referentiepunt dat we hebben,' antwoordde Pitt knikkend. 'Als het piratenschip hier zo dicht voor de kust is vergaan, kunnen we alleen maar hopen dat het Romeinse schip hier ook ergens in de buurt ligt.'

Giordino trok een stoel naar zich toe en probeerde het zich gemakkelijk te maken.

'Goed, dan zoeken we lekker door,' zei hij. 'Zoals het gezegde luidt: ook Rome is niet in één dag gebouwd.'

89

Summer reed vanuit Limassol over de belangrijkste kustweg naar het oosten, iets wat Dirk aan haar overliet, omdat Summer net uit Engeland kwam en daar aan het links rijden gewend was geraakt. Cyprus was tot halverwege de twintigste eeuw een kroonkolonie van Groot-Brittannië geweest en er was nog veel dat aan het voormalige Britse bewind herinnerde. Er werd vrijwel overal Engels gesproken, de munteenheid op de zuidelijke Griekse helft van het eiland werd in ponden uitgedrukt en het verkeer reed er net als in het vroegere moederland links.

Summer sloeg met hun huurauto een zijweg in en volgde een goed geasfalteerde snelweg landinwaarts naar Nicosia. De weg ging geleidelijk omhoog toen ze bij de oostelijke uitlopers van het Trodoos-gebergte kwamen. Ergens midden in dit troosteloze heuvellandschap sloegen ze een smalle geasfalteerde zijweg in. Nu werd de weg steiler en kronkelde met scherpe haarspeldbochten tegen een niet al te hoge berg op. Boven op de top bevond zich het spectaculair gelegen klooster van Stavrovouni.

Summer parkeerde de auto op een kleine parkeerplaats aan de voet van het complex. Nadat ze door een leeg entreegebouwtje waren gelopen, kwamen ze bij een houten trap naar de top. Ernaast zat een in vodden geklede bedelaar met een breedgerande hoed op zijn omlaag knikkende hoofd wat voor zich uit te doezelen. De tweeling sloop zachtjes op de tenen langs hem, waarna ze de trap opliepen naar het terrein van het eigenlijke klooster, dat naar alle kanten een panoramisch uitzicht over het zuidoostelijke deel van het eiland bood. Nadat ze een open binnenplaats waren overgestoken, naderden ze een streng kijkende monnik in een wollen pij die bij de ingang van het klooster stond.

'Welkom in Stavrovouni,' zei hij op een terughoudende toon, waarna hij Summer aankeek. 'Misschien wist u het niet, maar wij zijn aanhangers van de athonitische orthodoxie en dat houdt in dat we helaas geen vrouwen in ons klooster kunnen toelaten.'

'Voor zover ik weet, zou u hier zonder een vrouw nooit zijn geweest,' reageerde Summer pesterig. 'Zegt de naam Helena u niet iets?'

'Het spijt me erg.'

Summer rolde met haar ogen en wendde zich tot Dirk.

'Goed, dan wacht ik hier wel en bekijk de muurschilderingen,' zei ze op de beschilderde muren rond de binnenplaats wijzend. 'Veel plezier met de rondleiding.'

Dirk boog naar haar toe en fluisterde: 'Als ik over een uur niet terug ben, dan betekent dat dat ik me bij hen heb aangesloten.'

Nagestaard door zijn pissige zus volgde hij de monnik door de opening van een grote houten deur.

'Kunt u mij iets vertellen over de geschiedenis van het klooster en de rol die Helena daarin heeft gespeeld?' vroeg Dirk.

'In de klassieke oudheid stond er een Griekse tempel op deze bergtop. Die was allang verlaten en verkeerde in een verregaande staat van verval toen Helena na haar pelgrimsreis naar Jeruzalem op Cyprus aankwam. Van deze goede heilige wordt gezegd dat ze een einde heeft gemaakt aan een dertig jaar durende droogteperiode die het eiland teisterde. Tijdens haar verblijf op Cyprus had ze een droom waarin haar werd opgedragen uit naam van het venerabele kruis een kerk te stichten. Stavrovouni betekent, voor het geval u dat nog niet wist, "Kruisberg". Hier heeft ze toen de kerk laten bouwen en er het kruis van de boetvaardige dief achtergelaten dat ze uit Jeruzalem had meegenomen, plus een stuk van het Ware Kruis.'

De monnik bracht Dirk naar een kleine kerk, waar hij hem langs een grote houten iconostase naar het altaar leidde. Op het altaar stond een groot houten, met zilveren randen afgezet kruis. In het kruis lag achter een kleine gouden omlijsting een veel kleiner stukje hout.

'De kerk heeft in de loop der jaren aan veel vernielingen en vandalisme blootgestaan,' verklaarde de monnik. 'Eerst door de mammelukken en later de Ottomanen. Ik vrees dat er van Helena's erfgoed, afgezien van dit heilige stukje van het Ware Kruis, weinig is overgebleven,' zei hij wijzend op de gouden omlijsting.

'Weet u of er nog andere relikwieën van Jezus zijn die Helena op Cyprus heeft achtergelaten?' vroeg Dirk.

De monnik wreef peinzend over zijn kin. 'Nee, voor zover ik weet niet, maar dat zou je aan broeder Andros moeten vragen. Hij is onze historicus. Ik zal kijken of hij in zijn kantoor is.'

De monnik liep met Dirk een gang links van hen in, waar zich een aantal sobere gastenkamers bevonden. Aan het eind waren twee kleine kantoortjes, waarin Dirk een slanke man een monnik een hand zag geven. Daarna draaide de man zich om en kwam zijn kant op gelopen.

In het voorbijgaan zei Dirk: 'Ridley Bannister?'

'Hè, ja,' antwoordde Bannister, terwijl hij Dirk argwanend aankeek.

'Ik ben Dirk Pitt. Ik heb onlangs uw laatste boek over uw opgravingen in het Heilige Land gelezen. Ik herkende u van de foto op het omslag. Ik wou u even zeggen dat ik uw boek met veel plezier gelezen heb.'

'Nou, dank u wel,' reageerde Bannister, waarbij hij Dirk een hand gaf en hem met een fronsende blik aankeek. 'Pitt zei u dat uw achternaam was? Bent u toevallig verwant met iemand die Summer heet?'

'Ja, dat is m'n zus. Ze staat buiten op me te wachten. Kent u haar?'

'Ik geloof dat we elkaar een tijdje geleden op een bijeenkomst van archeologen hebben ontmoet,' stamelde hij. 'Maar wat brengt u naar Stavrovouni?' vroeg hij, haastig van onderwerp veranderend.

'Summer heeft onlangs bewijzen gevonden dat Helena meer dan alleen het Ware Kruis uit Jeruzalem had meegenomen en dat die relikwieën waarschijnlijk op Cyprus verloren zijn gegaan. We hopen hier aanwijzingen te vinden die ons op het spoor brengen van een Romeinse galei die hier in haar opdracht is geweest.'

In de schaars verlichte gang viel het nauwelijks op dat Bannisters gezicht opeens wit wegtrok. 'Een fascinerende gedachte,' zei hij. 'Hebt u enig idee waar die relikwieën zich zouden bevinden?'

'We zijn begonnen bij een bekend scheepswrak voor de kust van het plaatsje Pissouri. Maar zoals u weet zijn tweeduizend jaar oude raadsels niet zo makkelijk op te lossen.'

'Zeker. Maar goed, ik moet ervandoor. Het was leuk u te hebben ontmoet, meneer Pitt, en veel succes met uw zoektocht.'

'Dank u. En zeg Summer even gedag als u buiten bent.'

'Doe ik.'

Uiteraard was Bannister dat allerminst van plan. Nadat hij de gang was door gesneld, liep hij de kerk weer in en vond daar in de tegenover liggende muur een zijdeur. Terug in de buitenlucht sloop hij behoedzaam langs de muur naar de binnenplaats tot hij Summer zag die een muurschildering bekeek. Hij wachtte tot ze met haar rug naar hem toe stond, waarna hij stilletjes het plein overstak en zo ongezien de houten trap bereikte die naar beneden liep.

De trap af hollend struikelde hij haast over de bedelaar die er aan de voet zat, waarna hij haastig doorliep naar zijn auto. Zo snel als het kon, daalde hij de kronkelweg af tot hij de doorgaande weg bereikte, waar hij afremde en de auto achter een bosje johannesbroodbomen parkeerde. Daar wachtte hij af tot Dirk en Summer langs zouden komen.

Een paar seconden nadat hij van het parkeerterrein van het klooster was weggereden, werd er nog een auto gestart. De chauffeur reed met een bocht naar de voet van de trap, waar hij wachtte tot de sjofele bedelaar was opgestaan en naast hem was ingestapt. Toen hij zijn hoed afzette, was er een lang litteken op zijn rechterkaak zichtbaar.

'Snel!' snauwde Zakkar tegen de chauffeur. 'We mogen hem niet uit het oog verliezen.'

90

Summer stond aan de andere kant van de binnenplaats toen Dirk het klooster uitkwam.

'Hoe was het in de herensociëteit?' vroeg ze met nog altijd een bits ondertoontje.

'Nou, niet bepaald de feestbeesten die je zou verwachten.'

'En, nog iets gevonden?'

Dirk vertelde wat hij over de geschiedenis van de kerk had geleerd en over de splinter van het Ware Kruis die hier in de kerk te zien was.

'Ik heb de historicus van het klooster ontmoet, maar hij kon me niet veel meer vertellen over Helena's bezoek aan Cyprus. De boel is hier zo vaak geplunderd dat er zo goed als geen archief is. Het komt erop neer dat niemand iets weet over andere relikwieën dan het Ware Kruis.'

'Wist hij iets over de vloot van Helena?'

Dirk schudde zijn hoofd. 'Hetzelfde wat iedereen al weet: Helena is zonder problemen op Cyprus aangekomen en weer vertrokken.'

Ze greep zijn arm en trok hem mee naar een van de muurschilderingen. 'Moet je dit zien,' zei ze.

Ze stonden voor een lange en rechte, in de schaduw gelegen muur waarop een triptiek van grote fresco's was geschilderd. Op het eerste gezicht leken de fresco's zozeer verbleekt dat ze nog maar nauwelijks zichtbaar waren. Dirk deed een stap naar voren en bestudeerde de eerste schildering van het drieluik. Het was een gebruikelijke madonna met kind, waarbij Maria het met een stralenkrans omgeven kindeke Jezus in haar armen hield. Gezien de grote ogen en eendimensionale weergave van beide figuren was het duidelijk het werk van een primitieve kunstenaar uit lang vervlogen tijden. De tweede schildering was een afbeelding van de kruisiging: Jezus aan het kruis met het hoofd bedroefd omlaag. Het viel Dirk op dat ook de twee dieven aan naburige kruisen waren afgebeeld en dat was niet gebruikelijk in dit genre.

Vervolgens liep hij door naar de derde schildering, waarvoor Summer hem al met een lachend gezicht opwachtte. Er was een gekroonde vrouw in profiel op afgebeeld die naar een van de bovenhoeken van het fresco wees. Haar vinger wees naar een hoge groene berg waarop twee kruisen stonden. Rond de heuvel was duidelijk het landschap van Stavrovouni herkenbaar.

'Helena?' vroeg Dirk.

'Dat moet haast wel,' antwoordde Summer. 'Maar nu hier, aan de onderkant.'

Dirk tuurde aandachtig naar het onderste gedeelte van de schildering, waar een verbleekte blauwe vlek de zee voorstelde. Onder Helena's silhouet waren op het water nog net drie schepen zichtbaar. De nogal grof afgebeelde schepen waren alle drie van ongeveer hetzelfde formaat en hadden zowel een zeil als roeiriemen. Met zijn neus bijna op de schildering gedrukt zag Dirk dat het leek alsof twee schepen de derde achternazaten. Hij wees op de beide achtervolgende schepen.

'Deze lijkt bij de achtersteven te zinken,' zei hij, 'terwijl de andere juist de zee op vaart.'

'Kijk eens naar het zeil van het voorste schip,' zei Summer.

Ingespannen turend ontwaarde Dirk een heel vaag symbool op het zeil. Met moeite herkende hij een 'X' met een langgerekte 'P' erdoorheen.

'Dat is het Christusmonogram dat door Constantijn werd gebruikt,' legde ze uit. 'Het goddelijke symbool dat hem in een droom zou zijn verschenen vlak voor de Slag bij de Pons Milvius. Hij gebruikte het als embleem van zijn bewind en het stond ook op zijn strijdvaandels.'

'Dan is dit ofwel de aankomst van Helena op Cyprus met een escorte...' zei hij.

'Of het is de galei van Plautius op de vlucht voor twee Cypriotische piratenschepen,' zei ze, zijn gedachte afmakend.

Door een beschadiging in het fresco was de richting die de galei opging niet herkenbaar, maar uit de doorlopende kustlijn onder aan de schildering bleek dat het schip op land afvoer. Net boven de horizon was nog een piepklein figuurtje te zien: een naakte, uit zee oprijzende vrouw geflankeerd door twee dolfijnen.

'Wat dat betekent, begrijp ik niet,' zei Summer, terwijl Dirk de afbeelding bestudeerde.

Op dat moment kwam de zuur kijkende monnik voorbij, die een stel Franse toeristen naar de kerk had begeleid. Dirk sprak hem aan en vroeg hem naar de fresco's.

'Ja, die zijn heel oud,' antwoordde de monnik. 'Volgens de archeologen stammen ze uit de Byzantijnse tijd. Er zijn mensen die beweren dat dit nog muren van de oorspronkelijke kerk zouden zijn, maar niemand weet het echt zeker.'

'Op dit laatste fresco,' vroeg Summer, 'is dat Helena?'

'Ja,' bevestigde de monnik. 'Ze komt aan over zee en heeft een visioen van de kerk hier op Stavrovouni.'

'Weet u wie dit hier is?' vroeg ze op de naakte vrouw wijzend.

'Dat moet Aphrodite zijn. Dit klooster is gebouwd op de ruïnes van een tempel voor Aphrodite. Waarschijnlijk een soort eerbetoon van de kunstenaar aan deze plek, voordat Helena bepaalde dat hier een kerk moest worden gebouwd.'

Ze bedankte de monnik en keek hem na, terwijl hij naar de ingang van het klooster terug slofte.

'Nou, dat hadden we bijna goed,' zei ze. 'Nu weten we in elk geval dat er twee piratenschepen waren.'

'Uit de tekening mag je opmaken dat het Romeinse schip het gevecht met de piraten had overleefd. Het vaart ergens naartoe,' mompelde Dirk, die zo ingespannen naar de afbeelding tuurde dat zijn ogen ervan traanden. Ten slotte stapte hij van de schildering weg en voegde zich bij Summer, die al naar de uitgang liep.

'Ik geloof dat we het hier wel gezien hebben,' zei hij. 'Trouwens, heb jij Ridley Bannister nog gesproken?'

'Ridley wie?' vroeg ze, terwijl ze de trap naar het parkeerterrein afliepen.

'Ridley Bannister, de Britse archeoloog. Hij zei dat hij je kende.'

Omdat ze hem niet-begrijpend aankeek, beschreef Dirk hoe hij hem in het klooster had ontmoet.

'Ik heb hem niet gezien,' zei ze. Maar toen ging er ergens in haar achterhoofd een lichtje branden. 'Hoe ziet hij eruit?'

'Slank, gemiddeld postuur, rossige haren. Ik denk dat vrouwen hem wel knap vinden.'

Summer bleef verstijfd staan. 'Heb je gezien of hij een ring droeg?'

Dirk dacht even na. 'Ja, ik geloof 't wel. Om zijn rechter ringvinger. Dat viel me op toen ik hem een hand gaf. Een dikke gouden ring met een rare vorm, het leek wel middeleeuws.'

Summers gezicht kleurde rood van woede. 'Dat is de vent die onder bedreiging van een pistool Julie en mij het Manifest heeft afgepakt. Hij zei dat hij Baker heette.'

'Hij is een beroemde en gerespecteerde archeoloog,' zei Dirk.

'Gerespecteerd?' siste Summer. 'Ik durf te wedden dat hij hier ook naar de galei op zoek is.'

426

'Een van de monniken vertelde dat hij aan een boek over Helena werkt.'

Toen ze bij de auto kwamen, barstte Summer haast uit haar vel van razernij. Ze zag weer helder voor zich hoe Bannister in de kelder van het landgoed van Kitchener het Manifest van hen had afgepikt. Driftig sturend scheurde ze de kronkelweg af: uit haar rijstijl bleek wel hoe kwaad ze was. Op de doorgaande snelweg gekomen had ze er absoluut geen idee van dat de bron van haar boosheid in een auto vlak achter haar reed.

Haar stemming verbeterde toen ze de buitenwijken van Limassol naderden. En toen ze in de buurt van de commerciële werven van de havenstad kwamen, was ze zelfs alweer optimistisch gestemd.

'Als Bannister hier is, dan moet die galei dus bestaan,' zei ze.

'Maar dan heeft hij hem in ieder geval nog niet gevonden,' antwoordde Dirk.

Summer knikte tevreden. Wie weet, dacht ze, misschien zijn we er dichter bij dan we denken.

91

'Gaan we alweer?' vroeg Summer.

Ze stond op de brug van de Aegean Explorer en zag dat twee bemanningsleden de voorste trossen inhaalden en wegborgen. Er was nauwelijks een uur verstreken sinds het schip in de haven van Limassol had aangelegd en zij met Dirk aan boord was gegaan.

Pitt stond bij de besturingsconsole een kop koffie te drinken.

'We moeten snel terug naar de westkant van het schiereiland Akrotiri om het contact met Rudi's AOV weer op te nemen,' zei hij.

'Ik dacht dat je met de sonarvis werkte?'

'Dat doen we ook. We hebben ons eerste raster voor Pissouri afgewerkt en we zijn nu aan een nieuw raster iets verder naar het westen begonnen. Maar Rudi heeft in de AOV een side scan sonar geïnstalleerd, zodat we daar ook mee kunnen werken. De AOV zoekt nu een groot raster ten oosten van Pissouri af. Wij rukken met de Explorer verder naar het westen op en zo is ons bereik twee keer zo groot.'

'Klinkt logisch,' reageerde ze. 'Hoelang is de AOV nog bezig?'

'Ze blijft nog zo'n achttien uur onder water. Zo hebben wij voor onszelf ook lekker veel tijd voordat we haar ophalen.'

'Pa, het spijt me dat ons onderzoek niet wat meer heeft opgeleverd.'

'Dat fresco van jullie lijkt te bevestigen dat het wrak bij Pissouri van een van de piratenschepen is. Als de galei bestaat, is er een grote kans dat we hier precies goed zitten.'

De Aegean Explorer vervolgde haar koers naar het zuiden om het schiereiland Akrotiri heen, waarna ze in noordwestelijke richting afbogen naar het ruim dertig kilometer verderop gelegen Pissouri. De sensoren van het onderzoeksschip maakten al spoedig contact met een tweetal drijvende transducerboeien, die de gegevens opvingen van de zestig meter onder de zeespiegel varende AOV, die vlak over de bodem voer. Terwijl Gunn en Giordino de laatste resultaten van de metingen van de AOV bekeken, liet Pitt aan de achtersteven van de Explorer de sonarvis te water, waarvan hij de beelden vervolgens afwisselend met Dirk en Summer bekeek.

Om negen uur de volgende ochtend kwam Summer met een dampende kop koffie de brug binnen, klaar om haar vader voor de monitor af te lossen.

'Nog iets leuks op de buis gezien?' vroeg ze.

'Een en al herhaling,' antwoordde Pitt, terwijl hij opstond en zich uitrekte. 'De hele nacht steeds maar datzelfde zand en die stenen. Afgezien van een kleine gezonken vissersboot die Dirk heeft gezien is 't een saaie boel.'

'Ik ben net even bij Al in de controlehut langs geweest,' zei ze, terwijl ze op Pitts stoel schoof. 'Hij zegt dat de AOV ook niet veel meer heeft opgeleverd.'

'We zijn bijna klaar met dit raster,' zei Pitt. 'Zullen we nog verder doorgaan naar het westen?'

Summer keek haar vader glimlachend aan. 'Als het om het vinden van een scheepswrak gaat, kun je maar het beste gewoon je intuïtie volgen.'

'Oké, naar het westen dus,' reageerde hij met een knipoog.

Kapitein Kenfield kwam van de besturingsconsole naar hen toe en spreidde een zeekaart van de plaatselijke wateren op de tafel uit.

'Waar had je het volgende raster gedacht?' vroeg hij aan Pitt.

'We breiden het huidige raster verder uit en dan zo dicht mogelijk onder de kust. Zo gaan we nog drie kilometer naar het westen door, tot aan dit punt,' zei hij, waarbij hij op de kaart een klein uitsteeksel in de kustlijn aanwees.

'Prima,' reageerde Kenfield. 'Dan richt ik me op de coördinaten van Petra tou Romiou, zoals hier op de kaart staat, ofwel de Rots van Aphrodite.'

Summer verstijfde op haar stoel. 'Rots van Aphrodite, zei je dat echt?'

Kenfield knikte, waarna hij een beduimelde reisgids voor Cyprus van een plank achter de kaartentafel pakte.

'Ik heb 't gisteravond nog zitten lezen. Petra tou Romiou, ofwel Rots van Romios, is vernoemd naar een Byzantijnse volksheld die twee reusachtige rotsblokken in zee zou hebben geslingerd om piraten af te weren. In de branding zijn nog altijd twee rotsformaties zichtbaar. Maar die omgeving staat volgens veel oudere overleveringen ook bekend als de plek waar Aphrodite, de beschermgodin van Cyprus, in een wolk van schuim uit zee opdook.

'Pa, dat is 't,' zei Summer overeind springend. 'Aphrodite staat ook op de muurschildering. Maar niet als symbool voor de tempel van Stavrovouni, waar nu het klooster staat. Ze bevindt zich op de plek waar de Romeinse galei op afstevent. Iemand aan de kust, of misschien de piraten zelf, zagen de galei op die rotsen afkoersen.'

'Het ligt nog net binnen zichtwijdte van het wrak van Pissouri,' merkte Kenfield op.

'Dit klinkt goed,' zei Pitt, die stilletjes moest lachen om het enthousiasme van zijn dochter. 'De Rots van Aphrodite dus. Laten we dan maar gaan kijken of de godin ons gunstig gezind is.'

Niet veel later bereikten ze het einde van het raster en haalden de sonarvis binnen. Nadat het schip van koers was veranderd om een stuk verderop voor de kust het zoekpatroon weer op te nemen, heerste er een optimistische stemming op de brug. Omdat ze hier zo door in beslag waren genomen, merkte niemand het bootje op dat op een kilometer afstand achter hen aankwam en vanwaar Ridley Bannister het turkooizen schip door een verrekijker nauwlettend in de gaten hield.

92

Zes uur later was de godin Aphrodite de onderzoekers van het NUMA nog altijd allesbehalve gunstig gezind. De zeebodem rond Petra tou Romiou bleek totaal gevrijwaard van door de mens gemaakte voorwerpen. Dirk, die net zijn dienst aan het scherm had opgenomen, staarde naar een schier eindeloze reeks langsglijdende stenen en zand, terwijl Summer en Pitt nog wat in de buurt rondhingen in de hoop dat ze nu gauw beet hadden. Giordino kwam de brug binnen en stelde verbaasd vast dat Summers enthousiasme in ergernis was omgeslagen.

'Volgens schema moet de AOV over drie kwartier worden opgehaald,' zei hij tegen Pitt.

'Over een paar minuten hebben we deze baan af,' merkte Dirk op.

'Oké, dan stoppen we als we bij het eindpunt zijn en gaan we daarna onze grote vis ophalen,' zei Pitt.

'Nog iets gezien?' vroeg Giordino.

'Voor een rotsformatiefetisjist is 't hier een eldorado,' antwoordde Dirk.

Giordino liep door naar de besturingsconsole en tuurde door de voorruit. Toen hij zag dat ze dicht onder de kust voeren, pakte hij een verrekijker en speurde het met kiezelstenen bezaaide strand af, dat iets ten westen van de grote rotsformatie lag.

'En? Liggen er mooie Griekse godinnen?' vroeg Summer met een licht smalend ondertoontje.

'Nee, op deze zonnige namiddag laten de goden het strand voor wat het is. Zelfs in de schaduwrijke grotten zijn geen geesten te bekennen.'

Pitt liep met een vragend gezicht naar hem toe. 'Mag ik even kijken?'

Terwijl Pitt de kustlijn afspeurde, liet Dirk weten dat ze het einde van het raster hadden bereikt.

'Al, kun je me helpen met het binnenhalen van de sonarvis?' vroeg hij, terwijl hij de sonarapparatuur uitzette.

'Tot uw dienst,' antwoordde Giordino, waarop de beide mannen zich naar het achterschip begaven.

Pitt tuurde nog ingespannen de kust af, tot hij zich naar Kenfield om-draaide.

'Kapitein, zou je ons iets dichter naar de kust kunnen brengen, onder een hoek van zo'n twintig graden?' zei hij.

'Wat gaan we doen, pa?' vroeg Summer.

'Alleen even de mogelijkheid nagaan dat koning Al weer eens in de roos heeft geschoten.'

Terwijl de Aegean Explorer geleidelijk ondiepere wateren invoer, kreeg Pitt een beter zicht op de kust. Vanaf een laag kiezelstrand ter hoogte van Petra tou Romiou liep het landschap in oostelijke richting behoorlijk steil omhoog tot kalkklippen van minstens zestig meter hoog. De mediterrane branding sloeg met donderende, witschuimend opspattende golven tegen de voet van de loodrecht opstijgende klippen. In het lagere gedeelte zaten hier en daar verspreid wat inkepingen, plekken waar de zee holtes, of grot-ten zoals Giordino ze noemde, uit het kalksteen had weggesleten. Met name die grotten intrigeerden Pitt en hij bestudeerde ze stuk voor stuk aandachtig. Ten slotte concentreerde hij zich op een ervan: een klein zwart gat vlak boven de waterspiegel met eromheen een verzameling losliggende rotsblokken.

'De sonarvis is binnen,' meldde Dirk, die met Giordino de brug binnen-stapte.

Pitt liet de verrekijker zakken. 'Kapitein, wat is het tij op dit moment?' vroeg hij.

'De vloed is net het hoogste punt voorbij,' antwoordde Kenfield. 'Het tijverschil is hier niet zo groot, niet veel meer dan een halve meter of zo.'

Pitt knikte lichtjes glimlachend, waarna hij zich tot Gunn wendde.

'Rudi, jij hebt wel onderzoek naar waterstanden gedaan. Het zeeniveau in de Middellandse Zee, hoe is dat veranderd in de afgelopen zeventien-honderd jaar?'

Gunn krabde op zijn hoofd. 'Nu is het zeeniveau waarschijnlijk een meter of twee, drie hoger dan zo'n tweeduizend jaar geleden. Als je het exacter wilt weten, moet ik het even in het NUMA-bestand nakijken.'

'Nee, dat is niet nodig,' antwoordde Pitt. Hij tuurde nogmaals aan-dachtig naar de grot. 'Volgens mij zou die het kunnen zijn,' mompelde hij.

'We moeten nu echt de AOV gaan ophalen,' drong Gunn aan.

'Oké, maar voordat je dat gaat doen, moet je mij en Summer in de Zodiac afzetten. Dirk, jij ook, als je mee wilt komen.'

'Nee, bedankt, pa,' reageerde Pitt. 'Ik heb met Summer voorlopig even genoeg spannends meegemaakt. Ik help wel met de AOV.'

'Maar waar gaan we heen dan?' vroeg Summer.

'Naar die klip daar,' zei Pitt, terwijl hij glimlachend naar de kust wees. 'Waar dacht je anders een Romeinse galei te vinden?'

93

Terwijl de Aegean Explorer naar het oosten voer om de AOV op te halen, startte Pitt de buitenboordmotor van de Zodiac en stoof naar de kust. Summer zat op de voorplecht met haar lange rode haren wapperend in de wind en een optimistische trek op haar gezicht. Nu ze de zeegrot naderden, reflecteerde er licht op het wateroppervlak voor de lage opening, waaruit Pitt afleidde dat de grot inderdaad een stuk de klip inliep.

Dichterbij gekomen zag Pitt dat de ingang groot genoeg was om er met de Zodiac in te kunnen varen. Maar hoewel het afnemend tij was, zou het naar binnen varen door de branding toch link zijn. Nadat hij aan de rechterkant een naar voren uitstekende vlakke rotsformatie had gevonden, stuurde hij de Zodiac langszij en wachtte tot ze door een golf werden opgetild. Op dat moment sprong Summer de boot uit en bond snel een meertouw om een rots.

'Een nat pak moeten we er wel voor overhebben, vrees ik,' zei Pitt, terwijl hij een zaklamp pakte en ook uit de Zodiac sprong.

Summer volgde Pitt die langs de rotswand kroop en zich bij de ingang van de grot gedwongen zag een stuk door het water te waden. Een laag stenen op de bodem vormde een ongelijkmatige richel die Pitt door de opening volgde, waarbij hij in een aanrollende golf tot aan zijn nek in het water stond. Nadat hij de zaklamp had aangedaan, hield hij die boven zijn hoofd en zag dat de grot als een tunnel minstens zes meter doorliep tot in een duistere holte erachter.

Hij bleef staan en wachtte tot ook Summer zich een weg langs en over de glibberige stenen had gebaand, waarna hij nog net op tijd haar hand greep voordat ze wegleed.

'Misschien kunnen we beter zwemmen,' opperde ze hijgend.

'Ik zie daar voor ons een droge richel,' reageerde Pitt met de lamp om zich heen schijnend.

Zich aan de zijwand vastklampend zwoegden ze verder, terwijl ze merkten dat de rand onder hun voeten geleidelijk omhoogkwam tot ze uiteindelijk helemaal uit het water stapten. Boven hen steeg het plafond tot een enorme hoogte en mondde de gang uit in een reusachtige grot. Het water stroomde een gang in die als een grote U naar zee terugboog. Pitt zag dat het water in de grot niet stilstond, maar met een zwakke stroming terug naar zee liep.

Over de richel liepen ze nog een paar meter door tot ze op een zanderige verhoging kwamen. Tot zijn verbazing zag Pitt dieper in de grot een zwak lichtschijnsel schemeren en terwijl hij omhoogkeek ontdekte hij dat er een paar flinterdunne lichtstralen door een gleuf in de rotswand schenen.

Opeens voelde Pitt Summers hand in zijn arm knijpen.

'Pa!' schreeuwde ze.

Hij zag dat ze met opengesperde ogen recht vooruitkeek. Terwijl hij zich in die richting draaide, verwachtte hij een vliegende vleermuis of een slang te zien. Maar in plaats daarvan zag hij de romp van een oud schip.

Het vaartuig lag recht overeind op een zanderige richel en leek in het schemerige licht niet erg beschadigd. Toen ze ernaartoe liepen, zag Pitt dat het een oud ontwerp was. De schuine boeg liep met een hoge bocht zover door dat hij tot ver over het dek terugboog. Aan de zijkanten zaten net boven de waterlijn tientallen kleine ronde gaten, die Pitt herkende als openingen voor roeiriemen. Maar die roeiriemen waren nergens te zien, op een paar afgebroken staken na die uit enkele gaten hingen.

Dichter bij het stoffige schip gekomen zagen ze dat de enkele mast vlak boven de voet was afgebroken en nu over het achterdek lag. Toen hij de lichtbundel van de zaklamp over de hoge achtersteven liet gaan, zag hij de skeletachtige resten van een man over de helmstok hangen.

'Het is een galei,' zei Pitt grijnzend. 'En een heel oude, zo te zien. De mast is waarschijnlijk bij het binnenvaren van de grot afgebroken.'

Summer was nog met stomheid geslagen. Nadat ze naar de boeg was gelopen, vond ze ten slotte haar stem terug om haar vader te roepen.

'Pa, moet je dit zien!'

De voorsteven van de galei was ter hoogte van de waterlijn volledig versplinterd. Nu ze beter keken, zagen ze dat er aan beide kanten een horizontale strook koperen pinnen doorheen stak.

'Dit is de enige schade aan de romp,' merkte Summer op. 'Ze zijn waarschijnlijk eerst een paar keer tegen de klip opgevaren alvorens ze de grot zijn ingevaren.'

'Het lijkt wel alsof hier oorspronkelijk een stormram heeft gezeten,' zei Pitt peinzend.

De pinnen als traptreden gebruikend klom hij langs de boeg omhoog en hees zich over de rand. Sprakeloos staarde hij neer op wat hij daar zag. Het hele dek lag bezaaid met de stoffelijke resten van mensen gekleed in verbleekte tunica's of gewaden. Sommigen met hun zwaard nog in een knokige hand geklemd. Ook lagen er overal schilden en speren, alles bij elkaar het grimmige tafereel van een bloederige doodsstrijd.

'Kun je zien of het Romeins is?' vroeg Summer vanaf beneden.

'Nou, reken maar.'

Summer verstarde. Dat kwam niet zozeer door de ijzige toon waarop het werd gezegd, maar meer doordat het niet Pitt was, die die woorden sprak.

Ze draaide zich om en zag de gestalte van Ridley Bannister uit de duisternis opdoemen, zijn kleren tot aan zijn borst toe nat. In zijn handen had hij een kleine videocamera, die hij aanzette, waarop de grot in een wazige blauwe gloed werd gehuld.

'Ach, kijk 's wie we daar hebben, de geachte archeoloog Ridley "Baker" Bannister,' reageerde Summer spottend, terwijl hij dichterbij kwam. 'Heb je je pistool weer bij je?'

'O, nee hoor. Dat was de revolver van veldmaarschalk Kitchener. En totaal geen kogels, moet ik helaas zeggen.' Hij hield de camera naar haar op zodat ze die goed kon zien. 'Leuk u weer te ontmoeten, mevrouw Pitt. Maar als u nu even een stapje opzij zou willen doen, dan kan ik doorgaan met het documenteren van mijn ontdekking.'

'Jouw ontdekking?' zei ze, terwijl haar bloed weer begon te koken. 'Hoezo, smerig liegbeest, jij hebt helemaal niets gevonden.'

'Die is nu net zo goed van mij. Ik zal je maar meteen vertellen dat ik op uitstekende voet sta met het hoofd van de Cypriotische Oudheidkundige Dienst. Ik heb alle vergunningen voor een exclusieve film en de rechten voor een boek over deze ontdekking al geregeld, waaraan u zo vriendelijk uw medewerking hebt verleend. Ik zal er zeker voor zorgen dat daar melding van wordt gemaakt.'

Bannister hield de camera voor zijn oog en begon de buitenkant van de galei te filmen.

Doordat hij de lens op de beschadigde voorsteven richtte, zag hij Summer pas op zich afkomen toen het te laat was. Met een vliegensvlugge uithaal griste ze de camera uit zijn handen en smeet hem tegen de rotswand. Met een kletterende knal sloeg de lens aan gruzelementen, maar het blauwachtige licht bleef branden.

Bannister staarde naar de vernielde camera, terwijl er een enorme woede in hem opwelde. Hij greep de grotere vrouw met beide handen bij haar kraag en schudde haar overlopend van kwaadheid door elkaar. Als een ervaren judoka stond ze op het punt om zijn greep met een worp te pareren, toen er een ratelend salvo door de grot schalde. De echo van het geweervuur galmde nog na terwijl Summer Bannisters greep op haar hemd voelde verslappen. De archeoloog keek haar gekweld aan en zakte langzaam naar de grond. Terwijl hij voorover viel, zag Summer dat er op zijn kaki broek bloedvlekken opwelden.

Langs hem heen kijkend zag Summer drie mannen op de richel staan. Zelfs in het schemerige licht was het duidelijk dat het Arabieren waren. De langste van de drie stond in het midden en uit de loop van het uzi-machine-pistool dat hij in zijn handen hield, kronkelde een sliertje rook op. Hij deed aarzelend een stap naar voren, waarbij hij zijn wapen op Summer gericht hield en met zijn ogen de galei afspeurde.

'Zo,' zei Zakkar in gebrekkig Engels. 'Jij schat gevonden.'

94

Summer bleef roerloos staan terwijl de drie mannen dichterbij kwamen. Aan haar voeten betastte Bannister met een niet-begrijpende blik van schrik in zijn ogen zijn wonden. Zakkar liet zijn uzi zakken en richtte zijn aandacht op de galei.

'Hier zal Gutzman heel blij mee zijn,' zei hij in het Arabisch tegen zijn dichtstbij staande metgezel Salaam, de bebaarde schutter van de aanslag op de Rotskoepel.

'Wat doen we met hen?' vroeg Salaam, waarbij hij een kleine zaklamp op Summer en Bannister richtte.

'Doden en de lichamen in zee dumpen,' antwoordde Zakkar, terwijl hij met zijn hand over de romp van het oude schip wreef.

Omdat hij het gesprek had verstaan, probeerde Bannister over de grond weg te kruipen en trok zich zo tot achter Summer. Salaam negeerde hem, posteerde zich vlak voor Summer en drukte een pistool tegen haar hoofd.

'Rennen!'

Pitts kreet schalde luid van het dek van de galei, waarmee hij alle drie de Arabieren volledig overdonderde. Summer zag de schutter voor haar met een uitdrukking van schrik in zijn ogen naar het schip omhoogkijken.

Met een snerpende fluittoon kwam er een pilum, een Romeinse speer met ijzeren punt, recht op hem af. De vlijmscherpe speer trof hem in de borst zonder dat hij ook maar een spier had kunnen verroeren. Het kunstig vervaardigde wapen boorde zich dwars door het bovenlijf van de man en stak net onder zijn nier uit zijn rug. De overweldigde man spuwde een golf bloed uit en sloeg morsdood tegen de grond.

Op het moment dat Salaam werd getroffen, overwoog Summer haar mogelijkheden. In een fractie van een seconde liep ze haar opties na: een uitval naar het pistool van de schutter, of wegrennen en het water induiken, of naar haar vader op het schip klimmen. De adrenaline spoot door haar aderen, schreeuwend om een reactie van haar hersenen. Maar Summer liet het verstand zijn werk doen alvorens ze in actie kwam. Ze besefte meteen dat het handwapen geen partij was tegen Zakkars uzi. En hoewel haar hart haar zei bescherming bij haar vader te zoeken, eiste de logica dat het water veel dichterbij was.

Haar emotionele overwegingen onderdrukkend deed ze een krachtige stap naar voren en dook het water in. Het geluid van geweervuur barstte al los voordat haar uitgestrekte armen gevolgd door de rest van haar lichaam door het wateroppervlak braken. De helling van de zandbank liep vrij steil omlaag en ze plonsde de diepte in zonder haar nek te breken.

Intuïtief zwom ze door naar beneden, met de zwakke stroming mee die haar van de ingang van de grot wegvoerde. Om te beginnen was ze een goede zwemmer en de kolkende adrenaline dreef haar verder omlaag, tot haar hand op een diepte van zo'n vierenhalve meter over de bodem van de gang schraapte. Het water was pikzwart, dus probeerde ze zich door de stroming te laten leiden, waarbij ze af en toe langs de rotswand schuurde.

Met een tiental krachtige slagen gleed ze soepel door het water. Toen haar lucht opraakte, steeg ze op naar het oppervlak, in de verwachting dat ze inmiddels ver genoeg van de schutter verwijderd was om snel adem te kunnen halen. Terwijl de druk op haar longen pijn begon te doen strekte ze haar arm met gebalde vuist boven haar hoofd en schoot in deze scubaduikershouding met krachtige beenslagen naar het oppervlak. Maar nadat ze zo'n drieënhalve meter was gestegen, stuitte haar opgeheven hand onverwacht op steen. Met een beklemmend gevoel van angst tastte ze het harde oppervlak af. Ze hield haar hoofd naast haar hand tot haar wang langs de rotswand boven haar streek en ze de stroming tegen haar gezicht voelde drukken.

Haar bonzende hart sloeg een slag over toen ze zich realiseerde dat de doorgang in een onderwatertunnel was overgegaan en dat daar geen lucht meer was.

95

Zakkar had met zijn uzi het vuur geopend op het moment dat Summer het water indook. Het salvo was echter op de galei gericht, waarbij hij een strook lood in de zijverschansing pompte waarachter Pitt nog geen seconde eerder was weggedoken. Pitt schoof ijlings een paar meter over het dek naar achteren en graaide een rond houten schild dat bij zijn voeten lag van de grond. Hij tilde het op en slingerde het schild alsof het een frisbee was naar Zakkar in de hoop dat dit zijn aandacht afleidde van Summer. Nadat hij het schild met een bliksemsnel pasje opzij had ontweken, opende Zakkar opnieuw het vuur, waarbij hij Pitt met een kort salvo bijna raakte.

Tijdens zijn vluchtige blik over de verschansing had Pitt Summer naar voren zien springen en de plons van haar duik gehoord. Het water bleef verder stil en de schutters verspilden geen munitie in de doorgang, wat hem het vertrouwen gaf dat zijn dochter ongedeerd naar buiten was gezwommen.

Bannister bleek net zo bedreven in het ontwijken van kogels. In de verwarring die op Pitts speerworp volgde, had hij zich achter een paar lage rotsblokken gesleept, waar hij zich verborgen hield en door zijn verwondingen in een toestand van bewusteloosheid raakte, waaruit hij steeds weer kort ontwaakte. De Arabieren besteedden overigens zo goed als geen aandacht aan hem. Zij waren alleen nog geïnteresseerd in wraak voor de dood van hun kameraad.

'Ga langs de achtersteven aan boord,' riep Zakkar naar zijn metgezel, nadat hij de doorboorde schutter had gecontroleerd. 'Dan ga ik vanaf de voorkant achter hem aan.'

De Arabier pakte het zaklampje van de dode en liep naar de voorsteven van de galei, waarbij hij angstvallig op zijn hoede was voor Pitt op het dek boven hem.

Pitt had alleen de drie gewapende mannen samen de grot zien binnenkomen en hoopte dat er niet meer waren. Hij had geen idee wie ze waren, maar dat het meedogenloze moordenaars waren was duidelijk. Hij begreep dat hij hen dus genadeloos moest zien uit te schakelen.

In het schaarse licht liet hij zijn blik over het hoofddek van de galei gaan en ontwaarde aan de beide uiteinden een trap die naar het lager gelegen roeiersdek leidde. Onderweg naar de trap in het achterschip pakte hij een zwaard en een schild van het over het hele dek verspreide wapentuig. Het schild voelde ongewoon zwaar aan, waarop hij het omdraaide en zag dat er aan de binnenkant drie korte pijlen bevestigd zaten. Hij waren werppijlen die in de nadagen van het Romeinse Rijk in zwang waren. Elke pijl was ongeveer dertig centimeter lang met halverwege een zwaar stuk lood en aan het uiteinde een bronzen punt met weerhaken. Pitt klemde het schild onder zijn arm en klom over de omgevallen mast die dwars over het achterdek lag.

Aan de geluiden hoorde hij dat de twee schutters aan beide uiteinden van het schip aan boord probeerde te komen, terwijl hij naar het verhoogde gedeelte van de achtersteven liep. Halverwege het achterdek struikelde hij over het skelet van een Romeinse legionair en viel haast door het open trapgat naar het lager gelegen dek. Hij vloekte in zichzelf bij de buiteling die hij maakte, maar het bracht hem wel op een idee.

Hij nam het zwaard en joeg de punt zodanig in een dekplank dat het rechtop bleef staan. Vervolgens hees hij het skeletachtige torso overeind en haakte het vast aan het gevest van het zwaard. Haastig sloeg hij er nog een half vergane cape omheen die onder het stoffelijk overschot had gelegen, waarna hij vlakbij ook een gebroken lans zag liggen. Hij stak de speer door de ribbenkast van het skelet en klemde hem er met de bovenkant in vast, zodat de punt dreigend naar voren priemde. In het schemerige licht leek de oude krijger haast een levende gestalte.

Boven hem hoorde Pitt het gebonk van de schutter die van de hekbalk op de verhoogde stuurplecht was gesprongen. Pitt trok zich stilletjes terug naar de omgevallen mast, klom over de dikke stam heen en verborg zich in de schaduw erachter. Zachtjes maakte hij de drie werppijlen van het schild los en zocht in een van zijn zakken naar een munt. Hij vond een kwart dollar, nam die in zijn hand en wachtte af.

De schutter bewoog zich behoedzaam en speurde geduldig het hoofddek af voordat hij van de stuurplecht naar beneden kwam. Hij liep een van de twee trappen af die zich elk aan een kant van de doorgangen naar het roeiersdek bevonden. Tot Pitts geluk koos de schutter voor de trap die het dichtst bij Pitt was.

Pitt hield zich in de schaduw verborgen tot hij hoorde dat de schoenen van de man het hoofddek raakten. Daarop hief hij zijn hand op en gooide met een draaibeweging van zijn pols de munt hoog de lucht in. De munt landde precies waar Pitt hem hebben wilde, aan de voet van het skelet, waar hij rinkelend over het verder doodstille dek rolde.

De geschrokken schutter draaide zich om naar het geluid en zag daar de in een cape gehulde gestalte met een speer staan. Ogenblikkelijk joeg hij twee salvo's van zijn automatische pistool in het skelet, dat tot zijn verbijstering tot een nietig hoopje in elkaar zakte. Maar zijn verbazing duurde niet lang, want Pitt was al overeind gekomen en slingerde de eerste pijl van zes meter afstand in zijn richting.

Het oude wapen bleek wonderbaarlijk goed uitgebalanceerd en Pitts worp was meteen raak. Hij trof de man boven zijn heup. De schutter gromde van de pijn die het binnendringen van het scherpe projectiel veroorzaakte, en stond op zijn benen te tollen toen de tweede pijl voor zijn borst langs suisde. Terwijl hij de eerste pijl probeerde los te trekken keek hij op naar Pitt en zag de derde pijl op zich afkomen. Te overdonderd om te schieten deed hij instinctief een stap opzij om de haak te ontwijken. Alleen was daar geen dek onder zijn voeten.

Met een luide kreet stortte hij in het open trapgat, waarin Pitt even eerder net niet was gevallen. Een seconde later klonk het weerzinwekkende gekraak van brekende botten van het roeiersdek op, gevolgd door een griezelige stilte.

'Ali?' schreeuwde Zakkar van de voorplecht.

Maar er kwam geen antwoord.

96

Voor de tweede keer in evenveel minuten zag Summer zich voor een levensbedreigende keuze geplaatst. Moest ze teruggaan of juist doorzwemmen? Ze had geen idee hoe lang het plafond al tot onder de waterlijn was gezakt. Het kon anderhalve meter zijn, maar net zo goed ook tien, twintig keer zoveel. En tegen de stroom in zwemmend, hoe zwak die ook was, zouden die meters kilometers lijken. Ditmaal volgde ze haar instinct en besloot impulsief om door te zwemmen.

Met ferme arm- en beenslagen worstelde ze zich door de gang, waarbij ze herhaaldelijk met haar hoofd en armen tegen het omringende gesteente sloeg. Om de twee slagen stak ze een arm omhoog in de hoop dat die door het oppervlak zou breken. Maar steeds weer stootte haar hand tegen steen. Haar hart ging als een razende tekeer en ze vocht tegen de neiging om uit te ademen, terwijl ze langzaam in paniek raakte. Hoelang was ze nu al onder water? Een minuut? Twee minuten? Het leek een eeuwigheid. Maar hoelang dat ook mocht zijn, ze begreep maar al te goed dat de vraag hoeveel seconden ze dit nog volhield belangrijker was.

Ze probeerde nog krachtigere slagen te maken, maar door het zuurstofgebrek in haar hersenen voelde het alsof ze in slow motion bewoog. En door de afnemende zuurstofspanning in haar spieren tintelde er een eigenaardig brandend gevoel in haar armen en benen. Het zwarte water leek donkerder te worden en ze voelde het zoute water niet meer in haar ogen prikken. Een innerlijke stem gilde dat ze door moest zetten, maar ze voelde dat ze wegglipte.

Maar toen zag ze iets. In het water boven haar schemerde een vaalgroene gloed. Misschien was het gezichtsbedrog of een eerste teken dat ze het bewustzijn verloor, maar dat deed er niet toe. Terwijl het laatste restje lucht uit haar longen ontsnapte, trapte ze zich met alle energie die ze nog in zich had omhoog naar het licht.

Haar armen en benen leken in brand te staan en in haar oren bulderde een oorverdovende dreun. Haar hart leek uit haar borstkast te barsten en haar longen voelden alsof ze elk moment uit elkaar zouden klappen.

Maar ze negeerde de pijn, de twijfel, en de aandrang om op te geven. Ze bleef zich door het water stuwen.

De groene gloed veranderde geleidelijk in een warm schijnsel dat zo helder was dat ze in het zeewater stofjes en plantendeeltjes zag dwarrelen. Recht boven haar trok een zilverachtige glans haar aandacht, alsof er een kom vol kwikzilver glinsterde. Uit haar snel slinkende energievoorraad putte ze in een wanhopige poging het overgebleven restje kracht voor nog een paar allerlaatste trappen omhoog.

Summer schoot door de waterspiegel als een showdolfijn in het Dolfinarium en kwam hoog uit het water alvorens ze met een plons terugviel. Hijgend en happend naar lucht zwom ze naar de dichtstbijzijnde rots en klampte zich aan het ruwe oppervlak terwijl haar volledig verzuurde lichaam tot rust trachtte te komen. Zo lag ze zeker vijf minuten voordat ze zover was hersteld dat ze zich kon bewegen. Op dat moment hoorde ze in de verte het gedempte geluid van schoten en dacht ze weer aan haar vader.

Om zich heen kijkend zag ze dat ze zich in een half ondergelopen rotsholte bevond op zo'n honderd meter ten westen van de grot. Meteen zag ze ook de aan een rotsformatie vastgebonden Zodiac liggen, nu geflankeerd door nog twee kleine boten. Ze liet zich weer in het water zakken, gleed in een boog om wat rotsen heen en zwom op de boten af.

Haar armen voelden al naar een paar slagen aan alsof ze van lood waren en de branding wierp haar een paar keer bijna tegen de rotsen, maar uiteindelijk bereikte ze de boten zonder dat ze te pletter was geslagen. Er was geen radio in de Zodiac, dus moest ze aan dek van een van de beide andere boten zien te klauteren. Het was een piepkleine houten trawler, waarmee Zakkar was gekomen. In de minuscule open stuurhut vond ze een scheepsradio en riep onmiddellijk de Aegean Explorer op.

Dirk, Giordino en Gunn waren alle drie op de brug toen Summers geprikkelde stem uit de luidspreker van de radio schalde.

'Summer, hier de Explorer. Zeg 't maar,' antwoordde Gunn bedaard.

'Rudi, in de grot hebben we de galei gevonden. Maar er doken drie gewapende mannen op. Ik ben ontsnapt, maar pa is er nog en zij willen hem doden.'

'Rustig maar, Summer. We zijn al onderweg. Probeer je te verstoppen tot we er zijn, en doe geen gevaarlijke dingen.'

Kenfield had de Explorer al gedraaid en voerde de snelheid tot het maximum op toen Gunn de verbinding verbrak. Dirk stapte naar voren en keek door de voorruit.

'Da's nog minstens tien kilometer varen,' jammerde hij tegen Gunn. 'Dat duurt te lang.'

'Hij heeft gelijk,' zei Giordino. 'Stop het schip.'

'Wat bedoel je daar nou weer mee, stop het schip?' schreeuwde Gunn.

'Geef ons twee minuten om de Bullet te water te laten, dan zijn we daar veel sneller.'

Gunn dacht hier een seconde over na. Zelfs voor Gunn was Pitt meer dan een baas, hij was als een broer voor hem. Als de rollen omgedraaid waren, wist hij precies wat Pitt zou doen.

'Oké,' zei hij niet al te enthousiast. 'Zorg wel dat je het overleeft, alsjeblieft.'

Dirk en Giordino stoven allebei naar de deur.

'Al, ik zie je op het dek,' riep Dirk hem toe. 'Ik moet nog even iets ophalen.'

'Als je de bus maar niet mist,' reageerde Giordino, die al naar het achterschip verdween.

Dirk holde naar het onderdek, waar de hutten van de bemanning zich bevonden. Hij sprintte naar de hut van zijn vader, stormde naar binnen en liep naar een klein, ingebouwd bureautje. Erboven was een boekenplank en Dirk zocht snel de rugtitels af. Zijn blik bleef hangen bij een dik, in leer gebonden exemplaar van de Herman Melvilles *Moby Dick*. Hij trok het boek van de plank en sloeg het open.

'Op naar het grote witte monster, Ismael,' mompelde hij, waarna hij het boek onder zijn arm klemde en de hut uitsnelde.

97

Pitt was Zakkar bijna vergeten. Hij was langs de voorplecht aan boord geklauterd en riep nu naar zijn kameraad. Toen er slechts stilte volgde, deed de Arabier het zaklampje van Salaam aan en richtte de lichtstraal op het achterste gedeelte van het dek. De lichtstraal gleed over de gestalte van Pitt, die hem daar met een schild in zijn hand en een olijke grijns om zijn mond aanstaarde.

Maar Pitt was al naar de andere kant van de mast weggedoken toen Zakkars uzi losbarstte en er een regen van kogels boven zijn hoofd in de verhoogde stuurplecht sloeg. Pitt gaf hem niet de gelegenheid voor een beter gericht tweede salvo en kroop al tijgerend over het dek, waarna hij zich in het open trapgat liet zakken, terwijl Zakkar de achtervolging inzette.

Het lijk van Ali lag nauwelijks zichtbaar in de kleine lichtvlek die het door het trapgat invallende licht op de vloer van het roeiersdek wierp. Pitt zag dat het hoofd van de Arabier in een onnatuurlijke hoek lag. Hij had bij de val zijn nek gebroken. Pitt knielde snel achter het lichaam en keek om zich heen of hij ergens zijn wapen zag. Maar het was er niet. Tijdens zijn val had Ali het losgelaten en was het in een van de verzonken roeicompartimenten weggerold. Pitt had zijn zaklamp op het opperdek achtergelaten om de pilum te kunnen gooien en zou het wapen in deze duisternis nooit kunnen vinden.

Terwijl Zakkar boven hem naar achteren rende, sloop Pitt naar voren over een looppad dat midden tussen de in rijen gegroepeerde roeibanken doorliep. Hij had zijn Romeinse wapens aan dek achtergelaten en was nu ongewapend in deze onverlichte ruimte. Zijn enige hoop was dat hij de voorste trap bereikte, voordat Zakkar in het achterschip naar beneden kwam.

Maar Zakkar wist dat hij zijn man op de hielen zat en aarzelde geen moment om de achterste trap af te snellen. Pitt hoorde hem komen en schuifelde op de tast zo snel mogelijk door in de richting van een wazig lichtstraaltje waaruit hij afleidde dat daar het trapgat van de voorste opgang moest zijn.

Zodra zijn voeten het benedendek raakten, besteedde Zakkar nauwelijks een seconde aandacht aan het dode lichaam van Ali alvorens hij de straal van het zaklampje door de ruimte zwaaide. Hij ontwaarde een beweging aan het andere uiteinde en het volgende moment was het licht op de naar de voorste ladder hollende Pitt gericht. Hij richtte bliksemsnel en vuurde een eerste salvo af.

Pitt dook naar de grond terwijl de kogels zich in het zachte hout om hem heen boorden. Onder aan de voorste trap stonden een paar kratjes opgestapeld, waar hij snel naartoe kroop en dekking achter zocht. Zakkar kwam dichterbij en vuurde opnieuw, waarbij op een paar centimeter van Pitts hoofd de splinters uit een van de kratjes sprongen.

Ongewapend bevond Pitt zich in een hopeloze situatie. Zijn enige kans was de ladder op zien te komen voordat Zakkar dichterbij kon komen. Nogmaals zocht hij naar een wapen, maar hij zag alleen vlakbij het zoveelste skelet liggen. Ook dit was het stoffelijke overschot van een Romeinse legionair, gezien de bepantserde tunica en helm die bij het geraamte lagen. De dode soldaat was waarschijnlijk, na in de strijd te zijn gedood, door het trapgat gevallen. Na een korte blik op het borstpantser boog hij zich er in een snelle beweging naartoe en rukte het van de verdroogde botten.

In de vierde eeuw was de Romeinse soldaat voor veel van zijn beschermende kleding op ijzer overgegaan. Het was vreselijk zwaar, maar weerstond de scherpste speren en sterkste zwaarden. En zou, zo overwoog Pitt, misschien ook de kogels uit een 9 mm uzi semiautomatisch pistool afweren. Pitt zette de zware ronde helm op, die ter bescherming van de nek van een verlengd achterstuk was voorzien. Vervolgens bekeek hij het borstpantser. Dit zogenaamde kuras bestond uit een ijzeren, in de vorm van een mannelijke torso gegoten plaat met een bijpassend rugdeel. Pitt zag dat deze gemaakt was voor iemand die kleiner was dan hij.

Zonder de tijd te nemen om te kijken of het kuras paste, slingerde hij de beide platen tegen zijn rug en bond ze met een leren band om zijn hals vast. Nadat hij naar de voet van de trap was gekropen, keek hij omhoog naar het dek boven hem, ademde diep in en vloog zo snel als zijn armen en benen hem dragen konden de ladder op.

Zakkar was nog zo'n vijftien meter van hem vandaan en snelde met zijn zaklamp op de ladder gericht door het middenpad, toen hij Pitt opeens naar boven zag sprinten. De ervaren moordenaar bleef onmiddellijk staan en hief zijn wapen op. Terwijl hij de lamp met zijn linkerhand onder de loop hield, richtte hij zorgvuldig op Pitt en haalde de trekker over.

Het hout om Pitt heen spatte in een wolk van splinters uiteen terwijl de kogels zich in de scheidingswand achter de ladder boorden. Hij voelde drie harde tikken tegen zijn rug, waardoor hij als door hamerslagen getroffen naar voren klapte, maar hij werd er niet door in zijn vaart geremd. Zich met armen en benen afzettend sprong hij op het open dek, terwijl een tweede salvo de bovenste sporten van de ladder verbrijzelden waar zijn voeten nog geen seconde daarvoor hadden gestaan.

Lichtelijk verbaasd dat hij heelhuids langs de ladder was ontsnapt, rende Pitt naar de zijreling. In zijn Romeinse wapenrusting wilde hij over de verschansing springen toen hij op het dek nog eenzelfde pilum zag liggen als hij naar de eerste schutter had geworpen. Onmiddellijk besloot hij de aanval over te nemen. Hij greep de werppijl en sloop naar het open trapgat terug.

Zakkar had inmiddels de voet van de ladder bereikt en was zo verstandig de zaklamp uit te doen. Nu beide mannen zich even niet meer verroerden heerste er opeens een diepe stilte op de galei. Vervolgens klom Zakkar voorzichtig, centimeter voor centimeter aftastend, de aan stukken geschoten ladder op. Omdat hij bij het klimmen niet zowel de zaklamp als zijn wapen in de hand kon houden, klemde hij de lamp tussen zijn tanden en hield de uzi boven zijn hoofd.

Alleen zijn hoofd stak boven het dek uit toen hij Pitt op een paar meter afstand zag bewegen. De pilum vloog uit Pitts hand en schoot om zijn as draaiend recht op de Arabier af. Maar het doelwit was te klein en Zakkar kon tijdig wegduiken, waarop de pilum zonder hem te raken tegen het ladderframe kletterde. Zakkar hield de uzi op en vuurde zonder te kijken in de richting van Pitt alvorens hij met een leeggeschoten magazijn weer het trapgat indook.

Pitt was al bij de reling en wierp zich in de om hem heen fluitende kogelregen over de rand. Maar door het salvo raakte hij uit evenwicht en kwam nogal ongelukkig neer op het ruim vier meter lager gelegen zand. Er schoot een pijnscheut door zijn rechterenkel toen hij opstond en een eerste stap deed, waarna hij snel zijn gewicht naar zijn andere voet verplaatste. Met een verstuikte enkel leek het water in de doorgang opeens mijlenver weg. Maar het lichaam van Salaam was een stuk dichterbij. Het lag op nauwelijks twee meter van hem vandaan en Pitt wist dat hij een pistool had gehad.

Hij hinkte ernaartoe en boog zich, op zoek naar het pistool, over de dode.

'Zoek je dit?' klonk het plotseling honend vanaf de galei.

Aarzelend keek Pitt over zijn schouder en zag Zakkar die met het pistool van de dode schutter op zijn hoofd gericht op hem neerkeek.

98

Pitt begreep niet waarom de Arabier hem niet meteen neerschoot. Zakkar had zich al een paar seconden niet verroerd, voordat Pitt doorkreeg dat hij langs hem heen keek. Voorzichtig volgde Pitt zijn blik naar de doorgang, waar zich onder de waterspiegel een merkwaardig verschijnsel voordeed.

Onder het oppervlak was een wazig schijnsel zichtbaar dat geleidelijk helderder werd, terwijl opstijgende belletjes het water erboven vertroebelden. Een batterij felle xenonlampen was het eerste wat uit de diepte opdook, gevolgd door een plexiglazen koepel en een langwerpige witte romp. Pitt moest onwillekeurig glimlachen toen hij de Bullet uit het water zag oprijzen, traag dobberend in de doorgang van de grot.

Van achter de besturingsconsole keken Dirk en Giordino diep onder de indruk naar de enorme grot en de Romeinse galei die daar pontificaal op de zandbank lag. Tot ze Pitt zagen staan met de loop van Zakkars wapen op zich gericht, beide mannen badend in het felle licht van de duikboot. Bij het zien van de Arabier verslikte Dirk zich haast door de schok van herkenning.

'Dat is die terrorist uit Jeruzalem,' stamelde hij. 'Hou het licht op hem gericht.'

Voordat Giordino kon reageren, was Dirk al van zijn stoel gesprongen en naar het achterluik gesneld. In een oogwenk was hij, nog altijd met het boek van Herman Melville in zijn hand, op de ballasttank langs de romp geklommen. De duikboot lag op zo'n drie meter van de zandbank en Giordino draaide iets bij om de galei beter te kunnen zien, maar Dirk wachtte niet tot hij dichter naar de oever was gevaren. Met een krachtige kikkersprong plonsde hij het water in en zwom met het boek boven zijn hoofd naar de kant.

Op het dek van de galei overzag Zakkar geïrriteerd wat er gebeurde. Hij richtte zijn pistool weer op Pitt, drukte af en wachtte tot hij hem voorover in het zand zag vallen. Vervolgens concentreerde hij zich op de duikboot. Hoewel hij de plons van Dirks sprong in het water hoorde, zag hij hem door de verblindende lampen van de Bullet niet de zandbank opkomen. Zorgvuldig mikkend schoot hij een van de lampen aan barrels, waarna hij de plexiglazen koepel met diverse kogels doorzeefde en ten slotte ook de tweede lamp uitschakelde. Toen zag hij een lange gestalte met voor zich uitgestrekte armen de zandbank opkomen.

Zakkar vuurde als eerste en miste met een kogel die rakelings langs Dirks linkeroor suisde. Dirk rende zonder enige aarzeling door, recht op de Arabier af. De emoties gierden door zijn lijf, van liefdevolle gedachten aan Sophie tot laaiende vlagen van woede en opwellende wraakgevoelens. Maar een gevoel van angst was opvallend afwezig.

Terwijl hij Zakkar op de korrel van de .45 Colt nam die hij in zijn uitgestrekte handen hield, haalde hij kalm de trekker over. De knal noch de terugslag van het schot minderde zijn vaart en hij naderde zijn doelwit, als een robotsoldaat bij iedere stap een volgend schot afvurend.

Dirks eerste schot versplinterde de reling voor Zakkar, die bij het terugschieten achteruitdeinsde en hoog over schoot. Een volgende kans kreeg hij niet meer. De volgende kogel uit Dirks .45 trof Zakkar in zijn schouder en rukte bijna zijn arm van zijn romp. Hij tolde om zijn as en viel terug tegen de reling, waar hij nogmaals werd getroffen, nu in zijn zij.

Hij klapte over de verschansing terwijl het leven uit hem wegvloeide, maar een langzame dood was Zakkar niet gegeven. Dirk kwam dichterbij en pompte nog vijf kogels in zijn lijf tot het bloed in dikke vuurrode stralen over de romp van de galei stroomde. Terwijl hij naar de dode terrorist stond te staren, hoorde hij in de plotselinge stilte het geluid van opspattend water achter zich en draaide zich om.

Summer had geholpen bij het door de ingang de grot in loodsen van de Bullet en kwam nu over de uit het water oprijzende richel aangesneld. Op het droge zand gekomen rende ze naar Dirk en vroeg hijgend: 'Waar is pa?'

Dirk knikte grimmig naar de figuur met de Romeinse helm en borstpantser die naast het lijk van de eerste schutter languit in het zand lag. Giordino had de duikboot inmiddels afgemeerd en kwam aangerend om zich bij Dirk en Summer te voegen die op Pitt afsnelden.

Zijn hoofd bewoog, waarna hij zijn ogen opende en met een vermoeid glimlachje om zijn lippen zijn kinderen aankeek.

'Pa, gaat 't een beetje?' vroeg Summer.

'Ik ben oké,' stelde hij haar gerust. 'Alleen een beetje dizzy door de klap. Help me even opstaan.'

Terwijl Dirk en Summer hem overeind hielpen, bekeek Giordino grinnikend de wapenrusting.

'Heil, Caesar,' zei hij, waarbij hij met zijn vuist op zijn borst klopte.

'Ik mag Caesar wel bedanken,' reageerde Pitt, terwijl hij zijn helm afzette. Hij hield hem omhoog en liet zo de schram ter hoogte van de slaap zien waar een van Zakkars kogels de helm had geraakt.

'Dat was kantje boord,' zei Giordino.

Pitt slingerde de kuras van zijn rug en bekeek hem. Drie keurig ronde kogelgaten hadden de borstplaat doorboord, maar op de rugplaat waren slechts deukjes te zien. Alleen door het pantser dubbel te slaan had Pitt het overleefd.

'Het zegt toch iets over de Romeinse wapenkunst,' merkte hij op.

Terwijl hij het harnas op de grond liet vallen, keek hij naar Dirk en de .45 die hij nog in zijn hand hield.

'Die Colt komt me bekend voor.'

Met tegenzin gaf Dirk het wapen aan zijn vader. 'Je hebt me ooit eens verteld dat Loren je in Mongolië een wapen had opgestuurd verstopt in een uitgehold exemplaar van *Moby Dick*. Voor we naar je toekwamen, ben ik snel naar je hut gerend en zag het boek op de plank staan. Hopelijk vind je het niet erg.'

Pitt schudde zijn hoofd en richtte zijn blik op de bloederige massa die van Zakkar was overgebleven.

'Daar heb je je wel heel erg op uitgeleefd,' zei hij.

'Die ploert leidde de aanslagen in Caesarea en Jeruzalem,' antwoordde Dirk onbewogen, waarbij hij het feit dat Zakkar indirect ook voor de dood van Sophie verantwoordelijk was, achterwege liet.

'Het is toch raar dat hij nu hier zijn einde vindt,' zei Summer.

'Ik vermoed dat jouw Britse vriend daar meer van weet,' zei Pitt op Bannister wijzend.

De archeoloog had zich met zijn rug tegen een steen overeind gehesen en zat hen nu met een verdwaasde blik in zijn ogen aan te staren.

'Ik kijk wel even hoe 't met hem is,' bood Giordino aan. 'Dan kunnen jullie een kijkje aan boord gaan nemen.'

'Heb je de vracht van het Manifest gevonden?' vroeg Summer hoopvol.

'Sorry, maar ik had echt andere dingen aan m'n hoofd,' antwoordde Pitt. 'Kom, kan iemand een oude, zwakke man aan boord helpen?'

Ondersteund door Dirk en Summer klauterde Pitt de galei op, waar hij de trap naar het duistere roeiersdek afdaalde. Hinkend bewoog hij naar de stapel kratjes die hem eerder als dekking hadden gediend.

'Ik stel voor dat we hier beginnen,' zei hij, terwijl hij een van de kleinere kratjes oppakte. Hij blies het stof eraf en bekeek het in het licht van een zaklamp. Op het hout was nog net het verbleekte Christusmonogram zichtbaar.

'Summer, dat is jouw kruis van Constantijn,' merkte Dirk op.

Summer graaide de zaklamp uit haar vaders hand en bestudeerde het symbool terwijl ze enthousiast knikte.

Het kratje was aan de zijkant beschadigd door een salvo uit Zakkars uzi, waardoor de rand was gekraakt. Met de kolf van zijn .45 sloeg Pitt een paar maal voorzichtig tegen de vervormde rand in een poging het krat zo open te krijgen. De smalle zijkant schoot los en hij klapte de beschadigde voorkant naar voren. Er viel een paar tamelijk versleten leren sandalen uit de kist op de grond. Summer vond de sandalen in de lichtstraal van de zaklamp terug en zag dat er aan een van de schoenen een strookje perkament vastzat. Toen ze zich er met de zaklamp naartoe boog, zag ze dat het een met de hand beschreven label was waarop slechts twee Latijnse woorden stonden: SANDALII CHRISTI.

De vertaling was voor iedereen duidelijk. Ze keken naar de schoenen van Jezus.

EPILOOG

99

Voor de deuren van de Aya Sophia had zich een eindeloze rij van belangstellenden gevormd. Als pelgrims van beide religies wachtten vrome christenen en moslims eensgezind ongeduldig op het moment dat de deuren opengingen en ze de erbinnen uitgestalde relikwieën konden bezichtigen. Het kenmerkende en algemeen vereerde gebouw was in de veertien eeuwen dat het de skyline van Istanbul domineerde, het toneel van talloze historische drama's geweest. Toch was het in haar verleden niet vaak voorgekomen dat een gebeurtenis een dergelijke opwinding onder de mensen teweegbracht, zoals nu onder de wachtende menigte die zich verdrong om binnen een kijkje te kunnen nemen.

De mensen in de lange rij besteedden nauwelijks aandacht aan de oude groene Delahaye cabriolet die voor de ingang stond. Als ze beter hadden gekeken, hadden ze dwars over de kofferbak een strook kogelgaten kunnen zien, een schade die de nieuwe eigenaar van de auto nog niet had laten repareren.

In het gebouw liep een groepje vips statig over het Kroningsplein, waar ze de dubbele tentoonstelling bekeken die onder de grote, tot ruim vijftig meter boven hun hoofden bollende koepel van de Aya Sophia was ingericht. Rechts van hen zagen ze een aan het leven van Mohammed gewijde tentoonstelling met onder meer het gestolen strijdvaandel, een deels met de hand geschreven fragment uit de Koran en andere artefacten uit de privécollectie van Ozden Celik. Aan de linkerkant van de hal waren de relikwieën van Jezus uitgestald die in de galei op Cyprus waren ontdekt. Rond de vitrinekasten van beide tentoonstellingen wemelde het van gewapende bewakers die al klaarstonden voor het moment dat het museum officieel voor het publiek opening.

Giordino en Gunn stonden bij een onder een glazen stolp uitgestald ossuarium met Loren en Pitt te praten toen dr. Ruppé zich bij hen voegde.

'Wat is dit fantastisch!' riep Ruppé stralend. 'Ik kan nog steeds niet geloven dat jullie dit voor elkaar hebben gekregen. Een gezamenlijke tentoonstelling met relikwieën uit de levens van zowel Jezus als Mohammed. En dan in dit decor!'

'Met een historische achtergrond van zowel kerk als moskee leek de Aya Sophia de ideale locatie voor een openbare expositie van de artefacten,' reageerde Pitt. 'Ik denk dat je mag stellen dat ook de burgemeester van Istanbul me iets schuldig was,' voegde hij er grijnzend aan toe.

'Het heeft zeker geholpen dat de mensen op Cyprus akkoord zijn gegaan met een reizende expositie van de artefacten van Jezus zolang zij nog bouwen aan een permanente tentoonstellingsruimte voor de relikwieën en de galei,' zei Gunn.

'Vergeet vooral de bijdrage van wijlen de heer Celik niet,' merkte Giordino op.

'Inderdaad, de relikwieën van Mohammed zijn nu allemaal van het Turkse volk,' vulde Pitt aan.

'Nog zo'n geweldig geklaarde klus,' zei Ruppé. 'Het publiek zal het prachtig vinden. Het is echt een inspirerende les in tolerantie om de geschiedenis van beide religies te combineren.' Hij keek Pitt met opgetrokken wenkbrauwen aan. 'Weet je, als ik niet beter zou weten, zou ik haast gaan denken dat jij je alvast indekt voor het hiernamaals.'

'Een goede verzekering is nooit weg,' antwoordde Pitt met een knipoog.

Aan de andere kant van de hal stond Julie Goodyear gebiologeerd over een kleine vitrine gebogen met daarin een aantal verbleekte papyrusvellen.

'Summer, dit geloof je toch niet? Dit is een originele brief van Jezus aan Petrus.'

Summer moest glimlachen om het enthousiasme dat van het gezicht van de historica straalde.

'Ja, de vertaling staat eronder. Het zijn instructies aan Petrus voor de organisatie van een grote bijeenkomst. Verschillende Bijbelse archeologen denken dat het om de Bergrede zou kunnen gaan.'

Nadat ze het document nog een poosje aandachtig had bekeken, draaide Julie zich naar Summer om en schudde haar hoofd.

'Het is gewoon ongelooflijk. Het feit dat deze artefacten opgesomd stonden in een bestaand document dat tot op de dag van vandaag bewaard is gebleven is al waanzinnig genoeg. Maar dat vervolgens ook al die artefacten gevonden zijn en bovendien in een uitstekende staat verkeren, dat kun je zonder meer een wonder noemen.'

'Met hard werken en een beetje geluk kom je ver,' reageerde Summer glimlachend. Omdat ze Loren en Pitt aan de andere kant van de hal zag staan, zei ze: 'Kom, ik wil je aan mijn vader voorstellen.'

Terwijl Summer met Julie de hal overstak, hield Julie haar staande bij het allereerste voorwerp van de Jezus-expositie. Uitgestald in een vitrine van dubbeldik, kogelvrij glas lag het originele Manifest. Eronder lag een kaartje met de tekst: 'In bruikleen van Ridley Bannister'.

'Het is leuk om het origineel terug te zien, maar eerlijk gezegd verbaast het me dat de heer Bannister het voor de tentoonstelling heeft willen uitlenen,' zei Julie.

'Hij was in de grot op Cyprus bijna de pijp uit gegaan en ik durf te stellen dat die ervaring een ander mens van hem heeft gemaakt. Hij heeft zelf voorgesteld om het Manifest aan de tentoonstelling toe te voegen en heeft zich zelfs al bereid verklaard om het voor de permanente expositie op Cyprus ter beschikking te stellen. Uiteraard heeft hij het ook gepresteerd dat er al een boek en een documentaire over het Manifest zijn gemaakt,' voegde ze er met een spottend lachje aan toe.

Ze liepen door naar Pitt en de anderen, waar Summer haar vriendin voorstelde.

'Leuk om de jongedame te ontmoeten die voor al deze historische schatten verantwoordelijk is,' zei Pitt charmant.

'Alstublieft, mijn rol hierbij was minimaal,' reageerde Julie. 'U en Summer hebben de echte relikwieën ontdekt. Met name dat wel heel bijzondere ding,' vervolgde ze, terwijl ze over Pitts schouder naar het kalkstenen ossuarium wees.

'Ja, het ossuarium van J,' reageerde Pitt. 'Het heeft nogal wat ophef veroorzaakt, aanvankelijk. Maar in een uitvoerig onderzoek hebben epigrafische deskundigen de Armeense inscriptie die ze op de voorkant aantroffen, ontcijferd als van JOSEF en niet van JEZUS. Verschillende experts vooronderstellen dat het om Jozef van Arimatea gaat, maar ik denk dat we dat nooit echt zeker zullen weten.'

'Het lijkt mij wel waarschijnlijk. Hij was rijk genoeg voor een praalgraf met ossuarium. En waarom zou Helena het anders in haar collectie hebben gehad? Het is alleen jammer dat de botten er niet meer zijn.'

'Dat is een mysterie dat jij mag oplossen,' zei Pitt. 'Over mysteries gesproken, Summer vertelde me dat je iets nieuws hebt ontdekt over Lord Kitchener en de Hampshire.'

'Inderdaad, ja. Summer heeft je waarschijnlijk verteld dat we brieven van een zekere bisschop Lowery hebben gevonden waarin hij Kitchener vlak voor de ondergang van de Hampshire aanspoort het Manifest af te geven. Vrij kort daarna is Lowery bij een auto-ongeluk invalide geraakt, wat er uiteindelijk toe leidde dat hij in een depressieve bui een eind aan zijn leven heeft gemaakt. In zijn familiedossier vond ik een afscheidsbrief waarin hij zijn rol in de ramp met de Hampshire opbiecht. Het schip is bewust tot zinken gebracht uit angst dat Kitchener het Manifest in Rusland openbaar zou maken. In een tijd dat de Eerste Wereldoorlog in een impasse verkeerde, was de anglicaanse Kerk kennelijk doodsbang dat de inhoud ervan bekend werd, met name de verwijzing naar het ossuarium van J en de tegenstrijdigheid daarvan met de wederopstanding.'

'De Kerk heeft voorlopig het een en ander uit te leggen, dacht ik zo.'

Tijdens dit gesprek was Loren naar een schilderijtje gelopen dat tegen een achtergrond van fluweel was uitgestald. Dit portret van Jezus, afkomstig uit de Bijbelse tijd en door een Romeinse kunstenaar geschilderd, was zonder meer het populairste stuk van de tentoonstelling. Hoewel het niet van het talent van een Rembrandt of Rubens getuigde was het toch een opmerkelijk realistische weergave van een reflectieve persoonlijkheid. De met een slank gezicht, donkere haren en een volle baard op het paneel afgebeelde man had een bijzondere uitstraling. Dat zat 'm in de ogen, concludeerde Loren. De olijfkleurige oogbollen knalden haast van het paneel door de intense compassie die ze uitdrukten.

Loren bekeek het schilderij een paar minuten aandachtig, waarna ze Summer bij zich riep.

'Het enige bekende portret van Jezus uit zijn eigen tijd,' zei Summer, terwijl ze dichterbij kwam. 'Bijzonder, vind je niet?'

'Jazeker.'

'De meeste Romeinse schilderijen die uit die tijd bewaard zijn gebleven, zijn in feite fresco's en een los portret is echt heel zeldzaam. Een deskundige denkt dat het van dezelfde kunstenaar kan zijn die de beroemde muurschildering in Palmyra heeft gemaakt, in Syrië. Die kunstenaar schilderde fresco's in de huizen van de rijken in Judea en vulde zijn inkomen aan met het maken van portretten. Historici denken te weten dat hij Jezus vastlegde op zijn hoogtepunt als prediker, vlak voordat hij werd gearresteerd en gekruisigd.'

Ze volgde Lorens blik en bekeek het portret aandachtig.

'Hij heeft wel iets mediterraans, vind je ook niet,' merkte Summer op. 'Een door zon en wind getekende kop.'

'In elk geval niet zoals de grote middeleeuwse schilders Jezus afbeeldden, alsof hij in Zweden was geboren,' reageerde Loren. 'Doet hij je niet aan iemand denken?' vroeg ze terwijl ze nog altijd gebiologeerd naar het portret staarde.

Summer hield haar hoofd iets schuin en keek nog eens goed. 'Nu je het zegt, er is wel enige gelijkenis,' zei ze glimlachend.

'Gelijkenis met wie?' vroeg Pitt, die bij hen kwam staan.

'Hij heeft golvend zwart haar, een slank gezicht en een zongebruinde huid,' zei Loren. 'Net als jij.'

Pitt bekeek het schilderij en schudde zijn hoofd. 'Nee, zijn ogen zijn niet zo groen. En gezien de achtergrond kan hij niet veel groter dan één meter zestig zijn geweest met een gewicht van nauwelijks vijftig kilo. Bovendien is er nog een ander groot verschil tussen ons,' voegde hij er lichtjes grinnikend aan toe.

'En dat is?' vroeg Loren.

'Hij liep over water. Ik zwem erin.'

100

De middagzon was ver over het hoogste punt heen en wierp lange schaduwen over het gebouw van de arrondissementsrechtbank in Jeruzalem toen het uiteindelijke juryoordeel werd voorgelezen. De verslaggevers van de televisiestations en dagbladen waren de eersten die het gebouw uitkwamen, erop gebrand hun verhalen over de rechtszaak zo snel mogelijk de wereld in te sturen. De juridisch geïnteresseerden en sensatiezoekers die de publieke tribune hadden gevuld kwamen er achteraan, nu druk napratend over de afloop van de zaak. Als laatsten volgden de getuigen en advocaten, opgelucht dat de lange rechtszaak er eindelijk op zat. De beklaagde echter was opvallend afwezig. Oscar Gutzman zou de rechtbank allerminst als vrij man door de vooringang verlaten. Geboeid en onder zware bewaking werd hij heimelijk door een achterdeur naar een wachtend politiebusje gebracht, waarin hij ijlings naar de Shikma-gevangenis werd afgevoerd.

Dirk junior en Sam Levine hingen nog enige tijd in de foyer rond om de advocaten te bedanken voor het goede werk dat ze hadden verzet, waarna ook zij de avondschemering instapten. Op de gezichten van beide mannen lag iets van verbittering te lezen omdat ze er maar al te goed van doordrongen waren dat deze veroordeling nooit de dood van Sophie en haar collega goed kon maken.

'Vijftien jaar voor het aanzetten tot en de medeplichtigheid aan de dood van agent Holder in Caesarea,' zei Sam. 'Dat hadden wij niet veel beter kunnen doen.'

'Dat zou op z'n minst moeten garanderen dat hij nooit meer vrijkomt,' reageerde Dirk onbewogen.

'Met zijn zwakke gezondheid zou 't me verbazen als hij het eerste jaar overleeft.'

'Dan mag je wel opschieten als je hem nog wegens heling van antiquiteiten voor het gerecht wilt slepen,' zei Dirk.

'Daarover zijn we met zijn advocaten al tot een schikking gekomen. Hoewel we een sterke zaak wegens heling tegen hem hadden, waarmee we hem zonder meer met nog paar jaar extra hadden kunnen opzadelen.'

'En wat heb je daarvoor in ruil gekregen?'

'Alle verdere aanklachten tegen hem zijn ingetrokken onder voorwaarde dat hij alle medewerking verleent aan het lopende onderzoek naar de bronnen van de gestolen artefacten in zijn verzameling. Bovendien,' vervolgde Sam glimlachend, 'heeft Gutzman laten vastleggen dat zijn gehele collectie na zijn dood aan de staat Israël wordt overgedragen.'

'Dat is een mooie coup.'

'Dat dachten wij ook,' reageerde Sam, terwijl ze de trap voor het gerechtsgebouw afliepen. 'Daarmee hebben we ten minste iets terug van wat we zijn kwijtgeraakt.'

'Goed om te weten dat al deze ellende toch nog ergens toe heeft geleid,' zei Dirk. Hij draaide zich opzij en schudde Levine de hand. 'Blijf strijden voor het goede, Sam. Sophie zou zeker hebben gewild dat je doorgaat.'

'Reken maar. Pas goed op jezelf, Dirk.'

Terwijl Sam naar de parkeerplaats liep, hoorde Dirk iemand zijn naam roepen. Toen hij zich omdraaide, zag hij Ridley Bannister leunend op een glanzende stok de trappen afkomen.

'Zo, Bannister,' reageerde Dirk.

'Als je een momentje hebt,' zei de archeoloog, terwijl hij met een been trekkend op Dirk afliep. 'Ik wou je alleen graag laten weten dat ik me niet bewust was dat u iets had met mevrouw Elkin. Ze was een uiterst professionele collega, ook al waren we het lang niet altijd met elkaar eens. Toch wilde ik even kwijt dat ik haar altijd een heel opmerkelijke vrouw heb gevonden.'

'Dat gevoel ken ik,' zei Dirk koeltjes. 'Overigens bedankt voor uw medewerking aan de rechtszaak. Uw getuigenis was cruciaal om Gutzman achter de tralies te krijgen.'

'Ik wist dat hij gestolen artefacten kocht, maar ik had nooit gedacht dat hij zo ver zou gaan om voor de uitbreiding van zijn collectie huurmoordenaars in te schakelen. De verlokking van artefacten is niet zo makkelijk te weerstaan en wat dat betreft heb ik ook het een en ander te verantwoorden. En uiteindelijk word je er toch op afgerekend. U en uw familie hebben me de weg gewezen en daarbij m'n leven gered. Daarvoor ben ik u eeuwig dankbaar.'

'Hoelang hebt u dat nog nodig?' vroeg Dirk op de stok wijzend.

'Nog een paar weken. De artsen op Cyprus hebben uitstekend werk gedaan en me keurig opgelapt.'

'Het is een mooie geste van u om het Manifest aan het nieuwe museum in bruikleen te geven.'

'Het hoort bij de andere artefacten die het NUMA heeft geschonken,' reageerde Bannister. 'Ik hoop dat het ook voor uw zus nog enige vorm van genoegdoening kan zijn. Summer is beslist een pittige jongedame, mag ik wel zeggen. Zeg haar dat ik het een eer zou vinden om haar een keer mee uit eten te nemen.'

'Ik zal het doorgeven. Wat is uw volgende stap?'

'De Ark des Verbonds. Ik heb een aanwijzing ontdekt waaruit blijkt dat die zich in een grot in Jemen zou bevinden. Dat ziet er veelbelovend uit. En u?'

'Ik denk dat ik nog een tijdje in het Middellandse Zeegebied blijf,' antwoordde Dirk effen.

'Nou, veel geluk met wat u ook gaat doen. En doe uw vader en Summer de groeten van me.'

'Succes, Bannister. We zien elkaar nog wel eens.'

Dirk keek de archeoloog na, die zich zwaar hinkend naar de dichtstbijzijnde taxistandplaats begaf en daar een taxi aanhield. Dirks hotel was maar een paar straten verderop en hij besloot er te voet naartoe te gaan. Zo door West-Jeruzalem wandelend was hij zich al snel niet meer bewust van het vele verkeer en de drukte op de stoepen waar hij in gedachten verzonken tussendoor liep.

Hij liep het hotel voorbij en wandelde nog anderhalve kilometer door, waarna hij door de Herodes-poort de oude stad binnenging. Zonder erbij na te denken doorkruiste hij de smalle straatjes, als door een onzichtbaar kompas gedreven in oostelijke richting.

Nadat hij roekeloos overstekend een non door een zijstraat was gevolgd, merkte hij toen hij opkeek dat hij zich op het terrein van de St.-Anna kerk bevond. Terwijl hij langs het kerkgebouw naar de erachter gelegen Baden van Bethesda liep, voelde hij zich eindelijk tot rust komen.

Het bankje waarop hij met Sophie had geluncht, was onbezet en hij ging er zitten in de schaduw van de platanen. Tot lang nadat de zon achter de horizon was gezonken staarde hij er in gepeins verzonken naar de lege baden. En in die serene toestand van vredige bezinning zat hij daar nog steeds toen er in de avondlucht een koel briesje opstak dat de zoete geur van jasmijn door het oude park verspreidde.